LOS MAYAS
DE LAS TIERRAS ALTAS
EN EL SIGLO XVI

TRADICION Y CAMBIO EN GUATEMALA

ELIAS ZAMORA ACOSTA

LOS MAYAS DE LAS TIERRAS ALTAS EN EL SIGLO XVI

TRADICION Y CAMBIO EN GUATEMALA

SEVILLA, 1985

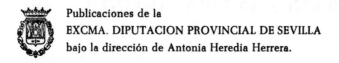
Publicaciones de la
EXCMA. DIPUTACION PROVINCIAL DE SEVILLA
bajo la dirección de Antonia Heredia Herrera.

SECCION HISTORIA
V CENTENARIO DEL DESCUBRIMIENTO DE AMERICA
Número 5

A Lucía, mi mujer, y
a mis hijos Elías y Juan

INDICE

Pág.

RELACION DE SIGLAS Y ABREVIATURAS UTILIZADAS

AGC: Archivo General de Centroamérica. Guatemala.

AGI: Archivo General de Indias. Sevilla.

ASGHG: Anales de la Sociedad de Geografía e Historia de Guate-
         mala. Guatemala.

HMAI: Handbook of Middle American Indians (Robert Wau-
         chope, general editor). University of Texas Press. Austin.

exp.:   expediente.

leg.:   legajo.

PROLOGO

Prologar un buen libro es siempre una tarea agradable y honrosa. Cuando tal libro se ha visto nacer y crecer día a día —mientras se compartían con su autor inquietudes, problemas y posibles soluciones—, el prologuista ya no cumple una función protocolaria y de cortesía, ni tampoco puede aspirar a la fría objetividad de cualquier lector o crítico. Este es mi caso con la última obra de Elías Zamora que ha cubierto brillantes etapas en su corta vida al merecer la máxima calificación como tesis doctoral y, posteriormente, el premio de la Excma. Diputación Provincial de Sevilla para monografías de temas americanistas.

A partir de una primera experiencia que se materializó en su Etnografía histórica de Costa Rica (1561-1615), *Elías Zamora se integró en el pequeño pero entusiasta equipo de etnohistoriadores del Departamento de Antropología y Etnología de América de la Universidad de Sevilla. Al calor de lo que este equipo había venido realizando durante años, y añadiendo materiales e ideas de su propia cosecha, el Prof. Zamora Acosta inició una sistemática y concienzuda investigación sobre el Occidente de Guatemala en el siglo XVI, dentro de un proyecto más amplio que por entonces se ponía en marcha y del que se da nota en otro lugar.*

Sin renunciar a nuestra ya vieja posición de que la etnohistoria de América no es necesariamente la "historia" de los indios —como todavía algunos piensan o pretenden—, sino que la etnohistoria es antropología histórica basada firmemente en un primer nivel etnográfico, creemos que también el indio puede y debe ser objeto preferente de la investigación. Los diversos trabajos que hasta ahora han salido de nuestro Departamento —en su mayoría recogidos en la bibliografía—

15

*son buena muestra del interés amplio y comprensivo que nos ha guia-
do en todo momento. Nos interesa la sociedad indiana o colonial que
en tierras de América se va fraguando a partir de la presencia española y a través de sus contactos y mezclas con la población indígena,
que nunca fue un elemento pasivo. La atención a una u otra institución; el acento puesto en uno u otro aspecto del sistema cultural o de
la estructura social no han sido sino profundizaciones necesarias y
convenientes encaminadas a una futura síntesis.*

*Como una contribución más al conjunto, y con notables resulta-
dos, Elías Zamora centró su atención en el Occidente de Guatemala y
en su población indígena. El argumento de la obra ha sido la descripción y el análisis de los efectos producidos en esta población por la
mera presencia y, por supuesto, por la acción concertada y sistemática
de los españoles. En este sentido, la investigación se encuadra en el
marco ya clásico en antropología del cambio cultural como consecuencia del contacto entre sociedades diferentes y marcadas por la cir-
custancia de dominante-dominada. Sin embargo, la obra de Elías
Zamora ofrece importantes novedades que la distinguen de los estudios clásicos de dinámica cultural. En primer lugar, la situación se
encuadra en la historia de hace varios siglos y no en un presente observado por el investigador o muy próximo a él, como ha sido el
caso de tantos estudios de poblaciones de América del Norte, de
Africa y de otros continentes. En segundo lugar, se maneja un tiempo medio —casi un siglo— muy superior a la profundidad temporal
de la mayoría de los estudios antropológicos. En tercer lugar —y esto
no podía ser de otro modo— la fuente de conocimiento ha sido la
documentación de archivo, tan poco utilizada por los antropólogos
aún después de haberse superado en teoría las reticencias o los mie-
dos a utilizar sistemáticamente el documento escrito como si fuera
información de campo.*

*No entretengo más al lector que en la Introducción hallará más
precisiones sobre la cuestión. Le invito a adentrarse en los densos
capítulos que siguen y que recogen difíciles y laboriosas conclusiones
sobre demografía, ecología o sobre relaciones entre organización social
y tenencia o uso de la tierra. Llamo la atención sobre el esfuerzo realizado para establecer la línea base cultural indígena a partir de la
cual podría intentarse la comprensión de los fenómenos de adaptación
y cambio. Finalmente, me atrevo a afirmar que la presente obra de
Elías Zamora marcará una raya en los estudios etnohistóricos o simplemente históricos sobre la población de las tierras altas mayas, y
contribuirá a ensanchar el campo de visión dentro del cual debemos
contemplar la historia total de las Américas tras el choque cultural*

que se va produciendo a lo largo del siglo XVI. Son éstas algunas ideas básicas que desde hace años vengo propugnando y que la obra personal, joven y al mismo tiempo madura, de Elías Zamora convierte en una realidad muy gratificante para quien se siente tan cerca de ella por razones académicas y afectivas.

ALFREDO JIMENEZ

Departamento de Antropología y Etnología
de América.

Universidad de Sevilla.

INTRODUCCION

Las formas de vida, los comportamientos, las creencias y los valores de las poblaciones indígenas que hoy habitan en la América de habla española, son el resultado de un complejo proceso de mestizaje cultural que se inició cuando indios y españoles entraron en contacto a partir de 1492. Esta afirmación, que ahora puede parecer excesivamente simple, no fue sin embargo formulada de manera científica hasta tiempos muy recientes, hace escasamente tres décadas.

Un grupo de antropólogos culturales que habían hecho trabajo de campo etnográfico en comunidades indígenas de Mesoamérica, se encontraron en Nueva York en 1949 bajo los auspicios de la Wenner-Gren Foundation for Anthropological Research; la reunión que se conoció como "The Viking Fund Seminar on Middle American Ethnology", tenía como objeto intercambiar opiniones sobre el estado de los conocimientos que en ese momento se poseían acerca de las comunidades indígenas mesoamericanas y, fundamentalmente, tratar de buscar solución a un problema que todos tenían planteado: hasta qué punto las culturas que estudiaban eran realmente indias, esto es, supervivencias de las antiguas culturas mesoamericanas, o en qué medida habían sido alteradas como consecuencia de la presencia española.

El resultado del seminario se publicó tres años después en un libro que recibió el sugerente título de *Heritage of conquest* (1). En él se determinaba la práctica imposibilidad de comprender las culturas indígenas contemporáneas de Mesoamérica —y por extensión del

---

1. Sol Tax (edit.): *Heritage of conquest. The ethnology of Midrle America.* Glencoe, Illinois, 1952.

resto del continente— sin tener un conocimiento preciso de las transformaciones que estas culturas sufrieron a partir del siglo XVI, como consecuencia de la conquista y colonización llevadas a cabo por los españoles. También se ponía de manifiesto la necesidad de realizar investigaciones sobre el proceso de aculturación que tuvo lugar durante dicho período; especialmente durante las décadas que siguieron al contacto entre las culturas, por cuanto fue en ese tiempo cuando debieron producirse los cambios más importantes y pudieron aparecer rasgos que permanecerían hasta la actualidad.

Curiosamente, aunque los antropólogos habían prestado especial atención desde la década de 1930 a los problemas de aculturación y cambio cultural, pocos fueron conscientes de que el descubrimiento y la conquista de América dieron lugar al más importante fenómeno de contacto entre culturas que haya existido nunca. La mayor parte de ellos habían dedicado sus esfuerzos a estudiar situaciones de cambio que se estaban produciendo en Africa, en las islas del Pacífico o los Estados Unidos, sin observar que nunca antes ni después de 1492 se habían enfrentado dos mundos radicalmente diferentes y desconocidos, y con niveles de desarrollo cultural tan altos. En un "olvido" de semejante magnitud tuvieron mucho que ver los recelos o la franca oposición de los antropólogos a estudiar el pasado, a hacer trabajo de historiadores, si bien es verdad que la antropología no había desarrollado en aquellos años un método que permitiera acercarse a las culturas pretéritas con la seguridad con que es posible hacerlo en la actualidad.

A pesar de la evidente necesidad de hacer estudios monográficos de situaciones de contacto cultural en el siglo XVI, los años que siguieron a la reunión de Nueva York no vieron demasiados trabajos de este tipo. Fueron tiempos dedicados casi exclusivamente a planteamientos de carácter teórico y metodológico; a discusiones que difícilmente se conectaban con la realidad por falta de conocimiento empírico de los problemas sobre los que se estaba teorizando. Además, generalmente se prestó mucha atención sólo a uno de los aspectos que presentaba el problema; se buscaban rasgos españoles en culturas indígenas, pero no se había tratado de analizar con cierto rigor la cultura de los conquistadores.

El primer paso para cubrir esta deficiencia fue dado por George M. Foster, uno de los participantes en la reunión de Nueva York. Poco después de asistir al seminario, Foster emprendió un viaje por España con el fin de obtener un conocimiento directo de la cultura española. De este modo pretendía recopilar información sobre etnografía española para —según sus mismas palabras— auxiliar a los antropólogos que trabajaban en el campo hispanoamericano. El resultado de su experiencia de campo, recogido en el libro *Cultura y conquista,* no vería la luz hasta diez años después(2).

Foster, además de ofrecer en su obra una amplia información sobre determinados aspectos de la cultura española —los que él consideró más importantes para los fines que se proponía—, presentó un acertado esquema metodológico en el marco de la teoría de la aculturación. Los puntos centrales de su planteamiento lo constituían dos conceptos que han sido de extraordinaria utilidad en estudios posteriores: "cultura de conquista" y "cristalización cultural". Con ambos pretendía un doble propósito: mostrar la necesidad de conocer la cultura específica de los españoles que llegaron al Nuevo Mundo, y que la cultura hispanoamericana no era en esencia un reflejo fiel de la española, sino una cultura nueva que surgió como consecuencia de las condiciones específicas que se dieron en el Nuevo Mundo.

A finales de la década de 1960 un grupo de antropólogos del Departamento de Antropología y Etnología de América de la Universidad de Sevilla, bajo la dirección del profesor Alfredo Jiménez Núñez, emprendió la tarea de llevar a la práctica lo que hasta entonces habían sido sólo buenos propósitos: estudiar situaciones específicas de contacto cultural en el Nuevo Mundo. Para llevar a cabo este estudio se eligió el área que comprendía la Audiencia de Guatemala durante el siglo XVI, poniendo especial interés en el territorio de la gobernación de Guatemala que reunía condiciones idóneas para este tipo de análisis. En Guatemala estaba el centro de población española más importante de América Central y su población indígena formaba parte de la gran tradición mesoamericana que había alcanzado uno de los más altos niveles de desarrollo cultural de América prehispánica.

Este ambicioso plan de trabajo se fue articulando, de manera ininterrumpida, en diversos proyectos que se realizaban en colaboración con personas e instituciones de distintos lugares y orientaciones dentro del campo de la antropología cultural. El primero de ellos fue el que se conoció como "Proyecto de Investigación Hispano-Latinoamericano: Etnohistoria de Guatemala en el siglo XVI". En él participaron miembros del Departamento de Antropología y Etnología de América de Sevilla y del Departamento de Antropología de la Universidad de Pennsylvania, bajo la dirección conjunta del profe-

---

2. *Cultura y conquista: la herencia española de América.* Xalapa, 1962. La edición original en inglés fue realizada por la Wenner-Gren Foundation en 1960.

sor Alfredo Jiménez y del Dr. Rubén E. Reina(3). La duración del proyecto fue de casi una década, y su resultado cuatro monografías y una larga serie de artículos y comunicaciones publicados en revistas especializadas y actas de reuniones científicas.

Este proyecto convivió con otro que pretendía conocer de forma general las situaciones de contacto en otros territorios de la Audiencia de Guatemala: Nicaragua, Honduras y Costa Rica. Además, como era necesario estudiar la cultura de la gente que desde España se trasladaba al Nuevo Mundo, se comenzó otra investigación sistemática de la cultura de los habitantes del antiguo reino de Sevilla, investigación que ha llevado a cabo en su mayor parte la profesora Blanca Morell del citado Departamento de la Universidad de Sevilla.

Al darse por concluido el primer proyecto, y sin abandonar la primitiva línea de investigación, el Departamento emprendió otro en colaboración con el Departamento de Antropología y Etnología de América de la Universidad Complutense de Madrid y el Departamento de Antropología Cultural de la Universidad de Barcelona. El proyecto recibió el título de "Cambio Cultural en el Occidente de Guatemala"(4); éste se inició en el año 1976 y, como tal Proyecto interdisciplinario, se interrumpió en 1981 por razones no académicas y ajenas a la voluntad de sus miembros.

Este fue un proyecto interdisciplinario en el que trabajaban conjuntamente arqueólogos, etnohistoriadores y etnólogos, y tenía como objetivo estudiar el cambio sufrido por los mayas del Occidente de Guatemala desde tiempos remotos hasta nuestros días. Si en el primero de los proyectos citados el interés se centraba de manera fundamental, aunque no exclusiva, en la población de origen español, en éste la atención se volcaba hacia la población indígena, pero sin olvidar que, a partir del siglo XVI y hasta nuestros días, no se puede

---

3. Una historia del proyecto, de sus planteamientos, objetivos y resultados se encuentra en el artículo de Alfredo Jiménez: «Etnohistoria de Guatemala: informe sobre un proyecto de antropología en archivos». *Anuario de Estudios Americanos*, 33: 459-499. 1976.

4. Cada uno de los Departamentos que se integró en el Proyecto se interesaba fundamentalmente por un período y aplicaba un método de investigación: del estudio del período histórico se encargó fundamentalmente el grupo del Departamento de Antropología y Etnología de América de la Universidad de Sevilla, bajo la dirección del Dr. Alfredo Jiménez; el Dr. José Alcina dirigió los trabajos hechos desde la arqueología y en los que participaban fundamentalmente miembros del Departamento de Madrid; el Dr. Claudio Esteva, de la Universidad de Barcelona, se responsabilizó del programa de etnología en los que participaron miembros del Departamento catalán y del Departamento de Madrid.

entender la evolución de las poblaciones del área sin tener en cuenta el importante componente español.

La elección del área en la que se iba a desarrollar la investigación no fue en ningún modo arbitraria. La población del Occidente de Guatemala formó parte antes de la llegada de los españoles de la gran tradición cultural mesoamericana, como ya hemos mencionado: sus habitantes pertenecían al grupo maya y habían desarrollado una compleja cultura que tuvo sus momentos de esplendor durante los períodos conocidos como Clásico y Posclásico. Antes de la conquista habían aparecido en el área grandes estados militaristas que tuvieron un importante peso en el sureste de Mesoamérica.

Durante el período colonial, el Occidente de Guatemala fue también una de las áreas más importantes de la Audiencia de Guatemala, tanto por su población indígena como por ser uno de los lugares donde se producía la mayor cantidad de cacao y de la mejor calidad de toda América. La importancia que el área tuvo para los españoles hizo que se institucionalizara desde el punto de vista jurídico-administrativo mediante la creación de la alcaldía mayor de Zapotitlán y los Suchitepéquez.

En la actualidad el Occidente de Guatemala es una de las áreas más pobladas de todo el país y donde la cultura maya ha permanecido con mayor intensidad. Ha sido esta pervivencia de la tradición indígena la que ha hecho que una gran cantidad de etnólogos hayan dedicado en las últimas décadas una atención muy especial a la población del área. El resultado de este interés se refleja en las numerosas monografías que, con más o menos acierto, se han escrito sobre comunidades indígenas del Occidente de Guatemala.

* * *

El trabajo que ahora presentamos surgió en el marco de este último proyecto de "Cambio Cultural en el Occidente de Guatemala". Su objetivo ha sido conocer los cambios que experimentó la cultura de los habitantes del área durante los primeros setenta y cinco años de presencia española, esto es, desde que Pedro de Alvarado conquistó el territorio en 1524 hasta el final del siglo XVI.

La elección del área sobre la que se centra la investigación viene dada por los mismos límites que se fijaron para el Proyecto. Sin embargo, aunque el Occidente de Guatemala es un área relativamente bien definida, no en todas las épocas sus límites han sido los mismos. Tampoco es útil emplear unas fronteras rígidas para fases tan distintas de la historia como los períodos Formativo o Clásico, la época colonial o el momento presente. Para cada uno de los períodos el investigador debe marcar los límites físicos exactos sobre los que va a fijar su atención, atendiendo a cuestiones de diverso orden entre las que no son las menos importantes aquéllas que vienen impuestas por necesidades de tipo práctico.

En este caso consideramos Occidente de Guatemala el área que los españoles del siglo XVI conocieron como alcaldía mayor de Zapotitlán y los Suchitepéquez. Dicha alcaldía comprendió todas las tierras y pueblos que se extendían, aproximadamente, entre el meridiano 91° de longitud Oeste y la frontera actual entre Guatemala y México; por el norte la alcaldía alcanzaba hasta la cordillera de los Cuchumatanes y por el sur quedaba limitada por la costa del Pacífico.

Las razones que han motivado esta elección son de diversa índole. La primera es de orden práctico: al ser la alcaldía mayor de Zapotitlán una división política y administrativa creada por los españoles para el mejor gobierno de la colonia, una gran parte de la documentación disponible hace referencia a todo el área y sus habitantes; de la misma forma, muchas de las medidas de gobierno de las autoridades de la ciudad de Santiago estuvieron previstas para el conjunto de la alcaldía.

Por otro lado, la alcaldía mayor constituía por sí misma un área cultural y geográfica perfectamente definida. Dentro de sus límites se encontraban todas las tierras y la gente que habían formado parte de tres de los cuatro grandes estados de la Guatemala prehispánica, el quiché, el tzutujil y el mam. Todos estos pueblos, además de los cakchiqueles que habitaban en las orillas orientales del lago Atitlán, tenían un mismo sustrato cultural y, a excepción de los mames, hablaban lenguas muy semejantes. Era además el área donde se concentraba la mayor parte de la población indígena de Guatemala antes de la conquista.

Geográficamente, el área presenta una gran homogeneidad dentro de la variedad. El altiplano, la región de piedemonte donde se producía el cacao, la llanura costera y el sistema lacustre de la región de Atitlán reúnen todas las posibilidades ecológicas que se pueden dar en las tierras habitadas por los mayas. Esta variedad permitía observar situaciones de cambio distintas y, a la vez, estudiar el sistema de adaptación de los hombres a su medio ambiente y el modo en que la presencia española afectó a esta adaptación.

La elección de las fechas que se toman como límites en nuestro estudio no ha sido arbitraria ni responde a una división simple de la historia en siglos. La fecha inicial venía dada necesariamente por la historia: 1524 fue el año en que Pedro de Alvarado y sus hombres pisaron por vez primera el área; era por consiguiente una fecha de partida obligada. La elección del año 1600 como límite cronológico de la investigación se justifica porque esta fecha ha sido considerada por diversos autores como final del primer y más importante período de aculturación sufrido por los indígenas de Guatemala y, en general, de toda Mesoamérica.

En este sentido, uno de los objetivos del trabajo era comprobar si efectivamente era el final del siglo XVI un momento decisivo en la evolución cultural de los mayas del Occidente de Guatemala. En un trabajo publicado originalmente en 1940, Oliver La Farge afirmaba que en la evolución de los mayas de las Tierras Altas se podían distinguir cinco períodos entre 1524 y el momento en que escribió su artículo(5). Para La Farge el primero de estos períodos, al que denominó "período de conquista", se extendía entre 1524 y 1600, y lo calificaba de período violento "que hace pedazos la estructura de la cultura indígena".

Posteriormente, Ralph L. Beals aplicó la periodización de La Farge a toda Mesoamérica, distinguiendo en el primer período dos fases diferentes. La primera comprendía los años del contacto inicial entre las culturas, es decir, la conquista como choque violento, al que denominaba "período de contacto y consolidación". La segunda, a la que llamó "primer período colonial indígena", se extendía desde el final de la conquista hasta aproximadamente el año 1600 y tenía, en líneas generales, las mismas características que La Farge había definido para el área maya(6).

Finalmente Pierre Becquelin, en un trabajo sobre aculturación entre los indios ixiles de Guatemala(7), redujo a tres los períodos de La Farge pero confirmó la importancia del primero. Para Becquelin, este primer período, al que llamaba de "aculturación inicial", se extendía entre 1529 (fecha de la conquista de los ixiles) y 1600. En el período distinguía tres fases: una primera fase de conquista militar, entre 1529 y 1530; otra de afianzamiento del poder español, en el que la aculturación no fue importante, entre 1530 y 1553; y finalmente una fase de "conquista espiritual y aculturación" entre 1553 y 1600.

---

5. Hemos utilizado la versión castellana de este trabajo publicada en 1959 bajo el título «Etnología maya: secuencia de culturas» (*Cultura indígena de Guatemala*, págs. 5-42. Guatemala).

6. Ralph L. Beals: «Acculturation». *HMAI*, vol. 6 págs. 449-468. Austin, 1967.

7. «Histoire et acculturation chez les indiens ixil du Guatemala». *Journal de la Societé des Americanistes*, 59: 7-26. 1970.

En el transcurso de la investigación observamos que efectiva
mente el año 1600 era una fecha clave en el proceso de cambio cultural de las poblaciones del Occidente de Guatemala; una fecha en la
que las culturas indígenas habían sufrido transformaciones importantes como consecuencia de la política de aculturación seguida por los
españoles. También pudimos comprobar cómo las fases que Becquelin había encontrado dentro de este primer período de aculturación
se repetían exactamente para nuestra área: la conquista militar se realizó entre 1524 y 1530; desde esta última fecha hasta mediados de la
centuria se extendía una fase de explotación incontrolada de los indios
durante la cual las culturas indígenas se vieron levemente afectadas
por la acción de los españoles; finalmente, entre 1550 y el final del siglo los españoles emprendieron una política sistemática de explotación y asimilación de los conquistados que tuvo como resultado cambios sustanciales en la cultura indígena. De este modo, los años comprendidos entre 1524 y 1600 se pueden considerar como un período
fundamental en el proceso de cambio cultural de los mayas de Guatemala, lo que justifica plenamente la elección de dichos límites al
realizar una investigación como la que estamos presentando.

Es evidente que la primera y más espectacular consecuencia
de la conquista y la colonización española fue la desaparición física de
una gran parte de la población indígena. En el Occidente de Guatemala éste era un aspecto que no había sido estudiado detenidamente
hasta ahora; por consiguiente ha sido el primero de los objetivos que
hemos pretendido cubrir con nuestro trabajo. Se ha tratado de conocer
con cierta precisión —dentro de los límites que la documentación ha
permitido— cuál fue la mortandad que siguió a la conquista y cuáles
fueron las causas que provocaron tan importante descenso de población.

El segundo y fundamental objetivo de la investigación era descubrir qué tipo de cambios provocó la presencia española y la política de asimilación desarrollada por las autoridades coloniales entre
los indígenas del área. En este sentido, era interesante observar en
qué medida los conquistadores lograron "civilizar" a los indios y cómo afectó a la cultura de los naturales la explotación económica que
los colonizadores llevaron a cabo.

Por otro lado, se ha tratado de distinguir si estos cambios se
produjeron sólo en los aspectos externos de la cultura, esto es, si
fueron sólo cambios formales, o fueron por el contrario cambios que

afectaron a las funciones de las instituciones culturales de los vencidos y a sus significados. Finalmente, hemos querido conocer los mecanismos culturales que los indios pusieron en marcha para evitar o
paliar las transformaciones en sus formas de vida, y en qué grado el
factor de presencia permanente o esporádica de los españoles entre
los indios y la lejanía del centro principal de población española podía
ser decisivo en la dirección del cambio cultural.

Analizar todos los cambios que pudieron producirse en cada
uno de los subsistemas del sistema cultural de los indígenas sobrepa-
saba con mucho los límites previstos para éste ya de por sí amplio
estudio; en consecuencia el análisis se restringió a algunos de ellos.
De esta forma se ha prestado atención fundamentalmente a los cambios producidos en el patrón de asentamiento de los habitantes del
área como consecuencia de la fundación de los pueblos de indios y en
qué manera la vida en los pueblos afectó a la percepción que los naturales tenían de los límites físicos y simbólicos de su propia comunidad.

Otra parte del trabajo se ha orientado a estudiar los cambios
producido en la estructura económica de los indígenas, y en los sistemas de organización social y política. Finalmente, se dedica una parte
a la investigación y al análisis de los efectos de la presencia española
en el sistema de adaptación al medio que los mayas de Guatemala
habían desarrollado a lo largo de siglos, y que les había permitido a-
provechar todos los recursos que los diferentes nichos ecológicos
existentes en el área podían proporcionar.

El análisis de cada uno de los aspectos citados se hace formalmente en lugares diferentes del trabajo; pero esa presentación no implica que el cambio producido en uno de los sistemas sea independiente de los demás. Consideramos la cultura como un sistema y, por
consiguiente, cualquier alteración en un subsistema tiene necesariamente que producir transformaciones en los demás; no se puede entender ningún aspecto de la cultura sin relacionarlo con la totalidad
del sistema.

* * *

Hemos dedicado el primer apartado de esta *introducción* a un
breve comentario a los estudios realizados en Mesoamérica por antropólogos interesados en las sociedades indígenas a partir de la presencia española. En el segundo hemos delimitado los objetivos y el
espacio geográfico y cultural de nuestro propio trabajo. Nos referiremos ahora a algunas cuestiones de teoría y método que nos han servido de marco y de guía para el desarrollo de nuestra investigación.

El estudio que aquí presentamos lo concebimos desde un primer momento como un análisis del cambio cultural sufrido por unos grupos étnicos de Guatemala que, inesperadamente para ellos, se vieron envueltos en una situación de contacto cultural y colonización de su territorio. La iniciativa la habían tomado los españoles que se constituyen en la *sociedad dominante* que introduce por razones muy diversas, pero todas ellas fuertemente ligadas y coherentes entre sí, modificaciones sustanciales en la estructura social y en la cultura de los indios o *sociedad dominada*. Como ya se ha indicado, nuestro estudio arranca del momento del contacto que tuvo forma de choque violento o "conquista", y cubre los tres cuartos de siglo que llevan hasta 1600. Por consiguiente, el marco teórico más adecuado para nuestra investigación era el del cambio cultural en su forma de *aculturación,* y exigía la visión del problema como un *proceso,* todo ello dentro y a base de la teoría general antropológica. Nos referimos a continuación a los significados e implicaciones de estos conceptos teóricos para finalmente aludir al método de trabajo.

El concepto más fundamental que hemos utilizado ha sido el de aculturación sobre el que es necesario hacer algunas precisiones. Una gran parte de la investigación antropológica —en cuanto que se ha realizado en áreas culturales que han sido el escenario del intenso y extenso fenómeno del colonialismo del siglo XIX y del neocolonialismo del presente siglo— está dedicada directa o indirectamente a situaciones de contacto y cambio cultural. El concepto de aculturación o de transculturación ha sido, pues, un concepto ampliamente manejado en los últimos cincuenta años y ha dado lugar a innumerables definiciones particulares y por lo menos a dos intentos de definición institucional. Creemos que la más útil, amplia y flexible fue la que se formuló en una reunión especialmente convocada al efecto y que se identifica como "The Social Science Research Council Summer Seminar on Acculturation", celebrada en 1953. En este Seminario se definió la aculturación como "Cambio cultural originado por la conjunción de dos o más sistemas culturales autónomos". Se añadía a continuación que el cambio aculturativo puede ser consecuencia de transmisión cultural directa; de causas no culturales (cambio ecológico) inducidos por otra cultura; y de adaptación de modos tradicionales de vida como reacción ante el contacto. Por "sistemas culturales autónomos" entendían los autores de la definición culturas totales, sistemas completos, y no solamente grupos, clases, etc. La formulación de 1953 establecía también una constante analogía con los sistemas biológicos y subrayaba los conceptos de estructura y sistema(8).

Como sabemos por la Historia y como puede comprobarse por los capítulos que siguen, este esquema conceptual resulta especialmente efectivo para conocer y analizar una situación como la que representan el contacto y las mutuas influencias de españoles e indios en el Occidente de Guatemala. En efecto, el sistema sociocultural español se pone en conjunción con varios sistemas culturales indígenas (quiché, cakchiquel, tzutujil, mam) y como consecuencia se produce una transmisión cultural que va, fundamentalmente, en la dirección españoles-indios; se transforma el sistema ecológico con la introducción o intensificación de nuevas técnicas y de nuevos productos, y estos cambios ecológicos afectan profundamente los sistemas socioculturales indígenas; también los indios tienen que adaptar buena parte de su forma tradicional de vida ya sea para sobrevivir a la nueva situación, ya sea para garantizar por otras vías la supervivencia de su tradición.

Este planteamiento teórico impone ciertos condicionamientos de carácter metodológico. Para conocer y evaluar un fenómeno de aculturación es paso previo e imprescindible el conocer las culturas en el momento inmediatamente anterior a su encuentro. Es lo que Paul Kirchhoff ha llamado la "etnografía del pre-contacto". En segundo lugar, los estudios de cambio cultural suponen una visión diacrónica y para ello no basta, tampoco, la simple comparación entre la situación del sistema cultural antes del contacto y la situación existente en un momento dado separado por un período más o menos largo de tiempo. Por el contrario, es necesario observar y seguir las transformaciones y adaptaciones que se producen a lo largo de ese tiempo; hay que conocer y explicar las motivaciones y los medios que la sociedad dominante utiliza para introducir los cambios en la cultura dominada; hay que descubrir, asimismo, los mecanismos sociales, culturales, ecológicos y hasta sicológicos que esta última sociedad pone en funcionamiento para tratar de superar los peligros que la acción aculturadora supone para la propia cultura. Y bien sabemos que entre la gradación de situaciones que pueden resultar como final de la experiencia están la extinción total de la cultura como consecuencia de la misma extinción física de sus miembros o mediante la integración y disolución en la cultura dominante. Ninguna de estas dos situaciones extremas se dieron en el Occidente de Guatemala como creemos

---

8. Leonard Broom y otros: «Acculturation: an exploratory formulation». *American Anthropologist*, 56: 973-1.000. 1954

que queda bien establecido en nuestro estudio y como puede comprobarse hoy día por la vitalidad de la tradición indígena maya.

Para desarrollar estos planteamientos teóricos hemos contado
con un método antropológico como es la *etnohistoria* y en nuestro
trabajo nos hemos beneficiado y hemos contribuido a una línea de
investigación y a unos objetivos a medio y a largo plazo que tiene
establecidos el Departamento de Antropología y Etnología de América de la Universidad de Sevilla, bajo la dirección del Prof. Alfredo
Jiménez. Las abundantes citas que aparecen en su lugar oportuno, y la
Bibliografía nos dispensan de entrar aquí en más detalles sobre el
carácter de la investigación en equipo que ha caracterizado siempre
los proyectos del Departamento.

Pero sí queremos decir algunas palabras sobre el método etnohistórico que nos ha servido para nuestros propósitos. En nuestra
pretensión de actuar como "antropólogos de archivo"(9), hemos tenido que enfrentarnos a dos grandes dificultades que hasta hace bien
poco tiempo la antropología cultural no tenía resueltas ni casi plan-
teadas. En primer lugar, el problema de la *diacronía* que para nuestro estudio era insoslayable, pero al que la investigación antropológica más tradicional no ha prestado atención por razones y coyuntu-
ras sobre las que aquí no podemos detenernos. Todo trabajo realmente *etnohistórico* debe incluir, entre otros requisitos, una suficiente
atención al nivel etnográfico, lo que implica una visión global de la cultura (contexto cultural), un serio aunque difícil intento de observar
los problemas y los fenómenos desde dentro, y una ordenación de los
datos significativos de manera que nos ayuden a configurar el sistema y la interdependencia entre sus partes.

La fase etnográfica ha sido la nota más característica de la
ciencia antropológica, pero hasta tiempos muy recientes también la
investigación antropológica se había reducido al estudio de sociedades simples o de comunidades pequeñas y a la observación de un presente absoluto que implicaba la introducción del etnólogo en el grupo
a estudiar y la aplicación de la técnica de observación-participación.
Todas estas circunstancias están negadas, por principio, a una investigación etnohistórica y, sin embargo, nuestro interés individual y de
equipo es, precisamente, actuar hasta donde sea posible como etnólogos de situaciones históricas. Por ahora nuestro tiempo es el siglo

---

9. Véase los trabajos de Alfredo Jiménez: «Sobre el concepto de etnohistoria».
Primera Reunión de Antropólogos Españoles (A. Jiménez, edit.) págs. 91-105. Sevilla,
1975; y «El método etnohistórico y su contribución a la antropología americana». *Revista Española de Antropología Americana*, 7 (1): 163-196. 1972.

XVI y nuestra fuente de conocimiento —que obviamente no puede ser la observación-participación— es la utilización abundante y variada de documentación de archivo. Al contemplar un período de setenta y cinco años hemos tenido que superar también el enfoque estrictamente sincrónico y concebir los hechos y los fenómenos encadenados en un proceso que en nuestro caso particular tiene su comienzo en la situación inmediatamente anterior a la presencia española en el Occidente de Guatemala y su final en la fecha crítica de 1600. Somos conscientes de las dificultades y riesgos de hacer etnografía de un tiempo pasado y, más aún, de hacer una etnografía diacrónica, pero en estos dos objetivos creemos que residen el reto y la identidad de la etnohistoria como método de la antropología cultural.

Consideramos nuestro trabajo como un primer intento por nuestra parte y como una contribución más a la obra que viene realizándose en el Departamento de Antropología y Etnología de América de la Universidad de Sevilla. Queda mucho por hacer y perfilar y esto nos animará a proseguir. El uso intenso y profundo de la documentación original que hemos manejado y de la que damos cuenta en el próximo apartado, así como el auxilio de la información que nos brindan los historiadores desde los cronistas más o menos contemporáneos hasta los actuales, son parte también de nuestra información.

* * *

En la realización de nuestro trabajo hemos contado fundamentalmente, con la información ofrecida por los documentos de la época que se conservan en el Archivo General de Indias, en Sevilla, y el Archivo General de Centroamérica, en la ciudad de Guatemala. Ha sido una información obtenida a lo largo de varios años de lectura detenida de cientos y cientos de documentos de ambos depósitos; de transcripción y análisis de aquéllos que contenían algún dato que creíamos de interés para nuestra investigación. De la gran cantidad de documentos que han pasado por nuestras manos sólo se relacionan al final del texto aquéllos que han sido citados a lo largo del estudio.

Sin embargo, la lectura pausada de toda la masa de documentación que directa o indirectamente tenía algún valor para nuestro estudio, nos proporcionó una visión más completa del mundo colonial y de la problemática indígena. Este conocimiento global ha sido de gran utilidad para comprender mejor los problemas y las situaciones que se dieron en el Occidente de Guatemala durante el período que nos ocupa. Como también han sido de un valor incalculable para la realización del estudio los comentarios, el intercambio de ideas y la crítica documental que cada día, a lo largo de años, hemos podido hacer con los miembros del Departamento de Antropología y Etnología de América de la Universidad de Sevilla que se ocupan del estudio de Guatemala en el siglo XVI(10); su profundo conocimiento de la documentación, de los hombres y de los problemas de la Gobernación durante su primer siglo de historia colonial ha sido, sin lugar a dudas, una fuente de información fundamental para el trabajo que ahora estamos presentando.

De entre la documentación procedente del Archivo General de Indias debemos destacar, por su riqueza de datos, documentos como los juicios de residencia, la correspondencia entre las autoridades civiles y eclesiásticas y el Consejo de Indias; y, sin duda, las reales cédulas y provisiones en las que se definían las líneas fundamentales de la política española en el territorio de la Audiencia de Guatemala. Junto a esta documentación se han utilizado abundantes descripciones, informes de gobierno, expedientes de contenido muy diverso —algunos tan importantes como las tasaciones— y pleitos que por su interés alcanzaban a las autoridades supremas de la justicia indiana.

El carácter del Archivo General de Indias como depósito de toda la documentación emanada o recibida por el Consejo de Indias durante los siglos de existencia del Imperio español, define por sí mismo la naturaleza y el contenido de la mayoría de estas fuentes. Son documentos en su mayor parte de carácter oficial que contienen información sobre temas de gobierno y política general. Las cartas de las autoridades o de los vecinos de la ciudad de Santiago tratan de temas importantes para el desarrollo de la vida colonial o cuentan las más notables incidencias de lo que ocurría en tan lejanos territorios; los juicios de residencia nos informan acerca de la actuación de las autoridades más importantes; los pleitos tienen que ver con problemas entre españoles, o entre españoles y comunidades indígenas, de tanta trascendencia como para que tuvieran que ser expuestos ante los más altos tribunales. Es una documentación muy rica y variada para conocer la actuación, las formas de vida y los comportamientos de los españoles; sin embargo, el indígena aparece en un segundo término como sujeto observado, fuente de riqueza y objeto de la acción "civilizadora" desarrollada por los españoles.

---

10. Han sido miembros permanentes de este equipo de investigación los profesores Alfredo Jiménez, como Director, Pilar Sanchiz, Beatriz Suñe, Salvador Rodríguez y Blanca Morell. A todos ellos mi reconocimiento que quiero extender al Prof. José Alcina con quien tuve ocasión de hablar extensamente y con provecho sobre el terreno durante la campaña de 1977.

El Archivo General de Centroamérica es, por el contrario, un depósito en el que se guarda documentación local o regional. Sus fondos están compuestos por papeles procedentes de archivos locales de las principales ciudades centroamericanas, y por el archivo de documentos de la que fue Real Audiencia de Guatemala. Los documentos que se guardan allí reflejan aspectos de la vida cotidiana: cuestiones de gobierno de poca importancia en relación con los grandes problemas de la administración colonial; asuntos de administración diaria de los territorios que integraban la Audiencia; juicios de residencia de autoridades de segundo orden; pleitos por asuntos cotidianos entre españoles, entre españoles e indios y entre comunidades indígenas; denuncias y, en fin, toda una gama de aspectos que muestran cómo se desenvolvían diariamente los hombres que habitaban en el territorio sobre el que la Audiencia tenía jurisdicción.

La documentación del archivo guatemalteco tiene por consiguiente un valor fundamental para un estudio como el nuestro. En ella el indígena aparece como protagonista en una gran cantidad de ocasiones y esto nos da la oportunidad de conocer directamente sus opiniones, su modo de vida, sus conflictos con los nuevos señores del país y sus reacciones ante la política desarrollada por los conquistadores reflejada de una manera clara y contundente en estos documentos. De entre todos los tipos documentales que hemos utilizado de este archivo, podemos destacar los juicios de residencia de autoridades menores, peticiones y querellas de los indios, reales provisiones sobre asuntos concretos de gobierno, relaciones y correspondencia entre las autoridades locales, etc.

Pero sin duda, la documentación que mayores posibilidades tenía para nuestro trabajo son los pleitos sobre tierras que las comunidades indígenas mantuvieron entre sí, en los que se contiene información de incalculable valor para conocer la organización social, económica y política de los mayas de Guatemala tanto antes como después de la conquista española. La mayoría de estos pleitos, a veces interminables, recogen los documentos conocidos como "títulos indígenas de tierras" —muchos escritos originalmente en lenguas autóctonas— en los que, además de información sobre tierras, aparecen datos sobre cosmovisión indígena, historia prehispánica o la versión que los mismos indios hicieron de la conquista y de los primeros años de presencia española en Guatemala.

Junto a esta documentación original, hemos utilizado también fuentes publicadas procedentes de otros archivos a los que no hemos podido acceder directamente, o de los dos antes citados cuando los documentos originales eran difícilmente localizables o se encontraban excesivamente deteriorados. De entre estos documentos publicados debemos destacar las "relaciones geográficas" de Santiago Atitlán y sus estancias, conservadas entre los fondos de la Universidad de Texas (Austin) y publicados en diversos números de los *Anales de la Sociedad de Geografía e Historia de Guatemala*. Tanto de ésta como de las demás fuentes publicadas que hemos utilizado se da puntual referencia en la relación bibliográfica que aparece al final del trabajo.

Otra parte de la información utilizada en nuestro estudio procede de la lectura atenta de los cronistas de los siglos XVI y XVII. Las obras de Bernal Díaz del Castillo, fray Bartolomé de las Casas, fray Francisco Ximénez, fray Antonio de Remesal y Fuentes y Guzmán, o la relación del viaje de fray Alonso Ponce hecha por Antonio de Ciudad Real, han sido objeto de máxima atención y han proporcionado datos y opiniones de gran valor para nuestro trabajo. La apasionada pero casi siempre documentada crónica del polémico Bartolomé de las Casas; el detalle de las descripciones y fidelidad de los datas de Fuentes y Guzmán, o las interpretaciones de la evangelización que hicieron Remesal y los cronistas de la orden franciscana, han servido para matizar, complementar o contrastar datos que no aparecían muy claros en la documentación original. También han sido de interés las dos grandes "crónicas indígenas" de Guatemala: el *Popol Vuh* y los *Anales de los cakchiqueles*. Ambas son obras de difícil interpretación pero que contienen información fundamental para un estudio como el nuestro.

El aparato bibliográfico que hemos utilizado para nuestro trabajo aparece relacionado al final del texto. Entre las obras que se citan en dicha *Bibliografía* existen estudios de carácter histórico, en el sentido más tradicional y restrictivo del término, que tratan de la conquista de Guatemala, de la actuación de los españoles durante el primer siglo del régimen colonial, de las instituciones de gobierno, etc. Hemos empleado también estudios de carácter etnohistórico sobre aspectos económicos, sociales, políticos e institucionales de la cultura de los conquistadores que han sido realizados, en su mayor parte, por miembros de los diversos proyectos desarrollados en el seno del Departamento de Antropología y Etnología de América de la Universidad de Sevilla, a los que ya hemos hecho referencia en páginas anteriores.

Otra parte importante de la bibliografía está formada por trabajos realizados por antropólogos sobre poblaciones contemporáneas o históricas del área occidental de Guatemala. Con relación a estos trabajos conviene hacer algunas observaciones. Hasta hace muy pocos años, los especialistas han dedicado su atención casi exclusivamente al estudio de las poblaciones que habitaron las Tierras Altas mayas en tiempos ya muy lejanos o en el momento presente. El resultado de esta actitud ha sido una bastante abundante bibliografía sobre culturas puramente arqueológicas y de monografías etnográficas de comunidades indígenas actuales. Sin embargo, se había dedicado muy poco esfuerzo a estudiar las poblaciones que habitaron el área en los años inmediatamente anteriores a la conquista española y durante los siglos XVI al XIX.

El primero de los períodos comenzó a ser estudiado a partir de la década de 1960 por Pedro Carrasco y, posteriormente, por Robert M. Carmack y sus colaboradores. El resultado de sus investigaciones ha sido una larga serie de artículos y algunas monografías que nos han servido para tener una visión bastante amplia del área en el momento inmediatamente anterior a la conquista, aunque algunos aspectos de la cultura de estos pueblos han sido analizados por primera vez en nuestro trabajo. Tanto las obras que trataban sobre culturas muy antiguas, como las etnografías actuales, han sido de bastante utilidad en nuestra investigación porque nos permiten conocer y contrastar aspectos de las culturas indígenas que tenían su origen bastante tiempo antes de la conquista y han permanecido hasta hoy.

Queremos destacar, por último y como dato de especial relevancia, nuestro conocimiento del área geográfico-cultural durante la campaña de 1977 bajo el Proyecto "Cambio cultural en el Occidente de Guatemala". El recorrido minucioso por la geografía guatemalteca nos dio la oportunidad de ver y vivir en cierto modo los factores ecológicos que durante milenios han actuado sobre la población indígena, y afectaron poderosamente el proceso de cambio y readaptación provocado por la presencia española. La posterior lectura de la documentación se hizo con la imagen clara y viva de unos paisajes, uno climas, unas distancias relativas y absolutas, unos patrones de asentamiento y unos cultivos que ahora, como entonces, son fortísimos condicionantes de la cultura y de las estructuras sociales de una población como la del Occidente de Guatemala que todavía hoy se identifica como eminentemente indígena frente a la población ladina o mestiza que predomina en la mitad oriental del país.

PRIMERA PARTE

TIERRAS Y PUEBLOS

CAPITULO I

EL OCCIDENTE DE GUATEMALA EN EL SIGLO XVI

CAPÍTULO I

EL OCCIDENTE DE GUATEMALA EN EL SIGLO XVI

Este capítulo pretende, en primer lugar, presentar de modo breve y esquemático las características más importantes del paisaje del Occidente de Guatemala, poniendo énfasis en aquellos aspectos que van a influir de forma especial en la ecología cultural del área y, por tanto, en las instituciones de las poblaciones que se mueven en ella. Tratará también de ofrecer una visión del desarrollo cultural e histórico de los distintos pueblos que habitaban el Occidente de Guatemala a la llegada de los españoles, así como de la distribución espacial de cada uno de ellos hacia el año 1524. A continuación se dedicarán unas páginas a relatar el proceso de la conquista del territorio llevada a cabo por Pedro de Alvarado y sus hombres. Finalmente, mostrará cómo se institucionalizó desde el punto de vista político-administrativo bajo la forma de la alcaldía mayor de Zapotitlán y los Suchitepéquez, y se indicará cuál fue la presencia real de los españoles en el área después de la conquista y hasta final de la centuria.

GEOGRAFIA DEL OCCIDENTE DE GUATEMALA

En palabras de Sanders, el paisaje debe ser considerado como parte activa e integrada del sistema cultural y no como un factor extra cultural(1). Efectivamente, es necesario reconocer que dentro de un entorno determinado los grupos humanos adoptan una serie de respuestas culturales elegidas de una amplia aunque limitada gama de alternativas. Estas respuestas no estarán determinadas por dicho entorno pero sí fuertemente condicionadas, y tenderán a obtener un

---

1. William T. Sanders: «Cultural ecology of Nuclear Mesoamerica». *American Anthropologist,* 64: 34-44, 1962.

aprovechamiento máximo de las posibilidades que ofrece el área y a dar cohesión a todo el sistema cultural, desde las estructuras sociales y económicas, hasta las políticas y religiosas.

Si el conocimiento del paisaje es importante para comprender la mayoría de las instituciones de un pueblo, resulta particularmente necesario en el caso del Occidente de Guatemala donde la topografía condiciona fuertemente el tipo de cultivos. El control de las tierras donde se puede cultivar cacao, algodón o maíz dará lugar a continuas luchas entre diversos pueblos asentados en el área. Pero no sólo sobre este aspecto influyó la naturaleza; como se verá en próximos capítulos, también la distribución de la población y los patrones de asentamiento fueron consecuencia del medio. Incluso los efectos de la conquista fueron diferentes en cada una de las regiones.

En líneas generales se puede decir que el área definida como Occidente de Guatemala participa de las mismas características geográficas que todas la tierras situadas entre el istmo de Tehuantepec y Panamá, en donde las diferencias de altura determinan con claridad dos regiones conocidas como Tierras Altas y Tierras Bajas Tropicales(2). Ambas coinciden con las que tradicionalmente se han venido denominando "tierras frías" y "tierras calientes" y, dentro de éstas, las que West califica como "tierras altas del norte de América Central" (*highlands of northern Central America*) y "tierras bajas volcánicas de América Central" (*volcanic-lowlands of Central America*).

Las tierras altas se caracterizan por un paisaje abrupto formado por cuencas lacustres separadas por grandes elevaciones de tipo volcánico. Por el contrario, las tierras bajas están formadas por una extensa llanura costera y el piedemonte de las cordilleras centrales; aquí el suelo, compuesto de tierras volcánicas de aluvión, es extremadamente fértil. En ambas regiones las precipitaciones dan lugar a la existencia de dos estaciones claramente diferenciadas: una estación lluviosa que se conoce como "invierno" entre los meses de mayo y noviembre, y otra de precipitaciones casi nulas desde diciembre hasta abril.

El manto vegetal en las tierras altas está formado fundamentalmente por diversos tipos de coníferas y otras especies arbóreas de gran tamaño que dan lugar a un bosque tupido que la agricultura de tala y quema ha ido poco a poco destruyendo y aclarando. En el piedemonte de las cordilleras la humedad y la fertilidad del suelo

---

2. Robert C. West: «The natural regions of Middle America». *HMAI*, vol. 1 pags. 363-383.

volcánico producen una vegetación exuberante de bosque tropical, una auténtica selva que contrasta con las grandes extensiones de sabana que cubren la llanura costera.

Atendiendo a las diferencias de altitud y de climas, el **Occidente** de Guatemala se puede considerar dividido en tres grandes regiones naturales que equivalen a otros tantos ecosistemas tan distintos como próximos entre sí. Estas tres regiones, cuyas diferencias han sido desde la antigüedad perfectamente percibidas y aprovechadas por los pobladores del área, se conocen tradicionalmente con los términos de *Costa, Bocacosta* y *Sierra.* Dada la importancia que han tenido en el desarrollo de los pueblos que las habitaron parece conveniente dedicar algunas páginas a mostrar las características esenciales de cada una de ellas(3).

La Costa.—Se conoce con este nombre la extensa llanura litoral del Pacífico que, con una anchura media de 50 Km., se eleva desde el nivel del mar hasta unos 140 m. de altitud. Esta inmensa **planicie,** formada por suelos volcánicos de aluvión que se empantanan durante la temporada de las lluvias y se cuartean en tiempo seco, sólo se ve alterada por el curso de los ríos que bajan de la divisoria continental y que en su desembocadura dan lugar a lagunetas y esteros que caracterizan el paisaje de la playa.

La Costa mantiene durante todo el año un régimen de temperaturas elevadas y prácticamente constantes; sólo se aprecian algunas variaciones térmicas entre el día y la noche. Como se indicó atrás, el régimen de lluvias divide el año en dos estaciones conocidas como "invierno" y "verano"; durante la primera, que se extiende desde mayo a octubre, las lluvias son prácticamente constantes, alcanzándose una media de precipitación anual cercana a los 2.000 mm.

El paisaje se caracteriza por una vegetación de sabana que se ve interrumpida de cuando en cuando por algunas arboledas. Estas son más numerosas en las orillas de los ríos donde crecen grandes árboles, recuerdo de un tiempo lejano en que la Costa pudo estar cubierta por una frondosa vegetación de selva tropical. La **escasa** población que habitaba en estas tierras —por lo menos desde algún tiempo antes de la llegada de los españoles— cultivaba entre esta vegetación natural maíz y algodón; sin embargo, la constante humedad y las grandes precipitaciones que inundan las tierras y los caminos durante la época de las lluvias, así como la intensa sequía durante

---

3. En esta parte del trabajo se siguen fundamentalmente las líneas marcadas por Félix W. McBryde en su obra *Geografía cultural e histórica del Suroeste de Guatemala.* Guatemala, 1969.

los meses de "verano", hicieron que la región fuera poco aprovechable y tuviera un aspecto desértico y deshumanizado.

Además de la explotación agrícola, la Costa ofrece la posibilidad de pescar en el curso lento de los ríos y en los grandes esteros, así como la de cazar iguanas, muy abundantes y que han sido empleadas como objeto de comercio en todas las épocas. Pero quizá haya sido la sal el producto más importante de la Costa, aunque su obtención por medio de un procedimiento de desecación artificial, lento y trabajoso, limitara un tanto su explotación.

La Bocacosta.—A partir de los 140 m. el suelo se eleva bruscamente hasta alcanzar en el corto espacio de 20 Km. una altura media de 1.200 m. sobre el nivel del mar. La Bocacosta está formada por el piedemonte de la cadena de volcanes jóvenes que corre paralela a la costa del Pacífico desde Tehuantepec. Es un suelo abrupto, recorrido por infinidad de corrientes y rápidos que configuran las cuencas de los principales ríos como en Naranjo, Samalá, Nahualate, etc. Estos cursos de agua dan lugar a la formación de grandes barrancas que hacen el tránsito por la región extremadamente dificultoso, obligando a continuas subidas y bajadas para buscar los vados de los ríos. Lo intrincado del suelo se hace tanto más apreciable cuanto mayor es la elevación.

El clima en la Bocacosta se puede calificar de tropical monzónico. Se observa la misma alternancia de estaciones lluviosa y seca que en la Costa, pero aquí el régimen de precipitaciones es más importante. La imponente muralla que se opone bruscamente a las nubes que provienen del océano hace que éstas precipiten durante los meses de "invierno" dando lugar a una media pluviométrica anual cercana a los 4.000 mm., lo que incrementa considerablemente el número de torrentes y el caudal de las principales cuencas, acentuando su capacidad erosiva.

Igual que en la Costa, el régimen térmico no presenta alternancias considerables: una temperatura media de unos 22º C sufre pequeñas oscilaciones que no van más allá de los cinco grados. Las altas temperaturas reinantes durante todo el año y la importante pluviosidad dan lugar a un ambiente extremadamente húmedo que favorece el desarrollo de una exuberante vegetación. Esta vegetación, típica del bosque tropical húmedo, forma una auténtica selva con grandes árboles de los que cuelgan bejucos y bajo los cuales crecen gigantescos helechos arborescentes. La densidad del follaje es tal que en muchas ocasiones impide que los rayos del sol lleguen hasta el suelo.

Esta región, en la que actualmente se cultivan grandes extensiones de cafetales, ha sido durante siglos uno de los más importantes centros productores de cacao de toda Mesoamérica; por esta causa, todos los pueblos que habitaron el área se disputaron su dominio para asegurarse el acceso a tan preciado producto. Junto a las plantaciones o huertas de cacao, a las que los españoles llamaron "minas", se cultivaban también milpas de maíz para lo que se empleó a veces el regadío; por este procedimiento se podían conseguir al menos dos cosechas anuales en época diferente a la cosecha de las tierras altas, por lo que el maíz de la Bocacosta tenía, y todavía tiene, carácter complementario para las poblaciones serranas.

Dada la importancia de sus posibilidades agrícolas, la Bocacosta ha estado siempre densamente poblada; sus habitantes se agrupaban en caseríos cercanos a los cacaotales o en los valles que forman las cuencas de los principales ríos que eran —y aún siguen siéndolo— las únicas vías de comunicación entre la Bocacosta y las tierras altas. De este modo, los valles de ríos como el Samalá, Nahualate o Madre Vieja, han sido en todas las épocas lugares de constante trasiego de hombres y mercancías, y sus cabeceras lugares estratégicos que había que dominar para controlar las tierras cacaoteras.

La Sierra.—Todas las tierras que se encuentran a una altura superior a los 1.200 metros aproximadamente constituyen la región conocida como la Sierra o los Altos. Está separada de la Bocacosta por una muralla de elevaciones volcánicas recientes, destacando en el paisaje los típicos conos de los que en ocasiones surgen grandes humaredas. Esta pared rocosa alcanza con rapidez los 1.700 m., y a partir de esa altura se extiende, hacia el norte, una región de altas mesetas —el *altiplano*— que se prolonga hasta la barrera natural que forman los Altos Cuchumatanes, la cadena montañosa más importante de América Central.

Las mesetas que aparecen entre los dos grandes sistemas, con una altura media cercana a los 2.000 metros, puede dar al principio la impresión de una superficie continua cubierta casi por completo de vegetación; sin embargo, se trata de una región en la que las zonas más o menos llanas se ven bruscamente cortadas por profundas barrancas que obligan al viajero a dar grandes rodeos, por angostas veredas, para desplazarse entre dos puntos aparentemente muy cercanos. Pero también se encuentran fértiles valles como los de Quezaltenango (2.200 m.) y Santa Cruz del Quiché (1.950 m.) o el que rodea el lago Atitlán; una capa profunda de cenizas volcánicas y un terreno de superficie rico en humus —contínuamente regado por innumerables corrientes—, hacen que estos valles tengan condiciones óptimas para la agricultura.

En los Altos el clima es más fresco y menos húmedo que en las tierras bajas; el régimen de temperaturas se puede calificar de mesotermal, alcanzándose en los meses más fríos mediciones por debajo de los 18º C pero que sólo rozan temperaturas cercanas a los 0º C en las cotas más elevadas. Las lluvias mantienen el régimen estacional entre los meses de mayo y octubre permaneciendo el resto del año el cielo casi limpio. En estas condiciones, el manto vegetal que cubre el altiplano se caracteriza por la presencia casi constante de bosques de coníferas alternando con robles y encinos en las laderas de las montañas y en las mesetas, mientras que en las tierras más altas —por encima de los 3.000 m.— el suelo está cubierto por vegetación de monte alto con especies propias de la pradera alpina.

Dadas las excepcionales características naturales de la región, se han establecido en ella desde tiempos antiguos los principales centros de población de toda el área. Desde las épocas en que la agricultura se convirtió en una práctica común, el indio maya ha ido ganando terreno al bosque y plantando sus milpas por lo que el paisaje presenta unas características alternancias de macizos arbóreos y zonas deforestadas en las que crecen el maíz y productos de huerta, o simplemente están cubiertas de malezas por ser ya una tierra agostada. Fue la necesidad de ganar más y más espacio al bosque y dejar descansar las tierras cultivadas durante varios años lo que obligó a los diversos grupos que poblaron el altiplano a tratar de extender sus dominios y, sobre todo, controlar los fértiles valles en los que con menos esfuerzo se podía obtener mayor rendimiento.

EL PAISAJE VISTO POR LOS ESPAÑOLES

Es evidente que los aspectos del paisaje descritos en estas páginas corresponden a observaciones hechas en la actualidad, pero ¿presentaba el Occidente de Guatemala estas mismas características durante el siglo XVI? Según las últimas investigaciones parece muy probable que el área no haya sufrido modificaciones importantes en los últimos cinco siglos, ni en el aspecto climático, ni en la composición del suelo, ni en sus elementos bióticos(4), aunque es posible que en tiempos muy remotos su aspecto fuera sustancialmente distinto: hay evidencias de que la llanura costera pudo estar cubierta por una

---

4. Thomas T. Veblen: *The ecological, cultural and historical bases of forest preservation in Totonicapan, Guatemala*, Ph. D. dissertation, Berkeley, 1975, pág. 265 y ss.

espesa selva y que posteriormente reunía condiciones óptimas para mantener a una importante población.

A la misma conclusión se puede llegar si se leen las descripciones del paisaje que hicieron los españoles durante los primeros años de la colonia; en ellas se observa cómo desde el siglo XVI hasta hoy no se han producido cambios notables, por lo que se puede afirmar que el medio en el que se desenvolvieron los indios y españoles que vivieron en el Occidente de Guatemala en los años que nos ocupan era igual o muy semejante al actual. Una muestra de ello son los textos que se transcriben a continuación en los que, además de una detallada descripción de lo que vieron, los autores dejaron constancia de su aguda intuición y sentido práctico.

En 1579, los autores de la *Relación geográfica* de Zapotitlán describían la Bocacosta y la Costa con las siguientes palabras:

> "En lo que toca a la calidad y temple de esta costa y provincia que se vieren en la pintura y descripción de esta costa de Zapotitlán y Suchitepéquez que están de las sierras para abajo hacia la mar, por la mayor parte es tierra caliente y cuanto más cerca de la mar más caliente, y por el contrario más frío en las sierras...
>
> El sitio de toda esta costa por la mayor parte es áspera y montuosa, húmeda; hay muchas fuentes y ríos y ciénagas, y la mayor parte de ella altos y bajos y de pocos pastos por los muchos árboles que hay que ocupan y evitan el nacer del pasto, excepto en algunas partes cerca de la mar a cinco y a seis leguas a donde hay llanuras y sabanas como praderas de hierba muy abundosas de pastos. Y también esta costa es abundosa de los frutos y mantenimientos que en ella hay como es cacao y maíz, frijoles, camotes que por otro nombre son batatas, y en algunas partes algodón y otras muchas frutas de la tierra..."(5).

Después hacen una completa descripción de la sucesión de las estaciones "que parece es al contrario de lo que según razón debía ser", porque cuando debía ser invierno es verano: "casi desde principio de octubre hasta abril no llueve o es muy poco", mientras que desde marzo hasta septiembre

---

5. Relación Zapotitlán: «Descripción de la Provincia de Zapotitlán y los Suchitepéquez. Año de 1579». *ASGHG*, 28: 70-71. 1975.

"después de las dos o de las tres para la tarde hasta gran parte de la noche no hace otra cosa sino derramar agua, y esto cada día y de tal manera y con tanta furia que no se puede comparar ni aún como cuando con mayor violencia llueve en España".

En el mismo sentido se expresaron los autores de las *Relaciones geográficas* del pueblo de Atitlán y sus estancias de la Bocacostas. Refiriéndose al clima que reina en una de dichas estancias, San Bartolomé, dicen que

"es tierra caliente de buen temple porque en el verano corren los ayres frescos del levante y del norte. Es pueblo sano y no enfermo, aunque en el tiempo del invierno son más las calores por los grandes soles que haze en este tiempo y por los vapores que se levantan de la tierra, son muchas las aguas cuando bienen y es el tiempo dellas que de ordinario son los meses de abril, principio del hasta entrante el mes de octubre; vienen con grande violencia y humedad porque son las aguas grandes y en mucha demasía. Y que la mayor fuerza de las aguas en este pueblo son los meses de abril y mayo que lluebe con mucha furia, y en este tiempo el cacao, que coge tierno en los árboles de las millpas y cacaguetales que tienen los naturales deste pueblo, que es la moneda de la tierra que corre entre ellos y los españoles mercaderes, lo pudre y daña y no es de ningún prouecho. En estos dos dichos meses de abril y mayo todos los años suele llober de día y de noche, y esto con mucha violencia y humidad y vientos destemplados, y los demás meses que son junio, julio, agosto y septiembre, hasta entrado el mes de octubre, suelen caer las aguas de medio día para arriba"(6).

Y en los mismos términos describen el clima de los demás pueblos siutados en las cercanías de éste, mientras que al hablar del que tiene el pueblo de Atitlán, situado en la sierra junto a la laguna del mismo nombre, dicen que "el temple del y su calidad es el mejor que hay en esta comarca porque en él no hace tanto frío que de pena ni calor que sea molesto. Y eso todo el año". Respecto a las lluvias

---

6. Relación San Bartolomé: «Descripción de San Bartolomé, del partido de Atitlán. Año 1585». *ASGHG*, 38: 265-266, 1965.

afirman que son pocas aunque cuando llegan, entre los meses de abril y mayo, caen con alguna violencia y acompañadas de fuertes vientos(7).

En cuanto a los demás elementos que componen el paisaje todas las alusiones de las fuentes coloniales confirman su similitud con la actualidad: el mismo manto vegetal, aunque cada vez menos extenso por la acción del hombre; las mismas dependencias de la agricultura en cuanto al suelo y al clima; el mismo sistema de cultivos, sobre todo en lo que se refiere a las milpas de la Sierra; las mismas especies animales viviendo en las zonas menos frecuentadas por los hombres.

Como todavía hoy sucede, el medio condicionó notablemente la vida de los hombres que durante el siglo XVI habitaron el Occidente de Guatemala. La obtención de una buena cosecha de maíz dependía de que las lluvias llegaran en su justo tiempo; la espesura del bosque obligaba a los indígenas a una constante lucha con la naturaleza para arrancarle sus frutos; para conseguir cacao había que poseer tierras en la Bocacosta; la sal sólo podía obtenerse en la costa o en las salinas del altiplano, en Ixtatán o Sacapulas. El sistema de explotación del suelo impuso un tipo de asentamiento que difícilmente podía ser sustituido por una forma de poblamiento menos dispersa. En definitiva, toda la existencia estaría subordinada a una tierra que se imponía al hombre, quien sólo podía disponer de su cultura para adaptarse y en parte superar los obstáculos que la naturaleza colocaba ante él.

LOS MAYAS DEL OCCIDENTE DE GUATEMALA

Cuando los españoles llegaron en 1542, las tierras occidentales de Guatemala se encontraban dominadas por cuatro grandes señoríos étnicos que controlaban áreas más o menos extensas; tres de ellos eran de asentamiento reciente —quichés, cakchiqueles y tzutujiles— mientras que los mames tenían establecido allí su hogar desde algunos cientos de años antes.

Quichés, cakchiqueles y tzutujiles formaban, junto con los rabinales, un conjunto de pueblos de cultura común conocido en la bibliografía reciente con el nombre de "quicheanos", término más amplio que el de quichés que refiere sólo a uno de ellos. Todos fueron, en principio, señoríos fundados por gentes de origen epitolteca (tolteca-chichimeca) procedentes de la región de Veracruz-Tabasco. Des-

---

7. Relación Atitlán: «Relación de Santiago Atitlán, año de 1585». *ASGHG*, 37: 94. 1964.

de su lugar de origen se habían desplazado hasta las cercanías de la Laguna de Términos y a partir de allí —siguiendo la cuenca del río Usumacinta— habían invadido las tierras altas occidentales de Guatemala. El comienzo de la invasión se viene estableciendo en los inicios del segundo milenio de la era cristiana, pero se puede fijar una fecha cercana al año 1250 d.C. como el momento en que se asentaron definitivamente en el área(8).

Sin embargo, esta invasión no estuvo protagonizada por fuertes contingentes humanos sino que fue llevada a cabo por un ejército acaudillado por señores toltequizados que en poco tiempo impusieron su poder sobre la pacífica población maya que habitaba el área desde tiempos remotos. Una muestra de la escasa importancia del contingente conquistador es el hecho de que éstos adoptaron las lenguas de los pueblos conquistados en lugar de imponer la suya, lo que hubiera sido lógico si la primitiva población hubiera sido desplazada o, por lo menos hubiera convivido con un importante número de inmigrantes. Por tanto, hay que pensar que el rápido establecimiento de los invasores en las tierras altas de Guatemala se debió más a una desarrollada organización militar y un armamento perfeccionado que a su número.

La llegada de los guerreros epitoltecas pudo producirse en tres oleadas diferentes que comenzaron a partir del año 1100 d.C. En la segunda llegaron varios grupos entre los que destacan los tzutujiles que se establecieron en las márgenes suroccidentales del lago Atitlán; y en la tercera pudieron llegar a las tierras altas los grupos quichés y cakchiqueles (entre 1200 y 1250 d.C.), instalándose los primeros en las tierras correspondientes a los actuales departamentos de Quiché y Baja Verapaz, y los segundos al norte del lago Atitlán(9). En su avance fueron desplazando hacia las regiones surorientales de Mesoamérica a los grupos pipiles y nicaraos que dominaban las tierras de la Bocacosta de Guatemala, y arrinconando a los pokomames y kekchíes que habitaban el altiplano.

---

8. R. Carmack, J. Fox y R. Steward: *La formación del reino Quiché.* Guatemala, 1975, pág. 38. Una descripción completa del origen de estos pueblos y de su emigración, así como de la historia de las tierras altas de Guatemala durante la época anterior a la llegada de los españoles, puede verse en Robert M. Carmack: *The documentary sources, ecology, and culture history of the prehistoric Quiche Maya.* Ph. D. dissertation. Los Angeles, 1965; también se puede consultar el trabajo de Stephan F. de Borhegyi: «Archaeological syntesis of the Guatemalan Highlands». *HMAI,* vol. 2 págs. 3-58. 1965.

9. R. M. Carmack: *Documentary sources...* pág. 154; y J. Fox: «Quiche expansion processes: differential ecological growth bases within an archaic state». *Archaeology and ethnohistory of the Central Quiche,* págs. 82-97. Albany, 1977.

Los tzutujiles establecieron su centro cívico y ceremonial en el sur del lago, en el lugar conocido como Tziquinahay o Chuitinamit-Atitlán, y extendieron su poder por gran parte de las orillas del lago así como por una extensa zona de la Bocacosta que alcanzaba hasta la región de Xetulul, en las orillas del río Samalá, límite oriental del dominio de los mames de Zaculeu.

Los quichés y cakchiqueles que junto con los rabinales llegaron a los Altos en la tercera oleada, se establecieron en territorios separados aunque mantuvieron entre sí determinados tipos de alianzas en las que los quichés, al parecer al grupo más poderoso, siempre tuvieron un papel preponderante. A su llegada los quichés se asentaron en un lugar de la Sierra de Chuacús, en los alrededores del actual cantón de Santa Rosa Chujuyup, algunos kilómetros al nordeste de Santa Cruz del Quiché; su centro ceremonial y político más importante en los primeros años fue el lugar conocido como Jakawitz. Los cakchiqueles establecieron su centro en las montañas cercanas. En estos lugares permanecieron por espacio de cien años hasta que los quichés fueron fortaleciendo sus posesiones y dominando a los grupos cercanos; los mames fueron de hecho la única oposición organizada que encontraron en su expansión. Hacia 1350 los quichés establecieron su centro en Ismachí-K'umarcaaj, cerca de la actual Santa Cruz del Quiché, mientras los cakchiqueles se desplazaron hacia el sureste y erigieron su "capital" en el lugar denominado Chwilá o Chiavar Tzupitakáh, donde se levanta el actual pueblo de Chichicastenango, alejándose de esta forma del centro de poder quiché pero sin abandonar sus alianzas. En estas mismas fechas los rabinales también se alejaron de los montes del Quiché y establecieron su centro en las regiones del norte, hasta entonces dominadas por pokomames y kekchíes.

A partir de estos sucesos comienza la fase de expansión del estado quiché que en su momento culminante llegó a alcanzar dimensiones de un imperio regional. Con la ayuda de los cakchiqueles y los rabinales iniciaron una primera campaña con la intención de dominar los pueblos del norte y el este que habitaban en las tierras templadas de las cuencas de los ríos Negro y Motagua; de esta forma incorporaron como tributarios a sacapultecos, aguacatecos, y uspantecos —pueblos de origen mexicano que habían llegado a Guatemala en oleadas anteriores a la de los quichés— así como a diversas poblaciones mames y tzutujiles. Sin embargo, no lograron apoderarse de Zaculeu, el centro político y religioso de los mames, único lugar que se mantuvo permanentemente poblado desde los tiempos del Clásico hasta la conquista española, en el altiplano occidental de Guatemala.

Este primer período de expansión coincidió con la presencia en la cúspide del poder del *ahpop* Kukumatz, considerado por la tradición indígena como el forjador del estado quiché. Sus conquistas estuvieron encaminadas a la anexión de tierras de las que pudieran obtener productos complementarios a los que se conseguían en las zonas aledañas a K'umarcaaj. En las regiones del norte podrían conseguir especies agrícolas de las que se carecía en las más frías tierras de los Altos, así como objetos suntuarios tales como jade y plumas de aves muy codiciados por la floreciente casta dominante de K'umarcaaj(10). Para asegurar la permanente sujeción de las tierras y pueblos sometidos, así como para controlar el pago de los tributos, los señores quichés establecieron enclaves políticos y administrativos en los más importantes centros ceremoniales de los pueblos conquistados y colocaron en ellos a miembros de sus principales linajes a los que se les concedían determinadas preeminencias sobre las tierras y hombres controlados desde dicho centro. Sin embargo, no eliminaron totalmente a los grupos dominantes de las poblaciones sometidas, sino que los asimilaron y les concedieron el rango de linajes de segundo orden, manteniéndolos en posiciones de poder en cada una de sus comunidades.

A la expansión comenzada en tiempos de Kukumatz siguió una segunda fase llevada a cabo por su hijo, el *ahpop* Quikab, cuyo "reinado" se sitúa entre los años 1424 y 1475. En esta ocasión los quichés fijaron su atención en las tierras altas suroccidentales, dominadas por los mames, y las ricas regiones cacaoteras de la Bocacosta. En el inicio de esta fase comenzaron por afianzar el poder central sobre las tierras de Totonicapán, Momostenango y Chiquimula, controladas por linajes quichés que no estaban relacionados con K'umarcaaj. En estos lugares establecieron colonias administrativas semejantes a las que antes habían creado en las tierras del norte: Chwa Tz'ak (Momostenango) y Chuwi Mik'ina (Totonicapán) fueron los dos centros más importantes que surgieron en este momento y sobre ellos ejercieron su control los linajes más notables de la línea dominante en K'umarcaaj.

Posteriormente invadieron las tierras de los mames y conquistaron Culahá, importante centro mam al que denominaron Xelajuj, cercano a la actual Quezaltenango. De esta forma, al dominar el valle de Quezaltenango tenían asegurado el control de uno de los más importantes puntos de comunicación entre la Sierra y la Bocacosta: la cuenca del río Samalá. Para asegurar su predominio en la región

---

10. J. W. Fox: «Quiche expansion processes...», pág. 86.

fueron estableciendo pequeñas plazas fortificadas entre las que puede destacarse Sulatiz Sunil. en las orillas del río, donde actualmente se encuentra el pueblo de Zunil.

Una vez asegurada la posesión de la cabecera del Samalá los ejércitos quichés continuaron su expansión por la Bocacosta, en los dominios mames; por el oeste conquistaron toda la llanura costera hasta el Xoconusco, límite oriental de¹ Imperio azteca. Después se anexionaron las tierras cacaoteras de la región de Samayac y Zapotitlán —donde establecieron una importante colonia denominada Xetulul— hasta ese momento controlada por los tzutujiles de Tziquinahay. Con estas conquistas llevadas a cabo por Quikab alcanza el imperio quiché su máximo poder, y durante un corto período puede hablarse de la existencia de una "pax quicheana"; unos decenios en los que K'umarcaaj impuso su predominio sobre la totalidad de las tierras y pueblos de Guatemala: cakchiqueles y rabinales controlados por medio de alianzas más o menos obligadas; el pequeño, pero poderoso, señorío tzutujil limitado a las orillas del lago Atitlán y la zona de Bocacosta comprendida entre los ríos Ixtacapa y Madre Vieja; los mames reducidos a su fortaleza de Zaculeu y a un estrecho corredor hacia el Pacífico, impotentes ante el poder quiché que les había arrebatado las más fértiles de sus tierras; y, finalmente, hacia el oriente, todo un mosaico de pueblos que habían sido desplazados por el implacable avance de los invasores.

Pero esta situación de máxima expansión duraría pocos años ya que hacia 1470 los cakchiqueles decidieron abandonar su centro de Chwilá para establecerse en el valle de Chimaltenango donde erigieron su nueva capital, Iximché, más alejada de los poderosos brazos de K'umarcaaj. Esta separación supuso la ruptura de la confederación que los pueblos quicheanos mantuvieron desde su llegada a Guatemala, el fin del período de paz que siguió al reinado de Quikab, y el comienzo de la decadencia del imperio quiché. Después de esta fecha, y hasta la irrupción de las huestes conquistadoras españolas, el país entró en un estado de guerra endémica que finalizaría aparentemente con la imposición de la llamada "pax hispánica", pero que se mantuvo en estado latente durante todos los siglos de la colonia y se manifestó en numerosas ocasiones bajo la forma de conflictivos pleitos sobre tierras que a veces dieron lugar a enfrentamientos violentos entre distintos pueblos.

Sin embargo, si los quichés vieron mermado su poder desde 1470, los cakchiqueles, un pueblo guerrero que había servido como fuerza de choque en las guerras de conquista desarrolladas por aquéllos durante los años de la confederación, establecieron en Iximché un estado altamente centralizado y agresivo, y comenzaron un período de expansión similar al que un siglo atrás habían llevado a cabo los quichés: se extendieron por tierras de la Bocacosta expulsando a los pipiles que los quichés habían desplazado hacia el oriente, a la vez que en el altiplano también dirigieron su expansión hacia el este sometiendo a los grupos pokomames que ofrecían menos resistencia que los tzutujiles o los quichés. Hacia 1510 los cakchiqueles tuvieron suficiente poder como para enfrentarse con sus antiguos aliados; lograron apoderarse de territorios de los rabinales y derrotaron en diversas ocasiones a los antes invencibles quichés. La llegada de Alvarado cortó bruscamente este proceso que podía haber desembocado en la sustitución de los quichés por los cakchiqueles en el predominio del altiplano.

* * *

El establecimiento de los grupos quicheanos en las tierras altas de Guatemala no supuso únicamente la irrupción de un pueblo belicoso que tenía la idea de forjar un imperio y que consiguió sus fines. sino que dio lugar al cambio de una gran parte de las estructuras de los pueblos que habitaban el área antes de su aparición, por lo menos en los aspectos formales. A partir de este momento se nota una fuerte tendencia a la mexicanización que se hace evidente en diversos aspectos de la cultura, desde los más visibles como la construcción de los centros ceremoniales, hasta los más complejos y sutiles como el mundo de las creencias y de las mitologías. A la vez, los grupos conquistadores sufrieron un fuerte proceso de mayanización al admitir determinados aspectos de la cultura de los aborígenes, tales como la lengua, y olvidar otros que pertenecían al acervo cultural de sus ancestros entre los que se puede destacar la figura de Kukulcán, cuyo nombre no era siquiera recordado cuando llegaron los españoles[11].

A partir del conocimiento que se puede obtener de las culturas prehispánicas de Guatemala con los datos aportados por la arqueología y la etnohistoria, Stephan F. de Borhegyi encuentra la existencia de cambios en dieciocho aspectos de las culturas de las tierras altas de Guatemala como consecuencia de la mexicanización[12]. En líneas generales estos cambios están relacionados con la evolución

---

11. Stephan F. de Borhegyi: «The development of folk and complex cultures in the Southern Maya Area». *American Antiquity*, 21 (4): 343-356, 1956.
12. «Archaeological synthesis of the Guatemalan Highlands», pág. 54.

apreciada en toda Mesoamérica de una sociedad fundamentalmente teocrática, y hasta cierto punto pacifista, a otra militarista en la que la clase sacerdotal es desplazada del poder por dirigentes guerreros con ideas expansionistas. La acción de estos nuevos gobernantes sumirá el área en un período de guerras contínuas que finalizará con la formación de grandes imperios.

En los aspectos formales, en el Occidente de Guatemala se observa un cambio en la ubicación de los centros cívicos y ceremoniales que de los valles pasan a edificarse en lo alto de los cerros, en lugares estratégicos y fácilmente defendibles, adquiriendo además el aspecto de fortaleza; por lo demás, en las mismas formas arquitectónicas y decorativas aparecen rasgos típicamente mexicanos. Sin embargo, no cambió el patrón de asentamiento de las poblaciones campesinas que continuaron esparcidas alrededor de los centros ceremoniales en caseríos cercanos a las tierras cultivables.

En el plano de lo social y lo político se observa, junto con la intensificación de las guerras expansionistas de los quicheanos, un cambio en los ritos funerarios (cremación de cadáveres en lugar de inhumación); aparición en la cúspide de las estructuras del poder de guerreros que sustituyen a los anteriores dirigentes de carácter religioso, y la aparición en todos los pueblos conquistados de la creencia de que sus antepasados provenían de la legendaria Tula.

Pero quizá sea en el ámbito de lo religioso donde mejor pueda apreciarse el efecto de la mexicanización: introducción del culto a dioses guerreros acompañado, en muchas ocasiones, de sacrificios sangrientos de prisioneros capturados en la guerra; consideración de las cuevas como lugar sagrado en las que reside el ídolo y relacionado con los ancestros míticos; nuevos elementos litúrgicos de origen claramente mexicano; empleo de pinturas sobre superficies vegetales de significado calendárico y usadas con fines adivinatorios y esotéricos, etc. En lo político estos señoríos habían alcanzado, cuanto menos en el caso de quichés y cakchiqueles, el nivel de estado con una organización administrativa y tributaria perfectamente dirigida desde los principales centros: K'umarcaaj, Iximché y Tziquinahay. Posiblemente entre los mames, grupo menos centralista que los quicheanos, esta organización estaba menos perfeccionada.

Entre los quichés —el grupo más representativo— la recaudación del tributo y la administración del estado se hacía mediante un sistema jerárquico y escalonado. Toda el área dominada desde K'umarcaaj estaba dividida en señoríos sometidos a cada uno de los tres grandes linajes quichés: Nima Quiché, Tamub e Ilocab. Cada uno de estos linajes tenía establecida su sede en los principales centros ceremoniales y políticos que habían sido erigidos sobre los más importantes núcleos cívico-religiosos de los pueblos sometidos: Xelajuj, Chuwa Tz'ak, Chuwi Mik'ina, etc. Estos lugares eran considerados cabeceras de pequeños señoríos de cada uno de los linajes cuyos señores mantenían con el *ahpop* de K'umarcaaj —del linaje Nima Quiché— relaciones de vasallaje casi feudales. El tributo era recogido por los señores de cada uno de los linajes quienes a su vez lo entregaban a los poderosos señores de la capital. El mismo sistema era seguido para la recluta de los ejércitos según se desprende de los testimonios que refieren a la formación del gran ejército que los quichés opusieron a los españoles en 1524.

Entre los cakchiqueles el sistema era semejante y Tzololá, único centro cakchiquel de importancia en el Occidente de Guatemala, funcionaba igualmente como cabecera o "capital" de uno de estos señoríos, si bien su dependencia de Iximché era mucho más rígida que en el caso de los quichés. Sin embargo, el señorío tzutujil de Atitlán estaba dirigido exclusivamente desde Tziquinahay donde residían los señores de los dos principales linajes —Tziquinahay y Tzutujil— que ejercían el poder conjuntamente, uno en calidad de señor principal y otro como adjunto (13); una forma de organización del poder con orígenes claramente mexicanos y que aparece igualmente entre los quichés y los cakchiqueles.

LA CONQUISTA

En 1524 la historia vuelve a repetirse. De nuevo un pueblo guerrero y expansionista con claros propósitos imperiales llega al Occidente de Guatemala dispuesto a someter a sus pobladores. También esta vez la invasión va a estar protagonizada por un reducido número de hombres que en poco tiempo impondrán su poderío sobre los pueblos aborígenes y desintegrará los estados construidos con la fuerza de las armas por los pueblos quicheanos.

Esta nueva invasión tuvo sus orígenes en 1523, después que Hernán Cortés sometiera el poderoso imperio azteca. En Tenochtitlan, Cortés tuvo noticias de la existencia de unos pueblos situados más allá de las fronteras del poder de Moctezuma y famosos por sus abundantes riquezas. Enseguida el conquistador organizó expediciones dirigidas por dos de sus capitanes para someter aquellas "pro-

---

13. Una información más completa sobre la organización política de los tzutujiles puede encontrarse en el artículo de Pedro Carrasco: «El Señorío Tzutuhil de Atitlán en el siglo XVI». *Revista Mexicana de Estudios Antropológicos*, 21: 317-331, 1967.

vincias": Cristóbal de Olid iría por mar hacia la región de Honduras, mientras Pedro de Alvarado seguiría una ruta terrestre, paralela a la costa del Pacífico, para llegar a Guatemala a través de Tehuantepec y el Xoconusco. Con anterioridad Moctezuma había enviado emisarios a la corte K'umarcaaj, con quien los aztecas mantenían buenas relaciones desde los tiempos de Quikab, avisando a sus aliados de la presencia de los terribles extranjeros en sus tierras; ante estas noticias, los quichés comenzaron a organizar un sistema de alianzas que superara los enfrentamientos anteriores, para presentar un frente unido ante el enemigo común.

A finales del año 1523 Alvarado iniciaba su expedición compuesta por 300 soldados españoles, 135 caballos, 4 piezas de artillería y una fuerza de choque formada por indígenas del sometido imperio azteca: 200 tlaxcaltecas y cholultecas y 100 mexicas(14). Además, llevaba consigo un cierto número de intérpretes y algunos religiosos. Con este ejército a su mando llegaba Alvarado a las tierras de Guatemala en los primeros días de 1524 siguiendo un viejo camino indígena que corría por la llanura litoral junto a las primeras elevaciones de la Bocacosta. Después de varias jornadas sin tener contacto con persona alguna, encontraron a tres indígenas, supuestamente espías enviados para observar el avance de los extranjeros y la naturaleza de su ejército. Capturados por los españoles, fueron enviados a su pueblo para que instaran a sus señores a prestar obediencia al rey de Castilla. El pueblo de los espías era Xetulul, posteriormente conocido como Zapotitlán, y sus señores no estaban dispuestos a facilitar la labor de los conquistadores. Ante la reticencia de los naturales, Alvarado decidió tomar por las armas la población, lo que consiguió tras haber tenido que superar la oposición que algunos grupos armados pusieron a su avance. Ante la imparable fuerza de los españoles los señores de Xetulul enviaron noticias a Xelajuj para que allí prepararan la resistencia.

Desde Xetulul, y siguiendo un camino paralelo al río Samalá, Alvarado comenzó la ascensión por la Bocacosta para llegar a las tierras altas donde se encontraban las principales ciudades indígenas.

---

14. Los acontecimientos de la conquista de Guatemala son sobradamente conocidos y, por ello, aquí no vamos a detenernos excesivamente en su relato. El lector puede encontrar una descripción detallada de la conquista en diversas obras entre las que se pueden citar las siguientes: Salvador Rodríguez Becerra: *Encomienda y conquista: Los inicios de la colonización en Guatemala*. Sevilla, 1977; Robert M. Carmack: *The documentary sources...*, págs. 369 y ss.; Anónimo: *La muerte de Tecum Uman*. Guatemala, 1963; M. J. MacLeod: *Spanish Central America: A socioeconomic history, 1520-1720*. Berkeley, 1973; además de diversos cronistas como Bernal Díaz del Castillo, Fuentes y Guzmán, etc.

Pero antes de que pudiera llegar a Xelajuj, los quichés ya habían organnzado un fuerte ejército en el que participaban hombres de todas las "provincias" del estado; sin embargo, no habían logrado unir a sus fuerzas las de los cakchiqueles, sus enemigos tradicionales, que habían considerado más útil aliarse con los extranjeros para acabar definitivamente con el poderío quiché. Los tzutujiles, por su parte. decidieron que ellos eran suficientemente fuertes como para enfrentarse solos a los españoles. Cuando Alvarado y sus tropas llegaron al altiplano ya les estaba esperando un poderoso ejército que el propio conquistador calculaba formado por unos tres o cuatro mil indios. A partir de este momento se produjeron varios enfrentamientos en lugares cercanos a Xelajuj en los que, según noticias del propio Alvarado, murieron gran cantidad de indios en cada combate.

El más importante de los enfrentamientos tuvo lugar en una extensa planicie conocida como "llanos del Pinal"; allí esperaba a los españoles un ejército quiché a las órdenes de Tecum Umam, miembro de uno de los primeros linajes indígenas, al que los señores de K'umarcaaj habían encomendado la defensa. El ejército, según las crónicas y las impresiones del mismo Alvarado, estaba compuesto por más de 10.000 indígenas, y su jefe Tecum marchaba al frente de él adornado con todas las insignias propias de su linaje y rango; según el *Título de la casa de Ixquin-Nehaib,* Tecum

> "venía lleno de plumería y traía puesta una corona, y en los pechos traía una esmeralda muy grande que parecía espejo, y otra traía en la frente. Y otra en la espalda. Venía muy galán. El cual capitán volaba como águila, era gran principal y gran nagual"(15).

En el transcurso del combate, que quedaría en las crónicas como uno de los más sangrientos de toda la conquista, Pedro de Alvarado dio muerte a Tecum Umam y logró con ello la desbandada del ejército quiché. La derrota del ejército y la muerte de su jefe ha sido considerado legendariamente como el fin del poderío quiché y el hecho que marca el triunfo de los conquistadores sobre los pueblos aborígenes de Guatemala, aunque en verdad la conquista no terminaría en este momento; todavía los españoles tendrían que hacer frente en sucesivas ocasiones a la resistencia indígena.

---

15. «Títulos de la casa de Ixquin-Nehaib, señora del territorio de Otzoya». Transcripción de Adrián Recinos. *Crónicas indígenas de Guatemala,* págs. 69-94. Guatemala, 1957.

Después de la victoria en los llanos del Pinal los invasores tomaron la fortaleza de Xelajuj que había sido abandonada por sus pobladores. En ella el conquistador rehizo su maltrecho ejército y preparó el plan para culminar la conquista. Sin embargo, los quichés también habían logrado rehacer sus fuerzas y, pocos días después de la muerte de Tecum —fechada el 12 de febrero de 1524(16)—, presentaban de nuevo la batalla a los españoles con un ejército tan poderoso como el anterior que, según los cronistas, estaba formado por más de 12.000 hombres. En esta ocasión el combate se desarrolló en una planicie situada al noreste de la actual ciudad de Quezaltenango conocida como los "llanos de Urbina"; la batalla finalizó con derrota total de las fuerzas quichés que perdieron en esta ocasión la mayor parte de sus efectivos. La cantidad de indígenas muertos debió ser tan importante que el mismo Alvarado calificó el combate como la destrucción "mayor del mundo".

El destrozado ejército indígena se dispersó por las montañas cercanas y, en unos días, los españoles no volvieron a tener contacto con los naturales. Poco después, un grupo de indios principales se presentó ante el conquistador, al que por el color rubio de sus cabellos llamaron *Tonatiuh*, término náhuatl que significa "el sol"; en la entrevista los principales manifestaron a Alvarado su decisión de someterse al poder español y ofrecerle sus servicios. Alvarado aceptó la rendición con la condición de que todos los vecinos de Xelajuj volvieran a sus casas, comenzaran a trabajar y se dispusieran a recibir el bautismo de manos de los clérigos que formaban parte de la expedición. Los indígenas aceptaron las condiciones del compromiso y propusieron al conquistador que, junto con sus huestes, emprendiera camino hacia la capital de su estado, K'umarcaaj, donde recibiría la sumisión de los señores de aquella tierra y le serían entregados presentes. Alvarado aceptó la invitación y preparó su ejército para trasladarse a K'umarcaaj, dejando una pequeña guarnición en Saccahá, lugar cercano a Xelajuj.

Mientras tanto, los señores quichés habían reunido en la capital un gran contingente de hombres traidos de todos los territorios del estado al que se unió un ejército aportado por los mames de Zaculeu. El plan a seguir había sido propuesto por el señor de Zaculeu, Caibal Balam; éste pretendía hacer entrar a los españoles en la fortaleza y, una vez dentro, prenderle fuego para que allí murieran. Cuando Alvarado llegó a la capital quiché observó que el recinto sólo

---

16. Francis Gall: «Tecún Umán murió el 12 de febrero de 1524». *ASGHG*, 42: 301-323. 1969.

disponía de dos entradas de difícil acceso y que sus calles eran tan angostas que difícilmente podrían hacer uso de la caballería para defenderse en caso de ataque; como sospechara que los naturales trataban de tenderle una trampa, decidió —en contra de las continuas instancias de los señores de la ciudad— salir del recinto y levantar el campamento en los llanos de los alrededores. Ya en las afueras las fuerzas quichés comenzaron a entablar combates con los españoles; el final de las escaramuzas tuvo lugar cuando Alvarado tomó prisioneros a los señores quichés y los condenó a morir en la hoguera como castigo a su rebeldía. Después, para escarmiento de todos, incendió K'umarcaaj.

Una vez dominado el centro del poder quiché, Alvarado envió mensajeros a las cortes de Iximché y Tziquinahay para que cakchiqueles y tzutujiles se sometieran al rey de Castilla y que les enviaran refuerzos con los que culminar la conquista del quiché. Los tzutujiles se negaron y mataron a cuatro de los emisarios, mientras que los cakchiqueles enviaron los refuerzos solicitados, dando así muestras de su deseo de mantener relaciones amistosas con los españoles. Desde K'umarcaaj Alvarado, una vez sometidos los últimos focos de resistencia quiché, partió con su ejército hacia Iximché donde debía recibir el vasallaje de los cakchiqueles.

Instigado por los cakchiqueles, Alvarado decidió someter a los tzutujiles. Envió dos mensajeros que fueron asesinados lo que impulsó al conquistador a reducirlos con la fuerza de las armas. Alvarado organizó un ejército, en el que participaron guerreros cakchiqueles, y se dirigió hacia el lago; tras un primer encuentro los tzutujiles se retiraron y se hicieron fuertes en un islote del lago al que era imposible acceder con la caballería. Pero en poco tiempo los conquistadores acabaron con la resistencia tzutujil y entraron en su capital que había sido abandonada por todos sus habitantes. Algo después Alvarado consiguió la rendición de los señores tzutujiles de los que recibió importantes tributos.

De Tziquinahay Alvarado volvió a Iximché donde recibió pleitesía de los pueblos del norte y el este. La siguiente campaña estuvo encaminada a someter a los pipiles de Isquintepeque que se resistían a prestar obediencia al rey de Castilla e instigaban a los pueblos vecinos para que se opusieran a la conquista. En esta campaña Alvarado, auxiliado por cakchiqueles y tzutujiles, prolongó su conquista hasta Cuscatlán (El Salvador). Después volvió a Iximché donde fundó la ciudad de Santiago de los Caballeros que habría de ser la capital de la nueva colonia; pero este emplazamiento no sería el definitivo ya que por distintas circunstancias la ciudad hubo de trasladarse en tres ocasiones hasta tener su sede definitiva en el valle de Panchoy(17).

Mas la avaricia de los conquistadores iba a dar lugar a que la fase violenta de la conquista se prolongara unos años más. Los cakchiqueles fueron extorsionados por Alvarado que les exigió una gran cantidad de oro en concepto de tributo; en consecuencia, aquéllos intentaron una sublevación para acabar con tan gravosos aliados. La rebelión se convirtió en una guerra abierta en la que los españoles, que habían abandonado Iximché, estuvieron auxiliados por fuerzas quichés y tzutujiles que se vengaban así de los cakchiqueles por la ayuda que éstos habían prestado a Alvarado en los comienzos de la conquista. En el transcurso de esta guerra los españoles sometieron todas las tierras del área de influencia cakchiquel.

Durante el período de rebelión cakchiquel Alvarado tuvo noticias de las grandes riquezas que poseían los mames y organizó una expedición a las órdenes de su hermano Gonzalo. Con 40 jinetes, 80 hombres de a pie y unos 2.000 indios Gonzalo de Alvarado se puso en camino hacia Zaculeu a mediados del año 1525. En la aproximación tuvieron que hacer frente a un numeroso ejército de guerreros mames al que pusieron en retirada; siguiendo este ejército llegaron hasta las murallas de Zaculeu donde se había refugiado el señor mam Caibal Balam. Los españoles organizaron un cerco a la fortaleza en la que se había reunido un ejército indígena de unos 8.000 hombres. El asedio se prolongó durante cuatro meses al final de los cuales Caibal Balam capituló su rendición con los españoles.

Mientras tanto, la rebelión de los cakchiqueles todavía no había sido controlada. Durante 1526 se unieron a los rebeldes gran parte de los quichés —a excepción de los naturales de Quezaltenango y Totonicapán— aprovechando que el temido Tonatiuh partía para México. Este levantamiento produjo de nuevo sangrientos combates y obligó a Alvarado a volver para poner orden y organizar la ofensiva española que terminara definitivamente con el poder indígena. Después de continuas escaramuzas los españoles derrotaron definitivamente a la coalicción quiché-cakchiquel en las cercanías del pueblo de Quezaltenango(18).

---

17. Una completa información sobre los distintos traslados de la ciudad y las causas que los provocaron se encuentran en la obra de Beatriz Suñe: *La documentación del cabildo de Guatemala (siglo XVI) y su valor etnográfico.* Tesis Doctoral, Sevilla, 1981.

18. Para una más detallada relación de los acontecimientos ocurridos tras el levantamiento ver Robert M. Carmack: *Documentary sources...*, págs. 385 y ss.

La caída de los rebeldes puso fin a todo nuevo intento de los indígenas para liberarse del yugo de los españoles. A partir de este momento, hacia 1528, los pueblos empiezan a entregar tributo regularmente a los conquistadores que fueron acabando poco a poco con todos los focos de resistencia. Se puede considerar que hacia 1530, cuando Pedro de Alvarado volvió nuevamente al país con el título de gobernador, Guatemala estaba definitivamente conquistada y los españoles podían poner en funcionamiento las instituciones políticas, administrativas y económicas que permitieran hacer del país una colonia permanente, próspera y rentable.

LA ALCALDIA MAYOR DE ZAPOTITLAN Y LOS SUCHITEPEQUEZ.

Una vez concluida la conquista, los españoles debían organizar la nueva colonia y ordenar las instituciones que permitieran su gobierno y la explotación de sus riquezas. En Guatemala, como en cualquier otro territorio recién conquistado, surgen a partir de 1530 toda una serie de instituciones con jurisdicción civil, militar, religiosa, económica, judicial, etc. Todo un complicado sistema que en numerosas ocasiones dio lugar a conflictos entre las personas que lo integraban y marcaron el desarrollo histórico del país.

Las primeras instituciones que aparecen en Guatemala son las que tienen como fin la organización del gobierno y la milicia, las que han de velar por los intereses de la Corona y la que debe regular la vida ciudadana en la recién fundada Santiago de los Caballeros. La primera toma forma con el nombramiento de gobernador y capitán general concedido a Pedro de Alvarado en 1530; la segunda la encarnan los oficiales reales —factor, veedor, tesorero y contador— nombrados entre los principales hombres que formaban la hueste de Alvarado; para el gobierno de la ciudad se instituye el cabildo, del que formarán parte los vecinos más importantes, y que será uno de los principales órganos de poder en Guatemala durante todo el período colonial. Posteriormente, ya en 1542, las funciones de gobierno y las legislativas pasarán a un órgano colegiado, la Audiencia, cuyo presidente tendrá las funciones de gobernador y capitán general, ejercidas de forma interina e irregular por diversas personas desde la muerte de Pedro de Alvarado, en 1540, hasta la llegada de Alonso de Maldonado con el nombramiento de presidente de la Audiencia de los Confines(19).

La Audiencia de los Confines sería, desde su fundación por las Leyes Nuevas de 1542, el órgano de gobierno de todas las tierras de América Central, desde Soconusco hasta Panamá. El gobierno era ejercido colegiadamente, de la misma forma que la administración de justicia, por el presidente y tres oidores que integraban el "acuerdo" de gobierno. Sin embargo, las disputas a que este tipo de administración dio lugar entre los vecinos españoles de las ciudades de la jurisdicción, obligó a la Corona a desligar las funciones de gobierno de las judiciales en 1561, y conceder aquéllas sólo a la persona del presidente. Poco a poco el presidente de la Audiencia fue perdiendo también poder de gobierno sobre las provincias de la jurisdicción a la vez que la Corona nombraba gobernadores en cada una de ellas con categoría de capitanes generales; de este modo, el presidente de la Audiencia acabó ejerciendo su autoridad sólo sobre los territorios de Guatemala y San Salvador(20).

A la vez que la Audiencia ejercía funciones de gobierno y de tribunal de apelación, la ciudad de Santiago tenía su propio órgano de administración representado por el cabildo. La jurisdicción del cabildo se circunscribía a la ciudad y el Valle —una extensión de "diez leguas a la redonda"—, y a pesar de que tanto el cabildo como la Audiencia debían tener bien delimitadas sus funciones, el siglo XVI fue escenario de contínuos enfrentamientos entre ambas instituciones a causa de las competencias que una y otra se disputaban sobre el territorio de la ciudad y sus habitantes(21).

De la misma forma que se organizaba el gobierno y la administración de justicia, se comenzó a dar forma a la explotación económica del recién conquistado país. Para ello se adoptó la institución

---

19. Un estudio completo de las jurisdicciones y funcionamiento de cada una de estas instituciones de gobierno, generales para todas las Indias, puede verse en los siguientes trabajos: C. H. Haring: *The Spanish Empire in America*. New York, 1963; Richard Konetzke: *America Latina II. La época colonial*. Madrid, 1971; Fernando Muro: *Las presidencias-gobernaciones en Indias (siglo XVI)*. Sevilla, 1975. En este último hay un capítulo dedicado al caso especial de la Audiencia de Guatemala. En el trabajo de Beatriz Suñe, *La documentación del Cabildo de Guatemala...*, se analiza a fondo la institución del gobierno municipal y sus relaciones con las demás jurisdicciones; también se describen con detalle las distintas etapas por las que pasaron las diversas instituciones de gobierno y justicia de Guatemala durante todo el siglo XVI.

20. Fernando Muro: *Op. cit.*, pág. 15 y ss.

21. Beatriz Suñe: «El corregidor del Valle de Guatemala: una institución española para el control de la población indígena». *Economía y Sociedad en los Andes y Mesoamérica*, págs. 153-158. Madrid, 1979.

denominada encomienda —común para la explotación de todos los territorios indianos—, mediante la cual se regularizaba la forma en que los naturales debían entregar sus tributos a los nuevos señores. La adjudicación de encomiendas entre los conquistadores estaba reservada al gobernador —con consentimiento del cabildo—, o a la Real Audiencia en los momentos de gobierno colegiado, y también fue origen de contenciosos entre las autoridades y los vecinos españoles(22).

Finalmente se organizó la vida religiosa de la colonia con la erección de una diócesis en la ciudad de Santiago. Durante los primeros años la presencia de eclesiásticos en Guatemala fue escasa; sólo dos clérigos participaron en la expedición conquistadora, los padres Juan Godínez y Francisco Hernández. Este último abandonó a los pocos años la ciudad de Santiago para establecerse como párroco en San Salvador. Para hacer más fuerte la presencia de la Iglesia en Guatemala fue enviado en 1530 el licenciado don Francisco Marroquín, clérigo protegido de Pedro de Alvarado y del obispo de México, que iba a ser el encargado de organizar y dirigir la actividad religiosa de la joven colonia(23).

La fuerte personalidad de Marroquín y sus buenas relaciones con las altas jerarquías de la administración indiana hicieron que pronto es convirtiera en la primera autoridad eclesiástica de Guatemala. En 1533 la Corona creó un obispado con sede en la ciudad de Santiago que debía encargarse de dirigir los asuntos espirituales en todo el territorio de la gobernación; para ocuparlo fue nombrado el licenciado Marroquín quien tomó posesión del cargo el año 1537. A partir de este momento la Iglesia de Guatemala, con su obispo al frente, comenzó el trabajo de evangelización de los naturales. El peso de esta labor evangelizadora recayó en su mayor parte sobre las órdenes religiosas —franciscanos, dominicos y mercedarios— que se convirtieron así en el más eficaz vehículo de aculturación de la población indígena(24).

---

22. Sobre el régimen de encomiendas en Guatemala ver la ya citada obra de Salvador Rodríguez: *Encomienda y conquista. Los inicios de la colonización en Guatemala.*

23. Una descripción completa de la vida y obra de Marroquín en Guatemala, así como una recopilación de sus escritos se encuentra en la obra de Carmelo Sáenz de Santamaría: *El licenciado don Francisco Marroquín. Primer obispo de Guatemala (1499-1563).* Madrid, 1964.

24. Un estudio detallado del proceso de institucionalización de la Iglesia en Guatemala se puede ver en la obra de Edward O'Flaherty: *Iglesia y sociedad en Guatemala (1524-1563). Análisis de un proceso cultural.* Sevilla, 1984.

Después que se reguló el funcionamiento de la colonia en sus aspectos esenciales, comenzaron a aparecer problemas de gobierno derivados fundamentalmente de la gran extensión de tierras que había que controlar. Poco a poco el territorio se fue dividiendo en circunscripciones cada vez más pequeñas y manejables, gobernadas por medio de instituciones político-administrativas supeditadas de una u otra forma a las autoridades superiores. El territorio que quedó vinculado al gobierno del presidente de la Audiencia —Guatemala y San Salvador— fue dividido en alcaldías mayores y corregimientos gobernados por alcaldes mayores y corregidores dependientes del presidente-gobernador. De esta forma surgieron las alcaldías mayores de Verapaz, San Salvador y Zapotitlán, tres regiones que, junto con los alrededores de la ciudad de Santiago, tenían singular interés para el desarrollo colonial.

La alcaldía mayor de Zapotitlán y los Suchitepéquez comprendía todas las tierras situadas entre el pueblo de Pazón, en el límite del Corregimiento del Valle, y el río Suchiate que servía de frontera natural con el Soconusco; en el norte quedaba limitada por los Altos Cuchumatanes y en el sur por la costa del Pacífico(25). Para el gobierno de la provincia se nombró un alcalde mayor que durante los primeros años era elegido por la Audiencia o por su presidente, pero que posteriormente fue nombrado directamente por la Corona. No obstante, los presidentes de la Audiencia, molestos por la pérdida de control sobre la persona que gobernaba tan importante territorio, trataron de nombrar alcaldes interinos siempre que les fue posible y de poner límites a los poderes de los alcaldes nombrados desde la metrópoli.

Según los informes ofrecidos por la documentación, el primer alcalde mayor de Zapotitlán y los Suchitepéquez fue un Alonso de Paz, nombrado por la Audiencia, que mantuvo su puesto hasta 1560, cuando se nombró para sustituirle a Pedro de la Rúa(26). En los años posteriores la Audiencia, presidida por el licenciado Martínez de Lanchedo, seguiría nombrando alcaldes hasta que en 1567 el rey expidió una Real Provisión por la que nombraba para ocupar el cargo a Diego Garcés, residente en Castilla(27), dando con ello comienzo

---

25. Relación Zapotitlán: *Op. cit.*, pág. 72.
26. La Real Provisión en que se nombra a Pedro de la Rúa como alcalde mayor aparece en el siguiente documento: Pleito promovido por Diego Garcés, alcalde mayor de Zapotitlán, sobre el pago de su salario. 10 enero 1570. AGI, Justicia, leg. 292-1.
27. Ibid.

a una larga serie de disputas entre ambas autoridades —alcalde mayor y Audiencia— por la delimitación de sus competencias.

El punto clave del conflicto entre los alcaldes mayores de nombramiento regio y la Real Audiencia estaba en la presencia de corregidores en cuatro de los principales centros de población de la alcaldía mayor. Después de la muerte en 1541 de doña Beatriz de la Cueva, viuda de Pedro Alvarado, los pueblos que ésta tenía encomendados pasaron a ser propiedad de la Corona por orden del licenciado Maldonado, primer presidente de la Audiencia. Entre dichas encomiendas estaban los pueblos de Quezaltenango, Totonicapán, Atitlán y Tecpanatitlán, todos ellos pertenecientes a la alcaldía mayor de Zapotitlán, y que por su riqueza Alvarado se había reservado para sí al hacer el reparto de encomiendas entre los conquistadores. Como eran pueblos de muchos habitantes y su tributo muy elevado, al pasar a ser encomiendas de la Corona la Audiencia decidió nombrar en cada uno de estos pueblos un corregidor que velara por los intereses del rey.

Las funciones de los corregidores eran muy semejantes a las que correspondían al alcalde mayor. Tenían a su cargo la administración de justicia en los casos de pleitos entre indios —cuando éstos no se podían resolver ante las autoridades indígenas— y en los pleitos entre indios y españoles en primera instancia, cuando los asuntos causantes del pleito no fueran de jurisdicción exclusiva de la Real Audiencia. Debían cuidar de que los naturales hicieran sus milpas y tributaran las cantidades estipuladas en las tasaciones. También estaba entre sus cometidos atender a que los indios recibieran la instrucción religiosa que todo encomendero debía procurar a los de su encomienda, y hacer que dichos indios aprendieran a vivir en "policía".

Los primeros corregidores tuvieron competencia exclusiva sobre la gente del pueblo para el que se los nombraba y cuyos indios estaban encomendados en la Real Corona. El territorio de su jurisdicción se extendía de este modo sobre todas aquellas tierras que se consideraban propiedad de los vecinos de dicho pueblo, y dada la especial distribución de la población indígena en caseríos dispersos, este territorio podía a veces ser bastante extenso. Tal era el caso del corregimiento de Atitlán que incluía todas las tierras que antes de la conquista habían sido dominadas por el señorío tzutujil; o de los corregimientos de Quezaltenango y Tecpanatitlán que se extendían por todo el territorio dominado desde Xelajuj y Tzololá tanto en la Sierra como en la Bocacosta. Estas fueron las competencias de los corregidores durante los años que van desde la creación de los corregimientos por el presidente Maldonado hasta 1570, cuando la Audiencia se instaló definitivamente en Santiago de Guatemala tras su breve estancia en Panamá. A partir de esta fecha la Audiencia decidió reforzar la figura del corregidor y puso también bajo su jurisdicción pueblos encomendados en personas particulares(28).

Es precisamente el momento en que la Audiencia refuerza la figura del corregidor, cuyo nombramiento tiene su poder, cuando la Corona decide también vigorizar las alcaldías mayores de Guatemala y nombrar directamente a sus responsables, privando así a la Audiencia del poder de designar a personas de su confianza para dicho cargo. Hasta el año 1570 en que Diego Garcés llegó a Guatemala para tomar posesión del oficio de alcalde mayor de Zapotitlán y los Suchitepéquez —para el que el rey le había nombrado en abril de 1567—, los alcaldes mayores designados por la Audiencia no habían entrado en conflicto con los corregidores. En efecto, los corregidores no residían casi nunca en sus destinos ya que el cargo había tenido más un carácter nominal que efectivo y se había convertido en una forma de obtener un salario de la Real Hacienda para los vecinos menos acaudalados, o en una forma de comenzar una carrera en la administración colonial. De la misma forma, los alcaldes mayores nombrados hasta entonces —Alonso de Paz, Pedro de la Rúa, Francisco de Guinea y Gasco de Herrera— tampoco habían prestado demasiada atención los asuntos de su jurisdicción, tenían los mismos fines que los corregidores, e igual que aquéllos habían sido nombrados entre la numerosa clientela que rodeaba a las primeras autoridades de la gobernación.

La decisión de fortalecer la figura de los corregidores aparece en un informe que la Audiencia envió al rey en 1571:

> "Hasta aquí teníamos los oficios de corregidores por de poca importancia y que era un color para poder llevar alguna ayuda de costa y no se insistía en que residiesen; y entendiendo mejor con diligencia que sobre ello hemos hecho, conviene que residan y residiendo con oficios importantes así para el amparo de los macehuales que no sean maltratados como es de ordinario de sus principales, como para que haya más particular cuidado de la doctrina y que trabajen y siembren para su sustento y no incurran en flaquezas de su gentilidad como acontece en pueblos do no hay españoles ni jueces, y también aprovechan

---

28. Carlos Molina Argüello: «Gobernaciones, alcaldías mayores y corregimientos en el reino de Guatemala». *Anuario de Estudios Americanos*, 17: 105-132. 1960.

los corregidores a que los indios no reciban opresión ni agravio de los españoles que acudan a sus lugares"(29).

En 1579 se especifican aún más las funciones que competen a los corregidores al hacer el nombramiento del de Atitlán: tiene a su cargo la jurisdicción civil y criminal en primera instancia, el cuidado del perfecto cobro de los tributos de los pueblos de su jurisdicción, procurar la evangelización y hacer que los indígenas trabajen sus milpas. Además debe atender al cuidado y defensa de los naturales: evitar las borracheras e idolatrías; cuidar que los principales no gasten el dinero de los tributos de los macehuales; supervisar las cuentas de la caja del pueblo; cuidar de que los bienes propios de los pueblos se usen provechosamente y evitar el contacto de los indios con negros, mulatos y mestizos(30).

La coincidencia de estas funciones con las correspondientes a los alcaldes mayores se pone de manifiesto en el nombramiento de alcalde mayor que la Audiencia daba en 1561 a Francisco de Guinea:

> "...vos mandamos que, como nuestro juez, entendáis en que todos los dichos pueblos de suso declarados y en cada uno de ellos y en sus barrios y estancias y sujetos y en todos los demás a ellos comarcanos haya doctrina cristiana, que los naturales de los dichos pueblos la tengan en todo lo posible, y policía, que anden vestidos y vivan como cristianos y tengan sus sementeras así en particular cada uno de ellos como las generales que los dichos pueblos suelen y acostumbran hacer, y otras que sean necesarias, de manera que tengan abundancia de mantenimientos, procurando que en los dichos pueblos ni en ninguno de ellos no haya holgazanes ni vagabundos sino que entiendan en sus granjerías y sustento de sus personas y casas, y que los tributos en que están tasados los paguen a sus encomenderos y no les lleven cosa alguna de más de lo contenido y declarado en las últimas tasaciones [...] y que los caciques de los tales pueblos no les lleven tributos demasiados ni les hagan agravios ni les tomen sus haciendas ni echen derramas sobre ellos, quitando y pro-

---

29. Carta de la Audiencia de Guatemala al rey. 6 septiembre 1571. AGI, Audiencia de Guatemala, leg. 9.
30. Expediente promovido por el capitán Juan de Estrada, alcalde mayor de Zapotitlán, sobre quitar la jurisdicción a los corregidores de su distrito. 9 octubre 1580. AGI Audiencia de Guatemala, leg. 55.

hibiendo que no haya borracheras ni idolatrías ni otros ritos ni ceremonias que antiguamente, en el tiempo de su infidelidad, solían y acostumbraban hacer; y que críen aves así para pagar los dichos tributos como para sustento y para que haya abundancia de ellas, pues lo pueden hacer con poco trabajo; y que tengais cargo del reparo de las iglesias [...] y que estén limpias y que haya en ellas ornamentos y las cosas que fueren necesarias para el servicio del culto divino [...] y procureis que los españoles y tratantes que anduvieren por los dichos pueblos y su comarca y otros cualesquier que por ellos fueren y pasaren no les hagan agravios ni malos tratamientos ni los carguen ni tomen ninguna cosa de sus haciendas [...] ni se les venda cosa alguna al fiado ni fuera de los tianguez de los tales pueblos, ni vino ni armas ni otras cosas prohibidas..."(31).

El conflicto surge cuando el primer alcalde mayor nombrado por la Corona llega a tomar posesión de su cargo y muestra cómo en su nombramiento se especifica que debe tener todas las competencias y funciones que habían tenido sus antecesores a la vez que ordena a cualquier persona que tuviera autoridad en la provincia pusiera el cargo a su disposición(32).

Ante esta situación, desde Guatemala se trata de convencer a las autoridades metropolitanas de que no hace falta la presencia de un alcalde mayor en Zapotitlán dado que el territorio está dividido entre cuatro corregidores y no es necesario hacer mayores gastos. El alcalde mayor por su parte advierte al rey de la falsedad de tales informes y reafirma la necesidad de que exista una autoridad superior en toda la tierra(33). De hecho, en el momento que Diego Garcés tomó posesión del cargo su jurisdicción quedaba limitada a una pequeña parte de la región cacaotera de la Bocacosta en torno a las poblaciones de San Antonio Suchitepéquez, —residencia del alcalde—, San Francisco Zapotitlán, Samayac y San Martín Zapotitlán, ya que el resto de la Bocacosta y todas las poblaciones de las tierras altas estaban bajo la jurisdicción de los corregidores. Sin embargo, la escasa asistencia de los corregidores en sus distritos hizo que Diego

---

31. Pleito promovido por Diego Garcés, alcalde mayor de Zapotitlán, sobre el pago de su salario. 10 enero 1570. AGI, Justicia, leg. 292-1.

32. Ibid.

33. Carta de Diego Garcés, alcalde mayor de Zapotitlán, al rey. 20 marzo 1572. AGI, Audiencia de Guatemala, leg. 55.

Garcés no considerara excesivamente mermada su autoridad y decidiera no seguir adelante con el pleito: "aunque me pareció se me hacía agravio, debe ser orden de derecho", argumentaba resignado(34).

En 1574 Diego Garcés abandonó Zapotitlán y la Audiencia nombró interinamente a Perafán de Ribera que había dejado el año anterior la gobernación de Costa Rica en situación de extrema pobreza. Tras una corta permanencia de este alcalde interino, la Audiencia aprovechó la falta de nombramiento desde el Consejo de Indias para crear otros dos corregimientos, uno en San Antonio Suchitepéquez y otro en San Luis Zapotitlán, con lo que ponía bajo la jurisdicción de corregidores —seis ahora— todo el territorio de la alcaldía. Un intento de eliminar aquélla y tener el gobierno de tan importante territorio bajo su control.

Pero en 1578 el rey nombró un nuevo alcalde mayor para sustituir a Diego Garcés: el capitán Juan de Estrada(35). Este sí se consideró gravemente lesionado en sus derechos y comenzó, un año después de tomar posesión de la alcaldía, una disputa con la Audiencia para obligarla a destituir a los cuatro corregidores que habían permanecido en la provincia desde su llegada(36). Como réplica, una de las primeras medidas de la Audiencia fue emitir una Real Provisión prohibiendo a Juan de Estrada inmiscuirse en los asuntos de los corregidores. Posteriormente los oficiales reales de Guatemala informaron al rey de la conveniencia de eliminar la alcaldía mayor y poner en su lugar seis corregimientos, los cuatro que existían desde antiguo más los de San Luis Zapotitlán y San Antonio Suchitepéquez que cubrirían el área gobernada en la práctica por el alcalde mayor(37).

Ante las reclamaciones del alcalde el rey envió una Real Cédula al presidente de Guatemala en la que ordenaba que dejaran libre la jurisdicción de la alcaldía mayor y no volvieran a nombrar más corregidores(38), pero el presidente de la Audiencia no cumplió la orden e insistió al rey sobre la necesidad de mantener los corregidores y quitar al alcalde mayor:

---

34. Carta de Diego Garcés, alcalde mayor de Zapotitlán, al rey. 30 noviembre 1570. AGI, Audiencia de Guatemala, leg. 9.

35. Expediente promovido por el capitán Juan de Estrada, alcalde mayor de Zapotitlán, sobre quitar la jurisdicción a los corregidores de su distrito. 9 octubre 1580. AGI, Audiencia de Guatemala, leg. 55.

36. Memorial presentado por Juan de Estrada, alcalde mayor de Zapotitlán, sobre la existencia de seis corregimientos en su distrito. 5 octubre 1580. AGI, Audiencia de Guatemala, leg. 96.

37. Carta de los oficiales reales de Guatemala al rey. Abril 1581. AGI, Audiencia de Guatemala, leg. 45.

38 Elvas, 24 febrero 1581. AGC, A1 23 leg. 1513 f.º 586.

"...en aquella alcaldía mayor hay cuatro corregimientos de cuatro pueblos principales de V.M. que cada uno de ellos tiene de mil indios tributarios arriba, que son Tecpanatitlán, Atitlán, Quezaltenango y Toconicapán, y éstos ha treinta años que los hay y son necesarios así para la cobranza de los tributos reales como el bien de los dichos indios y tengan persona que les haga justicia en el caballo, en el porquezuelo, en la milpa, comida de ganados, en el salario del español, en sus diferencias de tierras y en otras cien mil cosas. [...] Y si con V.M. el alcalde mayor trata otra cosa es que buscan sus provechos y en cada pueblo querrían tener un teniente puesto por su mano que les acudiese, que son hombrecillos cómitres de galera y así no se los permitimos y cada día se les manda quitar, y cuando ha faltado alcalde mayor se han puesto dos corregimientos en aquella provincia..."(39).

En una nueva Real Cédula, fechada en Madrid el 26 de abril de 1583, el rey ordena a la Audiencia que le remita un completo informe sobre la situación del gobierno de la provincia de Zapotitlán y los Suchitepéquez(40), pero cuando ésta llegó, el presidente García de Valverde ya había resuelto definitivamente el conflicto: en agosto de 1583 nombró un juez de milpas en los únicos pueblos sobre los que el alcalde mayor seguía teniendo jurisdicción, y en noviembre del mismo año designó un juez —Juan de la Cueva, vecino de Guatemala— para que tomara residencia a Juan de Estrada al que desde aquel momento destituyó de su oficio. Para sustituirlo el presidente designó dos nuevos corregidores para los pueblos de San Luis y San Antonio en espera de que el rey nombrara nuevo alcalde mayor o transigiera en eliminarlo y dejar sólo corregidores(41). En 1584 vuelven a insistir sobre el tema los oficiales reales de Guatemala:

"En los pueblos de V.M. hay muchos corregimientos y alcaldías mayores y algunos doblados, todos a costa de la hacienda real [...] y principalmente en la provincia de Zapotitlán en cuyo distrito está un alcalde mayor y en cuatro pueblos del dicho distrito, que son Atitlán, Tec-

39. Carta del presidente de la Audiencia al rey. 5 abril 1582. AGI, Audiencia de Guatemala, leg. 10.

40. AGC, A1 23 leg. 1513 f.º 628.

41. Petición de los herederos del capitán Juan de Estrada, alcalde mayor de Zapotitlán, sobre que se les pague el salario que se le dejó debiendo. 8 septiembre 1584. AGI, Audiencia de Guatemala, leg. 56.

panatitlán, Quezaltenango y Totonicapán, y sus términos en que hay otros pueblos, en que hay cuatro corregidores, teniendo el dicho alcalde mayor jurisdicción en los dichos pueblos de los dichos corregidores [...] debíanse quitar o el alcalde mayor o los cuatro corregidores"(42).

La realidad final fue que en 1584 había sido nombrado por la Corona un nuevo alcalde mayor, Pedro de Ledesma, y que a éste seguiría, en períodos de cuatro años, una larga lista de alcaldes nombrados desde la metrópoli. Pero ninguno de ellos tuvo el carácter combativo de Juan de Estrada y la Audiencia siguió designando a los cuatro corregidores que debían gobernar los más importantes centros de población indígena del Occidente de Guatemala.

En el trasfondo de esta lucha por el control de tan importante territorio hay que buscar a las más importantes familias de la ciudad de Santiago, una oligarquía perfectamente organizada que empleaba todos los medios a su alcance para no verse despojada del dominio sobre los órganos del poder político y económico de la colonia. En la alcaldía mayor de Zapotitlán se encontraban los más importantes y ricos pueblos de indios que los miembros de esta oligarquía poseían en encomienda, y la presencia en ellos de una autoridad que no formara parte del grupo o que no estuviera relacionado con él podía suponer la pérdida de importantes cantidades en tributo y en servicio de la —para ellos rentable— población indígena.

De esta forma, hacia 1583 el Occidente de Guatemala quedó definitivamente organizado desde el punto de vista político-administrativo en una alcaldía mayor cuyo titular era designado por la Corona pero que de hecho sólo tenía jurisdicción sobre la parte de la Bocacosta donde se encontraban los pueblos de San Antonio Suchitepéquez, Nahualapa, Samayac, Zambo, San Francisco Zapotitlán, San Martín Zapotitlán, San Luis, Santa Catalina, y otra serie de pequeñas poblaciones situadas entre las cuencas de los ríos Samalá y Naranjo, hasta la frontera con el Soconusco.

El resto del territorio de la alcaldía se dividía en cuatro corregimientos: el de Atitlán, con jurisdicción sobre todas las poblaciones tzutujiles de las márgenes del lago y las que se extendían por tierras de la Bocacosta entre los ríos Nahualate y Madre Vieja; el de Tecpanatitlán que tenía jurisdicción sobre el pueblo de Tecpana-

---

42. Carta de los oficiales reales de Guatemala al rey. AGI, Audiencia de Guatemala, leg. 45.

titlán y todas sus *estancias* tanto de las tierras altas como de la Boca-costa —aquellas poblaciones que habían sido controladas por los se-ñores de Tzololá durante la época prehispánica— y además había extendido su jurisdicción hacia el norte a pueblos tan importantes como Santa Cruz del Quiché, Chichicastenango, Sacualpa; el corre-gimiento de Totonicapán que se extendía hasta las poblaciones mames cercanas a Huehuetenango y Todos Santos Cuchumatán, además de los pueblos quichés de Momostenango, Totonicapán, Santa María Chiquimula, etc. Finalmente, el corregimiento de Quezaltenango que dominaba las tierras de la Sierra situadas al oeste del río Samalá, incluyendo las poblaciones mames de Ostuncalco, Sacatepéquez y Chi-quirichapa.

PRESENCIA ESPAÑOLA EN EL OCCIDENTE DE GUATE-MALA.

El régimen colonial español debía en principio afectar de igual modo, por lo menos en su aspecto institucional, a todas las pobla-ciones que habitaban los territorios conquistados. Sin embargo, de hecho la influencia de la presencia española sobre las culturas indí-genas no fue en todos los casos la misma. Es lógico que el proceso de aculturación y desestructuración fuera rápido en los grupos in-dígenas que habitaban en las cercanías de las ciudades de españoles —o en ellas mismas— y en los pueblos situados a lo largo de las más importantes vías de comunicación. Por el contrario, los efectos de la colonia debían ser menos evidentes en los grupos que vivían en re-giones de difícil acceso y muy alejadas de los núcleos de españoles.

Para las poblaciones situadas cerca de las ciudades y en los caminos importantes la presencia española era algo cotidiano, perma-nente; sufrieron de forma directa la presión de los nuevos señores, sus desmanes y exigencias, y el contacto continuo facilitaba —y obli-gaba— a la adopción de rasgos culturales de los conquistadores. Para los otros, los recién llegados y su cultura eran algo muy distante; el contacto con los españoles podía limitarse a la presencia anual del encomendero que iba a recoger su tributo —cuando no tenían que llevarlo los mismos indios a la ciudad—, al paso de alguna autoridad haciendo una *visita* o una tasación, y a la presencia esporádica de al-gún fraile doctrinero. En estos casos los cambios tuvieron que ser necesariamente lentos y a veces casi imperceptibles.

En estas circunstancias, es necesario preguntarse acerca de la presencia real y cotidiana de los españoles en el Occidente de Gua-temala por cuanto éste será un elemento fundamental en el proceso de aculturación y determinante del estado final de la cultura de los pueblos del área. A simple vista, es evidente que los indígenas del Occidente de Guatemala no sufrieron la presencia española con la misma intensidad que los asentados en las cercanías de la ciudad de Santiago. Sin embargo, mames, quichés y tzutujiles, y los cakchiqueles de Tzololá, no se vieron privados del contacto directo con los invasores, a pesar de que la Corona —siguiendo directrices de ciertos eclesiásticos— había tratado de evitar la presencia permanente de los españoles en los pueblos de indios para prevenir los perjuicios que ello podría producirles, prohibición que después se haría extensiva a los negros, mulatos y mestizos(43). Como consecuencia, sólo estaba permitida la estancia en los pueblos a las autoridades españolas, a los frailes o clérigos que debían atender la evangelización de los naturales y, excepcionalmente, a los españoles que hacían viaje y tenían que detenerse, para hacer noche, en los lugares por donde pasaban.

Aparentemente, después que se prohibiera a los encomenderos permanecer en los pueblos de su encomienda, en el Occidente de Guatemala no existía ningún pueblo de españoles ni residía ninguno de ellos en los pueblos de indios. Así se desprende de las declaraciones hechas en 1579 por el alcalde mayor Juan Estrada:

> "en esta comarca y su jurisdicción no hay ningún pueblo de españoles ni aún ningún pueblo en que haya cuatro avecindados, porque todos los que hay son mercaderes y tratantes que andan de esta provincia a la Nueva España..."(44).

Diez años antes el gobernador Briceño había dictado un auto en el que se prohibía a los españoles residir en los pueblos indios:

> "... a su noticia había venido que en el pueblo de Quezaltenango, de la Corona Real de S.M., estaban y residían de ordinario muchos españoles y mestizos, y estaban en el asiento con sus mujeres e hijos, y que aunque yo había dado mandamientos para que saliesen del dicho pueblo habían tenido formas como no se les notificase y así los dichos españoles y mestizos estaban en él, y que de su estancia los indios vecinos y naturales de él recibían muchos agravios, molestias y vejaciones y eran causa de

43. Magnus Mörner: «La política de segregación y el mestizaje en la Audiencia de Guatemala». *Revista de Indias*, 24 (95-96): 137-151. 1964.
44. Relación Zapotitlán: *Op. cit.*, pág. 70.

que en el dicho pueblo hubiese muchas revueltas y desa-
sosiegos, revolviendo y enemistando unos indios con
otros..."(45).

Tampoco un segundo mandamiento de Briceño fue cumplido
y, cuando el alcalde mayor de Zapotitlán, Juan de Estrada, afirmaba
que no había españoles avecindados en pueblos de indios, en Quezaltenango vivía —además del corregidor del partido— otro español,
Gómez de Escalante, que se consideraba *vecino* del pueblo y había
comprado en sus cercanías unas tierras baldías a los caciques(46). En
la misma fecha vivía en Xicalapa otro español empleado como mayordomo en una hacienda de ganado que Sancho de Barahona poseía
cerca del pueblo(47), y en San Martín Zapotitlán, importante centro
cacaotero, residía Juan Alvarez de Mejía, "español y vecino del pueblo"(48).

El pueblo de San Antonio Suchitepéquez, en la región cacaotera, era el centro político de la alcaldía mayor y por tanto lugar en
el que se reunía un importante número de españoles tanto dedicados
a la administración de la provincia como simples avecindados. También en 1579 hay constancia de que se encontraban allí cuatro espa-
ñoles(49). Además, dos mercaderes son *vecinos* del pueblo y un tercero estaba allí en calidad de "residente". En Huehuetenango el
alcalde mayor había nombrado como teniente de alcalde a un español
llamado Jorge de Rodas que también era vecino del lugar.

Eran normalmente los pueblos de la región cacaotera los que
tenían mayor número de vecinos españoles. Casi todos eran mercaderes
que habían encontrado en el negocio del cacao un próspero medio
de vida. Servían como intermediarios entre el indígena y los grandes
comerciantes que llevaban el cacao a Nueva España, Sonsonate y a
los puertos del Caribe; sus vecinos indígenas sufrieron sus contratos leoninos por cuanto en muchas ocasiones eran los únicos que podían proporcionarles dinero efectivo para pagar sus tributos en mo-

45. Proceso criminal contra los vecinos del pueblo de Quezaltenango por malos
tratos a un clérigo. 1569. AGI, Justicia, leg. 317.
46. Autos sobre la señalización de las tierras compradas en Quezaltenango por
Gómez de Escalante. 1579. AGC, A1. 15 leg. 5929 exp. 51831.
47. Autos seguidos por el Pbro. Antonio Rodríguez, cura de Xicalapa, contra
don Juan Rodríguez Cabrillo, encomendero. 1577. AGC, A3. 12 leg. 2774 exp. 40022.
48. Autos hechos sobre una petición de tierras que hizo el cacique de Zambo.
1578. AGC, A1 leg. 5928 exp. 51825.
49. Expediente promovido por el capitán Juan de Estrada, alcalde mayor de Zapotitlán, sobre quitar la jurisdicción a los corregidores de su distrito. 9 octubre 1580.
AGI, Audiencia de Guatemala, leg. 55.

neda o servir de procuradores en algún pleito que debieran resolver ante la justicia española siguiendo procedimientos para ellos extraños. Fueron también los principales responsables de la introducción de bebidas alcohólicas —vinos y destilados— entre los indígenas, comercio del que obtuvieron pingües beneficios al ser bebidas de comercialización prohibida por las autoridades coloniales y sumamente apetecidas por los indios. Pero, a pesar de su influencia en la población indígena, la presencia de vecinos españoles en pueblos del Occidente fue prácticamente insignificante comparada con las consecuencias que se siguieron de la estancia de los miembros de la Iglesia, en contacto directo y permanente con los indios y con fines específicamente aculturadores.

El establecimiento de las órdenes y de los clérigos en los pueblos de indios fue relativamente tardío en relación con la fecha de la conquista. Por lo menos hasta la década de 1540 no comenzó sistemáticamente la labor evangelizadora de la Iglesia en Guatemala, una vez que Marroquín había tomado posesión de la sede episcopal(50). La alcaldía mayor de Zapotitlán fue dividida en distritos adjudicados a tres órdenes religiosas —franciscanos, dominicos y mercedarios— y al clero secular. La división se hizo de la siguiente forma: los franciscanos, protegidos por Marroquín, se establecieron en Atitlán y sus estancias cacaoteras, en Tecpanatitlán, y en los centros quichés de Totonicapán y Quezaltenango; los dominicos se situaron en las regiones quichés próximas a Santa Cruz del Quiché, teniendo como centro el pueblo de Sacapulas; los mercedarios, que no contaban con la simpatía del obispo, fueron relegados a las regiones más occidentales y menos pobladas, estableciéndose entre los mames de Ostuncalco, Sacatepéquez y Huehuetenango. Finalmente, el clero secular se reservó los más importantes pueblos de la región cacaotera: San Antonio Suchitepéquez, los dos Zapotitlán, Samayac, Zambo, etc.. aunque posteriormente alguno de éstos pasaría a depender de los franciscanos.

Las órdenes organizaron sus misiones en forma de partidos, territorios en los que se encontraba un pueblo principal en el que se construyó un convento; en cada convento había algunos frailes permanentes y de ellos dependían varios pueblos secundarios, *pueblos de visita,* que eran asistidos periódicamente desde la *cabecera.* Los clérigos, por el contrario, adoptaron un sistema de organización tradicional basado en parroquias o curatos —correspondiendo cada uno

---

50. Edward O'Flaherty: *Op. cit.*

de ellos a un pueblo importante o a varios de menor número de habitantes—, sistema del que siempre fue partidario Marroquín(51). De ambos, fue el esquema de organización de las órdenes el que, aplicado a la perfección por los franciscanos, resultó más eficaz; la causa de ello estaba en que casi siempre respetaron las estructuras de organización territorial de los señoríos prehispánicos basado en la existencia de *cabeceras* y *estancias*(52).

Los franciscanos fueron los primeros en iniciar los trabajos de evangelización(53). Marroquín los había llamado a Guatemala cuando tomó posesión de su sede y, poco después de 1540, habían erigido su convento principal en la ciudad de Santiago desde donde comenzaron la expansión hacia los pueblos de indios más alejados de la capital. En la alcaldía mayor de Zapotitlán iniciaron la evangelización entre las poblaciones tzutujiles en las orillas del lago Atitlán. En el nuevo emplazamiento que hicieron de la capital Tziquinahay, a la que llamaron Santiago Atitlán, erigieron un convento dirigido por un fraile *guardián* y le adjudicaron un partido en el que se encontraban como pueblos de visita todos los de las márgenes del lago y las estancias cacaoteras que los de Atitlán poseían en la Bocacosta: San Andrés, San Francisco, San Bartolomé y Santa Bárbara.

A la vez fundaron otro convento en la antigua Tzololá, que desde estos años se conocería como Tecpanatitlán. En el partido dirigido desde esta cabecera se encontraban el pueblo de Santa Lucía Utatlán —al norte del lago— y las estancias de Patulul, Santo Tomás y San Miguel. El tercer centro de evangelización se estableció en Totonicapán —la antigua Chuwi Mik'ina— donde se fundó otro convento, cabecera de un partido en el que se encontraban los pueblos de Santa Catalina Ixtahuacán —Sija— y Santa María Chiquimula —Tz'olojche— además de dos pequeñas estancias de las tierras altas, San Francisco Totonicapán (Xoch'o) y San Cristóbal (Pujulá). La cuarta cabecera —en la primera fase de actuación de los franciscanos— la establecieron en Quezaltenango y tenía como pueblos de vi-

---

51. *Ibid.*

52. Este sistema había sido empleado previamente en México y había dado buenos resultados. Sobre su utilización entre los aztecas ver, Charles Gibson: *Los aztecas bajo el dominio español, 1519-1810.* México, 1967, pág. 107 y ss.

53. La fuente más importante para conocer el desarrollo de la labor realizada en Guatemala por los franciscanos es la obra de su cronista «oficial», fray Francisco Vásquez: *Crónica de la Provincia del Santísimo Nombre de Jesús de Guatemala.* Guatemala, 1937-1944.

sita Olintepeque, Momostenango, San Andrés Xecul, Almolonga y Zunil(54).

Esta primera fase de expansión de la evangelización llevada a cabo por los franciscanos podría considerarse concluida hacia 1570(55). Posteriormente se fundaron conventos en otros pueblos, algunos de los que antes se consideraban de visita, que por su importancia requerían de la presencia permanente de los religiosos; sin embargo, ninguno de ellos alcanzó la categoría de cabecera sino que siguieron dependiendo del mismo convento principal del partido al que pertenecían. Así se erigió en 1585 el convento de San Pedro La Laguna, pequeño poblado tzutujil, desde el que se atenderían los pueblos situados en las orillas noroccidentales del lago Atitlán(56); en 1590 se crearon conventos en San Bartolomé y San Francisco de la Costilla —estancias de Atitlán—, en Patulul y en Momostenango(57).

El establecimiento de los conventos franciscanos estuvo marcado por una situación de conflictos casi permanente entre la orden y el clero secular. Ambos se disputaban el control sobre zonas densamente pobladas y de importante producción cacaotera. Un ejemplo de estos enfrentamientos es el que se produjo en torno a cuál de los dos grupos debía de administrar el partido de Samayac, una de las más importantes zonas cacaoteras de la provincia.

En los comienzos de la expansión misionera Marroquín había encomendado el pueblo de Samayac a los franciscanos junto con los demás partidos citados páginas atrás(58). El clero secular, establecido casi en exclusividad en la región cacaotera, no vio con agrado la presencia de los frailes en el partido. Por un lado consideraban que Samayac debía estar —igual que los pueblos vecinos— bajo su jurisdicción; por otro, la presencia de los franciscanos era molesta por cuanto podrían conocer y denunciar el mal trato que los indios recibían de algunos clérigos.

El resultado fue la aparición de enfrentamientos, a veces muy violentos, entre grupos de eclesiásticos que no perdían ninguna oportunidad para acusar de negligencia o extorsión al contrario. En una de estas ocasiones, el cura beneficiado del partido de San Antonio

---

54. Relación de conventos franciscanos en la provincia de Guatemala. 1575. AGI, Audiencia de Guatemala, leg. 169.

55 Francisco Vásquez: *Op. cit.*, vol. 1 pág. 317.

56. Gerardo G. Aguirre: *La Cruz de Nimajuyú: historia de la parroquia de San Pedro la Laguna.* Guatemala, 1972, pág. 125.

57. Francisco Vásquez: *Op. cit.*, vol. 1 pág. 318.

58. Carta abierta del obispo Marroquín a los franciscanos. s. f. (1553?). En Carmelo Sáenz de Santamaría: *El licenciado don Francisco Marroquín...*, pág. 280.

Suchitepéquez acusó de negligencia a los franciscanos públicamente, asegurando que los indios de un pueblo asignado a los frailes le habían pedido que administrara sacramentos en vista de que su doctrinero no aparecía por el lugar. Así mismo acusaba a los franciscanos de haber tomado represalias violentas contra los indios que los habían denunciado, y concluía que —como los frailes no podían atenderlos— el partido debía ser adjudicado al clero secular(59).

Las quejas fueron presentadas por los curas ante el obispo Marroquín. Este, a pesar de haber prometido a los franciscanos dejarles para siempre en sus partidos —"prometo por mi consagración de cumplir y de no ir contra ello"—, mandó a los frailes que abandonaran Samayac y puso en su lugar a un clérigo(60). Desde luego, la decisión de Marroquín estaba en perfecto acuerdo con la idea que él tenía sobre cómo había que organizar la iglesia colonial: los religiosos debían hacer vida conventual y atender a los indígenas en sus conventos; la acción parroquial en los pueblos debía realizarla el clero secular, como hasta entonces se venía haciendo en los reinos de España. Pero esta no era la opinión de la mayoría. Tanto las autoridades civiles como las eclesiásticas y, desde luego, las mismas órdenes, pensaban que los frailes tenían mejor preparación misionera y ponían más celo en su trabajo que los curas quienes, en última instancia, sólo pretendían el provecho económico.

La Audiencia se opuso a la decisión de Marroquín y dictó un auto por el que se devolvía a los franciscanos el partido de Samayac. Pero la medida contó con la expresa oposición del obispo —el jerónimo fray Gómez Fernández de Córdoba— quien ordenó a los clérigos que permaneciesen en la iglesia del pueblo e impidieran a los franciscanos entrar en ella. Casualmente, antes de que los frailes regresaran a Samayac se quemó el convento que los franciscanos habían construido. La causa del incendio se ignora y así lo decía al rey el presidente de la Audiencia con alguna ironía: "Dicen que fue un rayo; así debió ser"(61).

59. Probanzas hechas en Guatemala sobre ciertas derramas y otros excesos cometidos en pueblos de indios contra lo que S. M. tiene mandado. 20 noviembre 1562. AGI, Audiencia de Guatemala, leg. 45.

60. Carta del presidente de la Audiencia al rey. 17 marzo 1578. AGI, Audiencia de Guatemala, leg. 10. Según fray Francisco Vásquez, fue el obispo Villalpando quien quitó el pueblo a los franciscanos (*Op. cit.*, vol. 1 pág. 184 y ss.).

61. Una relación completa de los tumultos que se siguieron a la entrada de los franciscanos en Samayac se encuentra en la crónica de Francisco Vásquez: *Op. cit.*, vol 1 pág. 228 y ss.

A pesar de todos los problemas, Samayac volvió a ser, desde 1577, cabecera de un partido administrado por frailes de la orden de San Francisco en el que, además, se encontraban otros tres importantes pueblos cacaoteros: San Pablo, Santo Tomás y San Gregorio(62).

Los dominicos iniciaron su labor evangelizadora en el Occidente de Guatemala algunos años después que los franciscanos. La causa de este retraso estaba en el interés que la orden había puesto en la evangelización de la Verapaz siguiendo los métodos de conquista pacífica defendidos por el polémico fray Bartolomé de las Casas. Después de 1550, cuando la orden ya estaba firmemente asentada en la ciudad de Santiago, los dominicos se plantearon la posibilidad de iniciar una misión entre los quichés. En principio pensaron edificar un convento en Quezaltenango pero, al estar este pueblo administrado por franciscanos, Marroquín los persuadió para que se instalasen en las regiones del norte que en esa época estaban completamente desatendidas de los misioneros. Los dominicos eligieron entonces el pueblo de Sacapulas como sede del convento principal y, desde allí, visitarían Sacualpa, Joyabaj, Chichicastenango, Santa Cruz Utatlán, Jocopilas, San Bartolomé Jocotenango, Chajul, **Cunén**, Uspantán, etc. (63).

Finalmente, los mercedarios se establecieron en la zona más occidental del territorio, entre los mames. Durante todo el siglo XVI los frailes de la Merced fueron erigiendo conventos en los principales pueblos de la región; de cada uno de ellos dependía un cierto número de lugares menos importantes con la categoría de pueblos de visita. Así surgieron los conventos de Huehuetenango, Sacatepéquez, Jacaltenango, Tejutla, Cuilco, Chiantla y San Juan Ostuncalco(64).

La presencia permanente de españoles, clérigos o no, entre los indígenas del Occidente de Guatemala fue de tal importancia en el proceso de aculturación, que su influencia puede considerarse mayor que la producida por la acción de las instituciones de la administración colonial. Los españoles que convivieron con los indios hicieron que éstos adquirieran costumbres que no hubieran conocido sin la presencia con-

---

62. Información sobre los problemas que la orden de San Francisco tiene en Guatemala. 15 noviembre 1581. AGI, Audiencia de Guatemala, leg. 171.

63. La fuente más importante para conocer las actividades de los dominicos en Guatemala es la crónica de fray Antonio de Remesal: *Historia General de las Indias Occidentales y particular de la gobernación de Chiapa y Guatemala.* Madrid, 1964.

64. Héctor H. Samayoa Guevara: «Historia del establecimiento de la Orden Mercedaria en el Reino de Guatemala, desde 1537 hasta 1632». *Antropología e Historia de Guatemala,* 9 (2): 31-42. 1957.

tinua de la otra cultura, de la misma forma que forzaron el cambio de los sistemas de organización indígenas para adaptarse a las nuevas circunstancias.

Por otro lado, la presencia de los eclesiásticos dio lugar a cambios transcendentales en la cultura de los naturales, cambios que en algunas ocasiones habían sido programados pero que en otras fueron resultado de la permanente situación de contacto de culturas. Entre los primeros se encuentran algunos tan evidentes como el de los patrones de asentamiento, conscientemente alterados por los religiosos al aplicar una política de congregación de población propiciada por las autoridades coloniales y por el propio interés de las órdenes; la misma labor de evangelización estaba perfectamente planificada y tendía a obligar a los indígenas a abandonar sus sistemas de creencias y rituales para sustituirlos por la nueva religión.

Pero junto a ello tuvieron lugar otros cambios, menos visibles pero más importantes, que afectaron a las estructuras sociales y económicas, y a los sistemas de valores de las poblaciones indígenas, que no habían sido planificados, pero que fueron responsables de la desestructuración de las culturas aborígenes en mayor medida si cabe que los cambios planificados(65). Y todo sin contar la introducción de nuevas técnicas o el cambio en las actitudes de los indígenas, que aprendieron a comportarse de distinta forma según la situación del español ante el que se encontraban, la aparición de fenómenos como el bilingüismo —mayor cuanto más permanente era la presencia española— y la introducción de la escritura.

Describir cada uno de estos cambios, sus causas y su incidencia de los distintos aspectos de las culturas indígenas es el propósito de los siguientes capítulos; de este modo se podrá determinar hasta qué punto la conquista española y el establecimiento del sistema colonial fue responsable de las transformaciones de dichas culturas y, en última instancia, de la situación actual de los indios del Occidente de Guatemala.

---

65. Algunos aspectos de la influencia de los miembros de la Iglesia en las estructuras indígenas se analizan en el trabajo de Pilar Sanchiz: «Cambio en la estructura familiar indígena: influencia de la Iglesia y la Encomienda en Guatemala». *Economía y Sociedad en los Andes y Mesoamérica*, págs. 169-191. Madrid, 1979.

CAPITULO II

LA CRISIS DEMOGRAFICA

Pedro de Alvarado había partido de México con la firme convicción de que más allá del Xoconusco encontraría un país de ricos y numerosísimos habitantes. Al menos esas eran las noticias que les habían dado en Tenochtitlan. Sin embargo, las primeras jornadas resultaron desalentadoras: después de atravesar los límites del imperio azteca no aparecían por ningún sitio indicios de los pueblos anunciados. Tuvieron que marchar aún varios días para entrar en contacto con algunos indígenas; eran los hombres de Xetulul que habían sido enviados para informar sobre el itinerario y la fuerza de los invasores.

Una vez que se apoderó de Xetulul, Alvarado pudo por fin cerciorarse de que los informes de los mexicanos no eran totalmente falsos. Las condiciones del primer pueblo conquistado hacían prever que aquella era una región densamente poblada. Pero donde realmente pudo el Adelantado contemplar la magnitud de la población que tenía que conquistar fue en los llanos que rodeaban Xelajuj. Allí tuvo que enfrentarse con un colosal ejército formado por varios miles de indígenas que habían acudido a la llamada hecha por los señores de K'umarcaaj. El gran número de soldados que se habían reunido para hacerles frente convenció definitivamente a los españoles de que se hallaban ante un país de grandes recursos humanos, tan importante o incluso más que el recién conquistado México.

Diez mil hombres formaban el ejército que mandaba Tecum Umam, doce mil la fuerza derrotada en los llanos de Urbina, y unos tres o cuatro mil componían —al parecer— la tropa a la que hicieron frente antes de las dos batallas decisivas. Estas son, por ahora, las únicas cifras que se conocen sobre la población de las tierras domi-

85

nadas por los quichés antes de la llegada de los españoles. Está claro que hay que dudar de la veracidad de dichas cantidades: son datos aportados por cronistas españoles que trataron de engrandecer las hazañas de los conquistadores haciéndoles combatir con formidables ejércitos a los que siempre vencieron. En relación con la población de las regiones dominadas por cakchiqueles, tzutujiles y mames los datos son aún menos; sólo se poseen los que aparecen en las *Relaciones geográficas* relativas a los tzutujiles de Atitlán y sus estancias de la Bocacosta, también de dudosa credibilidad.

Esta falta de datos sobre la población indígena en el momento de la conquista no es exclusiva del Occidente de Guatemala; la laguna de información es común a todas las áreas del Nuevo Mundo. En estas circunstancias, los problemas que se plantean cuando se pretende conocer los efectos que la conquista española tuvo sobre la población indígena son difíciles de resolver. Indudablemente la catástrofe demográfica que siguió a la conquista fue un hecho innegable; parece evidente, además, que los primeros estragos se produjeron incluso antes de que el contacto físico tuviera lugar: las poblaciones de América Central sufrieron los efectos devastadores de epidemias que, propagándose desde México y el extremo sur del Istmo, diezmaron a unos habitantes que no estaban biológicamente preparados para resistir la presencia de determinados microorganismos. Por ello los españoles se encontraron ya debilitados a unos pueblos que posteriormente se verían aún más mermados como consecuencia de las muertes en la guerra de conquista, a la que siguió una desmedida explotación y nuevas epidemias durante todo el período colonial.

Con ser ciertas, estas afirmaciones no suponen más que un tópico aplicable por igual a toda América: la población del Nuevo Mundo sufrió una drástica recesión a lo largo del siglo XVI, de la que ha tardado mucho tiempo en reponerse, y como consecuencia de la cual muchas etnias indígenas desaparecieron. Pero esto no aumenta en nada nuestros conocimientos sobre el fenómeno de la conquista y sus consecuencias. Es necesario entonces estudiar detenidamente las causas y la importancia que en cada área específica tuvo el desastre demográfico, la primera y más evidente consecuencia de la conquista.

En el caso que nos ocupa el problema tiene que ser planteado de la siguiente forma: ¿cuál fue, en términos absolutos, el efecto causado por la presencia española en las poblaciones indígenas de Guatemala durante el siglo XVI? Para contestar esta pregunta es necesario conocer, como mínimo, la situación demográfica en las dos fechas extremas del período, 1524 y 1600.

Saber el número total de habitantes del Occidente de Guatemala en 1600 —siquiera de forma aproximada— es un difícil problema de demografía histórica al que, con la documentación disponible, podría darse solución; pero conocer el total poblacional de 1524, a la vista de la escasez de datos existentes, es una cuestión prácticamente imposible. No obstante, es factible dar al problema una solución hipotética —aunque cercana a la posible realidad— utilizando inferencias y convencionalismos empleados con éxito en otras áreas para resolver situaciones semejantes. Por ello trataremos en primer lugar de saber cuál fue la evolución de la población entre 1524 y 1600, y posteriormente deducir qué cantidad de habitantes pudo tener el Occidente de Guatemala antes de la llegada de Alvarado. Sólo así es posible dar una solución lógica al problema.

EVOLUCION DEMOGRAFICA, 1524-1600.

Después de las epidemias y de las guerras de conquista, la población del Occidente de Guatemala siguió experimentando un descenso continuo; se puede afirmar que el año 1600 marca el mínimo poblacional del área durante el período que aquí se estudia. Pero para tener una idea exacta de cuál fue en realidad el curso seguido por la crisis demográfica hay que preguntarse si la caída de población tuvo la misma intensidad durante los setenta y cinco años o si, por el contrario, aparecen inflexiones significativas en la curva que muestren la existencia de distintas fases con diferente intensidad en la despoblación; y en este último caso, ¿cuáles fueron las causas que frenaron o intensificaron la crisis?

Además, la población no es un elemento independiente de los demás componentes de la cultura y está íntimamente unida al medio. En el Occidente de Guatemala se distinguen tres grandes regiones ecológicas que dan lugar a respuestas culturales diferentes; cada una influye directa y decisivamente en el elemento humano que las habita. En estas condiciones, ¿las poblaciones indígenas sufrieron con la misma intensidad la presencia española en la Sierra, en la Bocacosta y la Costa o se pueden encontrar diferencias significativas? ¿Cuáles fueron las causas de estas diferencias, si las hubo?

Dar a cada una de estas preguntas una solución definitiva es prácticamente imposible a la luz de los conocimientos que actualmente poseemos. Los estudios sobre demografía histórica en Guatemala se encuentran sensiblemente retrasados en relación con los de otras áreas americanas, sobre todo si se comparan con los profundos análisis de la población indígena del México Central llevados a cabo por miembros de la escuela de Berkeley. En estas circunstancias hay que partir de cero, comenzar por un estudio crítico de las fuentes y realizar unos cálculos que, por ser los primeros, tendrán que verse sometidos a críticas y revisiones en posteriores investigaciones. Sin embargo, y teniendo en cuenta estas circunstancias desfavorables, creemos que pueden servir como una primera aproximación al tema y que las conclusiones aquí obtenidas tendrán gran valor a la hora de comprender los cambios experimentados por las culturas indígenas tras el choque cultural que supuso la conquista y la colonización española.

a) *las fuentes.*

Varios problemas se plantean a la hora de hacer un estudio de demografía histórica de la población indígena del Nuevo Mundo durante los años que siguieron a la conquista; de todos ellos, el de la documentación es, sin lugar a dudas, el más importante tanto por ser ésta muy escasa como porque la que se conserva no surgió en relación directa con cuestiones demográficas. A las autoridades encargadas de gobernar las posesiones españolas en Ultramar no les interesaba saber el número de indígenas que poblaban cada una de las demarcaciones administrativas en que habían dividido el Imperio, sino conocer la cantidad de tributo que se debía recaudar anualmente en cada uno de esos territorios. Por ello la información más común que surgió de sus actuaciones no fueron los censos, para los que habrá que esperar al siglo XVIII, sino las "tasaciones"; en estos documentos se especifica el número de personas que debe pagar tributo a la Corona, o al encomendero, y la cantidad que está obligada a pagar cada comunidad o cada individuo. De esta forma, en las tasaciones no se incluyen datos sobre el total de habitantes de una población sino sólo el número de individuos que tienen que tributar, y este número no siempre responde a número de personas físicas: algún individuo, por especiales circunstancias, es considerado como medio tributario y no se especifica en el total tasado cuántos son considerados de esta forma. Estas características de las tasaciones obligan a encontrar unos coeficientes de conversión para aproximar el número de tributarios tasado al número real de habitantes de cada lugar, cuestión a la que más tarde haremos referencia.

Otro tipo de documentación que refiere al número de habitantes de las poblaciones de indígenas son los informes realizados por miembros de las órdenes religiosas que tenían a su cargo la evangelización de los indios y su atención espiritual. De la misma forma que los anteriores, estos documentos no informan del número total de habitantes sino de unidades como "vecinos" o "almas de confesión", lo que también requiere encontrar un factor multiplicador para aproximar a la población total de la localidad en cuestión. Por otro lado, este tipo de testimonios es siempre muy criticable dado el interés que las órdenes religiosas y los clérigos seculares, pusieron en aumentar el número de personas que tenían a su cargo para así recibir mayor ayuda de las autoridades coloniales.

El resto de la información está formada por testimonios de diverso tipo en los que, de una u otra forma, se hace referencia al número de personas que habitaban un lugar, el número de viviendas que lo componían o la cantidad recaudada en un determinado impuesto. Esta información suele estar muy dispersa y tiene muy diverso origen e intencionalidad, por lo que su tratamiento con fines demográficos debe ser muy meticuloso y los resultados cuidadosamente interpretados.

Para el caso de Guatemala, concretamente para las poblaciones que aquí analizamos, la documentación hasta ahora conocida responde en líneas generales a las características arriba mencionadas. A continuación haremos una breve referencia a cada una de estas fuentes y trataremos de apuntar el uso que de ellas se puede hacer para el estudio de la demografía del Occidente de Guatemala, así como una crítica de su información(1). Siguiendo un orden cronológico, la documentación disponible es la siguiente:

1) 1548-1550: *Tasación del Presidente Cerrato* (2). El presidente Cerrato llegó a la Audiencia de Guatemala en un momento en el que los conquistadores trataban de imponer sus criterios por encima de los intereses de la Corona y de las instituciones que la representaban en esos territorios. Hombre de proceder recto y profundamente convencido de su condición de funcionario al servicio del rey, trató por todos los medios de hacer cumplir las órdenes emanadas del Consejo para el gobierno de las posesiones de Ultramar, sintetizadas en el cuerpo legislativo conocido como Leyes Nuevas. Su actuación le deparó la enemistad y abierta oposición del grupo de conquistadores y primeros pobladores que poseían las mejores encomiendas del

---

1. Una aproximación al estudio de la documentación existente para el análisis de la evolución demográfica de Guatemala fue publicada por Salvador Rodríguez Becerra en su trabajo «Metodología y fuentes para el estudio de la población de Guatemala en el siglo XVI». *Atti del XL Congresso Internazionale degli Americanisti*, vol. 3 págs. 239-249. Génova, 1972.

2. Libro de las tasaciones de las provincias del distrito de la Audiencia de Guatemala realizadas por el presidente licenciado Cerrato. 1548-1551. AGI, Audiencia de Guatemala, leg. 128.

país. Al poner en práctica una política de control de la explotación del indígena, una de las primeras acciones del presidente consistió en conocer el número de tributarios con que contaba cada pueblo y establecer las tasas de tributos que cada uno debía pagar a su encomendero; se trataba de evitar los ostentosos abusos a que hasta ese momento habían estado sometidos los naturales.

Cerrato realizó la tasación con la ayuda de algunos oidores de la Audiencia. En el documento se citan cada uno de los pueblos encomendados en la jurisdicción de la Audiencia, indicando el "número de indios" que había en cada uno y la cantidad de tributo que debían pagar a su encomendero; se especifica la especie en que hay que hacer los pagos y las fechas de entrega, así como el tipo y cantidad de servicio personal que el encomendero les podía exigir. En la mayoría de los pueblos el servicio personal fue sustituído poco después por el pago de una cantidad de dinero para librar a los indios de los grandes perjuicios que aquel servicio les producía. En la tasación aparecen 39 pueblos del Occidente de Guatemala.

El primer problema que se plantea al analizar la tasación es el de determinar el valor de la unidad de cuenta que utiliza. La referencia al "número de indios" podría parecer un tanto ambigua, pero la naturaleza del documento —una tasación de tributos— hace pensar en la posibilidad de que dicho término esté haciendo referencia a los indios en edad de pagar tributo, es decir, tributarios. Sobre la significación de esta unidad volveremos posteriormente.

Por otro lado, la tasación que para la jurisdicción de la ciudad de Santiago de los Caballeros es relativamente representativa, cubre sólo una pequeña parte de las 116 poblaciones existentes durante el siglo XVI en la alcaldía mayor de Zapotitlán y los Suchitepéquez. De este modo los lugares tasados por Cerrato y sus colaboradores suponen solamente un 33% del total de poblaciones del área, y en su mayoría situadas en las tierras altas. Sin embargo, sería posible objetar a esto que algunos de los grandes centros de población citados por Cerrato en su memoria están tasados incluyendo a otros pueblos de segundo orden, las *estancias,* que mantenían con ellos una relación específica de dependencia a la que más adelante nos referiremos.

Pero aceptando que la representación de los lugares tasados sea superior al porcentaje indicado, hay que hacer otra objeción a los datos aportados por el documento en relación con las cantidades de tributarios señaladas para cada localidad. En este orden de cosas no somos tan optimistas como Francisco de Solano que considera las tasaciones —incluso esta primera— como excelentes índices para hacer los cálculos demográficos, y los recuentos como "absolutamente veraces"(3). La tasación de Cerrato parece tener notables errores; quizás el más apreciable sea que la mayoría de los pueblos tengan un número redondo de tributarios —casi siempre un número exacto de decenas o centenas— lo que sugiere que estas cifras responden más a un cálculo aproximado que a un minucioso recuento de cada población. Esto puede confirmarse al observar que aparecen tasados pueblos tan inaccesibles como San Mateo Ixtatán, escondido entre las quebradas de los Altos Cuchumatanes, y no se determina el número de tributarios de Todos Santos Cuchumatán, aunque sí se tasan poblaciones cercanas como Cuilco y Jocotenango; o al observar cómo no se determinan los tributarios de pueblos tan próximos a la misma capital como Petapa, y la casi sistemática ausencia de datos para las poblaciones, o parte de ellas, encomendadas en la Corona Real, aunque sí se especifique el número de tributarios pertenecientes a algún encomendero. Todo hace pensar que los funcionarios a los que el presidente de la Audiencia encomendó la tarea de visitar las poblaciones no cumplieron exactamente su cometido y que, en muchas ocasiones, las cifras anotadas procedían de informaciones indirectas o de simples suposiciones.

Con todo, esta es la única fuente que existe para la primera mitad del siglo con ciertas posibilidades para el estudio de la demografía del área; hay pues que utilizarla aunque sea necesario contrastar sus datos con los ofrecidos por documentos posteriores. Por otro lado, la tasación ofrece una visión global que puede considerarse válida; muestra la existencia de mayor número de poblaciones importantes en las tierras altas —a ellas pertenecen treinta de los lugares tasados en el área que nos interesa— y la presencia en la Bocacosta de algunos grandes núcleos de población junto con pequeños poblados, distribución que coincide, en líneas generales, con la impresión que hasta ahora se tiene de la situación demográfica anterior a la llegada de los españoles.

2) 1570: *Memoria de los partidos eclesiásticos del obispado de Guatemala* (4). Este documento responde a intereses bien distintos de los que movieron a la confección del anterior. Se trata de un informe realizado por el licenciado Arteaga Mendiola, fiscal de la

---

3. Francisco de Solano: *Los mayas del siglo XVIII*. Madrid, 1974, pág. 76 y ss.
4. Memoria de los partidos eclesiásticos que hay en el obispado de Guatemala y lo que vale de aprovechamiento cada partido para el clérigo cada un año en el pie de altar. En cada partido entran muchos lugares. 16 diciembre 1570. AGI, Audiencia de Guatemala, leg. 394.

Audiencia de Guatemala, en el que da noticias de los partidos eclesiásticos en que está dividida la jurisdicción del obispado de Guatemala. Indica si el partido está bajo la jurisdicción de un clérigo secular, o de miembros de las diversas órdenes religiosas que actuaron en la provincia; consta el número de vecinos que hay en cada uno de ellos. En el caso de los partidos asignados a clérigos seculares se menciona también el valor que alcanzan las ofrendas que legalmente tienen que hacer los indios al doctrinero, aunque el aprovechamiento real que éstos obtenían era, en la mayoría de las ocasiones, superior al que aquí se refleja.

La problemática que plantea este documento es distinta a la tasación de Cerrato. Al tratarse de una relación de partidos eclesiásticos no hace referencia pormenorizada de cada uno de los pueblos, como ocurre en el caso de las tasaciones, sino sólo al que tiene la categoría de cabecera del partido donde reside el clérigo beneficiado o en el que está enclavado el convento de la orden que lo tenga a su cargo. Cada cabecera de partido tiene bajo su jurisdicción un espacio no siempre bien determinado en el que se pueden encontrar varias poblaciones a las que prestaba servicio el clérigo o religioso. Entonces, el primer problema que se plantea es determinar qué pueblos formaban parte de cada uno de los partidos que menciona el documento para poder estimar, aproximadamente, el número de habitantes que podrían tener o, simplemente, saber a qué extensión corresponde el número de habitantes señalado para cada partido.

Tampoco en este caso se menciona el total de personas dependiente de cada cabecera. Aquí el término utilizado es el de "vecinos", unidad colectiva a la que —como en el caso de los tributarios— hay que aplicar un multiplicador para estimar cuántos habitantes tenía el pueblo o el partido a que se refiere el dato.

El documento cita catorce partidos eclesiásticos dentro de los límites de la alcaldía mayor de Zapotitlán. Las cifras de vecinos apuntadas deben considerarse aproximadas ya que casi siempre señalan un número exacto de centenas o miles. A pesar de todo, si los catorce partidos eclesiásticos cubren prácticamente la totalidad de la alcaldía mayor, es posible obtener una visión aproximada del total de vecinos que había en el área; y aplicando el multiplicador correspondiente, podremos saber el número de habitantes del Occidente de Guatemala para la fecha del documento.

3) *"Censo de 1572"*(5). Esta relación se hizo siguiendo los mismos intereses que el Memorial de 1570, pero sus autores fueron las autoridades eclesiásticas y no miembros de la administración de justicia. La unidad territorial que emplea es también el partido eclesiástico, identificado por el nombre de su cabecera; pero aquí los autores, en algunas ocasiones, indican el nombre de los pueblos que dependen de aquélla. También se anota el nombre del encomendero de cada pueblo y el del cacique. La unidad de cuenta utilizada es también la de "vecinos", por lo que plantea los mismos problemas de equivalencia que el Memorial de 1570 y será necesario utilizar el mismo multiplicador para estimar el total de habitantes.

En la relación se citan catorce partidos eclesiásticos pertenecientes a la alcaldía mayor de Zapotitlán que coinciden casi en su totalidad con los citados en el documento de 1570. Las cifras de vecinos anotadas para cada partido parece que están más cerca de la realidad que las señaladas en los dos documentos comentados antes, aunque aparecen sensibles diferencias con los datos del Memorial de 1570.

4) 1575: *Memoria de los pueblos administrados por frailes de la Orden de San Francisco*(6). Como en los documentos anteriores, éste tiene como finalidad dar a conocer a alguna persona o institución el número de indígenas que viven en los partidos eclesiásticos, pero ahora sólo de los partidos que administran los frailes de la orden franciscana. Sin embargo, en este caso se especifican casi sistemáticamente las poblaciones —cuanto menos las más importantes— que están bajo cada una de las cabeceras y, en algunas ocasiones, se indica el número de vecinos de cada una de estas poblaciones independientemente de los de su cabecera. Esto supone una ventaja considerable respecto a los precedentes ya que permite tener una idea más aproximada de la población en cada uno de los partidos.

El documento plantea un inconveniente importante: al referirse sólo a los partidos administrados por franciscanos, ofrece una visión parcial de la población del área por cuanto no toda ella estaba bajo la supervisión de religiosos de esta orden. Sin embargo, la información cubre prácticamente la totalidad de las principales poblacio-

5. Relación de los caciques y número de indios que hay en Guatemala, hecha por el Deán y Cabildo el 21 de abril de 1572. Biblioteca de la Universidad de Texas (Austin), Sección Latinoamericana, Ms. XX.
6. Memoria de los pueblos que la Orden de San Francisco tiene en administración y doctrina y los pueblos que tiene a su cargo, así en el convento de San Francisco de Guatemala como en los demás conventos de esta provincia. 1575. AGI, Audiencia de Guatemala, leg. 169.

nes de las tierras altas —Atitlán, Tecpanatitlán, Quezaltenango y Totonicapán— cabeceras de partidos de gran número de habitantes. La información referente a las poblaciones de la Bocacosta se reduce a las estancias dependientes de estas cabeceras, ya que los pueblos más importantes de las tierras cacaoteras estaban administrados por clérigos seculares.

La utilización de la información contenida en este documento permitirá localizar los límites de cada una de las cabeceras citadas en él —lo que resuelve parte de los problemas planteados por los dos anteriores— y seguir la evolución demográfica de estas regiones. Aplicando determinados cálculos a sus informaciones puede obtenerse una aproximación a la población total del área. No obstante, el tratamiento de los datos hay que hacerlo con grandes precauciones y contrastarlo con otras fuentes ya que el interés de los franciscanos por mostrar la importancia de los partidos que administraban podría ser causa de que las cifras, en algunas ocasiones, estuvieran incrementadas.

5) 1578-1582: *Tasaciones del presidente Valverde*(7). Es el documento con información más fiable de todos los que se dispone para el siglo XVI. Como todas las tasaciones, es un recuento de la población tributaria de cada pueblo, indicando la cantidad de tributo que deben pagar y el nombre del encomendero a quien está asignado. Por otro lado, esta relación de tributarios, que es la unidad empleada para la cuenta, tiene la gran ventaja de citar el número de tributarios en que el pueblo estaba tasado antes de que el presidente Valverde hiciera la nueva cuenta. Esta circunstancia hace que podamos afirmar casi categóricamente que el número de tributarios señalado para cada pueblo responde a la realidad y no se trata de una aproximación como en la tasación llevada a cabo por el presidente Cerrato.

En cambio, la tasación de Valverde tiene el gran inconveniente de que sólo se refiere a un corto número de pueblos de la jurisdicción de Santiago de Guatemala por lo que su información es muy limitada. Para el área comprendida por la alcaldía mayor de Zapotitlán y los Suchitepéquez ofrece información relativa a diez poblaciones. Podremos observar la evolución de alguna de ellas a lo largo del siglo y será necesario completar la información sobre los demás pueblos del área con datos procedentes de otras fuentes. El factor de conversión a aplicar en este caso para aproximar el número de tributarios al de

---

7. Razón de las tasaciones que se han hecho después que el Sr. Presidente [Valverde] vino a esta Audiencia, de pueblos de su distrito, con lo que antes tributaban. 1578-1582. AGI, Audiencia de Guatemala, leg. 966.

población total en cada pueblo, será el mismo que se emplee en la conversión de los datos ofrecidos por la tasación del presidente Cerrato.

6) 1581: *Relación de los pueblos administrados por doctrineros de la Orden de San Francisco*(8). Este documento tiene las mismas características que la relación de conventos franciscanos de 1575. También en este caso la unidad empleada es la de "vecinos" y la unidad territorial la del partido eclesiástico designado con el nombre de la cabecera. Sobre el citado documento de 1575 tiene la ventaja de que especifica, en la mayoría de los casos, el número de vecinos que hay en la cabecera y en cada uno de los pueblos de su visita por separado, lo que permite un mejor conocimiento de la distribución de la población. Sin embargo, y de la misma forma que el anterior, las cantidades de vecinos asignados a cada población pueden considerarse como aproximadas ya que además de ser decenas o centenas exactas, el documento surgió como justificación a la necesidad que los franciscanos tenían de llevar más doctrineros a los partidos que administraban por ser muy elevado el número de indígenas a los que tenían dedicarse.

Dentro del área que nos interesa, la relación aporta datos sobre cinco partidos —Atitlán, Tecpanatitlán, Totonicapán, Quezaltenango y Samayac— con información sobre la población de la cabecera y de los pueblos que forman parte de su visita. Como en el referido documento de 1575, la información cubre una parte importante de la alcaldía mayor de Zapotitlán, fundamentalmente de las poblaciones de las tierras altas: de la información sobre población de la Bocacosta, en este caso tenemos datos sobre los indígenas del partido de Samayac que no estaban bajo administración de los franciscanos de 1575. El tratamiento de los datos ofrecidos por esta relación tendrá que hacerse siguiendo las mismas normas establecidas para la de 1575 y manteniendo las mismas precauciones en relación con los datos finales de los cálculos.

---

8. Información sobre los problemas que la Orden de San Francisco tiene planteados en Guatemala. 15 noviembre 1581. AGI, Audiencia de Guatemala, leg. 171.

7) 1585: *Relaciones geográficas*(9). Las relaciones que se confeccionaron a partir del cuestionario mandado a todas las posesiones españolas en América durante el reinado de Felipe II, son una de las más importantes fuentes de información existentes para conocer la situación de las poblaciones indígenas en el primer siglo de la colonia. Lamentablemente, para el territorio de Guatemala sólo se han conservado cuatro relativas a poblaciones de la alcaldía mayor de Zapotitlán. De éstas sólo tres contienen información demográfica, las que se refieren al pueblo de Santiago Atitlán y a sus estancias en tierras de la Bocacosta (San Andrés, San Francisco, San Bartolomé y Santa Bárbara). En todos los casos se ofrecen datos sobre la población que había en cada una de las poblaciones antes de que llegaran los españoles, pero estos testimonios deben ser puestos en duda por cuanto proceden de informantes indígenas que pretendían destacar las desastrosas consecuencias que produjo la presencia española. Sí son muy útiles los datos para el momento en que se hicieron las relaciones, tanto por su fiabilidad como porque distinguen con precisión el estado de cada uno de los tributarios, especificando el número de casados, solteros o viudos en cada caso, lo que hace más fácil el cálculo del total de población. En el caso de Santiago Atitlán, además del número de indios existentes antes de la conquista y en el año 1585, se hace una referencia a la población del año 1545 en el que se llevó a cabo la congregación del pueblo por los franciscanos.

8) *Varios*. Además de las fuentes comentadas, podemos disponer de una larga serie de datos dispersos por toda la documentación a la que hemos podido acceder. Esta información no surgió en casi ningún caso con fines específicamente demográficos y aparece indistintamente en documentos de carácter judicial, administrativo o de cualquier otro tipo. Suponen un total de 25 expedientes del Archivo General de Indias de Sevilla y del Archivo General de Centroamérica en Guatemala, del más diverso origen y fechados entre 1562 y 1626. La unidad empleada para citar el número de habitantes a que refiere es indistintamente "vecino", "tributarios", "casados", o "al-

---

9. Las relaciones geográficas de 1585 referentes a Guatemala están depositadas en la Universidad de Texas (Austin), formando parte de la Colección Joaquín García Icazbalceta, y han sido publicadas en distintos números de los *Anales de la Sociedad de Geografía e Historia de Guatemala;* estas ediciones son las que nosotros hemos empleado. Las que contienen datos con interés demográfico son las siguientes: Relación Atitlán: «Relación de Santiago Atitlán, año de 1585». *ASGHG,* 37 (1-4): 87-106; Relación San Andrés y San Francisco: «Estancias de San Andrés y de San Francisco, sujetas al pueblo de Atitlán, año de 1580 [1585]». *ASGHG,* 42 (1-4): 51-72; Relación San Bartolomé: «Descripción de San Bartolomé del partido de Atitlán, año 1585». *ASGHG,* 38 (1-4): 262-276.

mas de confesión'', y en cada caso habrá que aplicar un determinado factor de conversión para obtener cifras de población total. La mayoría de los informes corresponden a poblaciones concretas y para un solo año, pero otros abarcan regiones más o menos extensas, tales como corregimientos o partidos, y períodos más amplios que permiten seguir la evolución demográfica de algunas comunidades.

Ejemplo de este tipo de fuentes puede ser una memoria hecha en 1577 sobre los pueblos de visita de la localidad costera de Xicalapa, en la que se especifican los habitantes, el tributo que deben pagar y el nombre del encomendero de cada pueblo(10). También es importante la información que se contiene en un expediente presentado por los indios de Atitlán, en 1618, en torno al pago de ciertos tributos; el documento incluye una relación de los tributarios que residían en las estancias tzutujiles de las orillas del lago durante los años 1599, 1609 y 1618, especificando su condición de casados, viudos o solteros(11). Finalmente, se puede citar un interesante documento que informa sobre el número de tributarios y el total de tributo pagado por el pueblo de San Bartolomé Jocotenango entre los años 1591 y 1663, sin interrupción; a pesar de ser poco provechoso para el siglo XVI, es uno de los expedientes más útiles para conocer la evolución demográfica de un pueblo(12).

b) *tratamiento de la información.*

Una vez conocidas las fuentes de que se dispone y hecho el análisis crítico de sus posibilidades, hay que resolver un problema fundamental: definir las unidades de cuenta usadas en la documentación y hallar un multiplicador o factor de conversión para cada una de ellas que permita conocer, aunque sea de manera aproximada, el número total de población que representan las cifras originales.

Ya se ha aludido a la falta de interés de las autoridades coloniales por conocer el número total de habitantes de cada una de las jurisdicciones en que se había dividido el territorio americano. Su preocupación primordial tendía a saber qué cantidad de tributo debía pagar cada pueblo a su encomendero, lo que era consecuencia directa

---

10. Autos seguidos por el presbítero Antonio Rodríguez, cura del pueblo de Xicalapa, contra don Juan Rodríguez Cabrillo. 1577. AGC, A3.12 leg. 2774 exp. 40022.

11. Instancia del común de los indios del pueblo de Atitlán sobre el pago del servicio del tostón. 1618. AGC, A3.16 leg. 2801 exp. 40490.

12. Libro de asiento de la partida de los tributos recaudados en el pueblo de San Bartolomé Jocotenango, jurisdicción de Tecpanatitlán. 1591-1663. AGC, A3.16 leg. 2316 exp. 34159.

del número de individuos capaces de tributar. Esta es la causa de que la unidad de cuenta de la mayoría de las fuentes —y también de las más importantes— sea el "tributario". Por otro lado, en las fuentes de origen eclesiástico o en las administrativas que tienen como fin organizar la actividad misional, se emplea otro tipo de unidad, el "vecino", y en algunos casos las "almas de confesión". Finalmente, es posible encontrar otros tipos de unidades aunque aparecen muy esporádicamente; este es el caso de los documentos que especifican la situación familiar de los tributarios que se tasan o empadronan en algunos pueblos —casados, viudos o solteros— y su condición de menores, adultos o ancianos.

Evidentemente, las cifras indicadas con estas unidades, en especial cuando refieren a cuestiones de tributación, no responden al total de la población. Es de todos sabido que un cierto número de individuos fue eximido por la Corona de pagar tributo en función de su rango o de su ocupación en la comunidad. Los caciques y principales de los pueblos estuvieron casi siempre exentos de pagar tributo a su encomendero como consideración a su estatus y a cambio de prestar determinados servicios a los españoles; igualmente fueron librados de esta obligación aquellos indígenas que servían en las iglesias de los pueblos como sacristanes o cantores e instrumentistas y que se conocían con el nombre genérico de *teopantecas*. Además hay que tener en cuenta que no todos los indios que habitaban un pueblo estaban obligados tributar sino que había una reglamentación y unas condiciones que determinaban quienes tenían que pagar tributo y quién no. Finalmente, había indígenas que huyeron de sus pueblos y no podían ser controlados por los administradores españoles por lo que quedaron fuera de los censos de tributos y del control de los eclesiásticos.

Las páginas siguientes se dedican a definir cada una de las unidades, discutir su representatividad y encontrar el factor de conversión más idóneo para transformarlas en cifras que expresen el total de habitantes a que refiere la unidad original.

1) *Tributarios*. Este término designó diversos tipos de individuos durante el siglo XVI, siguiendo una legislación que cambiaba a tenor de las circunstancias. Pero en líneas generales, y a los efectos que aquí se persiguen, se puede definir por los siguientes caracteres:

— tributario es todo indio macehual —por oposición a cacique y principal—, casado y que no presta servicios a la iglesia local en calidad de *teopanteca*.

— la familia nuclear se considera como un tributario representado por el cabeza de familia.

— las edades límites para tributar se sitúan entre los 16 y 50 años. Los indios de menos de 16 años son considerados "menores", y los mayores de 50, "viejos".

— los solteros mayores de 16 años que no viven en la casa paterna, y los viudos y viudas de menos de 50 años, son considerados medio tributario y pagan la mitad de la tasa establecida para un tributario completo o familia nuclear.

— en las regiones cacaoteras, los menores de 16 años que poseyeran tierras con cacaotales estaban obligados a tributar.

— los inválidos, cualquiera que fuera su edad, estaban dispensados de obligaciones tributarias.

Así pues, cuando en una tasación se indica el número de tributarios que tiene determinada población se está haciendo referencia al número de familias nucleares más un número indeterminado de solteros y viudos, o menores en su caso, que tienen que pagar tributo. Por otro lado, no se está haciendo referencia a los menores, a los viejos, ni a los que por una u otra causa estaban reservados de pagar tributo.

Una vez conocida la representatividad de las cantidades señaladas en las tasaciones, se trata de encontrar un coeficiente (X), llamado factor de conversión que, multiplicándolo por la cantidad de tributarios señalada en la tasación (T), nos indique del modo más aproximado posible el total de habitantes del pueblo tasado $[P = T \times X]$ El cálculo del valor de este multiplicador supone un complejo estudio estadístico en el que no nos vamos a detener aquí. Para nuestros cálculos vamos a emplear el coeficiente hallado por Slicher van Bath para el siglo XVI $[P/T=4.75]$ después de corregir los empleados por Cook y Borah en sus trabajos para la Nueva España(13).

Emplear este factor de conversión nos parece acertado desde el momento en que su utilidad para los cálculos en la Nueva España queda suficientemente demostrada por el citado autor, y que las condiciones socioeconómicas y ecológicas para las que en aquel territorio se aplica (poblaciones del altiplano central) son muy semejantes

---

13. B. H. Slicher van Bath: «The calculation of the population of New Spain, especially for the period before 1570». *Boletín de Estudios Latinoamericanos y del Caribe*, 24: 67-96. 1978.

a las de las poblaciones del Occidente de Guatemala. De esta forma habremos convertido todos los datos que tengamos en unidades de tributarios (T) en número total de habitantes (P), lo que nos proporciona una idea más clara de la situación demográfica a la vez que permite compararlos con los ofrecidos por otras fuentes en otras unidades, una vez transformadas en totales de población.

2) *Casados, solteros y viudos.* Cuando en una cuenta se especifica el estado de los indivíduos que forman una comunidad, se hace casi siempre referencia exclusivamente a individuos que están dentro de los límites de edad establecidos para los tributarios. Así, podemos entender que el término "soltero" refiere a personas —hombres o mujeres— mayores de 16 años y menores de 50, que no han contraído matrimonio y que viven fuera de la casa paterna. El término "viudos" alude a todos los viudos y viudas con menos de cincuenta años. Sólo el término "casados" puede plantear algún problema en cuanto al número de personas que representa cada unidad de cuenta. Para nuestros cálculos hemos considerado que cada "casado" es una pareja conyugal, es decir, dos personas con menos de cincuenta años, ya que por encima de esa edad son considerados "viejos"(14).

Como en el caso anterior, en los documentos en que la población se expresa en estas unidades las cantidades anotadas no corresponden al total de población; quedan fuera de la cuenta los viejos y los menores de dieciséis años, así como los solteros que vivían bajo el techo paterno formando parte de la familia nuclear. Para convertir estos datos en totales de población hemos seguido también las indicaciones del ya citado Slicher van Bath. Por tanto, consideramos que cuando la fuente sólo indique el número de "casados" (C), el multiplicador (Y) a emplear para hallar el total de población es 5.2 [P=C x 5.2].

Pero también hay documentos en los que, además de los "casados", se anota el número de "solteros" y "viudos" que hay en cada pueblo. Estas fuentes permiten aproximarse con mayor seguridad al número total de habitantes que podría haber en el lugar a que refieren. Para tratar demográficamente esta información consideramos que cada familia nuclear está formada por una media de 4.5 miembros; esto es, se estima que, por término medio, cada pareja tendría dos o tres hijos menores (2.5). A partir de este supuesto, al multiplicar por 2 el número de casados podemos conocer el total de adultos casados, y multiplicando por 2.5 el mismo número de "casados" (fa-

---

14. *Ibid.*, pág. 83 y ss.

milias nucleares) obtenemos el total de menores que había en el lugar a que refieren las cifras.

A las cantidades así obtenidas se suma el número de "viudos" y "solteros" indicados en la fuente, y el resultado refleja el total de habitantes de la población exceptuando los "viejos", es decir, todas aquellas personas que superan los cincuenta años de edad. Según los resultados obtenidos para otras áreas semejantes al Occidente de Guatemala, se puede considerar que el número de "viejos" de una población supone aproximadamente el 10% de la cantidad calculada para los restantes grupos de edad. Añadiendo ese 10% a la cifra anterior obtenemos el número total de habitantes para el lugar indicado por la fuente.

Los resultados obtenidos por este procedimiento deben responder al modelo propuesto por Slicher van Bath(15), según el cual el total de la población de un lugar o de un área se ajusta a los siguientes porcentajes:

Casados	35 — 40%
Viudos y solteros	4%
Viejos	8 — 12%
Niños	45 — 50%

Efectivamente, en los casos para los que tenemos constancia del número de casados, viudos y solteros, se puede comprobar la validez de esta distribución por grupos y del total de población así obtenido. A modo de ejemplo podemos estudiar el caso del padrón de Santiago Atitlán del año 1599(16).

En la fuente se especifica que en el pueblo había en la fecha indicada 866 casados, 73 viudos, 57 viudas y 52 solteros. Aplicando los coeficientes y haciendo los cálculos señalados antes obtenemos el total de población y los porcentajes siguientes:

Casados	1.732	38,60%
Viudos y solteros	182	4,05%
Viejos	408	9,09%
Niños	2.165	48,25%
Total de Habitantes... ...	4.487	99,99%

15. *Ibid.*, pág. 91.
16. Instancia del común de indios del pueblo de Atitlán sobre el pago del servicio del tostón. 1618. AGC, A3.16 leg. 2801 exp. 40490.

101

Si aplicamos al número de casados el factor de conversión 5.2, se obtiene un total de población de 4.503 habitantes, lo que supone un error del 0,35% sobre el total hallado mediante el procedimiento anterior.

Este mismo ejemplo puede servir para comprobar la utilidad del factor de conversión adoptado para transformar el número de "tributarios" de la tasaciones en totales de población. Según las cifras antes citadas, los 866 matrimonios y 182 viudos y solteros en edad de tributar suponen un total de 957 tributarios, teniendo presente que solteros y viudos se consideran como medio tributario. Aplicando la fórmula $P = T \times 4.75$, se obtiene un total de 4.545 habitantes para Santiago Atitlán en 1599; se ha cometido un error despreciable de 1,3% en los resultados obtenidos por uno y otro método. Podemos considerar entonces que los multiplicadores utilizados son correctos para el área y el período que se estudia.

3) *"Vecinos"*. Es difícil saber con exactitud qué entendían por un "vecino" los funcionarios reales y los eclesiásticos de Guatemala en el siglo XVI; no existe ningún documento en el que aparezca una definición del término. Sin embargo, la necesidad de trabajar con fuentes cuyos datos vienen expresados en esta unidad obliga a determinar, siquiera aproximadamente, su equivalencia. Para nuestros cálculos hemos considerado útil la definición formulada por Cook y Borah: un vecino es el cabeza de una familia nuclear, y cada unidad incluye tanto a éste como a los demás componentes del conjunto familiar(17).

Quedan, por tanto, fuera de la cuenta todos los viudos, solteros emancipados y los viejos. Siguiendo esta definición, la unidad vecino se equipara a la de casados, por lo que será necesario aplicar el mismo factor de conversión (5.2) para determinar el número total de habitantes que representa un número cualquiera de vecinos.

4) *Almas de confesión*. Es un término de significado ambiguo, utilizado normalmente en informes redactados por miembros de las órdenes religiosas o clérigos para referirse al número de personas que tenían bajo su administración espiritual. Generalmente se ha venido entendiendo que el número de "almas de confesión" de un lugar representa, aproximadamente, el 80% de su población total; en con-

---

17. S. F. Cook y W. Borah: *The population of Central Mexico in 1548.* Berkeley, 1960, pág. 76.

secuencia, habrá que aplicar el factor de conversión 1.25 a dicha cantidad para hallar el total poblacional.

* * *

Los resultados que se obtienen al aplicar estos factores de conversión a los datos contenidos en las fuentes se reflejan en las tablas que aparecen a continuación. Las seis primeras tablas contienen los datos de las seis fuentes principales, mientras que la Tabla 7 refleja la información que se ha podido obtener de la documentación "menor", es decir, son datos procedentes de fuentes muy dispersas. En este último caso la ordenación de los datos se hace siguiendo un criterio cronológico. La Tabla 7 contiene seis apartados correspondiente cada uno a un decenio entre 1562 y 1626; como las fuentes son muy diversas, al pie de cada uno de los apartados aparecen citados los documentos de los que procede la información. También al pie de cada Tabla aparece el factor de conversión empleado —en caso de que sea sólo uno— y las salvedades que se considera oportuno hacer para una mejor comprensión de los datos expuestos.

c) *Aproximación al total de la población y evolución demográfica.*

Se puede observar con facilidad que los resultados obtenidos al tratar los datos ofrecidos por la documentación sólo muestran aspectos bastante parciales de la población del área en algunas fechas y no cantidades totales de habitantes. No obstante, los resultados que aparecen en las tablas anteriores permiten deducir posibles cifras de población total para algunos años del siglo XVI, y con ellos se puede intentar reconstruir la evolución demográfica del Occidente de Guatemala durante el período que nos ocupa.

Cronológicamente, la tasación hecha por Cerrato entre 1548 y 1550 es el primer documento que ofrece datos sobre población indígena. Pero ¿cómo se puede conocer el total de habitantes del área en 1550 con los escasos datos aportados por la tasación? En el Occidente de Guatemala había en el siglo XVI un total de 116 núcleos de población; de ellos 67 estaban situados por encima de los 1.200 metros de altitud, en la Sierra, mientras que 49 estaban por debajo de dicha altura, 48 en la Bocacosta y sólo uno —Xicalapa— en la planicie costera. De todos estos pueblos la tasación de Cerrato sólo dice el número aproximado de tributarios que podía haber en 35 de ellos y algunos de manera bastante imprecisa (Tabla 1).

Para deducir el total de población para el año 1550 a partir de esta información hemos utilizado el siguiente método de cálculo.

Los 116 pueblos localizados en el área en el siglo XVI han sido divididos en dos grandes grupos según estuvieran situados por encima o por debajo de los 1.200 metros de altitud; esto es, un grupo reúne a todos los pueblos serranos y el otro a los de la Bocacosta y la Costa. A su vez, cada grupo ha sido dividido en dos subgrupos que reúnen a los pueblos que tuvieran hasta 1.000 y más de 1.000 habitantes respectivamente. De esta forma se obtiene la siguiente clasificación:

I. Pueblos situados entre 0 y 1.200 metros s.n.m.

   a) con menos de 1.000 habitantes   38

   b) con más de 1.000 habitantes   11

II. Pueblos situados sobre 1.200 metros s.n.m.

   a) con menos de 1.000 habitantes   44

   b) con más de 1.000 habitantes...   23

La adscripción de cada pueblo a un grupo u otro según la altura sobre el nivel del mar es totalmente objetiva y sólo está supeditada a conocer su localización exacta en el área. La clasificación en los subgrupos establecidos según el número de habitantes depende de la información que se posea sobre cada uno de los pueblos; en el caso de que no exista ninguna referencia específica al número de habitantes que pudiera tener en algún año del siglo, la inclusión en un subgrupo u otro depende de una apreciación hecha a partir de datos tales como la calidad de *cabecera* o *estancia,* el volúmen de la tributación en caso de conocerse, etc.

Hecha esta clasificación primaria de todos los pueblos del área, aplicamos los mismos criterios a la muestra ofrecida por la tasación de Cerrato. El resultado es el siguiente:

Grupo I a... ... ...   4 pueblos
Grupo I b... ... ...   3 pueblos
Grupo II a... ... ...   11 pueblos
Grupo II b... ... ...   14 pueblos

Como se puede apreciar, el tamaño de la muestra que ofrece la tasación es excesivamente reducido; con ella no es posible deducir el total de población del área por medio de un cálculo estadístico simple. Sin embargo, como la serie formada por el número de habitantes de los pueblos contenidos en la muestra constituye lo que en términos

TABLA 1

LA POBLACION SEGUN LA TASACION DEL PRESIDENTE CERRATO (1548-1550)

Pueblos de la Sierra	Tributarios	Población
Aguacatán	300	1.425
Amatenango	70	332,5
Atitlán	1.000	4.750
Chalchitán	60	285
Chichicastenango	400	1.900
Chiquimula, Santa María	400	1.900
Comitán	20	95
Cuilco	290	1.377,5
Huehuetenango	500	2.375
Huistla	45	213,7
Ixtahuacán, Santa Catalina	200	950
Ixtatán, San Mateo	35	166,2
Jacaltenango	500	2.375
Jocotenango, San Bartolomé	200	1.045
Momostenango	450	2.137,5
Motocintla	138	655,5
Quezaltenango(*)	400	1.960
Sacapulas	260	1.235
Sacatepéquez y Ostuncalco	2.000	9.500
Serchil	80	380
Sitalá	40	190
Soloma	250	1.187,5
Tecpanatitlán (Sololá)	1.000	4.750
Tejutla	120	570
Totonicapán(*)	160	760
Zacualpa	200	950
TOTAL SIERRA	9.138	43.405,5

(*) Se anota el doble de la cantidad señalada en la fuente ya que el pueblo está dividido en dos encomiendas, una particular que está tasada y otra de la Real Corona cuyo número de tributarios no se especifica. Se considera que ambas encomiendas tienen el mismo número de indios.

Pueblos de la Bocacosta	Tributarios	Población
Chiquistla	3	14,2
Malacatepeque	80	380
Samayac	850	4.037,5
Suchitepéquez y Nahualapa	446	2.118,5
Tepemiel	25	118,7
Xicalapa	60	285
Zapotitlán	1.080	5.130
TOTAL BOCACOSTA	2.544	12.084
TOTAL DEL AREA	11.682	55.489,5

P=T x 4,75

TABLA 2

LA POBLACION SEGUN LA "MEMORIA DE PARTIDOS ECLESIASTICOS" DE 1570

Partido	Vecinos	Población
Amatenango	1.000	5.200
Atitlán	1.500	7.800
Ayutla	350	1.820
Chiquimula	700	3.640
Los mames	1.000	5.200
Quezaltenango	1.800	9.360
Sacapulas	1.500	7.800
Sacatepéquez	1.200	6.240
Samayac	1.000	5.200
Suchitepéquez	1.800	9.360
Tecpanatitlán (Sololá)	5.000	26.000
Totonicapán	1.000	5.200
Zapotitlán, San Francisco	800	4.160
Zapotitlán, San Luis	400	2.080
TOTAL	19.050	99.060

$P = V \times 5,2$

TABLA 3

LA POBLACION SEGUN EL "CENSO DE 1572"

Cabecera	Anejos	Vecinos	Población
Ayutla	Nahuatlán	938	4.877,6
	Coyoacán		
	Chacalapa		
	Tilapa		
Atitlán		1.673	8.699,6
Cuilco	Mames	1.000	5.200
	Motocintla		
Huehuetenango		100	520
Jacaltenango		1.000	5.200
Sacatepéquez	Ostuncalco	400	2.080
Quezaltenango		1.000	5.200
Sacapulas		1.629	8.470,8
Samayac	San Pablo	420	2.184
	Santo Tomás		
	San Gregorio		
Suchitepéquez	Nahualapa	1.400	7.280
Tecpanatitlán		3.000	15.600
Totonicapán		900	4.680
Zapotitlán, S. Francisco		992	5.158,4
Zapotitlán, S. Luis	Zambo	998	5.189,6
	San Felipe		
	San Miguel		
TOTAL		15.450	80.340

$P = V \times 5,2$

TABLA 4

POBLACION DE LOS PARTIDOS ADMINISTRADOS POR FRANCISCANOS (1575)

Pueblos	Vecinos	Población
Atitlán	1.333	6.931,6
— San Bartolomé	380	1.976
— San Francisco	240	1.284
— San Andrés	160	832
— Santa Bárbara	30	156
Quezaltenango	860	4.472
— Olintepeque	60	312
— Momostenango	400	2.080
Tecpanatitlán	2.048	10.649,6
— Patulul		
— Santo Tomás(*)	20	104
— San Miguel		
— Santa Lucía(*)	20	104
— Pazón	366	1.903,2
Totonicapán	988	5.137,6
— Santa Catalina	40	208
— Chiquimula	100	520
Malaquetepeque	50	260
TOTAL	7.055	36.686

$P = V \times 5,2$

(*) Los vecinos de estas poblaciones, estancias de Tecpanatitlán, están incluidos en el total de la cabecera.

109

TABLA 5

LA POBLACION SEGUN LA TASACION DEL PRESIDENTE VALVERDE (1578-1581)

TASACION ANTERIOR A 1578

Pueblo	Tributarios	Población
Aguacatán	290	1.377,5
Huehuetenango	570	2.707,5
Huistla	87,5	415,6
Naguatán	54	256,5
Patulul	140	665
Pazón	315,5	1.498,6
Pochutla	57	270,7
Quezaltenango y estancias	840	3.990
San Felipe	128	608
Santa Ursula	30	142,5
Tecpanatitlán y estancias	2.037	9.675,7
TOTAL	4.549	21.607,7

TASACION DE 1581

Pueblo	Tributarios	Población
Aguacatán	236	1.121
Huehuetenango	367	1.743,2
Huistla	87	413,2
Naguatán	32	152
Patulul	129	612,7
Pazón	225	1.068,7
Pochutla	51	242,2
Quezaltenango y estancias	771	3.662,2
San Felipe	82	389,5
Santa Ursula	15	71,2
Tecpanatitlán	1.213	5.761,7
— Panajachel	56	266
— San Jorge	111	527,2
— Santo Tomás y San Jerónimo	53	251,7
TOTAL	3.428	16.283

$P = T \times 4,75$

TABLA 6

POBLACION DE LOS PARTIDOS ADMINISTRADOS POR FRANCISCANOS (1581)

Pueblos	Vecinos	Población
Atitlán	1.300	6.760
— San Bartolomé	350	1.820
— San Andrés	125	650
— San Francisco	300	1.560
— Santa Bárbara	50	260
Quezaltenango y sujetos	800	4.160
— Momostenango	300	1.560
Samayac	600	3.120
— San Pablo	500	2.600
— Santo Tomás	300	1.560
— San Gregorio	100	520
Tecpanatitlán y sujetos	1.500	7.800
— Santo Tomás	40	208
— San Miguel	200	1.040
— Patulul y San Jerónimo	400	2.080
Totonicapán y sujetos	600	3.120
— Chiquimula	170	884
— Santa Catalina y estancias	600	3.120
TOTAL	8.235	42.822

$P = V \times 5,2$

TABLA 7

CIFRAS DE POBLACION PROCEDENTES DE OTRAS FUENTES (1562-1626)

1.—PERIODO 1562-1570

Año	Pueblos	Tributarios	Población
1562	Atitlán(a)	1.500	7.125
1563	Zambo(b)	88	418
1564	Quezaltenango(c)	85	403,7
1565	Zacualpa(b)	210	1.017
1566	Malacatepeque(b)	24	114
1568	Nahualapa(d)	400	1.900
1569	Zambo(b)	78	370
1570	Mazatenango(d)	120	570
1570	Ostuncalco(d)	492	2.337
1570	San Francisco Zapotitlán(d)	508	2.413
1570	San Bartolomé(d)	540	2.565

P=T x 4,75

Fuentes:

a) Probanza hecha en Guatemala sobre ciertas derramas y otros excesos cometidos en pueblos de indios, contra los mandamientos que S.M. tiene dados. 20 noviembre 1562. AGI, Audiencia de Guatemala, leg. 45.

b) Tasación de varios pueblos pertenecientes a la encomienda de Diego de Robledo. 1565-1569. AGI, Justicia, leg. 318.

c) Tasación de tributos que deben pagar los vecinos del pueblo de Quezaltenango. 22 enero 1564. AGI, Audiencia de Guatemala, leg. 965. El dato refiere sólo a una de las encomiendas en que estaba dividido el pueblo por lo que tiene poca significación.

d) Primer volumen de la residencia tomada al licenciado Briceño. 1570. AGI, Justicia, leg. 316.

112

2.—PERIODO 1571-1580

Año	Pueblos	Unidades	Población
1572	Samayac y sujetos(a)	2.400 vecinos	12.480
1572	Zapotitlán y Zambo(a)	1.300 vecinos	6.760
1572	Suchitepéquez(a)	1.600 vecinos	8.320
1572	Sacapulas(b)	160 vecinos	832
1573	Sacapulas(b)	199 vecinos	1.034
1577	Xicalapa(c)	50 vecinos	260
	— Estancia de Rodríguez	15 personas	15
	— Miaguatlán	10 vecinos	52
	— Amistlán	3 vecinos	15,6
	— Chipilapa	9 vecinos	46,8
	— Exqueme	5 vecinos	26
	— Coatlán	4 vecinos	20,8
	— Casaltepéque	3 vecinos	15,6
	— Estancias de Paredes	20 personas	20
	— Estancia de Barahona	12 personas	12
	— Estancia de Martín	8 personas	8
1579	Zapotitlán y anejos(d)	1.200 casados	6.240

$P = V \times 5,2$; $P = C \times 5,2$

Fuentes:

a) Información hecha ante la Real Audiencia sobre cómo conviene que haya sólo un clérigo en cada pueblo. 13 enero 1572. AGI. Audiencia de Guatemala, leg. 113.

b) Pleito mantenido en el pueblo de Santo Domingo Sacapulas por las parcialidades de Citalá, Zacualpa y Coatán con la de Sacapulas. AGC, A1 leg. 5942 exp. 51995.

c) Autos seguidos por el Pbro. Antonio Rodríguez, cura de Xicalapa, contra don Juan Rodríguez Cabrillo, encomendero. 1577. AGC, A3. 12 leg. 2774 exp. 40022.

d) Autos hechos sobre una petición de tierras que hizo el cacique de Zambo. 1578. AGC, A1 leg. 5928 exp. 51825.

3.—PERIODO 1581-1590

Año	Pueblos	Unidades		Población
1581	Atitlán y sujetos(a)	2.166	casados	11.263,2
1581	Quezaltenango y sujetos(a)	764	casados	3.972,8
1581	Tecpanatitlán y sujetos(a)	1.161	casados	6.037,2
1581	Totonicapán y sujetos(a)	823	casados	4.279,6
1581	Suchitepéquez(b)	1.020	tributarios	4.845
1584	Quezaltenango(c)	900	vecinos	4.680
1584	Ostuncalco(c)	200	vecinos	1.040
1585	Atitlán(d)	1.005	casados	5.226
1585	S. Bartolomé Atitlán(d)	219	casados	
		8	solteros	1.092
1585	S. Andrés Atitlán(d)	101	casados	
		6	solteros	506
1585	S. Francisco Atitlán(d)	189	casados	
		8	viudos	944
1585	Sta. Bárbara Atitlán(d)	87	casados	
		8	solteros	
		2	viudos	441
1587	Atitlán(e)	1.005	casados	
		104	solteros	5.089
1587	S. Agustín Tzacbalcat(f)	8	parejas	
		24	hijos	40
1587	Tzacbalcat(f)	7	parejas	
		7	hijos	21

Fuentes:

a) Diligencias sobre los vecinos, pueblos de indios, oficios de cabildo, escribanías de cámara y otras cosas. 1581. AGI, Patronato, leg. 183 núm. 1 ramo 1.

b) Autos criminales contra el cura beneficiado de San Antonio Suchitepéquez. 1581. AGC, A1.15 leg. 4078 exp. 32366.

c) Pleito de los indios de Chiquirichapa contra los de Ostuncalco sobre ciertas tierras. 1745. AGC, A1 leg. 5987 exp. 52660.

d) Relaciones geográficas de Atitlán y sus estancias. 1585.

e) Pleito mantenido entre los franciscanos de Atitlán y Sancho de Barahona. 1568-1587. AGC, A1.11 leg. 4055 exp. 31428.

f) Pleito mantenido entre Atitlán y Patulul por la propiedad de las tierras llamadas Tzacbalcat. 1587. AGC, A1 leg. 2811 exp. 24781.

4.—PERIODO 1591-1600

Año	Pueblos	Unidades	Población
1596	Zacualpa(a)	20 casas(*)	130
1596	Joyabaj(a)	140 tributarios	665
1599	Atitlán(b)	866 casados	
		73 viudos	
		57 viudas	
		52 solteros	4.487
1599	San Lucas Tolimán(b)	45 casados	
		9 viudos	
		2 solteros	234
1599	Sta. Cruz La Laguna(b)	13 casados	64
1599	San Pablo La Laguna(b)	19 casados	94
1599	San Pedro La Laguna(b)	66 casados	
		12 viudos	
		7 solteros	348
1599	Santa María Visitación(b)	14 casados	
		5 viudos	75
1599	Pampati(b)	3 casados	13
1599	Payanchicul(b)	5 casados	
		2 viudos	27
1599	Huistla(c)	86 tributarios	411

Fuentes:

a) Pleito seguido entre los pueblos de Joyabaj y Zacualpa sobre ciertas tierras. 1596. AGC, A1 leg. 5994 exp. 51884.

b) Instancia del común de los indios del pueblo de Atitlán sobre el pago del servicio del tostón. 1618. AGC, A3.16 leg. 2801 exp. 40490.

c) Instancia de Luis Medina para que se le confirme una ayuda de costa. 1561-1600. AGI, Patronato, leg. 82 núm. 3 ramo 2.

(*) Consideramos que el número de casas (H) y el de casados (C) tiene la siguiente relación: $C = H \times 1,25$.

5.—PERIODO 1601-1610

Año	Pueblo	Unidades		Población
1605	Huistla(a)	101,5	tributarios	482
1605	Totonicapán(a)	636,5	tributarios	3.973
a. 1608	Sta. Bárbara Atitlán(b)	104	casados	541
1608	Sta. Bárbara Atitlán(b)	124	casados	
		10	viudos	
		4	solteros	
		3	menores	632
a. 1609	Tecpanatitlán(c)	700	tributarios	3.325
1609	Atitlán(d)	694	casados	
		108	viudos	
		9	solteros	3.564
1609	San Marcos Atitlán(d)	4	casados	18
1609	San Luncas Tolimán(d)	52	casados	
		6	viudos	264
1609	Sta. Cruz La Laguna(d)	18	casados	
		2	viudos	91
1609	San Pablo La Laguna(d)	22	casados	
		1	viudo	110
1609	San Pedro La Laguna(d)	74	casados	
		5	viudos	
		1	soltero	373
1609	Sta. María Visitación(d)	7	casados	
		1	viuda	36
1609	Pampati(d)	3	casados	13

Fuentes:

a) Don Alonso Fuentes pide que se le paguen los honora.:ios que le corresponden por haber empadronado los tributarios de los pueblos de la alcaldía de Totonicapán. 1606. AGC, A3 leg. 4801 exp. 40499.

b) Tasación de los pueblos sujetos a Santiago Atitlán. 1625. AGC, A1.1 leg. 1 exp. 10.

c) Residencia del capitán Agustín de Medinilla, alcalde mayor de los Suchitepéquez. 1609. AGI, Escribanía de Cámara, leg. 344-B.

d) Instancia del común de los indios del pueblo de Atitlán sobre el pago del servicio del tostón. 1618. AGC, A3.16 leg. 2801 exp. 40490.

6.—PERIODO 1611-1626

Año	Pueblos	Unidades	Población
a. 1617	San Francisco Atitlán(a)	231 tributarios	1.097
1617	San Francisco Atitlán(a)	197 tributarios 33 reservados 8 menores	977
1617	Cuyomezompa(b)	3 casados 1 viuda	16
1618	Atitlán y estancias(c)	1.246 tributarios	5.918
1618	San Bartolomé Atitlán(a)	64 casados 21 viudos 8 solteros 9 reservados 68 viejos	448
1623	Atitlán(a)	713 casados 128 viudos 69 solteros	3.208
1623	San Lucas Tolimán(a)	68 casados 7 viudos 3 solteros 9 viejos	325
1623	Sta. Cruz La Laguna(a)	21 casados 1 viudo 3 viejos	98
1623	San Pablo La Laguna(a)	35 casados 1 soltero 6 viejos	164
1623	San Pedro La Laguna(a)	98 casados 8 viudos 21 viejos	470
1623	Sta. María Visitación(a)	15 casados 1 viuda 1 soltero	76
1623	Pampati(a)	3 casados	13
1623	Payanchicul(a)	4 casados 1 soltero	19

Año	Pueblos	Unidades	Población
1623	San Juan Atitlán(a)	48 casados	
		4 viudos	
		2 solteros	244
1623	San Andrés Atitlán(a)	74 casados	
		16 viudos	
		2 solteros	
		1 reservado	
		3 menores	390
1626	Nahualapa(d)	28 casados	
		34 viudos	
		9 solteros	1.126

Fuentes:

a) Tasación de los pueblos sujetos a Santiago Atitlán. 1625, AGC, A1.1 leg. 1 exp. 10.

b) Empadronamiento de los tributarios de los pueblos de la alcaldía de Totonicapán. 1617. AGC, A3.16 leg. 2801 exp. 40502.

c) Instancia del común del pueblo de Atitlán sobre el pago del servicio del tostón. 1618. AGC, A3.16 leg. 2801 exp. 49490.

d) Títulos de encomienda de diversos pueblos. 1628. AGC, A3.16 leg. 2803 exp. 40537.

de estadística se conoce como una "población normal" —contrastada mediante una prueba de normalidad de D'Agostino—, es posible obtener resultados útiles de su tratamiento.

Desde esta perspectiva se puede considerar que la población de cada grupo es igual al resultado del producto de la media aritmética de la muestra ($\bar{x}$) por el número total de casos de cada grupo (N). Como el resultado así obtenido no tiene que ser necesariamente exacto, es preferible encontrar un intervalo dentro del que sí estaría comprendido el número total de habitantes correspondientes al sector o grupo analizado. Este intervalo viene determinado por la siguiente expresión:

$$N\left[\bar{x}-\left(Z_{\alpha/2}\frac{S}{\sqrt{n-1}}\right)\right] < N\bar{x} < N\left[\bar{x}+\left(Z_{\alpha/2}\frac{S}{\sqrt{n-1}}\right)\right]$$

en la que N representa el número total de pueblos de cada grupo; n el número de pueblos de la muestra del grupo correspondiente; S es la varianza de la muestra; $Z\frac{\alpha}{2}$ es un estadístico obtenido de una distribución T de Student, con n-1 grados de libertad y un nivel de confianza del 90% (1— α = 0,95); y $\bar{x}$ es la media aritmética de la muestra del grupo en cuestión.

Por este procedimiento obtenemos los siguientes resultados:

Grupo	Habitantes		
I a	5.745	< 7.581	< 9.412
I b	31.957	< 41.382	< 50.805
II a	19.122	< 19.813	< 20.499
II b	51.246	< 52.463	< 53.677
I	37.702	< 48.963	< 60.207
II	70.368	< 72.276	< 74.176
TOTAL	108.070	< 121.239	< 134.383

Se puede afirmar entonces que hacia 1550 el Occidente de Guatemala estaba ocupado por una población próxima a los 121.000 habitantes, con un límite máximo de 134.000 y mínimo de unos 108.000. La mayor parte de esta población vivía en las tierras altas (entre

70.000 y 74.000 indígenas), mientras que la Bocacosta reunía menos población (entre 37.000 y 60.000 habitantes) pero alcanzaba densidades más elevadas.

El siguiente punto para el que existe información es el año 1570. Si las cifras aportadas por la memoria de partidos eclesiásticos (Tabla 2) son fiables, el área estaría poblada en esa fecha por unos 99.000 indígenas (con un límite mínimo de 88.000 y máximo de 109.000). Queda claro que para hacer esta estimación consideramos que en el documento se cuentan todos los pueblos dependientes de cada una de las cabeceras de doctrina citadas en la relación y que cubren prácticamente la totalidad del Occidente de Guatemala.

El carácter mismo del documento impide hacer un desglose de habitantes por regiones ecológicas tal como se hizo con la tasación de Cerrato. No es posible, por consiguiente, apreciar cual fue la evolución de las poblaciones de la Sierra y la Bocacosta por separado. Finalmente, la cifra de habitantes propuesta no resulta excesivamente desproporcionada en relación con la obtenida para 1550: en veinte años se experimentó un descenso de población próximo al 18% que, desde luego, se puede considerar muy moderado si se compara con el 50% de pérdidas sufrido por México Central entre 1548 y 1568(18).

Entre 1570 y 1572, fecha a que se refiere el censo de los eclesiásticos (Tabla 3), parece que hubo un importante descenso de población. Según el censo, en 1572 podía haber en el área unos 80.000 habitantes. Esto supone que en sólo dos años la población decreció en casi un 19%, unas 20.000 personas. Una diferencia tan notable podría justificarse de dos maneras bien distintas que no son, sin embargo, excluyentes. La primera se basa en el origen de cada una de las fuentes: la memoria de 1570 fue confeccionada por funcionarios civiles y el censo de 1572 por miembros de la Iglesia. Los intereses particulares de unos y otros pudieron deformar la información en un sentido u otro en cada caso. Pero de hecho también se pudo producir el importante descenso de población que reflejan los documentos: en 1571 hubo una grave epidemia de "peste" que afectó a la mayoría de los pueblos de Guatemala y pudo ser causa de una importante mortandad.

A partir de 1572 parece que la población siguió decreciendo aunque a menor ritmo. En 1575 la población de las guardianías administradas por los franciscanos era —según los mismos frailes— de

---

18. S. F. Cook y W. Borah: *The Indian population of Central Mexico, 1531-1601*. Berkeley, 1960.

unos 36.686 indígenas (Tabla 4). Esta cifra corresponde sólo a una parte del área, casi la mitad. Las mismas guardianías —Atitlán, Malacatepeque, Tecpanatitlán, Totonicapán y Quezaltenango— tenían en 1570 aproximadamente 48.360 indígenas (Tabla 2). Se había experimentado un descenso cercano al 24%. Si consideramos que la totalidad del área pudo sufrir durante el mismo período una pérdida de población semejante, en 1575 el Occidente de Guatemala podría estar poblado por unos 75.000 indígenas, lo que supone un descenso del 6% respecto a la población de 1572.

Siguiendo el mismo método se puede estimar que la población del año 1581 estaría próxima a los 71.000 habitantes (Tabla 6). Esta cifra muestra que, aunque continúa la tenedencia descendente, la intensidad de la despoblación es cada vez menor: entre las dos últimas estimaciones hay un descenso de sólo el 5%. Sin embargo, si comparamos estas cantidades con la que se deduce de la tasación hecha por el presidente Valverde en 1581 y los datos que contiene para el año 1578 (Tabla 5), aparecen diferencias notables. Según esta última tasación, el descenso alcanza cifras próximas al 25%. Hemos considerado que los totales obtenidos mediante los cálculos descritos antes pueden ser más representativos que los que se desprenden de la tasación que sólo ofrece datos para unos pocos pueblos. Esta opción viene avalada, además, por la falta de situaciones especiales que justifiquen para estas fechas un descenso tan importante de la población. Los datos de la tasación de Valverde tendrán gran utilidad para el estudio de algunos casos particulares.

Para el período que va desde 1580 hasta el final del siglo la documentación aporta pocos datos y muy dispersos. La mayoría de la información corresponde a poblaciones tzutujiles y cakchiqueles situadas alrededor del lago Atitlán y a estancias de la Bocacosta dependientes de Atitlán y Tecpanatitlán. Con esta información no se pueden conocer cifras totales de población, pero sí estudiar la tendencia que pudo seguir la despoblación del área conociendo la que se produjo en los pueblos para los que existen datos (Tabla 7).

La evolución de la población tzutujil que vivía tanto en las tierras altas —junto al lago— como en las estancias cacaoteras se puede estudiar con los datos que aparecen en la Tabla 7. Estos datos se representan agrupados en el siguiente cuadro:

Año	Atitlan(*)	%(**)	Bocacosta	%	TOTAL	%
1575	6.931	—	4.212	—	11.143	—
1581	6.760	— 2,4	4.290	+ 1,8	11.050	— 0,8
1585	5.226	—22,6	2.883	—32,7	8.209	—25,7
1587	5.089	— 2,6	—	—	—	—
1599	5.312	+ 4,3	—	—	—	—
1609	4.469	—15,8	—	—	—	—

* En esta columna se indica el número total de habitantes de las poblaciones a que hace referencia

** En esta columna aparece el porcentaje de variación experimentado respecto a la situación inmediatamente anterior.

Aunque después de 1585 no hay ninguna fecha para la que se conozcan cifras de todos los pueblos de la Bocacosta dependientes de Atitlán, se puede observar la evolución que por separado siguió cada uno de ellos:

Año	S. Bartolomé	%	S. Andrés	%	S. Francisco	%	S. Bárbara	%
1585	1.902	—40	506	—22,1	944	—39,4	441	+69,6
a. 1608	—	—	—	—	—	—	541	+22,6
1608	—	—	—	—	—	—	632	+16,8
a. 1617	—	—	—	—	1.097	+16,2	—	—
1617	—	—	—	—	977	—10,9	—	—
1618	448	—58,9	—	—	—	—	—	—
1623	—	—	390	—22,9	—	—	—	—

Al examinar las cifras de los cuadros anteriores, que se reflejan en el Gráfico 2, se observa una fuerte tendencia descendente hasta en año 1585; después de esta fecha el descenso se va haciendo cada vez menos importante hasta casi desaparecer. Se puede considerar que ésta debió ser la tendencia en toda el área si se tiene en cuenta que no aparecen en la documentación indicios de que se hubieran dado entre los tzutujiles circunstancias diferentes a las del resto del área.

Que la población del Occidente de Guatemala al final del siglo no debió ser mucho menor que en 1575 o 1580 sería una muestra más de que la población indígena de Mesoamérica sufrió un importante descenso durante los primeros cincuenta o sesenta años de la colonización española, para iniciar después de 1585 una fase de estabilidad que en algunas regiones estuvo seguida por otra de recuperación. La situación que aquí se propone no es muy diferente a la que los demógrafos de Berkeley observaron para México Central durante el mismo período.

Considerando que entre 1581 y 1600 la población del Occidente de Guatemala no debió sufrir una merma superior al 10%, se proponen las siguientes cifras para la evolución de la población durante la segunda mitad del siglo XVI:

1550	121.000 habitantes	
1570	99.000	,,
1572	80.000	,,
1575	75.000	,,
1581	71.000	,,
1600	64.000	,,

Aceptando que estas cifras reflejen la evolución de la población del área en los cincuenta años finales del siglo, con ellas sólo respondemos parcialmente la cuestión que se planteaba al principio del capítulo. Para saber cuál fue la influencia de la presencia española sobre la población indígena debemos conocer la cantidad de habitantes que había en el momento de la llegada de los conquistadores.

Evidentemente, este dato no se puede llegar a conocer con exactitud. Por consiguiente, sólo se puede aspirar a establecer una hipótesis a partir de las cifras que se poseen para el resto del siglo y haciendo uso de ciertos convencionalismos que se consideran útiles para otras regiones de Mesoamérica que, en semejantes condiciones, fueron escenario del mismo fenómeno de contacto.

En general se admite que la población indígena de Mesoamérica era entre 1570 y 1580 de un 50% a un 25% de la que pudo haber en el momento de la conquista. Si se acepta esta hipótesis, se puede estimar que en el Occidente de Guatemala la población de 1581 —71.000 habitantes— suponía la tercera parte de la que pudo haber en 1524. Se puede concluir, por consiguiente, que en el momento de la conquista el área estaría poblada por un número no muy lejano a los 210.000 habitantes. Que esta cifra puede ser criticada es evidente; sin embargo, consideramos que puede estar más próxima a la situación real del área en la fecha de la conquista que los 500.000 habitantes estimados por Carmack para el altiplano occidental, dejando fuera de esta cifra a mames y kekchíes(19), y que los 300.000 indígenas calculados por Francisco de Solano para toda la gobernación de Guatemala en la misma fecha(20).

Estamos ahora en condiciones de dar una respuesta adecuada a la cuestión que se planteó al comienzo del capítulo: entre 1524 y 1600 los pueblos que habitaban el Occidente de Guatemala sufrieron, como consecuencia de la presencia española, una pérdida de población que se puede estimar en torno a un 70%. En términos absolutos la fase más intensa de la despoblación se produjo entre 1524 y 1550, con un descenso del 42,4%. Entre 1550 y 1570, cuando la colonia ya se había consolidado, el descenso se hizo menos vertiginoso (18%), para volver a ser más importante entre esta última fecha y 1572. Después de esta segunda gran crisis la población tiende a estabilizarse y las pérdidas se hacen cada vez menos importantes (Gráfico 1).

Queda una última cuestión que tratar. La población de América Central sufrió los efectos de la presencia española en el Nuevo Mundo antes de que se produjera la conquista del territorio. Se acepta que las epidemias que se extendieron por el istmo antes de 1524 pudieron ser causa de la muerte de la tercera parte de la población que las padeció(21). Teniendo esto presente, y de acuerdo con los totales de población estimados, se puede considerar que hacia 1520 —en cualquier caso antes de la conquista de México— el Occidente de Guatemala debía estar poblado por no más de 300.000 indígenas. Esta cifra aparece como bastante aceptable si se tienen en cuenta las condiciones ecológicas, culturales e históricas del área, y está de acuerdo con la cantidad propuesta por William T. Sanders, quien —desde un método diferente— estima para los Altos de Guatemala en la misma fecha una población en torno a los 800.000 habitantes(22).

---

19. Robert M. Carmack: *The documentary sources, ecology and culture history of the prehistoric Quiche Maya.* Ph.D. dissertation. Los Angeles, 1965, pág. 117.

20. *Op. cit.,* pág. 70.

21. Murdo J. MacLeod: *Spanish Central America: A socioeconomic history, 1520-1720.* Berkeley, 1973, pág. 98.

22. William T. Sanders y Carson Murdy: «Population and agricultural adaptation in the humid highlands of Guatemala». *The historical demography of Highland Guatemala,* (Carmack, Early y Lutz, editores), págs. 23-34. Albany, 1982.

CAUSAS DE LA DESPOBLACION.

¿Cuáles pudieron ser las causas de esta vertiginosa caída de población? Está claro que en todos los territorios americanos la conquista produjo una crisis demográfica de grandes proporciones y que, en líneas generales, sus causas fueron las guerras, las epidemias, los traslados de pueblos, los trabajos forzosos y la desestructuración social y económica de las culturas indígenas. Sin embargo, esta explicación resulta ambigua ya que ni todos los elementos citados se dieron en todas las áreas, ni tuvieron la misma intensidad ni las mismas consecuencias en cada una de ellas.

Hablar, por ejemplo, de que los españoles destruyeron ejércitos completos y pasaron por las armas a pueblos enteros en las acciones de conquista es una generalización demasiado simple y propia de los defensores de la Leyenda Negra como para ser cierta. Ni los medios bélicos empleados en la conquista permitían que sucediera así, ni los españoles deseaban aniquilar a los indígenas que, en muchos casos, eran la única riqueza de las tierras conquistadas, ni —en definitiva— había suficiente número de conquistadores para llevar a cabo tal masacre.

Que las guerras de conquista produjeron un elevado **número** de muertos es innegable y así se desprende de los testimonios que nos han llegado; que los traslados de pueblos y la esclavitud también fueron causa de numerosas muertes parece de igual modo evidente, sobre todo en las Antillas y en las costas atlánticas de América Central; que las enfermedades acabaron con gran parte de la población es indiscutible. Pero es necesario determinar cuál fue la importancia de cada uno de estos factores en el área que se estudia y, a la luz de la información, comprobar si la influencia de cada uno de dichos factores justifica o no las conclusiones a las que se ha llegado en cuanto a la evolución de la población.

La causa principal de la crisis en América Central fueron las enfermedades. Los conquistadores iban precedidos por un frente de virus y bacterias que diezmaron a las poblaciones del istmo antes de que se produjera el contacto físico entre españoles e indígenas. Los pueblos del Occidente de Guatemala sufrieron, por tanto, graves epidemias con anterioridad a la llegada de Alvarado y sus hombres, y sus efectos se dejaron sentir con mayor o menor intensidad durante todo el siglo XVI. Todos los autores parecen estar de acuerdo en que este primer frente epidémico estaba formado principalmente por el *poxvirus variolae,* causante de la viruela, la más grave enfermedad sufrida por los indígenas durante toda la colonia y que puede acabar con más del 30% de una población que no hubiera tenido nunca contacto con ella(23).

De la presencia de esta enfermedad en los Altos de Guatemala hacia 1520 han quedado diversos testimonios. En los *Anales de los Cakchiqueles* se hace referencia a una grave enfermedad que afectó a todas las poblaciones del área y acabó con un gran número de vidas; por los síntomas descritos, todo hace pensar que fue la viruela. Todavía en 1585 queda el recuerdo de aquella enfermedad —¡qué desastrosas serían sus consecuencias!— y así lo dicen los naturales de San Bartolomé de Atitlán cuando son interrogados por los oficiales reales sobre las causas de la disminución de la población:

> "antes de que los españoles viniesen a esta tierra les subçedió una pestilencia de viruelas yncurables porque deste mal al yndio que le daba este mal no escapaba"(24).

La epidemia partió de dos focos: el primero se situaba en las Antillas desde donde alcanzó Yucatán y de ahí se extendió por Guatemala; el otro frente partió del Darién y cubrió toda América Central hasta encontrarse con el primero. Junto a la viruela se propagaban otras enfermedades —también desconocidas hasta entonces en América— como el sarampión, la peste y el tifus. Además de las enfermedades, los indígenas decían que habían muerto muchas personas en las guerras que cakchiqueles y tzutujiles mantuvieron con los expansionistas quichés de K'umarcaaj y "también por los tigres que había en aquel tiempo que [se] los comían"(25).

La realidad fue que cuando los españoles llegaron a las tierras altas de Guatemala se encontraron a una población diezmada por las enfermedades y que, si es cierto que las batallas entre conquistadores e indígenas produjeron bastantes víctimas, no debieron ser tantas como para considerar la guerra una causa determinante en la despoblación del territorio. Incluso entre 1524 y 1550 las enfermedades siguen

23. Una información más detallada sobre las epidemias y pandemias que sufrieron los pueblos centroamericanos durante el siglo XVI se puede encontrar en las siguientes obras: Alfred W. Crosby: «Conquistador y pestilencia: the first New World pandemic and the fall of the Great Indian Empires». *Hispanic American Historical Review*, 47 (3): 321-337. 1967; J. Eric S. Thompson: «The Maya Central area at the Spanish conquest and later: a problem in demography». *Proceedings of the Royal Anthropological Institute of Great Britain and Ireland for 1966*, págs. 23-38. London, 1966; Murdo J. MacLeod: *Op. cit.*, págs. 98-99.

24. Relación San Bartolomé. *Op. cit.*, pág. 267.

25. Relación San Bartolomé: *Op. cit.*, pág. 267; y Relación San Andrés y San Francisco: *Op. cit.*, págs. 53 y 63.

apareciendo como la causa principal de la mortandad indígena: entre 1532 y 1534 hubo una epidemia de sarampión, y entre 1545 y 1548 otra de peste y "gucumatz"(26). Hay que pensar entonces que fueron las enfermedades y no las guerras las causantes de la muerte del 40% de la población del Occidente de Guatemala entre 1524 y 1550.

Después de esta última fecha, las enfermedades siguieron originando un considerable número de muertes. El cronista fray Francisco Vásquez recuerda que en 1558 llegó a Guatemala una epidemia procedente de la Nueva España:

> "fue señaladísima la de sangre de narices que hubo el año 1558, en que murieron, sin que nadie pudiese hallar remedio, muchísimas gentes, tanto, que hasta estos tiempos no se ha olvidado, ni ha repetido con aquel singularísimo estrago, que casi destruyó el reino"(27).

En 1560 los indígenas sufrieron una nueva epidemia según informaba al rey el presidente de la Audiencia:

> "Este año han muerto en esta provincia muy gran cantidad de indios de pestilencia, y dicen que la trajeron los indios de Lacandón. Hase tenido cuidado en los curar y en enviarles mantenimientos porque morían de hambre, por ser los indios gente muy pobre y haber entre ellos poca caridad. Ha placido a nuestro Señor que ha cesado" (28).

En 1563 una prolongada sequía produjo escasez de alimentos con la lógica consecuencia de hambre y muertes:

> "Hambre y carestía de bastimentos se experimentaron con mucha penuria, pero la que hubo en el año 1563 fue sin ejemplar, a causa de la gran sequía que hubo, y fue, que comenzando a llover por el mes de marzo, sembraron y no llovió hasta San Juan de junio, mucho y espeso, y cesó hasta 15 de agosto; con que ni hubo trigo, ni maíz, ni aún el recurso de los plátanos y raíces, porque todo se perdió

---

26. Murdo J. MacLeod: *Op. cit.*, pág. 98.
27. Fray Francisco Vásquez: *Crónica de la Provincia del Santísimo Nombre de Jesús de Guatemala.* Guatemala, 1937-1944, vol. 1 pág. 154.
28. Carta del presidente de la Audiencia al rey sobre asuntos de gobierno. Santiago, 30 junio 1560. AGI, Audiencia de Guatemala, leg. 9.

y se acabó de destruir con la fuerza de los vientos y torbellinos"(29).

A la escasez y el hambre siguió la pestilencia. En 1569 tenemos de nuevo noticias de la presencia de otra epidemia. Esta vez la información viene del pueblo cacaotero de San Juan Nahualapa:

"y despúes sucedió en este pueblo una enfermedad de la cual murieron en pocos días ciento y cuarenta personas naturales, todos tributarios, sin otras muchas personas" (30).

Murdo J. MacLeod da noticias de una epidemia de peste durante el año 1571 que afectó a las poblaciones de Guatemala y la Verapaz. A los efectos de ésta hay que añadir los que se siguieron de la falta de alimentos según refleja este informe de la Audiencia:

"En estas provincias y en casi toda la Nueva España ha habido general hambre por falta de maíz y porque además de enfermar y morirse muchos por falta de presente, se sabe por experiencia que tras semejantes hambres en esta tierra sucede mortandad de naturales"(31).

En 1576 y 1577 hubo pandemias de peste, viruelas, "matazahuatl" y "gucumatz" en todas las provincias de América Central. Como consecuencia llegaron a desaparecer pueblos completos y se produjo una nueva situación de carestía de alimentos y hambres(32).

Si se comparan estos datos sobre enfermedades y mortandad con las cifras de población señaladas en el apartado anterior y con su representación en la curva que aparece en el Gráfico 1, se puede apreciar cómo este último período de epidemias (1569-1577) coincide prácticamente con la crisis señalada para los años que van de 1570 a 1580. A partir de este último año la curva pierde pendiente hasta el final del siglo, a la vez que no existen noticias de nuevas epidemias ni alguna otra causa especial de mortandad durante el mismo espacio de tiempo.

29. Fr. F. Vásquez: *Op. cit.*, vol. 1 pág. 154.

30. Primer volumen de la residencia tomada al Lcdo. Francisco Briceño. 1570. AGI, Justicia, leg. 316.

31. Carta de la Audiencia de Guatemala al rey. 6 septiembre 1571. AGI, Audiencia de Guatemala, leg. 9.

32. Carta del presidente de la Audiencia al rey. 17 marzo 1578. AGI, Audiencia de Guatemala, leg. 10.

Pero además de las grandes depresiones provocadas por epidemias y pandemias, los mayas de Guatemala padecieron endemias que han estado diezmando la población desde la llegada de los españoles hasta nuestros días. Las más importantes han sido la malaria, la disentería amebiana y la anquilostomiasis. Las dos últimas tienen claramente demostrado su origen en el Viejo Mundo, mientras que el origen de la malaria es todavía dudoso, aunque Thompson no descarta la posibilidad de que fuera desconocida en Guatemala antes de 1524(33). Las tres son enfermedades que se desarrollan con especial facilidad en los medios tropicales y causantes por consiguiente de una constante mortalidad entre las poblaciones del área. Es posible que un brote especialmente virulento de alguna de estas enfermedades fuera la causa de la desaparición de Xicalapa, la única población que había en la costa del Pacífico en el momento de la conquista y de la que se pierde toda noticia hacia 1579.

Las *Relaciones geográficas* ofrecen un testimonio indiscutible de la validez de lo que hasta ahora se ha expuesto. Tanto las que se refieren a las poblaciones tzutujiles como la que se confeccionó en 1579 sobre toda la alcaldía mayor de Zapotitlán(34), coinciden al informar de que fueron las enfermedades que sobrevinieron después de la llegada de los españoles, las principales causantes del descenso de población. Entre las enfermedades se citan la viruela, sarampión, tabardete, "sangre que les salía de las narices" y otras "pestilencias". Sólo los indios de Santiago Atitlán consideran que las guerras de conquista y los traslados masivos de indígenas hacia lugares lejanos a su asentamiento fueron causa de las muertes:

> "...la cabsa de aber venido a mucha disminución los naturales a sido que quando el Adelantado Don Pedro de Alvarado llegó a este dicho pueblo de Atitlan en diferentes vezes despues de ganada la tierra saco del cantidad de gente vez de seyscientos indios soldados para dar la guerra a los yndios del pueblo y cabecera de Tecpan Cuauhtemala que era reyno de por si. Y otras provincias que estaban rebeldes. Y no querían venir de paz e en las guerras que se ofrecieron murieron muchos yndios deste dicho pueblo y otros fallecieron en las minas sacando oro. Y estos yndios que yban a las dichas minas sacaban los

---

33. *Op. cit.*, pág. 25.
34. Relación Zapotitlán: «Descripción de la Provincia de Zapotitlán y Suchitepéquez. Año de 1579». *ASGHG*, 28 (1-4): 68-83. 1955.

encomenderos que tenia este pueblo en aquella sazon. Y segun estos principales yndios dizen los yndios que sacaban para las minas en cada diez dias serian dozientos y quarenta yndios. Y otros fallecieron de enfermedades de viruelas y sarampión e tabardete y sangre que les salia de las narizes y otras pestilencias y trabajos que les subsedieron. Y que cuando los dichos dozientos y quarenta yndios ya dichos ivan a las minas a sacar oro llevaban consigo a sus mugeres para que les hiziesen de comer y para otros servicios personales que en las dichas minas se ofrecian"(35).

Otros indígenas consideran que una causa de la despoblación fue la monogamia; uno de los informantes que declara en la descripción de la provincia de Zapotitlán afirmaba que "en el tiempo de su gentilidad no les era prohibido tener las mujeres que querían" por lo que, lógicamente, el número de nacimientos era bastante superior (36). Pero la monogamia de los indígenas, por lo menos durante estos primeros años, no pasaría de ser una aspiración de los conquistadores y no práctica común entre los conquistados.

Las *Relaciones geográficas* también aportan testimonios acerca de la influencia de las enfermedades endémicas sobre las poblaciones del área. El alcalde mayor de Zapotitlán afirma que muchas de las muertes que se producen entre los indios se deben a la insalubridad de la región:

> "...si algunas enfermedades hay se cree ser más la causa los ruines y flacos mantenimientos que los malos aires, aunque en efecto todas estas provincias tienen temple laxativo y que no admite bien ningún trabajo corporal y de esto produce una enfermedad muy peligrosa y que la más de las veces se cobra por un género de descuido y mal apercibimiento, a la cual llaman pasmo y procede de muchas maneras: la una es mojarse los hombres de unos aguaceros que en estas partes hay grandísimos, y como la tierra es cálida los poros van abiertos, si de presto no se acude con el remedio sucede calentura y luego el pasmo; y por el mismo caso sucede de ir sudando de algún trabajo o camino y resfriarse, que también sucede calentura

---

35. Relación Atitlán: *Op. cit.*, pág. 95.
36. Relación Zapotitlán: *Op. cit.*, pág. 71.

y espasmo. Hay otros muchos géneros de enfermedades como en España, como calenturas, bubas, dolor de costado, ijada, mal de piedra y orina. Los indios de esta costa tienen una enfermedad que llaman a los que la tienen jiotes, que es una manera de sarnilla puntiaguda por todo el cuerpo y otros que son llagados por la garganta a manera de lamparones, y dícese proceder estas dos enfermedades de un cierto fruto que comen que llaman patastle"(37).

La enfermedad más importante de las que padecían los vecinos de Santiago Atitlán es la que conocen como "cámaras de sangre", de la que los mismos indígenas dicen que es casi siempre mortal: "en gente moça escapan pocos y no hace tanta impresión en los viejos" (38). De la misma enfermedad decían los indios de la estancia de San Andrés que "son yncurables, las cuales en gente moça y bieja ymprime mucho, que en dándoles escapan pocos". En la misma estancia eran también frecuentes enfermedades como bubas, "xiote", "mal contagioso" y "calenturas tercianas y cuartanas"(39).

En definitiva, después de la llegada de los españoles Guatemala presentaba un mosaico de enfermedades que, debido a las condiciones de salubridad propias de la época y a las características del clima, se desarrollaron con extraordinaria fuerza y rapidez. La consecuencia fue que tanto las epidemias que se producían periódicamente como las endemias permanentes dieron lugar a un alto índice de morbilidad y a una constante mortandad entre la población indígena. Tal fue la importancia de las enfermedades y sus consecuencias, que hay que considerarlas como la causa fundamental y casi única de la despoblación del Occidente de Guatemala durante el siglo XVI.

EXPLOTACION CACAOTERA, MEDIO AMBIENTE Y DESPOBLACION.

Además de las enfermedades, algunos autores sugieren que otra causa importante de mortandad fueron los traslados de indígenas de las tierras altas a las plantaciones de cacao de Zapotitlán y el So-

---

37. Relación Zapotitlán: *Op. cit.*, pág. 75.
38. Relación Atitlán: *Op. cit.*, pág. 101.
39. Relación San Andrés y San Francisco: *Op. cit.*, pág. 57.

conusco(40). Según esta versión, el trabajo obligatorio de los indios en los cacaotales produjo un elevado número de muertes tanto entre los naturales que vivían en la Bocacosta permanentemente como entre los que habían sido llevados de la Sierra: de cada cinco indios serranos que iban a trabajar en las plantaciones solían volver menos de cuatro. La causa de la muerte estaba tanto en el exceso de trabajo como en las enfermedades que se seguían del brusco cambio de climas.

Una proposición de este tipo lleva a plantear dos cuestiones íntimamente ligadas entre sí. En primer lugar, ¿se pueden encontrar diferencias importantes en la evolución de las poblaciones de la Sierra y la Bocacosta después de la llegada de los españoles? En segundo lugar, si tales diferencias existieran, ¿hay testimonios suficientes para considerar el trabajo en los cacaotales como una causa de mortandad indígena?

Es cierto que cuando los españoles se asentaron definitivamente en Guatemala y comenzaron a explotar sistemáticamente el país, vieron que el cacao era el único producto con valor de mercado que se podía obtener en aquellas tierras. Tan importante fue el cacao en la vida de la colonia que los españoles llamaron "minas" a los cacaotales. Sin embargo, puede resultar exagerado afirmar que el trabajo en las plantaciones cacaoteras de la Bocacosta y los traslados de población acabaran con más de un 20% de los indígenas dedicados a estas labores. Argumentos de carácter a la vez histórico y demográfico avalan esta afirmación.

El cacao se venía cultivando de manera intensiva por los mayas que habitaban en la región de Zapotitlán desde bastante tiempo antes de que llegaran los españoles. Una muestra de la importancia que tenía el producto para los pueblos que vivían en el área en la época prehispánica, son las constantes luchas que mantuvieron entre sí por el control de las tierras de la Bocacosta: las tierras del cacao fueron objetivo importante en las guerras expansivas organizadas por el más notable de los señores quichés, el *ahpop* Quikab, un siglo antes de la conquista española; y mucho antes de esa fecha otros pueblos serranos —tzutujiles y mames— se habían preocupado de poseer tie-

40. Murdo J. MacLeod: «An outline of Central America colonial demographics: sources, yields and possibilities». *The historical demography of Highland Guatemala* (Carmack, Early y Lutz, edits.), págs. 1-18. Albany, 1982; Thomas T. Veblen: «Native population decline in Totonicapán, Guatemala». *The historical demography of Highland Guatemala*, (Carmack, Early y Lutz, edits.), págs. 81-102. Albany, 1982; William L. Sherman: *Forced native labor in sixteenth-century Central America*. Lincoln, 1979, págs. 241 y ss.

rras en las que pudiera cultivarse cacao. Como consecuencia, en el Occidente de Guatemala existía antes de la conquista un complejo sistema de control de las tierras cacaoteras por parte de los estados indígenas del altiplano. Este sistema les permitía asegurarse el acceso directo al cacao y a otros productos que, como el algodón, no se podían obtener en las tierras altas.

El sistema se basaba fundamentalmente en la presencia de individuos procedentes de los Altos en las tierras de cacao controladas por cada etnia. Estos individuos formaban un cierto tipo de colonias, asentamientos dispersos a los que los españoles llamaron *estancias*. Cada estancia dependía de un centro del altiplano al que durante el siglo XVI se conocía como *cabecera*. Las gentes que vivían en las estancias habían sido por lo regular enviadas allí por sus señores étnicos para que cultivaran los cacaotales y cuidaran de que no les fueran arrebatados por gente de otras etnias o cabeceras.

Además, entre la Sierra y la Bocacosta se había mantenido siempre un importante trasiego de hombres y mercancías: indígenas de los pueblos serranos acudían a las tierras calientes para comprar cacao, algodón, maíz o sal; a cultivar sus milpas y cacaotales o a vender manufacturas y productos del altiplano. También la gente de la Bocacosta acudía con cierta frecuencia a la Sierra para llevar el producto de sus cosechas y mantenían relaciones permanentes con sus cabeceras de origen de las que se sentían miembros de pleno derecho.

Durante el primer siglo de la colonia los españoles no introdujeron innovaciones importantes en este sistema, sino que aprovecharon parcialmente sus posibilidades. Cuando obligaron a los indios de los pueblos de la Sierra a pagar el tributo en almendras de cacao no hicieron más que continuar con algo que era tradicional en el área; los indios del altiplano tenían que ir a buscar el cacao a la Bocacosta, lo compraban o lo cultivaban en los cacaotales que sus respectivas comunidades poseyeran. Ninguna de las dos cosas era una novedad entre los mayas de Guatemala: también los señores prehispánicos exigían que una parte importante del tributo que tenían que recibir les fuera pagado en cacao, y el comercio regional era una actividad permanente antes de 1524. Las diferencias entre un período y otro podrían estar en la racionalidad de la explotación y —como mucho— en la cantidad de cacao que se quisiera obtener. Una consecuencia del ritmo que los españoles quisieron imponer a la explotación cacaotera fue la práctica desaparición de los árboles cien años después de la conquista.

No hay, por consiguiente, motivos para creer que los traslados o el trabajo en los cacaotales pudieran acabar con la población indígena, por lo menos en la medida que se ha pretendido. Los españoles no hicieron más que aprovechar una riqueza y una forma de explotación que ya existía antes de la conquista.

El segundo argumento es de carácter demográfico. En este caso se trata de descubrir si hubo o no diferencias significativas en la evolución de las poblaciones de las tierras altas y de la Bocacosta durante el período estudiado. La presencia de una crisis más acentuada —o de ritmo bastante diferente— en las poblaciones que habitaban las tierras cacaoteras sería síntoma indiscutible de que sobre ellas estaban actuando factores que no se daban en las poblaciones serranas.

La solución de este problema no es fácil. Como se ha visto páginas atrás, disponemos de muy poca información que permita comparar la evolución demográfica de las distintas regiones del área que se estudia. Sin embargo, poseemos algunas cifras para las poblaciones tzutujiles de la Sierra y la Bocacosta durante el período que va desde 1575 a 1600. Estas poblaciones se situaban en los límites de lo que había sido antes de la conquista el señorío tzutujil de Atitlán, en la orilla occidental del lago del mismo nombre y la parte de piedemonte que se extiende al sur.

La evolución de la población del señorío tzutujil entre las fechas citadas aparece el Gráfico 2. Comparando la curva correspondiente a la población total del señorío con la que representa la evolución general de la población del Occidente de Guatemala (Gráfico 1) se puede apreciar que no existen diferencias considerables. En ambos casos la caída se detiene después de 1580 para iniciarse una fase de estabilidad que dura, por lo menos, hasta el final de la primera década del siglo XVII. Podemos decir entonces que la evolución de la población tzutujil fue similar a la del resto del área y por tanto, lo que en este tema se diga de los tzutujiles se puede extrapolar al resto de la población.

Para observar las diferencias que pudieran existir en la evolución de la población que vivía en la Sierra y en la Bocacosta se pueden comparar las curvas representativas de cada una de ellas que aprecen asimismo en el Gráfico 2. Según se aprecia en el citado Gráfico, las tierras cacaoteras sufrieron una aguda crisis que terminó hacia 1585, fecha que aparece como un punto importante en la evolución de la población tzutujil del siglo XVI. Tampoco se notan diferencias considerables entre cada una de las curvas parciales y la que representa a la totalidad de la población del antiguo señorío de Atitlán. La similitud en la evolución de ambas poblaciones —la serrana y la de las estancias de la Bocacosta— se hace todavía más patente al representar los datos mediante una gráfica de coordenadas semilogarítmicas que hace posible una comparación más precisa (Gráfico 3).

Esta comparación permite afirmar que, cuando menos entre los tzutujiles, ni las diferencias de clima ni el trabajo en las plantaciones de cacao provocaron una despoblación más intensa en la Bocacosta que en la Sierra. Tampoco aparecen indicios de que hubiera una llegada masiva de indígenas a las estancias de la Bocacosta; durante todo el siglo XVI sólo se fundó en estas tierras una población que careciera de antecedentes prehispánicos, Santa Bárbara. El lugar reunía gentes procedentes de las tierras altas y de las otras estancias de la Bocacosta, pero su población fue muy reducida durante el siglo XVI y sólo comenzó a tener importancia relativa a comienzos del siguiente.

La situación comprobada para las poblaciones tzutujiles puede hacerse extensiva al resto del área, ya que no hay en la documentación ningún tipo de informe que sugiera diferencias importantes entre una y otra. Por consiguiente, no parece que la existencia de cacao en la Bocacosta y el deseo de los españoles de conseguirlo fuera un factor destacable en lo que se refiere a la evolución de la población.

Podemos concluir, por tanto, diciendo que la grave crisis demográfica que sufrió la población maya del Occidente de Guatemala durante todo el siglo XVI fue causada fundamentalmente por la presencia de enfermedades de las que eran portadores los españoles y que fueron desconocidas en Guatemala hasta unos pocos años antes de la conquista. Algunas enfermedades se establecieron de forma endémica en el área y causaron una pérdida continua de vidas. Sobre ellas aparecían periódicamente epidemias que intensifican la mortandad y que fueron la causa de las grandes crisis ocurridas entre 1520 y 1550 y, posteriormente, entre 1570 y 1580.

A los efectos de las enfermedades hay que añadir —con bastante menor importancia— las muertes producidas en las guerras de la conquista. Si los traslados también fueron causa de despoblación sería más por huída de los indígenas que por muerte; es probable que un número de indios no determinado, aunque no demasiado importante, aprovechara el traslado para abandonar su tierra y emigrar a la capital de la provincia o algún otro lugar en el que se viera libre del control de los conquistadores. Mayor importancia que a estos últimos factores habría que dar a la crisis cultural que la conquista produjo en las poblaciones indígenas; una crisis de identidad generadora de situaciones de angustia que facilitarían la acción de los microorganismos, aumentando la mortalidad, y haría descender notablemente la natalidad entre las poblaciones afectadas.

CAPITULO III

ALDEAS, PUEBLOS Y COMUNIDADES

Desde tiempos muy remotos los campesinos mayas que poblaban las tierras occidentales del actual territorio de Guatemala tenían construidas sus viviendas en los mismos parajes en que los encontraron los españoles en 1524. Las sucesivas invasiones y dominios a que se vieron sometidos, así como los consecuentes cambios en las estructuras sociales, políticas y económicas, no lograron desarraigarlos del terruño de sus antepasados.

La mayor parte de los indígenas que habitaban el área en el momento de la conquista estaban asentados en pequeños núcleos de población —aldeas o caseríos— esparcidos por las tierras altas centrales de Guatemala, en la región ocupada en la actualidad por los departamentos de Quezaltenango, Totonicapán, Sololá, y la mitad meridional del departamento del Quiché. De ahí hacia el norte, en los Cuchumatanes, la población era más dispersa y los centros cada vez menos importantes. Estos caseríos presentaban una distribución totalmente irregular y se localizaban cerca de las tierras de cultivo de cada uno de los grupos.

Por debajo de los 1.200 metros sobre el nivel del mar, en el bosque tropical donde se cultivaba el cacao, la población estaba más concentrada debido a la posibilidad de realizar explotaciones agrícolas intensivas. Aquí los caseríos, que normalmente reunían mayor número de viviendas que en las tierras altas, estaban sensiblemente alineados pero alcanzando mayor concentración en los valles formados por las cuencas de algunos ríos que permitían una más fácil comunicación con los centros principales del altiplano. De esta forma, las zonas más densamente pobladas eran las comprendidas entre los cursos de los ríos Coyolate y Nahualate —conocida como Suchitepéquez— y entre las cuencas de los ríos Samalá y Tilapa, la región de Zapotitlán(1). Al oeste del río Samalá la población era sensiblemente menos numerosa y sólo hay constancia de la existencia de pequeñas poblaciones como Retalhuleu, Nahuatlán y Ayutla, aunque las dos últimas se consideraban pertenecientes al Soconusco; una muestra de la realidad de esta situación la ofrece el propio Pedro de Alvarado cuando escribe que no encontró ninguna población a su paso por estas regiones hasta llegar a Xetulul, más allá de la cuenca del Samalá (ver Mapa 2).

Por debajo de los límites en que era posible el cultivo del cacao la población era prácticamente nula. La extensa llanura costera, que en tiempos remotos pudo estar bastante poblada, era en el siglo XVI un extenso páramo en el que, al parecer, sólo existían dos pequeñas poblaciones: Tlilapa, entre los ríos Naranjo y Suchiate, considerada generalmente como parte del Soconusco, y Xicalapa, separada algunas leguas de la raya costera, en las orillas del río Nahualate, y que desaparecería pocos años después del establecimiento del poder español.

PATRONES DE ASENTAMIENTO PREHISPANICO.

Estos pequeños caseríos que salpicaban la mayor parte del área no estaban completamente aislados ni eran independientes unos de otros, sino que mantenían cierto tipo de relaciones entre ellos y con otros centros de población de mayor importancia; tales relaciones les llevaban a sentirse identificados en comunidades de ámbito local, regional o nacional. Las evidencias arqueológicas e históricas permiten conocer con bastante detalle estas relaciones y establecer una tipología de las poblaciones en función de sus características tanto físicas —según la distribución espacial de sus estructuras— como políticas, económicas o religiosas.

Los campesinos habitaban en pequeños núcleos de población (caseríos) que reunían normalmente un número comprendido entre los cinco y los veinte hogares, viviendas unifamiliares construidas con adobe y materiales perecederos sobre una pequeña plataforma de tierra prensada y piedras. Los caseríos se situaban en lugares cercanos a los cursos de agua, en parajes aledaños a las tierras cultivables en las que cada familia poseía su milpa. Estas unidades elementales se

---

1. Robert M. Carmack: *The documentary sources, ecology and culture history of the prehistoric Quiche Maya.* Ph. D. dissertation. Los Angeles, 1965, págs. 87 y ss.

unían formando pequeñas agrupaciones agrícolas que mantenían relaciones económicas y de parentesco, y en algunas ocasiones poseían lugares comunes de culto, lo que favorecía su identificación comunitaria; normalmente estos pueblos agrícolas dispersos no llegaban a reunir más de cien viviendas. A su vez, un determinado número de pequeños pueblos podían sentirse ligados a otra población constituida en centro regional de carácter ceremonial, económico y político, o a la misma capital del señorío(2). En las tierras cacaoteras de la Bocacosta este esquema general se mantenía, pero la posibilidad de los cultivos intensivos y la escasez de tierras favorecieron una mayor concentración de habitaciones en torno a un centro ceremonial y económico que, del mismo modo que en las tierras altas, también mantenía relaciones con otros de superior importancia.

Los testimonios históricos que hacen referencia a este tipo de asentamientos dispersos y de organización piramidal son diversos. Las crónicas los mencionan en numerosas ocasiones, pero quizás sea fray Bartolomé de las Casas, profundo conocedor del mundo indígena, el que mejor supo describirlos:

"En algunas provincias y regiones tenían sus poblaciones a trechos como barrios, de la manera que en nuestra España lo están desparcidos en la provincia de Galicia y en las montañas; y esto, por la mayor parte, suelen ser las poblaciones desparcidas en las sierras del reino de Guatemala, y en otras partes a aquella tierra semejantes, puesto que los principios o cabezas de los pueblos, lugares, villas o ciudades, que eran donde estaban los templos y el culto de los dioses se celebraba, y las casas reales de los reyes y señores estaban acompañados con algunas casas de principales personas, de las cuales había muchas juntas, doscientas y quinientas y mil casas; y el otro pueblo estaba por los cerros y valles derramados, el cual acaecía de ser de diez mil y quince mil y más vecinos"(3).

Y posiblemente fuera el dominico uno de los pocos españoles capaz de comprender la funcionalidad de este modo de vivir. Los demás testimonios hacen siempre referencia a esta situación como propia de hombres sin civilizar que no conocen las ventajas de la vida

---

2. Stephan F. de Borhegyi: «Settlement patterns of the Guatemalan Highlands». *HMAI*, vol. 2 págs. 59-76. Austin, 1965.

3. Bartolomé de las Casas: *Apologética Historia Sumaria*. México, 1967, vol. 1 pág. 244.

urbana. En líneas generales todas se parecen a esta descripción hecha por dos doctrineros que trabajaron en la región de Sacapulas: "había poblaciones de hasta ocho y seis y aún cuatro casas o chozas, *metidos y escondidos por las barrancas*"(4).

Las pequeñas poblaciones eminentemente campesinas eran conocidas por el topónimo del paraje en el que se situaban o por el nombre con el que se designaba a la población principal que era el centro de confluencia de todas las demás. Esta última, normalmente, poseía un pequeño centro ceremonial en el que se llevaban a cabo los cultos locales, independientemente de los cultos regionales o de los impuestos por los grupos dominantes que habitaban en las capitales de los señoríos. Estas poblaciones, además de un determinado número de viviendas, poseían una pequeña plaza donde se celebraban los mercados locales periódicos y en la que se situaba un pequeño altar destinado a sacrificios ofrecidos a las deidades locales de carácter fundamentalmente agrícola. Así parece desprenderse de la declaración que hicieron los tzutujiles del pueblo de San Bartolomé, dependiente de Atitlán, en respuesta a las preguntas de las *Relaciones geográficas*:

> "Este pueblo de San Bartolomé subjeto a la cabecera de Atitlán, en el tiempo de su gentilidad en lengua materna se llamaba *Xeohg*, que quiere dezir en la lengua mexicana *Ahuacatepec*, que en lengua castellana dize *cerro de aguacate*, y que este nombre tomó porque en un *qu* grande que los naturales tenían donde hazían sus ydolatrías y sacrificios al demonio estaba un arbol grande de aguacate. En una esquina del dicho *qu*, y casa de sacrificio que entonces tenían, y así le quedó esta denominación"(5).

De la misma forma se especifica la existencia de un lugar sagrado en la *Relación* del pueblo de San Andrés, vecino del anterior, al que los naturales llamaban Quiohg, "porque en el patio del estaba un gran *qu* donde hazían sus sacrificios al demonyo y en medio de una plazuela que avía estaba un árbol grande que llaman *pochotl* en mexicano y en castellano *ceyba*"(6).

---

4. Carta de fray Juan de Torre y fray Tomás de Cárdena al Emperador. 6 diciembre 1555. AGI, Audiencia de Guatemala, leg. 168. El subrayado es nuestro.
5. Relación San Bartolomé: «Descripción de San Bartolomé, del partido de Atitlán. Año 1585». *ASGHG*, 38 (1-4): 268. 1965.
6. Relación San Andrés y San Francisco: «Estancias de San Andrés y San Francisco, sujetas al pueblo de Atitlán, año de 1580 [1585]». *ASGHG*, 42 (1-4): 54. 1969.

La plaza era el lugar donde se identificaba la comunidad; el punto de confluencia de todos los campesinos de los caseríos cercanos, tanto para llevar a cabo transacciones comerciales y contactos sociales, como para elevar comunitariamente sus plegarias a los dioses y celebrar las fiestas locales. Asimismo, este centro era el lugar de vivienda de los "principales" de los grupos de parentesco que habitaban los caseríos aledaños y de donde se consideraban "naturales" todos los vecinos de dichos caseríos.

Además de estas aldeas de carácter agrícola, existían en el área otras poblaciones o centros ceremoniales de mayor importancia y que ejercían su influencia sobre una región extensa en la que se encontraban varios pequeños pueblos dispersos. Estos centros regionales habían adquirido importancia después que los grupos quicheanos que habitaban el Occidente de Guatemala entraron en la fase de guerra endémica, y constituían una especie de baluartes instalados por los señores de cada una de las etnias para asegurar el dominio sobre las tierras conquistadas. Eran importantes centros de culto y enclaves comerciales de primer orden; así como residencia permanente de los jefes de los principales linajes de cada una de las "naciones", por lo que también tenían el carácter de centros político-administrativos. Los señores de los linajes dominaban desde ellos un extenso territorio que, como en el caso de Xelajuj, podía extenderse tanto por tierras de la Sierra como de la Bocacosta.

La función de baluarte de estos centros hacía que estuvieran situados en lugares prominentes, colinas artificiales o emplazamientos difícilmente accesibles en las cimas de las montañas o los bordes de los barrancos. Estaban formados por grupos de estructuras arquitectónicas duraderas, ordenadas en razón de las posibilidades que ofreciera el terreno; el número de estructuras dependía de la importancia de cada centro. Generalmente, estos edificios estaban situados alrededor de una plaza o patio que servía de lugar de reunión, emplazamiento del mercado regional, y como escenario para las celebraciones religiosas a cuyo efecto se instalaban uno o varios altares. Entre las construcciones que flanqueaban los lados de la plaza destacaban templos construidos sobre pirámides y edificios bajos divididos en habitaciones a los que los españoles denominaron "palacios" y que debieron servir de vivienda a los jefes de los linajes y como centros administrativos de la región. En los parajes aledaños de estos centros cívico-religiosos se extendía un grupo más o menos numeroso de viviendas habitadas por campesinos encargados de suministrar alimento a los señores, así como artesanos y gente de servicio. En los últimos años quizá estos lugares fortificados pudieron servir como refugio a la población de los alrededores ante la amenaza de ataques enemigos, función semejante a la que tenían los castillos y fortalezas medievales en Europa(7).

Centros de este tipo eran Chuwa Tz'ak, Chuwi Mik'ina, Xelajuj y Xetulul, dentro del área de dominio de los quichés; de ellos, los dos últimos habían sido recientemente conquistados a los mames y tzutujiles respectivamente y constituían importantes puntos para la defensa de las tierras cacaoteras de la Bocacosta. Tzololá, el más importante enclave cakchiquel después de la capital Iximché, y Ostuncalco —en el país de los mames— eran otros puntos de la misma naturaleza en el área occidental de Guatemala.

De las mismas características que estos últimos, pero con un número bastante mayor de estructuras civiles y ceremoniales, eran los tres núcleos de población más importantes del área que tenían la condición de centros nacionales: Zaculeu, K'umarcaaj y Tziquinahay o Chiaa, capitales de las "naciones" mam, quiché y tzutujil, respectivamente. En ellos residían los señores de cada una de las etnias dominantes en ese momento y por tanto eran los centros políticos y administrativos de sus respectivos territorios. Como consecuencia, tenían el carácter de ciudades cortesanas en las que se movía un importante número de funcionarios y militares. Además, eran centros religiosos de primer orden y extendían su área de influencia por todo el territorio étnico. Alrededor de la zona residencial y ceremonial se encontraban dispersas un importante número de viviendas en las que se alojaban los campesinos y artesanos encargados de mantener a los grupos dominantes. La extraordinaria concentración de habitantes y de funciones hace que algunos autores los hayan considerado como auténticas ciudades a pesar de carecer de algunos de los rasgos estructurales característicos de las urbes(8).

Igual que sucedía con los caseríos campesinos y con los centros ceremoniales y administrativos de ámbito regional, algunas de estas capitales ya existían como importantes centros ceremoniales en épocas anteriores, aunque durante el Posclásico, tras alcanzar la hegemonía los expansionistas pueblos quicheanos, adquirieron preponderancia las funciones políticas y defensivas sobre las religiosas. Sin embargo, no perdieron del todo el carácter de centro ceremonial y de peregrinación que habían tenido antes. A ello hace referencia Alonso de Zorita cuando describe los restos de la capital de los quichés:

7. S. F. de Borhegyi: «Settlement patterns...,» pág. 74.
8. *Ibid.*

"En Utatlán había muchos y muy grandes *cues* o templos de sus ídolos, da maravillosos edificios, y yo vi algunos aunque muy arruinados, y allí tenían también *cues* otros pueblos comarcanos; y el más principal de éstos era el de un pueblo que llamaban Chiquimula y tenían a este pueblo de Utatlán como santuario, y a esta causa había en él tantos y tan principales *cues*"(9).

Fuentes y Guzmán también da noticias de las ruinas de K'umarcaaj fijándose más en sus aspectos urbanos y en los edificios civiles:

"la poblazón tupida y numerosa, con unas calles muy estrechas, se derramaba y extendía por todo el ámbito de el gran contorno, dejando el punto de su centro, la real habitación de aquellos reyes mas este con tal orden y concierto, que se arrimaban más vecinas las casas de los nobles y ahahuaes, y a aquellos personajes que componiéndose de ellos el Consejo necesitaban de más inmediación a la persona: después en torno de estas casas, de principales y ahahuaes, seguían, por calpules o barrios, los *maseguales,* o plebeyos de aquella gran república..."(10).

El mismo cronista hace una descripción de Zaculeu, la capital del "reino" mam, en la que resalta su carácter de fortificación y la distribución de los edificios civiles y religiosos dentro del recinto amurallado(11).

Las poblaciones del Occidente de Guatemala estaban, pues, integradas en comunidades de ámbito local, regional y nacional; entre los caseríos de campesinos y los grandes centros políticos y ceremoniales se establecía un complejo sistema de relaciones que abarcaban desde aspectos políticos y administrativos hasta sociales, económicos y religiosos. Se daba así lugar a un sistema estratificado y piramidal en el que cada individuo tenía bien clara su pertenencia a una comuni-

---

9. Alonso de Zorita: *Breve y sumaria relación de los señores de la Nueva España.* México, 1942, pág. 211.

10. Francisco A. de Fuentes y Guzmán: *Recordación florida.* Madrid, 1972, vol. 2 pág. 305. En la actualidad, la arqueología permite conocer con gran detalle la fisonomía del «centro urbano» de K'umarcaaj tal y como se hallaba antes de la llegada de los españoles. Una descripción del sitio, sus estructuras y funciones, se puede ver en el trabajo de Dwight T. Wallace: «An intra-site locational analysis of Utatlan: the structure of an urban site». *Archaeology and Ethnohistory of the Central Quiche* (Wallace and Carmack, edits.), págs. 20-54. Albany, 1977.

11. Francisco A. de Fuentes y Guzmán: *Recordación Florida.* Madrid, 1972, vol. 3 págs. 51-55.

dad local y regional con la que se sentía identificado; sin embargo la identificación con la comunidad de ámbito nacional debió ser más difusa. Las relaciones del campesino con las grandes capitales tal vez estuvieron restringidas al ámbito de lo religioso —producto de una tradición ancestral en el mundo maya—, dado que las de tipo político y administrativo habían sido impuestas por conquista —especialmente en lo que se refiere a la región dominada por los quichés—, y tomaron más la forma de vasallaje obligatorio que la de una filiación interiorizada por el campesino maya apegado a su milpa y sus tradiciones.

En este contexto tiene singular interés la relación que existía entre determinados centros de carácter regional o capitales de señoríos y algunas poblaciones de índole local. El sistema de cultivo extensivo de las milpas que precisaban en los Altos de largo tiempo de barbecho; la escasez de tierras cultivables debido a lo accidentado del suelo, y la necesidad de obtener cacao para los intercambios comerciales y, en su caso, para satisfacer el tributo a los señores, hicieron que los linajes y etnias se preocuparan de controlar la mayor cantidad posible de tierras tanto en la Sierra como en la Bocacosta. Para conseguirlo, los señores de los centros más importantes enviaron diversos contingentes de campesinos a las tierras que formaban parte de sus dominios ancestrales o que habían conquistado recientemente; estos campesinos construyeron sus habitaciones en esas tierras, en torno a un centro de rango local. Estas familias que vivían en lugares a veces bastante alejados de su comunidad de origen, a la que estaban unidas por lazos étnicos y de parentesco, se sentían miembros de pleno derecho de aquélla y así eran considerados por todos. Los asentamientos formados de este modo constituían un cierto tipo de *colonias* de los centros regionales o nacionales de los que procedían sus habitantes y de los que dependían social, política y económicamente. En la documentación, el pueblo o centro de procedencia y referencia de los habitantes de la colonia fue llamado *cabecera* y aquella, *sujeto o estancia;* el origen de estas denominaciones está en el hecho de que los conquistadores identificaron la institución con la que existía en los reinos de Castilla, donde una población importante, llamada *cabeza,* era centro de un distrito o *alfoz* en el que se encontraban villas que dependían de la primera en determinadas jurisdicciones(12).

---

12. Una situación semejante a la que existía en el Occidente de Guatemala ha sido observada por Gibson entre los aztecas durante el período colonial (Charles Gibson: *Los aztecas bajo el dominio español, 1519-1810.* México, 1967, págs. 36 y ss.); y por Pedro Carrasco en otras áreas de México, tanto durante el período colonial como durante la época prehispánica («La aplicabilidad a Mesoamérica del modelo andino de verticalidad». *Economía y sociedad en los Andes y Mesoamérica,* págs. 237-244. Madrid, 1979). La situación es semejante a la descrita por John V. Murra en el mundo andino.

Poblaciones de este tipo eran mantenidas por Xelajuj (Quezaltenango) que poseía diversos enclaves en las tierras cacaoteras; por los señores de Chuwi Mik'ina (Totonicapán) que tenían colonias tanto en la Sierra —Xoch'o, después San Francisco Totonicapán o el Alto— como en la Bocacosta; y por los de Tziquinahay, capital del señorío tzutujil, que poseían en la tierra cacaotera los enclaves conocidos como Xeohg y Quioh, entre otros, además de diversos caseríos a lo largo de las orillas meridional y occidental del lago Atitlán. K'umarcaaj, Ostuncalco y Tzololá eran otros centros con colonias en diversos lugares de sus dominios. La importancia de las relaciones existentes entre las *cabeceras* y sus respectivas *estancias o sujetos,* nos lleva a dedicar una parte de este trabajo al análisis de la institución tanto durante la época colonial como en la inmediatamente anterior a la llegada de los españoles.

VIVIR EN "POLICIA": LA GENESIS DE LOS PUEBLOS DE INDIOS.

Terminada la conquista los españoles comenzaron a pensar en organizar las estructuras fundamentales de la nueva colonia para conseguir, en el menor tiempo posible, el mejor aprovechamiento de los recursos que el país ofrecía. En Guatemala, durante el siglo XVI, la explotación se realizó principalmente exigiendo a los indígenas el pago de un tributo, tanto en forma de trabajo y servicio personal como mediante la entrega de una cierta cantidad de dinero, productos agrícolas o manufacturas. La institución que se utilizó para regular el pago de los tributos indígenas y para repartirlos entre los conquistadores fue la encomienda que ya había sido empleada con éxito en otras regiones conquistadas con anterioridad.

Para conseguir que el sistema de encomiendas funcionara correctamente se debía conocer, en primer lugar, cuántos indígenas vivían en cada uno de los pueblos que había en la región para así poder hacer un reparto equitativo entre los españoles y saber qué cantidad de beneficio se concedía a cada uno. Pero además, era necesario controlar a todos y cada uno de los pueblos y de los indios que los habitaban de manera que estuviera asegurada la recaudación periódica y permanente del tributo. Ambas eran tareas bastante difíciles de realizar en Guatemala. ¿Cómo se podía contar una población completamente dispersa? y lo que aún era peor, ¿cómo controlar gente que vivía desparramada, "dividida" y "escondida" por los montes y barrancas, en los lugares más inverosímiles e inaccesibles?

Es evidente que la dispersión de los campesinos no era un obstáculo insalvable para hacer efectiva la recaudación de los tributos; los quichés habían resuelto perfectamente el problema, y periódicamente recibían en K'umarcaaj cuantiosas riquezas procedentes de los impuestos entregados por los grupos sometidos. Pero los españoles, que en otras ocasiones habían sabido aprovechar los mecanismos indígenas en su propio beneficio, consideraron que una población tan desparramada como la de aquel país ni podía controlarse a la hora de recaudar los tributos ni podía ser gobernada de forma eficaz. Había que buscar un medio para que los indígenas en lo sucesivo vivieran reunidos en pueblos, que además era la manera de vivir propia de la gente "civilizada".

Pero no fue sólo el afán de controlar política y económicamente a los indígenas lo que indujo a los españoles a terminar con los asentamientos dispersos. Tenían también fuertes razones de índole social y religiosa. No hay motivos para dudar de que los españoles —por lo menos buen número de ellos— estaban realmente convencidos de que tenían la obligación de hacer que los indígenas abandonaran sus formas de vida y adoptaran los modelos culturales de que ellos eran portadores y que lógicamente consideraban superiores y civilizados. En este sentido estuvo dirigido el largo y complejo proceso de aculturación que los españoles llevaron a cabo en América, por medios coactivos o persuasivos, y del que fueron principales artífices los miembros de las órdenes religiosas.

Después de las primeras experiencias realizadas en las Antillas y en México, las autoridades metropolitanas y coloniales se dieron cuenta de que la mejor manera de controlar efectivamente a los indígenas era haciéndoles habitar en lugares construidos según el modelo de los pueblos de España. De este modo, además, se conseguiría que los indios vivieran con "policía", esto es, urbanamente, como corresponde a hombres civilizados, y no "desparramados" por los montes, forma de vivir que consideraban propia de salvajes y de animales.

La reunión de los indios que vivían dispersos pasó por diversas fases y el proceso fue largo y bastante complejo. El resultado fue la aparición de pueblos formados según el modelo español a los que se llamó "reducciones", "congregaciones" o "congregas"(13). No nos vamos a detener aquí en las descripción detallada de todo el pro-

---

13. El término «reducción» se usó preferentemente para designar a los pueblos de indios en el virreinato peruano y muy especialmente a las misiones de los jesuitas en la región del Río de la Plata, mientras que en Nueva España se empleaban normalmente los términos «congregación» y «congrega». En Guatemala se utilizaron los tres según se desprende de la documentación. En el texto emplearemos, por tanto, cualquiera de ellos sin que el uso de uno u otro quiera indicar ningún matiz distintivo.

ceso sobre el que ya existe una abundante bibliografía; sólo haremos referencia a su fase final que afectó de manera directa a las poblaciones del Occidente de Guatemala(14).

En Guatemala el hombre que impulsó la congregación de los indios fue el licenciado don Francisco Marroquín, primer obispo de la diócesis(15). Marroquín, poco después de tomar posesión de la sede, confeccionó una relación programática de lo que —en su opinión— había que hacer para mejorar la vida de la colonia y conseguir que los naturales fueran adoctrinados con la máxima efectividad. Este programa fue incluido por el obispo en una carta al rey con la que pretendía informar al monarca de algunas cuestiones que consideraba muy necesarias "para la instrucción destos naturales". En lo que concernía a la necesidad de reunir a los indígenas éste era su razonamiento:

> "es lo principal, que la gente de los pueblos se junte, digo los naturales que viven en el pueblo; ya v. mt. estará informado que la provincia de Guatemala, la mayor parte della es todo sierras, tierra muy áspera y fragosa, y una casa de otra a mucha distancia: es imposible si no se juntan, ser doctrinados y aun para el servicio ordinario que hacen a sus amos, sería mucho alivio"(16).

Para conseguir que los indios acepten la propuesta de congregación el obispo sugiere que se debe convencer a los señores de los linajes de los beneficios que les traería la nueva situación y, una vez convencidos, ellos cooperarían para que se llevase a cabo el proyecto. Eso sí, todo se debía hacer con mucho cuidado y condescendencia, y se relevaría a los indios de sus obligaciones tributarias durante el tiempo que durara la construcción del nuevo asentamiento.

---

14. Son numerosos los trabajos que se han publicado en torno a este tema. Para conocer en líneas generales el proceso de formación de los pueblos de indios y su problemática específica para el caso de Guatemala, se pueden consultar las publicaciones de Carmelo Sáenz de Santamaría: «Institucionalización de los grupos indígenas de Guatemala en el siglo XVI». *XXXVI Congreso Internacional de Americanistas*, vol. 4 págs. 197-202. Sevilla, 1966; y «La 'reducción a poblados' en el siglo XVI en Guatemala». *Anuario de Estudios Americanos*, 29: 187-228. 1972. También se puede ver la obra de Horacio de Jesús Cabezas: *Las reducciones indígenas en Guatemala durante el siglo XVI*. Guatemala, 1974.

15. Carmelo Sáenz de Santamaría: «La 'reducción a poblados' en el siglo XVI en Guatemala», pág. 188.

16. Carta del obispo Marroquín al rey. 10 mayo 1537. Publicada por Carmelo Sáenz de Santamaría: *El licenciado don Francisco Marroquín*. Madrid, 1964, págs. 124-135.

La razón definitiva con la que el obispo justifica la necesidad de la "reducción" está bien clara en el texto: "pues que son hombres, justo es que vivan juntos y en compañía, donde redundará mucho bien para sus ánimas y cuerpos"(17).

A estas sugerencias y a las ofrecidas por el concilio de obispos mexicanos reunido en el mismo año 1537, contesta el rey diciendo que las reducciones se hagan si los indios se ofrecen a ello voluntariamente. Pero Marroquín sigue considerando que se debe obligar a todos los naturales porque sería la única forma de evangelizarlos: "para este fin fueron conquistadas estas tierras". Si no se les obliga no consentirán abandonar sus antiguas viviendas, porque no comprenderán el bien que de tal congregación se les puede seguir: es gente sin razón que "no tienen más de lo exterior del hombre (absorbido está el hombre interior)"(18).

Finalmente, en junio de 1540, el rey dicta una real cédula ordenando que se comience a congregar a los indígenas de Guatemala siguiendo las normas sugeridas por Marroquín; pero el obispo considera la cédula poco contundente y demasiado vaga en las instrucciones sobre cómo debe llevarse a efecto la concentración, y vuelve a insistir sobre el mismo tema en noviembre de 1540(19). Tras esta última carta parece que la cuestión se abandona, por lo menos en la correspondencia oficial, y a pesar de una nueva cédula de enero de 1541(20), las primeras reducciones no comienzan a hacerse hasta algunos años después.

Parece que las primeras experiencias no tuvieron lugar hasta el año 1547 cuando la Audiencia, por medio del oidor Rogel comisionado especialmente para ello, tomó conciencia de la necesidad de reunir a los indígenas para asegurar su control; en el *Memorial de Sololá* se especifica que fue ésta la fecha en que dicho oidor acudió al lugar y reunió a todos los indios en un pueblo sacándolos de "las cuevas y barrancos"(21). También parece que fue el año 1547 cuando comenzaron los frailes de San Francisco a reunir a los tzutujiles

---

17. *Ibid.*

18. Carta del obispo Marroquín al rey. 20 enero 1539. AGI, Audiencia de Guatemala, leg. 156.

19. Sáenz de Santamaría: «La 'reducción a poblados' en el siglo XVI en Guatemala», pág. 195.

20. AGC, A1.24 exp. 15752, f.º 56 v.º

21. Adrián Recinos: *Memorial de Sololá: Anales de los Cakchiqueles. Título de los señores de Totonicapán.* México, 1950, pág. 140. Según Recinos, el día 7 Caok que se cita en el *Memorial* como el de la llegada de Rogel, corresponde con el día 30 de octubre de 1547 del calendario gregoriano.

de Atitlán y sus estancias de las orillas del lago y de la Bocacosta(22).

Sin embargo, no hay noticias de que estas primeras experiencias tuvieran continuación en otros lugares, ya que hacia mediados de siglo todavía se alzan las voces de los administradores haciendo ver la necesidad de que se congregue a los indios dispersos. Una de las personas que más insistió en el tema fue el licenciado Tomás López, oidor de la Audiencia de Guatemala, quien consideraba fundamental este paso para conseguir que los naturales asimilaran los aspectos fundamentales de la cultura española. En una de sus cartas al rey, en la que presenta todo un programa de aculturación para el mundo indígena, refiere al tema con las siguientes palabras:

"Y hanse de poblar en lugares que sean oportunos para sus labranzas y salud con las demás gracias que un pueblo ha de tener, y en tal disposición que a caballo y a pie como quisieren puedan entrar a ellos. Háseles de mandar que sus pueblos los tracen por sus barrios y calles al modo de España y que, desde luego, señalen sus edificios públicos. Ya V. A. lo tiene mandado y cometido a los frailes, pero tengo entendido que hay gran desorden en ello y por eso lo digo, porque algunos no mudan que había razón de mudarlos y algunos han situado en tales lugares que no están bien... y por evitar el trabajo que hay en irlos a buscar en diversos lugares para doctrinarlos han juntado y juntan tantos en una población que la extensión y capacidad del suelo y calidad no basta para sustentar a tantos ni para sus labranzas, sino que de necesidad se han de apartar a hacer sus labranzas tres y cuatro leguas..."(23).

Posteriormente, el mismo Tomás López fue comisionado para realizar una visita a las poblaciones indígenas de Yucatán que llevó a cabo en el año 1552. Durante dicha visita confeccionó unas Ordenanzas en las que, esta vez en forma de código, vuelve a presentar

---

22. Gerardo G. Aguirre considera que después del Cabildo Custodial de 1544, los franciscanos organizaron su actividad misional y que fue en 1547 cuando fray Francisco de la Parra y fray Pedro de Betanzos reunieron el pueblo de Atitlán (Gerardo G. Aguirre: *La Cruz de Nimajuyú*. Guatemala, 1972, pág. 33 y ss.).

23. Carta del oidor Tomás López al rey. 18 marzo 1551. AGI, Audiencia de Guatemala, leg. 9. El complejo programa propuesto por Tomás López para gobernar y asimilar a la población indígena de Guatemala ha sido analizado por Pilar Sanchiz en su trabajo: «Cambio cultural dirigido en el siglo XVI: el oidor Tomás López y su planificación de cambio para los indios de Guatemala». *Ethnica*, 12: 126-148. 1976.

las normas básicas que se deben seguir en la aculturación de los indígenas, y a dar su opinión en lo referente a la reducción de los indios:

> "Item, una de las cosas que ha impedido e impide la policía temporal y espiritual de los naturales de las dichas provincias, es el vivir apartados unos de otros por los montes. Por ende mando, que todos los naturales de esta dicha provincia se junten en sus pueblos, y hagan trazas juntas, trazadas en forma de pueblos todos los de una parcialidad y cabecera en un lugar cómodo y conveniente, y hagan sus casas de piedras, y de obra duradera, cada vecino casa de por sí, dentro de la traza que se le diere, y no siembren milpas algunas dentro del pueblo, sino todo esté muy limpio y no haya arboledas, sino que todo lo corten, sino fuere algunos árboles de fruta..."(24).

El esquema ideal que se debía seguir en la construcción de los nuevos poblados era el de trazado reticular, de inspiración clásica, que había alcanzado auge en las teorías urbanísticas del Renacimiento. Remesal lo describe en los siguientes términos:

> "Lo primero dieron lugar a la iglesia, mayor o menor, conforme al número de vecinos. Junto a ella pusieron la casa del Padre, delante de la iglesia una plaza muy grande, diferente del cimenterio, enfrente la casa de regimiento o concejo, junto a ella la cárcel, y allí cerca el mesón o casa de comunidad, donde posasen los forasteros. Todo lo demás del pueblo se dividía por cordel, las calles derechas y anchas, Norte a Sur, Leste, Oeste, en forma de cuadras"(25).

En la práctica este programa planteó dificultades de diversa índole y los resultados, en la mayoría de los casos, no fueron los deseados por los administradores ni siquiera en el aspecto formal. Cada

---

24. Diego López de Cogolludo: *Los tres siglos de la dominación española en Yucatán, o sea, Historia de esta Provincia.* Graz, 1971, vol. 1 pág. 392. La importancia que las Ordenanzas de Tomás López tuvieron en la ordenación teórica del mundo indígena se analiza en el trabajo de Alfredo Jiménez: «Política española y estructuras indígenas: el área maya en el siglo XVI». *Economía y sociedad en los Andes y Mesoamérica,* págs. 129-151. Madrid, 1979.

25. Antonio Remesal: *Historia general de las Indias Occidentales y particular de la gobernación de Chiapa y Guatemala.* Madrid, 1964, vol. 2 pág. 117.

reducción se tuvo que someter, en primer lugar, a los intereses de las personas que la llevaron a cabo, casi siempre miembros de las distintas órdenes religiosas; después, era necesario vencer la mayor o menor pasividad y oposición del indígena hacia las pretensiones de los colonizadores; finalmente, también había que contar con la configuración del terreno y la disposición de las tierras cultivables que cada comunidad poseía y de las que difícilmente querían prescindir, así como el sentido que para el campesino maya poseía el lugar en que habían vivido, trabajado y muerto sus antepasados, que superaba los aspectos simplemente relacionados con la producción de alimentos para llegar al nivel de lo simbólico.

En la alcaldía mayor de Zapotitlán la labor de congregar a los indígenas fue llevada a cabo fundamentalmente por frailes de las órdenes de San Francisco y de Santo Domingo. Los primeros trabajaron entre las poblaciones tzutujiles de Atitlán y sus estancias, y en las áreas de influencia de Quezaltenango y Totonicapán; los dominicos trataron de reducir las poblaciones quichés del altiplano, centrando su interés en las regiones aledañas a Sacapulas y Utatlán. En el área de dominio mame trabajaron los mercedarios, pero de su labor en torno a la formación de pueblos no ha quedado información alguna. De la misma forma, en aquellas regiones de la Bocacosta donde los franciscanos no tenían jurisdicción por estar encargadas a miembros del clero secular —principalmente en la región de Zapotitlán—, el proceso es también poco conocido aunque en algunos casos es evidente que llegó a producirse la concentración deseada. Pero veamos con algún detalle cómo fue el proceso de formación de alguno de los pueblos de indios, los problemas a que dieron lugar y los resultados obtenidos.

Los primeros intentos de reducción se llevaron a cabo en las poblaciones de las orillas del lago Atitlán. La reducción de Tzololá o Tecpanatitlán fue encargada por la audiencia al oidor Rogel y la única noticia que tenemos es la referencia dada por el *Memorial de Sololá* que indica que se realizó en el año 1547. En la misma fecha los franciscanos comenzaron a juntar en pueblos a los miembros de las comunidades tzutujiles dependientes de Atitlán. La información para conocer el origen del actual pueblo de Atitlán procede de las *Relaciones geográficas* de 1585:

"Y después de conquistada esta tierra y pacífica y puesta debaxo del real dominio de Su Magestad, el padre fray Fran(cis)co de la Parra comisario general y fray Pedro de Betanços profesos de la orden del Señor Sant Fran-

(cis)co, aviendo aprendido la lengua materna de los naturales deste pueblo que se dice çotuhil, viendo que el camino para los visitar era muy trabajoso y dificultoso y el modo y manera que estavan poblados para los mejor visitar y doctrinar, les pareció que era cosa muy conbiniente y necesaria dar noticia dello a la real abdiencia de los Confines que en aquella sazón residía en la cibdad de Gracias a Dios y era Presidente della el licenciado Alonso Maldonado y eran oydores della el licenciado Pedro Ramírez de Quiñones y el licenciado Rogel y licenciado Herrera. Los cuales haviéndolo mirado y tratado mandaron librar probisión real para que el dicho comisario y religioso, en virtud de dicha real probisión, sacasen a los naturales de la vera de la Laguna donde estavan poblados y en parte comoda y conbiniente los poblasen y asentasen en pueblo formado. Y ansi el dicho fray Fran-(cis)co de la Parra y fray Pedro de Betanzos los sacaron del rededor de la laguna y los traxeron a poblar a este asiento donde al presente están poblados e asentados en pueblo formado y fundaron este monasterio"(26).

Antes de que los frailes llegaran al pueblo, los naturales de Tziquinahay vivían diseminados "alrededor de la laguna" y dependían del centro político, administrativo y religioso que se situaba en la orilla suroccidental del lago. Los franciscanos fundaron el nuevo pueblo en el lugar en que se encuentra en la actualidad, organizando el trazado "por sus calles según orden y traça de los pueblos de españoles y su plaza en medio en quadra, aunque no muy grande". Los informantes de las *Relaciones* que consideran el pueblo como "el más recogido que ay en la comarca", describen así la situación de los edificios que circundan la plaza:

"Hazia el oriente está fundado el monasterio e Yglesia de este pueblo donde a la continua residen cinco religiosos de la orden del Señor San Francisco, y el uno de ellos es el guardian... Hazia la parte del norte a un lado de la plaça está la casa de la justicia donde el Corregidor proveydo por la real abdiencia tiene su abitación y morada. Y en la dicha plaça al mediodía están las casas

---

26. Relación Atitlán: «Relación de Santiago Atitlán, año de 1585, por Alonso Páez Betancor y Fray Pedro de Arboleda». *ASGHG*, 37: 97. 1964.

del Cabildo deste pueblo en donde el governador y alcaldes yndios hazen sus abdiencias"(27).

En las mismas fechas, otros dos miembros de la orden, fray Gonzalo Méndez y fray Diego Hordóñez, comenzaron la organización de los pueblos entre los tzutujiles de la Bocacosta, juntando —o pretendiendo juntar— a todos los habitantes de los caseríos en algún lugar cercano al pequeño centro ceremonial al que se sentían ligados. Así lo hicieron con los que sentían su pertenencia al lugar llamado Quiogh, que fue llamado por los frailes San Andrés. Los frailes sacaron a los indios de los difíciles lugares en que habitaban y los reunieron en un punto más accesible, formando un pueblo "con dos calles y su plaça en medio donde está la yglesia"(28).

Los mismos clérigos intentaron la reducción de Xeohg, pero las características de su asentamiento, un "lugar montuoso y grande de mucha arboleda, tierra de muchas quebradas", impidió que la traza del pueblo se hiciera siguiendo el modelo preestablecido: "El asiento de este pueblo no es formado como el de la cabeçera porque por estar en una loma como está dicho, está poco recogido y en poco campo y tiene su yglesia en medio"(29).

Finalmente, el mismo proceso se siguió con los habitantes de la "estancia" a la que se denominó San Francisco, a quienes los frailes "por no poderlos visitar en los lugares fragosos donde estaban", los reunieron en un "pueblo formado por sus calles y plaça según la horden de los pueblos de españoles y su yglesia en medio"(30).

Pero no en todos los casos la formación de los pueblos fue tan fácil y poco problemática como aparentemente sucedió en el caso de Atitlán y sus estancias. En otras ocasiones las estructuras sociales y los sistemas de tenencia de la tierra de los distintos grupos que se pretendió reunir fueron obstáculo para la consecución de los fines propuestos por los administradores. En este sentido, una de las regiones más conflictivas parece que fue la Sierra de Sacapulas en la desarrollaron su actividad los dominicos.

La región de Sacapulas era, hasta el momento de la conquista, una zona muy poblada situada dentro del área de influencia de los

---

27. *Ibid.*, págs. 95-96.
28. Relación San Andrés y San Francisco: *Op. cit.*, pág. 53.
29. Relación San Bartolomé: *Op. cit.*, pág. 247.
30. Relación San Andrés y San Francisco: *Op. cit.*, pág. 63.

quichés de K'umarcaaj; tenía su centro regional más importante en Tujal al que más tarde se denominó Santo Domingo Sacapulas. Hacia mediados del siglo XVI empezaron a trabajar en la reducción de las poblaciones de la región los dominicos fray Juan de la Torre y fray Juan de Cárdena. Según sus informaciones, la reducción se hizo contra la voluntad de los naturales —"no hay enfermo a quien las medicinas no sepan mal"— por las causas que ellos mismos especifican en una carta al rey:

> "Entre todos estos indios no hay quien quiera dejar la casilla que su padre le dejó, ni salirse de una pestilencial barranca o de entre unos riscos inaccesibles, porque allí o tienen los huesos de sus abuelos o, lo que peor es (como vemos), tienen en los cementerios de sus casillas sus penates que llaman corazones de las casas, y así esta sola causa que para ellos no quererse mudar ni dejar sus antiguos solares era muy importante"(31).

Los religiosos consideran obligado convertir al cristianismo a los naturales y la reducción como la única forma eficaz de conseguirlo; por ello la llevan a cabo aun contra la voluntad de los indígenas: "son como niños y como tales cumple hacer no lo que más les agrada sino lo que más les cumple, que aunque al presente les de pena, después de hecho se huelgan como hoy día lo dicen". Consideran que estando todos juntos en un pueblo tendrán mayor facilidad para construir sus iglesias de modo decente y con menor esfuerzo, y en definitiva

> "pueden ser más fácilmente doctrinados no sólo en las cosas de nuestra fe pero aún en las de las de la humana policía, y estos provechos y otros muchos que de haberse juntado resultan no habrá cristiano a quien mal parezcan"(32).

Pero el desconocimiento de las instituciones sociales y económicas de los indígenas impidió a los religiosos prever los graves problemas que podrían derivarse de la unión y reglamentación de vida comunitaria de varios grupos hasta ese momento independientes. Así, en el pueblo de Sacapulas se unieron hacia 1564 las "parcialidades"

---

31. Carta de fray Juan de Torre y fray Juan de Cárdena al Emperador. 6 diciembre 1555. AGI, Audiencia de Guatemala, leg. 168.
32. Ibid.

de Citalá, Zacualpa y Coatán a las originarias de Sacapulas e Iztapanecas. La unión dio lugar a enfrentamientos entre los miembros
de las tres "parcialidades" consideradas advenedizas, y los de las que
originariamente formaban el pueblo; la representación de cada uno
de los grupos en los órganos de gobierno local, el derecho a las tierras
comunes que se asignaban a una población en el momento de fundar-
se, el acceso y derecho a los diversos bienes considerados comunales
eran los principales puntos de conflicto entre los grupos forzados a
convivir en el mismo pueblo. Las disputas entre las "parcialidades"
comenzaron en el mismo momento en que se unieron; se mantuvieron a lo largo del siglo XVII, por lo menos, y dieron lugar a diversos pleitos seguidos ante las autoridades españolas. En uno de ellos,
comenzado en 1572, declaran los de la parcialidad de Sacapulas:

> "podía haber siete u ocho años que por orden de la Nues-
> tra Audiencia Real que solía residir en la ciudad de San-
> tiago, y de los religiosos que los doctrinan y administran
> los sacramentos, se habían poblado y juntado al dicho su
> pueblo de Sacapulas otros tres pueblos que estaban diver-
> sos que se nombraban Citaltecas, Sacualpanecas, Coate-
> cas, y de todos se había hecho un cuerpo con una iglesia
> y cárcel, en el cual dicho pueblo habían adquirido y com-
> prado de comunidad cantidad de yeguas para necesidades
> del pueblo, con las cuales habían poblado una estancia que
> habían tenido quieta y pacíficamente hasta pocos días a
> esta parte que los vecinos de las dichas tres parcialida-
> des advenedizas los inquietaban y sacaban de la dicha es-
> tancia cantidad de potros por su autoridad y sin consen-
> timiento de los demás sobre lo cual tenían hecho concier-
> to y capitulación..."(33).

Los enfrentamientos entre las parcialidades por el control de
las tierras cercanas al pueblo duraron hasta el siglo XVIII. Los indígenas pertenecientes a la parcialidad de Sacapulas consideraron
siempre como suyas las tierras llamadas "Maxcalahau y Hancuxtun
y Hulutivi y Caqcamegua y Jolpuhi y Cohoz" donde estaban "avecindados", igual que lo estuvieron sus antepasados que también tuvieron siempre esas tierras como propias(34). Cuando llegaron al pue-

---

33. Pleito de las parcialidades de Citalá, Zacualpa y Coatán contra la de Sacapulas. 1640. AGC, A1 leg. 5942 exp. 51995.
34. Pleito de los indios de Santo Domingo Sacapulas contra los de San Andrés
Sajcabajá por ciertas tierras. 1601. AGC, A1 leg. 5936 exp. 51914.

blo, las parcialidades de Coatán, Zacualpa y Citalá pretendieron acceder a ciertas tierras cercanas a su nuevo asentamiento. Esto dio lugar a un largo pleito con los primitivos habitantes que no se resolvió a pesar de los numerosos intentos hechos por las autoridades españolas que pretendieron poner fin a las disputas aplicando una legislación que nada tenía que ver con las tradiciones indígenas y que los naturales nunca comprendieron ni aceptaron(35).

Otra fuente de conflictos entre pueblos fue el traslado de los miembros de algunas parcialidades desde el lugar en que tenían su centro principal antes de la llegada de los españoles a un nuevo asentamiento considerado por los clérigos más adecuado y accesible. En muchas ocasiones estos traslados dieron lugar a disputas sobre la posesión de tierras entre varios pueblos. Esta fue la causa de una disputa surgida entre los vecinos del pueblo de Joyabaj y los de Zacualpa por las tierras llamadas *Chaholom* cuya propiedad era reclamada por los miembros de ambas poblaciones(36). En los autos seguidos ante las autoridades españolas para resolver el conflicto, el defensor de los vecinos de Joyabaj afirmaba:

> "cuando los españoles conquistaron estas tierras, los dichos mis partes y sus antepasados tenían su asiento y pueblo en las mismas tierras y de allí se pasaron por mandado del licenciado Cerrato, vuestro presidente que fue de la Real Audiencia, al lugar y pueblo donde ahora de presente están, que del dicho asiento al dicho pueblo donde ahora están hay media legua, y las dichas tierras mis partes las han sembrado y cultivado y en ellas tienen sus milpas y cuando se redujeron al pueblo las amojonaron y deslindaron y por propias y común del dicho pueblo...".

Y en el mismo sentido se expresó el defensor de los de Zacualpa:

> "los dichos mis partes ha que tienen y poseen las dichas tierras desde su gentilidad y en ellas propias estaba fundado el pueblo de Zacualpa y hoy en día están en ellas los edificios de las casas y cimientos de ellas, y por algunas causas el dicho pueblo de Zacualpa se despobló de allí y se pobló donde ahora está, y por se haber pasado

---

35. Títulos de tierras de Santo Domingo Sacapulas. 1748. AGC, A1 leg. 6025 exp. 53126.

36. Pleito seguido entre los pueblos de Joyabaj y Zacualpa sobre ciertas tierras. 1596. AGC, A1 leg. 5993 exp. 51884.

158

no perdió el señorío y posesión de las dichas tierras, antes en continuación della los dichos mis partes las han tenido y cultivado y sembrado...".

La fundación de Santa Clara la Laguna dio lugar a una disputa semejante. Esta comunidad había sido fundada por quichés procedentes de Sija (Santa Catarina Ixtahuacán) en las orillas del lago Atitlán. Muy cerca de Santa Clara estaban Santa María Visitación y San Juan Atitlán, pueblos formados por tzutujiles que tenían sus rancherías en la orilla occidental del lago. Quichés y tzutujiles mantendrían desde la erección de los pueblos una larga controversia en torno a la propiedad de las tierras cercanas(37).

El resultado de la política de reducción de la población indígena fue que al menos los principales centros de la época prehispánica se convirtieron en pueblos organizados según el modelo establecido. Atitlán, Quezaltenango, San Miguel Totonicapán, Santa Cruz Utatlán, Santo Tomás Chichicastenango, Sacapulas y Tecpanatitlán, entre otros, que antes habían sido importantes centros de carácter nacional o regional (Tziquinahay, Xelajuj, Chuwi Mik'ina, K'umarcaaj, Chwilá, Tujal y Tzololá), se convirtieron en las principales concentraciones de indígenas de la alcaldía mayor de Zapotitlán; pueblos formados "por sus calles y plazas", situados en los mismos parajes que antes habían estado ocupados por centros ceremoniales y administrativos.

Pero si el resultado fue aparentemente el deseado en los centros importantes, la política de reducciones no consiguió acabar con la dispersión del campesinado que, en muchas ocasiones, tenía sus milpas en lugares muy apartados de los elegidos por los religiosos y la Audiencia para edificar los pueblos. El sistema de "cabeceras" y "estancias", al que hicimos referencia en el apartado antrior, se mantuvo a veces sin que las estancias llegaran a convertirse en pueblos concentrados y estables. Esta situación se dio especialmente en la Bocacosta donde junto a pueblos de muchos habitantes, aparecen aldeas y rancherías pobladas por unos pocos indios. La posibilidad de explotar intensivamente las milpas mediante un sistema rudimentario de regadío y las plantaciones de cacao que eran rentables durante largos períodos, favorecían la existencia de grandes pueblos como Zapotitlán, San Antonio Suchitepéquez, Samayac, Mazatenango, Cuyotenango y otros. Pero también la necesidad de aprovechar cualquier

---

37. Los indios de San Juan Atitlán [La Laguna] contra los de Santa Clara sobre la propiedad de unas tierras. 1640. AGC, A1 leg. 5942 exp. 51997.

palmo de tierra cultivable, donde quiera que estuviese, hizo necesaria la persistencia de aldeas y rancherías, alejadas de los centros principales, en las que vivían hombres procedentes de los pueblos serranos o de la misma Bocacosta.

La documentación colonial ofrece bastantes testimonios de este tipo de situaciones. Así los naturales del pueblo mam de Sacatepéquez tenían en las tierras cacaoteras una ranchería donde vivían familias del pueblo encargadas de cuidar los cacaotales y de evitar que les fueran usurpadas las tierras por gentes de otros pueblos; en 1617 el gobernador indígena de Sacatepéquez se refiere a ella con estas palabras:

> "en la parte y lugar que se llama San Sebastián Cuyomesunúa están tres indios casados y una india viuda guardando unas milpas de cacao que tienen algunos naturales de este pueblo..."(38).

También los hombres de Mazatenango, el Cakolquiej prehispánico, mantuvieron lugares habitados lejos del pueblo. En un pleito sobre tierras entre Zambo y Zapotitlán aparece esta pregunta: "Si saben que entre los dichos ríos Xeleca y Tzis tienen los indios de San Bartolomé [Mazatenango] poblada una estancia con indios e iglesia donde se dice misa, llamada San Sebastián". Los testigos indígenas que responden al interrogatorio afirman que efectivamente han visto que "dos indios con sus mujeres están allí poblados", y que junto a la ermita hay "dos casas pobladas"(39).

En la misma situación se encuentran las aldeas llamadas Tzacbalcac y San Agustín pobladas con indígenas procedentes de Santiago Atitlán y de Patulul, respectivamente. La primera estaba formada por veinte casas de las que sólo siete estaban permanentemente habitadas ya que el resto servían para acoger a los dueños de las tierras, vecinos de Atitlán, cuando iban a visitarlas; las siete familias que vivían permanentemente en la aldea habían sido enviadas por los "caciques y alcaldes" de Atitlán "para en guarda de las tierras y milpas que allí tenían". Muy cerca se encontraba la aldea de San Agustín, poblada por cakchiqueles de Patulul; la aldea estaba formada por "una ermita de paja cubierta con un altar en ella compuesto de frontal e

38. Empadronamiento de diversos pueblos de la alcaldía mayor de Zapotitlán. 1617. AGC. A3. 16 leg. 2801 exp. 40502.
39. Autos hechos sobre una petición de tierras que hizo el cacique de Zambo. 1578. AGC, A1 leg. 5928 exp. 51825.

imágenes de San Agustín y otros santos y tres casas recién hechas junto a la dicha ermita y una cocina y una caballeriza para el religioso"; además de un reducido número de casas viejas en las que habitaban permanentemente ocho familias encargadas de guardar las milpas que allí tenían los vecinos de Patulul(40).

Pero no sólo en las tierras de cacao existían pequeñas rancherías alejadas de los núcleos principales de población. Las tierras altas del Occidente de Guatemala seguían durante los primeros años de la colonia salpicadas por gran número de pequeños núcleos habitados por indígenas procedentes de los pueblos principales a los que estaban ligados social, económica y políticamente; estos indígenas se tasaban como si fueran vecinos permanentes de sus pueblos de origen.

El hecho de que estos pequeños poblados no tuvieran entidad administrativa en el sistema colonial hizo que, en muchas ocasiones, no se hiciera referencia a ellos en la documentación oficial, pero de su existencia dan fe las noticias que aparecen en los pleitos sobre tierras, las peticiones de indígenas para que se hicieran retasaciones, los empadronamientos de pueblos, etc. Sabemos que los vecinos de Sacatepéquez poseían en la Sierra una aldea o estancia llamada San Cristóbal,

"donde tienen la mayor parte de sus milpas de maíz y para guardarlas de los pájaros están allí diez indios, los cuales están empadronados y contados e inclusos en la tasación de este pueblo de Sacatepéquez".

Los vecinos de Ostuncalco tenían asimismo una estancia, conocida como San Cristóbal Cabilicán, que

"jamás ha tenido ni tiene tasación de por sí, porque doce indios que viven en la dicha estancia son de este dicho pueblo de Ostuncalco y están empadronados y comprendidos en la tasación dél y pagan el tributo con los indios de este pueblo, y que no son distintos ni desamparados, sino que están en aquella estancia de San Cristóbal que es donde tienen la mayor parte de sus milpas y una calera, para el beneficio de ellas y guarda de las dichas milpas"(41).

40. Pleito seguido entre los pueblos de Atitlán y Patulul sobre la propiedad de las tierras llamadas Tzacbalcac. 1587. AGC, A1 leg. 2811 exp. 24781.
41. Empadronamiento de diversos pueblos de la alcaldía mayor de Zapotitlán. 1617. AGC, A3.16 leg. 2801 exp. 40502.

161

Estas pequeñas poblaciones fueron aceptadas por los españoles y consideradas en la administración colonial como pueblos aunque sus vecinos, en la mayoría de las ocasiones muy escasos, mantuvieron relaciones con sus primitivas cabeceras. Pero un ejemplo evidente del fracaso de la política de reducciones, como consecuencia de su falta de funcionalidad en el sistema de aprovechamiento de los recursos agrícolas del área, fue la desmembración de algunos pueblos, o parte de ellos, después que habían sido reunidos. En Tecpanatitlán un importante número de vecinos abandonaba a finales del siglo XVI el pueblo para establecerse en aldeas más o menos lejanas. En 1600 el corregidor denuncia el caso y avisa el peligro de que Tecpanatitlán llegara a despoblarse:

> "Digo que en el dicho pueblo hay mil y doscientos tributarios poco más o menos, y de estos alguna parte de ellos está fuera del dicho pueblo a media legua y a legua y media y a cuatro leguas en tierras muy fragosas y de mucho pedregal y cerros muy altos donde tienen milpas, y los dichos indios que así se avecindaron fuera del dicho pueblo cabecera de la provincia están muy distintos [sic] unos de otros, porque si estuvieran juntos avecindados pudiera el religioso administrarles y confesarles y tener justicia, mas, como he dicho, están unos y otros muy apartados porque el que más cerca está de uno y otro es media legua y cuarto de legua y camino muy trabajoso, y así el dicho religioso no les puede administrar".

Y continúa describiendo las consecuencias que se pueden seguir de este alejamiento de los naturales. Viviendo en los montes "se estarán idolatrando en sus milpas, llevando del pueblo a sus mujeres e hijos y no viniendo en toda la vida a la cabecera con ocasión de que están guardando sus milpas"; además, "el dicho pueblo se despoblará y vendrá a menos dejando la cabecera despoblada y ellos se irán al monte donde tienen sus milpas y no darán recaudo a los pasajeros"(42).

Pero es un franciscano, fray Juan Martín que había sido "guardián" del pueblo, quien justifica la necesidad de que los indios vayan a vivir a sus milpas, afirmando "que no están tan lejos del

---

42. Acerca de reducir a poblado a varios indígenas de Tecpanatitlán. 1600. AGC, A1.12 leg. 4060 exp. 31535.

pueblo de Tecpanatitlán porque un río los divide" y que la causa de que se fueran a vivir a aquel lugar fue porque "el pueblo de Tecpanatitlán tiene mucha gente y pocas tierras, y los dichos indios son muy trabajadores y tienen grandes milpas y crian muchas gallinas"; justifica que no podrían producir lo necesario para sustentarse y pagar el tributo viviendo en el pueblo y que no es ninguna novedad que los indios vivan en el campo:

> "los dichos indios son nacidos y criados en las dichas milpas y siempre las han tenido pobladas y siempre ha constado a los religiosos que tenían cargo de ellos cómo vivían en las milpas, y teniendo mucha experiencia de indios los han dejado..."(43).

LOS PUEBLOS DE INDIOS: UN CASO DE ACULTURACION DIRIGIDA.

¿Cuáles fueron las consecuencias de todo este proceso de transformación intentado por los españoles? En principio parece que la distribución espacial de la población no cambió de modo considerable. Hacia 1600 la mayor porte de los indígenas seguían habitando en las tierras altas, alrededor de los grandes centros o en ellos mismos: Huehuetenango, Santa Cruz Utatlán, Quezaltenango, Totonicapán, Chichicastenango, Atitlán, Sacatepéquez y Ostuncalco eran los lugares más poblados del altiplano, de la misma forma que lo habían sido durante la época de predominio quiché. Alrededor de estos grandes pueblos subsistía un número importante de pequeños lugares o aldeas dependientes de ellos, donde habitaba la mayor parte de la población campesina del área, población que todavía tenía sus puntos de referencia en esos grandes núcleos.

En la Bocacosta se mantenían algunas concentraciones importantes como Zapotitlán, Zambo, Samayac, San Antonio Suchitepéquez, etc., a la vez que seguían existiendo caseríos en las tierras de cultivos habitados por unas pocas familias. Las poblaciones de la Bocacosta mantenían su distribución lineal a lo largo de la franja de tierras en las que era posible obtener cacao, y conservaron sus relaciones con los pueblos del altiplano cuando las habían tenido antes de la llegada de los españoles.

Sin lugar a dudas, la política de congregación de los indígenas dio lugar —como efecto más inmediato y evidente— a un cambio

---

43. Ibid.

sustancial en el patrón de asentamiento de los núcleos más importantes de población. Como consecuencia aparecieron los "pueblos de indios" que caracterizan el paisaje humano del Occidente de Guatemala en nuestros días y han sido tomados por los etnólogos como unidades elementales en sus estudios de comunidad.

Después de las congregaciones, lo primero que se advierte en los centros indígenas de carácter nacional y regional, y en los más importantes de carácter local, es un cambio en su aspecto físico y en la concentración de sus moradores. Se trata básicamente de un cambio de formas de los elementos esenciales que componían el primitivo centro ceremonial y administrativo, pero no de un cambio en las funciones: cada uno de los elementos indígenas se transforma en otro de origen español pero mantienen las mismas funciones administrativas o ceremoniales que antes tenían.

Los centros ceremoniales y administrativos fueron abandonados o destruidos y en su lugar aparecieron otros donde en lugar de una pirámide y varios pequeños altares se construyó un templo cristiano; los edificios de uso civil —palacio de los señores de los linajes o centros administrativos— fueron sustituidos por otros construidos según el modelo español destinados a lugar de reunión de las autoridades del pueblo —casas del cabildo—, vivienda del cura doctrinero, convento de frailes o mesón para alojar a los viajeros. Todos flanqueando una plaza que tenía funciones de centro cívico y comercial. Finalmente, las viviendas de campesinos y artesanos que había alrededor de los primitivos centros fueron reorganizadas y, del aparente desorden que antes presentaban, adquirieron un orden geométrico siempre que la configuración del terreno lo permitió.

Aparecen así las consecuencias de un proceso de aculturación dirigida o planificada llevada a cabo por los españoles sobre las culturas dominadas. Los pueblos de indios en Guatemala surgen como consecuencia de lo que George M. Foster define como "procesos formales" de cambio en los que éste se produce por una actuación y planificación muy concretas de las personas e instituciones rectoras de las colonias(44).

Pero no sólo se produce un cambio en el aspecto físico de las poblaciones y de sus edificios más importantes, sino que como consecuencia aparece un nuevo concepto hasta ese momento inexistente

---

44. George M. Foster: *Cultura y conquista*. Xalapa, 1962, pág. 37. Sobre la política de aculturación dirigida llevada a cabo por los españoles ver el citado artículo de Pilar Sanchiz: «Cambio cultural dirigido en el siglo XVI...».

entre la población maya de Guatemala: el concepto de *pueblo*. Antes de la conquista los indígenas sentían su pertenencia a determinadas instituciones sociales basadas fundamentalmente en las estructuras del parentesco y reforzadas por vínculos de carácter político. Estas instituciones tenían una plasmación física en el ámbito de la territorialidad y estaban unidas por lazos sociales, económicos, políticos y religiosos a un centro ceremonial y administrativo de importancia local, regional o nacional. Abandonaran o no las filiaciones anteriores, con la nueva situación los indígenas tienen conciencia de su pertenecia a un pueblo definido espacialmente por el conjunto de edificios públicos y viviendas que los españoles hicieron construir. En la documentación los indígenas se califican a sí mismos como "natural de" o "vecino de" para diferenciarse del resto de las comunidades.

Antes de la conquista cualquier comunidad se definía por la existencia de un pequeño centro ceremonial donde se rendía culto a las deidades locales y que servía como institución integradora para todos los hombres que vivían en sus proximidades. Después de las reducciones el pueblo tiene como elemento fundamental el templo cristiano, de manera que un conjunto de viviendas no alcanza la categoría de un pueblo mientras no cuente con él. En las *Relaciones geográficas* de Atitlán y sus estancias aparecen claramente señalados como elementos diferenciadores y fundamentales de cada pueblo la iglesia, la casa del cabildo y la plaza. Asimismo, se observa en los pleitos entre pueblos de indios que cuando se quiere dar entidad a una estancia, los indígenas hacen constar la presencia de un templo en ella, dando así a entender que se trata de un pueblo bien asentado y perfectamente diferenciado; de este modo pretendían hacer ver a los españoles las diferencias entre una estancia y una simple aldea formada únicamente por un grupo de viviendas.

Este es el argumento que esgrimieron en 1587 los indios de Patulul en los pleitos que mantuvieron contra los de Atitlán por la posesión de unas tierras que ambos pueblos reclamaban y cerca de las cuales los dos mantenían una estancia. Los primeros argumentaron que llevaban allí más tiempo y que las tierras siempre fueron suyas; su derecho se probaba porque tenían poblada una estancia llamada San Agustín con un cierto número de casas, "una ermita de paja cubierta con un altar en ella compuesto de frontal y imágenes de San Agustín y otros santos y tres casas recién hechas junto a la dicha ermita y una cocina y una caballeriza para el doctrinero"; por el contrario, los de Atitlán sólo tenían algunas casas en las que vivían varias familias encargadas del cuidado de las milpas que tenían allí (45).

Del mismo modo, los principales del pueblo de Sacatepéquez niegan que unas estancias que tienen llamadas San Sebastián y San Cristóbal sean pueblos: "no son pueblos ni jamás han tenido tasaciones, porque el dicho San Cristóbal es donde tienen la mayor parte de sus milpas de maíz y para guardarlas de los pájaros están allí diez indios", y de la misma forma "en la parte y lugar que se llama san Sebastián Cuyomesunúa están tres indios casados y una india viuda guardando unas milpas de cacao que tienen algunos naturales de este pueblo"(46).

La existencia del pueblo da lugar a la aparición de un nuevo tipo de relaciones entre los indígenas: la *vecindad*. Las relaciones de vecindad, definidas como la interacción social que resulta de la proximidad física entre las personas que habitan en un mismo pueblo, fueron decisivas para la formación definitiva de las comunidades elementales en que se agrupan hoy los mayas del Occidente de Guatemala. La creación de los pueblos y la aparición de las relaciones de vecindad pueden considerarse como causas inmediatas del sentido corporativo que tienen en la actualidad los pueblos del altiplano guatemalteco en los que los límites del pueblo como ente físico se identifican con los de la comunidad como realidad cultural(47).

Sin embargo, durante el siglo XVI no es posible hacer una equiparación absoluta entre los conceptos de *pueblo* y *comunidad*. En términos generales, podemos entender que la característica definitoria más importante de la comunidad es el grado de solidaridad que se establece entre sus miembros, de forma que los intereses colectivos prevalecen sobre los individuales o los de otros subgrupos que estén integrados dentro de ella. De este modo, puede considerarse que los actuales pueblos del Occidente de Guatemala son comunidades corporativas definidas en el sentido que lo hace Eric Wolf: representan un sistema social restringido con límites bien definidos, en el que se

45. Pleito seguido entre los pueblos de Atitlán y Patulul sobre la propiedad de las tierras llamadas Tzacbalcac. 1587. AGC, A1 leg. 2811 exp. 24781.

46. Empadronamiento de diversos pueblos de la alcaldía mayor de Zapotitlán. 1617. AGC, A3.16 leg. 2801 exp. 40502.

47. En este sentido se puede ver el trabajo de Rubén E. Reina: «Pueblo, comunidad y multicomunidad. Significado teórico de un caso guatemalteco». *Revista Española de Antropología Americana*, 4: 247-283. 1969. En él se describe la percepción que los vecinos de un pueblo del altiplano tienen de los límites de su comunidad frente a los de los pueblos de la selva del Petén.

han superado e integrado otros grupos también de carácter corporativo como los formados por las estructuras de parentesco(48).

Entendida de esta forma la comunidad, es fácil ver que los pueblos de indios creados por los españoles después de la conquista no reunían la mayor parte de las características señaladas en la definición. En estos pueblos se juntaron en muchas ocasiones grupos de indígenas que tenían su identificación en el ámbito del parentesco —las "parcialidades"— y que no se sentían en ningún modo unidos a aquéllos con los que se les obligó a convivir. Esta situación dio lugar a conflictos entre las "parcialidades" reunidas en cada pueblo que se disputaban el control de los bienes comunales o el acceso y permanencia en las posiciones de poder, conflictos que en ocasiones se mantuvieron durante los siglos XVII y XVIII en incluso el XIX.

Uno de los pueblos que más controversias internas mantuvo durante todo el período colonial fue Santo Domingo Sacapulas a cuya congregación se hizo referencia páginas atrás. Según se desprende de la documentación, en el pueblo se juntaron varias "parcialidades": las de Sacapulas e Iztapanecas, originarias del lugar, y las de Citalá, Zacualpa y Coatán, consideradas como "advenedizas". En poco tiempo los miembros de todas ellas tenían conciencia de la existencia en el pueblo de dos grupos bien delimitados, de forma que cada vecino sabía perfectamente su adscripción a uno —*nosotros*— y se distinguía de los demás —*ellos*—,división que se estableció en función de su calidad de "naturales" o "advenedizos". Las diferencias entre ambos surgieron inmediatamente después de la fundación del pueblo a causa del control de los bienes de comunidad que se les tenían asignados. Para resolver el problema los dominicos, que llevaron a cabo la reducción, obligaron a cada uno de los grupos a firmar un acuerdo en el que se daba una solución de compromiso. El encabezamiento del documento dejaba bien clara la existencia de conflictos entre los dos sectores y la voluntad de superarlos: "Declaración del concierto y capitulación que hicieron los indios *vecinos* del pueblo de Sacapulas con los Citaltecas, Coatecas y Tzacualpanecas que están poblados e *incorporados* en el dicho pueblo de Sacapulas"(49).

El acuerdo a que se llegó —que se puede considerar como una concesión de los primitivos vecinos a los advenedizos— se resume

---

48. Eric R. Wolf: «Types of Latin American Peasantry: a preliminary discussion». *Tribal and Peasant Economies* (G. Dalton, editor), págs. 501-523. New York, 1967.

49. Ejecutoria dada en el pleito que mantenían los indios de Citalá con los de Sacapulas por la posesión de unos potros y yeguas que tenían en comunidad. 1572. AGC, A1 leg. 6026 exp. 53132. El subrayado es nuestro.

en los siguientes puntos: a) los "vecinos" de Sacapulas darán trece potros a los advenedizos si éstos mantienen cercadas las milpas de comunidad del pueblo para que no las estropee el ganado cuando sale a pastar; b) tanto los "naturales" como los advenedizos trabajarán por igual en cercar los corrales de las estancias de las yeguas que se compraron para bienes de la comunidad; c) ninguno de los dos sectores entrará en las tierras y ríos de pesquerías del otro sin previo consentimiento; d) los miembros de las parcialidades advenedizas no deben entrar ni apoderarse de las yeguas que para su comunidad compraron los de Sacapulas; e) todas las parcialidades, tanto "naturales" como advenedizas, deben tener una sola caja de comunidad, guardada bajo tres llaves; f) cada una de las partes deberá aportar fondos para la celebración de la fiesta titular del pueblo que tiene lugar el día de Santo Domingo; g) "los alcaldes, regidores y principales que se hubieren de elegir de los *naturales de este pueblo* y de los *vecinos de las dichas tres parcialidades que se juntaron a este pueblo,* libremente usen y gobiernen todo el pueblo *sin ser parciales ni tener cuenta que son de otro pueblo ni parcialidad"* (50).

El acuerdo no resolvió los problemas y, por el contrario, dio lugar a un complejo pleito entre los dos sectores durante el siglo XVII. Un año después de firmado el compromiso —en 1573— los advenedizos reclamaban su derecho a participar en el cabildo del pueblo, el órgano de gobierno local impuesto por los españoles. Hasta esta fecha todos los puestos de alcaldes y regidores habían sido ocupados exclusivamente por hombres de las parcialidades originarias del lugar. Las autoridades españolas decretaron que los cargos municipales debían repartirse cada año a partes iguales entre cada uno de los sectores, pero a mediados del siglo XVII los advenedizos todavía seguían reclamando el cumplimiento de la orden. En 1645 los principales del sector advenedizo enviaron a los jueces españoles una petición con el siguiente texto:

"Decimos que el dicho pueblo desde su fundación se dividió en dos parcialidades, la una la nuestra nombrada Citalá, y la otra Toltecat Ahaucanil Uchubaha [los originarios del lugar], y en ambas ha estado la costumbre se elijan los alcaldes, regidores y demás ministros igualmente cada año, tanto de una parte como de otra, y porque sobre ello suele haber diferencias, sin embargo de la dicha costumbre, queriendo los otros salgan de su par-

---

50. Ibid. El subrayado es nuestro.

cialiadad los electos en que los naturales reciben agravio, para cuyo remedio a Vuestra Señoría pedimos y suplicamos mande librarnos mandamiento para que de aquí adelante en el hacer las dichas elecciones se guarde la costumbre que ha habido, eligiéndose tantos ministros de justicia en la una parcialidad que en la otra, y que el corregidor que al presente es y adelante fuere del dicho partido [Totonicapán] así lo haga guardar y cumplir..." (51).

Una situación semejante se produjo entre las dos "parcialidades" que se juntaron en el pueblo de Atitlán llamadas Ahtz'iquinahay y Tzutujil, dos grupos integrados en el señorío tzutujil y que desde tiempos prehispánicos habían estado en conflicto casi permanente(52). En 1563, después de la formación del pueblo de Atitlán, ambos se enfrentaron a causa de la participación en el órgano de gobierno del pueblo y de los derechos de cada uno de ellos sobre los bienes de comunidad(53). Los principales de la parcialidad Tzutujil protestaron ante las autoridades españolas porque el gobernador indígena del pueblo, Don Pedro de los Ahtz'iquinahay, "está muy sobre sí y los tiene muy avasallados y que pues ellos son también caciques y principales como los demás, que quieren tener su preeminencia". Ante esta situación los principales requerían a la autoridad española para que se obligara a Don Pedro a cumplir la orden por la que se debían elegir cada año dos alcaldes, uno de cada parcialidad, y a que la caja en que se guardaban los tributos y el dinero de la comunidad tuviera dos llaves, una en poder de cada una de las parcialidades. En réplica a la protesta de los primeros, los principales de la parcialidad Ahtz'iquinahay, que en estos momentos tenía una posición preeminente en el pueblo, elevaron un pliego de descargo en los siguientes términos:

"Lo que piden don Pedro y don Bernabé y don Hernando y don Andrés y Francisco Ribera y Pedro de Tapia,

---

51. Pleito de las parcialidades de Citalá, Zacualpa y Coatán contra la de Sacapulas. 1640. AGC, A1 leg. 5942 exp. 51995.

52. Pedro Carrasco: «El señorío Tz'utuhil de Atitlán en el siglo XVI». *Revista Mexicana de Estudios Antropológicos*, 21: 317-331. 1967.

53. Petición de los caciques de Atitlán para solucionar ciertas diferencias que tenían con Don Pedro, gobernador del pueblo. 1563. AGC, A1.15 leg. 5946 exp. 52042. Este documento es el mismo que cita Pedro Carrasco bajo el título «Deslinde de tierras de las parcialidades de indios de los pueblos de Atitlán, Tecpan, Sumayaque y San Pablo Cuquitan de la Alcaldía Mayor de Sololá», con la signatura «expediente 1 del Legajo Sololá 1 de la sección colonial del Archivo de la Escribanía de Gobierno de Guatemala».

gobernador y principales, es: que no haya dos señoríos ni dos bandos pues muchos años ha que ha habido siempre un cacique y sus alcaldes y todos sujetos a una parcialidad y que si se divide habrá grandes escándalos y revueltas [...]. Y que en las milpas de comunidad que no quieren que haya partida en San Francisco ni en San Andrés ni en San Bartolomé [las estancias cacaoteras] como las quieren partir don Gonzalo y los de su parcialidad, sino que todas sean una y lo que sacaren de ellas se meta en la caja de la comunidad y quieren que sea una, pues que el licenciado Ramírez mandó que hubiese tres llaves y que la una la tuviese don Pedro, y la otra don Gonzalo, y la otra el mayordomo que se llama Jerónimo de Mendoza, y que el don Gonzalo quiere que haya dos cajas y que no es bien así; y que también quiere que haya dos justicias y dos cárceles y no conviene pues hay un cacique natural...".

Pero la disputa no quedó sólo en este tema. Don Pedro acusó a Don Gonzalo de querer dividir el pueblo y organizar otra comunidad con los miembros de la parcialidad Tzutujil de la que él sería nombrado gobernador:

"Don Pedro, gobernador de Atitlán, digo que don Gonzalo, cacique en el dicho pueblo, un día del mes de diciembre que se contaron veinte y un días del dicho mes, el dicho don Gonzalo me envió a decir con un criado suyo que Pedro de Alvarado y Bartolomé Ahrriuyu y don Pedro de Alvarado y don Diego de Mendoza y Francisco Vázquez, principales de este pueblo, le habían insistido en que se revuelva contra mí y no obedeciese mis mandamientos por cuanto yo no era suficiente para tener la gobernación, sino que pidiese, como pide, le hiciesen a él gobernador de su parcialidad...".

Aparentemente el conflicto fue resuelto por la Audiencia mediante un auto en el que se ordenaba que cada primero de año fueran nombrados en el pueblo dos alcaldes, uno de cada parcialidad; que para hacer los cabildos se reunieran los alcaldes y regidores de las dos parcialidades junto con el gobernador y su escribano; que cada parcialidad nombre un mayordomo para que cada uno tenga una llave de la caja de los bienes de comunidad; que los mayordomos tuvieran un libro de registro de los bienes que entraran o salieran de la caja y que ésta no se pudiera abrir sin la presencia del gobernador y los alcaldes; finalmente, que los principales se encargaran de recoger todo el tributo del pueblo y, una vez pagado lo que debieran, vendan las sobras y el dinero obtenido se guardara en la caja de comunidad sin hacer ninguna división. A pesar de todos los esfuerzos los problemas no se solucionaron con este auto. Las autoridades españolas no habían tenido en cuenta aspectos esenciales de la organización social de los indígenas, quienes mantuvieron los intereses de sus grupos de parentesco por encima de los que eran comunes a todos los vecinos del recién creado pueblo.

Los casos de Santiago Atitlán y Santo Domingo Sacapulas —que no son los únicos, aunque sí los más explícitos— permiten comprobar que durante el primer siglo de la colonia, pueblo y comunidad no eran conceptos análogos. En la mayoría de las ocasiones las estructuras de parentesco definían los límites dentro de los que cada indígena percibía su *comunidad,* considerando a los miembros de los demás grupos de parentesco como extraños aunque habitaran en el mismo pueblo.

Por otro lado, durante los años que siguieron a la formación de los pueblos las comunidades definidas por el parentesco no estaban limitadas a un espacio físico concreto. Un individuo podía sentirse vinculado a determinado grupo de parentesco, y por tanto miembro de una comunidad específica, aunque estuviera lejos del lugar en que residían la mayor parte de la gente que la componían. Era el caso, por ejemplo, de todos aquellos indígenas que vivían en las estancias que cada grupo o cada pueblo tuviera en la Bocacosta o en cualquier lugar de los Altos, lejos de la cabecera.

A la luz de estos resultados podemos interrogarnos acerca del momento y las circunstancias que llevaron a los indígenas a superar los límites del parentesco para integrarse en comunidades corporativas más amplias identificadas con el pueblo. En la situación en que nos encontramos se puede aventurar la hipótesis de que la integración se produjo en el momento que las relaciones impuestas por la vecindad fueran tan importantes o más que las de la filiación por el parentesco las cuales, sin desaparecer, fueron superadas por el pueblo como unidad más funcional y que mejor servía los intereses individuales y de todo el grupo que vivía dentro de sus límites.

Consecuencia de la superación de las comunidades delimitadas por el parentesco y del incremento de la importancia de las relaciones de vecindad fue también la desaparición de los vínculos que unían a los habitantes de las estancias con sus respectivas cabeceras.

La distancia física iría poco a poco debilitando las comunidades de carácter supraterritorial, poco funcionales en las circunstancias creadas por la colonia, para potenciar la integración de todos los vecinos de las estancias; el proceso culminaría con la ruptura entre cabecera y estancias, y la transformación de éstas en pueblos y comunidades independientes. La hipótesis que aquí se sugiere tendrá que ser comprobada mediante el estudio de las comunidades indígenas durante los siglos XVII y XVIII, teniendo siempre presente el carácter dinámico de la cultura que permite a los pueblos ir cambiando sus estructuras para hacerlas más funcionales, adaptándolas a las condiciones imperantes en cada momento de su historia.

Pero si la congregación de los indios en pueblos contenía el germen de estas importantes transformaciones, durante el siglo XVI sólo se produjeron cambios formales en los patrones de asentamiento de las poblaciones indígenas del Occidente de Guatemala. Muchas de las funciones de los centros ceremoniales prehispánicos fueron trasladadas a los nuevos asentamientos a los que los indígenas percibían de la misma forma que los antiguos centros. Se puede afirmar que muchos de los elementos que caracterizaban a los primitivos centros ceremoniales fueron trasladados sistemáticamente por los indígenas a los pueblos que mantuvieron así las mismas funciones que aquéllos aunque su aspecto físico cambiara sensiblemente.

Los centros ceremoniales prehispánicos eran al mismo tiempo lugares de culto, centros de comercio y sede del poder político. Uno de los elementos esenciales del centro era la pirámide, lugar sagrado destinado al culto de la deidad; de la misma forma, el templo cristiano es una de las construcciones esenciales en los nuevos pueblos con idénticas funciones: el lugar al que se acude para hacer ofrendas y mantener relaciones con el mundo sobrenatural. Es significativo, por conocido, el caso de Chichicastenango donde todavía existen en las escalinatas del templo quemaderos para ofrecer copal a la divinidad, rito que se cumplía delante de las pirámides de los centros prehispánicos desde tiempo inmemorial. El templo cristiano sigue siendo en los pueblos un lugar de peregrinación al que acuden los vecinos de los pueblos y las rancherías cercanas para pedir auxilio de las fuerzas sobrenaturales, con independencia del nombre que a éstas se les pueda dar y el aspecto que tengan sus representaciones. El pueblo mantiene por tanto el carácter de centro religioso para los indígenas que viven en él y en sus alrededores.

La función económica del centro ceremonial prehispánico se manifestaba en la celebración periódica de mercados. En los pueblos de indios la plaza sigue siendo el lugar donde se realiza el mercado semanal y es por consiguiente el punto de confluencia de todas las personas que quieran comprar o vender alguna mercancía. El indio acudía al pueblo el día de mercado para vender los productos obtenidos en la milpa o las piezas de cerámica o tejido que hubieran hecho los miembros de su familia. A la vez podía adquirir productos y manufacturas de otras regiones a los mercaderes que se dedicaban al comercio de largas distancias. Como consecuencia, el pueblo de indios creado por los españoles mantiene la función de centro comercial y económico que tenían los centros prehispánicos.

Finalmente, el centro ceremonial era el lugar donde residían los principales, los representantes de los señores étnicos. Después de las congregaciones y de los cambios propiciados por los españoles en las estructuras políticas de la población indígena, el pueblo sigue siendo el centro político de un territorio. En él se encuentran las casas del cabildo, el lugar donde se reunen las autoridades indígenas para gobernar el pueblo; es por tanto la sede de la autoridad.

En consecuencia, las transformaciones que los españoles intentaron al realizar las reducciones de indios a pueblos, sólo consiguieron durante el siglo XVI cambiar el aspecto formal de los primitivos centros ceremoniales. La población no se trasladó a vivir permanentemente a los pueblos sino que gran parte siguió viviendo en lugares cercanos a la tierra de labor; los pueblos no se convirtieron en comunidades; y, finalmente, las funciones de los primitivos centros fueron trasladadas a los pueblos que seguían siendo centros económicos, políticos y religiosos de la población. No obstante, los cambios realizados por los españoles fueron el principio de profundas transformaciones que irían produciéndose en siglos posteriores y el origen de las actuales comunidades indígenas de Guatemala.

ECONOMIA Y SOCIEDAD

SEGUNDA PARTE

ECONOMÍA Y SOCIEDAD

CAPITULO IV

ORGANIZACION ECONOMICA PREHISPANICA

El centro de la actividad económica de los mayas del Occidente de Guatemala era la agricultura. La vida de los habitantes del área se desarrollaba casi con exclusividad en torno a la milpa, y una de las principales preocupaciones de los pueblos era disponer de suficiente extensión de tierras cultivables. Las campañas expansionistas organizadas por los quichés —y posteriormente por los cakchiqueles— tenían como fin el control de aquellas regiones en las que pudieran obtener especies agrícolas que no crecían en su habitat de origen. Igual que sucedía en los demás pueblos mesoamericanos, el panteón de los mayas de Guatemala tenía un buen número de deidades relacionadas directamente con la agricultura, y cuando el campesino se dirigía a los seres del mundo ultraterreno lo hacía casi siempre para pedir su colaboración en el buen desarrollo de la milpa; el tiempo se medía en función de los ciclos agrícolas, lo que había dado lugar desde hacía siglos a la creación de un complejo calendario. Incluso el valor de las mercancías se medía con un fruto de la tierra, el cacao.

LA PRODUCCION

En el Occidente de Guatemala la actividad agrícola dependía en gran medida de las características del relieve. De un lado, lo accidentado del terreno en las tierras altas hacía que las milpas tuvieran que plantarse en pequeñas parcelas ganadas al bosque en las laderas de las montañas, cuando no se disponía de tierras en los fértiles valles de Quezaltenango y el Quiché. Por otra parte, las diferencias de alturas daban lugar a la presencia de los tres ecosistemas ya mencionados —Costa, Bocacosta y Sierra— que condicionaban la especialización de cultivos por regiones y fueron causa de una peculiar forma de control de las tierras por las comunidades.

En las tierras altas, sobre los 1.400 metros, el trabajo agrícola se centraba en el cultivo extensivo de maíz junto al que se plantaban chiles y frijoles, los tres productos que formaban la base de la dieta alimenticia de sus pobladores. La unidad elemental de producción era la familia que explotaba algunas parcelas de tierra pertenecientes a su grupo de parentesco o comunidad elemental.

El sistema utilizado en el cultivo del maíz era el de tala y quema. En el inicio del proceso la parcela a cultivar se dividía en "mecates", pequeñas milpas de unos 400 m², de la misma forma que se sigue haciendo en la actualidad. Cada parcela se talaba comenzando por las plantas pequeñas y se terminaba por los grandes árboles. Una vez desbrozado el terreno se procedía a quemar los restos de vegetación junto con los troncos de los árboles derribados. Al comenzar la temporada de lluvias —hacia los meses de abril o mayo— tenía lugar la siembra que se hacía planta a planta con la ayuda de un palo cavador.

Durante la temporada de las lluvias la milpa crecía y precisaba de pocos cuidados por parte del campesino. A partir de septiembre, cuando las mazorcas habían madurado, se doblaban las cañas y un mes después se comenzaba la recolección. Cada una de estas faenas estaba rodeada de diversas ceremonias y rituales propiciatorios así como de consultas a los intermediarios con el mundo sobrenatural para conocer las mejores fechas, los días propicios, para llevar a cabo cada una de las labores. La milpa tenía para el indio maya un valor que superaba los niveles puramente materiales para alcanzar el de lo simbólico y que convertía a la tierra y a su fruto, el maíz, en el centro de la vida material y espiritual del campesino(1).

En contraste con las tierras altas, en la Bocacosta la agricultura estaba basada en el cultivo intensivo del cacao. En la estrecha faja de tierra que se extendía desde el río Coyolate hasta el Soconusco, el suelo estaba dividido en pequeñas parcelas a las que los españoles denominaron "huertas", dedicadas casi exclusivamente a la explotación del cacao cuya importancia en la vida de los pueblos meso-

---

1. La importancia del maíz en la vida religiosa y en la mitología de los mayas de los Altos de Guatemala ha sido suficientemente tratada en diversos trabajos por lo que no es necesario volver aquí sobre dicho tema. Baste recordar que en el mito de creación recogido en el *Popol Vuh*, los dioses hicieron a los hombres de maíz: «Unicamente masa de maíz entró en la carne de nuestros padres, los cuatro hombres que fueron creados».

americanos antes de la conquista no es necesario, por conocida, destacar aquí.

El trabajo del cacao era más delicado y absorbente que el de la milpa y requería del conocimiento y empleo de técnicas más complicadas entre las que se encontraba el regadío. El cultivo de los cacaotales precisaba que se plantaran junto a los árboles de cacao otros árboles —conocidos como "madre del cacao"— que debían procurar sombra a los primeros. Obtenida la adecuada penumbra, los agricultores debían conseguir que en cada momento las plantaciones recibieran una cantidad apropiada de agua, ni demasiada que pudriera las raíces del árbol, ni tan poca que se secaran. Para lograrlo, en la temporada de las lluvias había que construir un sistema de drenaje para evitar que la abundante agua se acumulara entre los árboles; en la temporada seca debían construir un sistema de canales que llevara la suficiente cantidad de agua al pie de cada árbol.

Los cacaotales precisaban además un cuidado y renovación constantes. Era necesario retirar los árboles que ya estaban agotados y sustituirlos por plantas jóvenes que había que cuidar durante algunos años antes de que comenzaran a dar fruto; ésta era una labor fundamental para mantener el rendimiento regular de las plantaciones. El cacao se recogía dos veces al año, una a principios del verano y otra en invierno, y también éste era un trabajo delicado que debían realizar manos expertas. Una vez recogido el fruto había que desgranarlo cuidadosamente para extraer las almendras de su interior —unas treinta— que posteriormente se secaban al sol y se almacenaban(2).

El trabajo del cacao ocupaba la mayor parte del tiempo de los habitantes de la Bocacosta e incluso empleaba en ocasiones a trabajadores de la Sierra que bajaban a las tierras calientes en un tipo de emigración golondrina. De la misma forma que en el caso del maíz, en torno al cacao se desarrollaba todo un complejo simbólico y ritual. Parece que había algunas deidades del panteón maya asociadas con el fruto, y algunos días del calendario podrían estar igualmente rela-

---

2. Las técnicas empleadas en el cultivo del cacao, así como la ordenación de los cultivos y las labores de recolección han sido muy bien descritas por diversos cronistas y viajeros españoles. Entre las fuentes más interesantes se pueden citar las siguientes: Antonio Vázquez de Espinosa: *Compendio y descripción de las Indias Occidentales*. Washington, 1948, págs. 209-210; Juan de Pineda: «Descripción de la Provincia de Guatemala (año 1594)». *ASGHG*, 1 (4): 327-363. 1925; Antonio de Ciudad Real: *Tratado docto y curioso de las grandezas de la Nueva España*, México, 1976, vol. 1 págs. 182-183; Francisco A. de Fuentes y Guzmán: *Recordación florida*. Madrid, 1972, vol. 2 págs 63-65.

cionados con él(3). Según informaba el alcalde mayor de Zapotitlán en 1572, los indios de las tierras cacaoteras

> "hacían sacrificios a los tiempos del año de los inviernos y de los veranos y particularmente para todo género de sementeras de maíz, frijoles, algodón y otras legumbres y particular sacrificio al plantar y cultivar las milpas de cacao"(4).

A pesar de la gran cantidad de tiempo y esfuerzo que requería el cacao, los agricultores de la Bocacosta todavía empleaban parte de su actividad en el trabajo de otros cultivos con lo que tendían a conseguir el mayor nivel de autoabastecimiento posible. Entre éstos cabe destacar el cultivo del algodón que, como el cacao, sería objeto de un intenso intercambio con las tierras altas, y el maíz que, dadas las peculiares condiciones climáticas de la Bocacosta, cosechaban en meses distintos a los de la Sierra.

Como en el caso del cacao, en las milpas de maíz emplearon sistemas de regadío, lo que les procuraba más de una cosecha al año, a diferencia de los Altos donde la dependencia de las lluvias obligaba a recoger maíz sólo una vez en cada ciclo agrícola anual. En las *Relaciones geográficas* de las estancias de la Bocacosta del pueblo de Atitlán se habla de la aplicación de técnicas de riego en el cultivo de las milpas: en Xeohg "cógese tres vezes en el año mayz" y "los naturales para hacer sus sementeras hazen sus rozas en los montes que le rodean"(5); también los miembros de la pequeña comunidad tzutujil de Quioh plantaban maíz tres veces al año, y los del pueblo que después de la conquista se llamó San Francisco recogían cosechas de maíz dos veces al año, "una de temporada y otra de regadío que llaman *tonalmille*"(6).

A pesar de todo, las cosechas de maíz no eran suficientes para abastecer a los habitantes de las tierras cacaoteras ya que el alto ín-

3. J. Eric S. Thompson: «Notes on the use of cacao in Middle America». *Notes on Middle American Archaeology and Ethnology,* 5 (128): 95-116. 1956.

4. Relación Zapotitlán: «Descripción de la Provincia de Zapotitlán y los Suchitepéquez. Año de 1579». *ASGHG,* 28 (1-4): 68-83. 1955.

5. Relación San Bartolomé: «Descripción de San Bartolomé del Partido de Atitlán, año 1585». *ASGHG,* 38 (1-4): 262-276. 1965.

6. Relación San Andrés y San Francisco: «Estancias de San Andrés y de San Francisco, sujetas al pueblo de Atitlán, año de 1580 [1585]». *ASGHG,* 42 (1-4): 51-72. 1969. «Tonalmille» es una deformación del término nahuatl *tonalmilli,* sementera de tiempo seco.

dice de humedad reinante durante la mayor parte del año corrompía las mazorcas si estaban mucho tiempo almacenadas. En consecuencia, durante algunos meses del año los indios de la Bocacosta se veían obligados a adquirir maíz en los pueblos de la Sierra.

Como en los Altos, en las milpas de las tierras bajas se plantaba chile, frijoles, calabazas y algunos tubérculos propios de tierras tropicales, y se conseguían también gran variedad de frutas como aguacates, anonas, mameyes, zapotes, guayabas, plátanos, ciruelas, etc(7).

Tanto en la Sierra como en la Bocacosta, los indígenas empleaban una parte de su tiempo en conseguir otra serie de productos con los que cubrir sus necesidades alimenticias y materiales. Cada familia criaba algunos animales domésticos, entre los que destacan los pavos llamados por los españoles "gallinas de la tierra", y posiblemente un tipo de perros a los que llamaban *chochos* y que eran consumidos como alimento.

En este contexto de la producción de alimentos merecen una mención especial las actividades relacionadas con la extracción de la sal. En Guatemala la sal era un producto escaso y por lo tanto poseía un alto valor en el mercado; en consecuencia los indígenas se afanaban por conseguir tanta como fuera posible tanto en la costa como en las salinas que existían en el interior. En el Occidente sólo se podía conseguir sal en las playas del Pacífico y en las salinas de Ixtatán y Sacapulas, en las tierras altas. Tanto en la costa como en las salinas del interior la sal se obtenía mediante un procedimiento muy complejo, lento y al parecer poco rentable. Según informaba en 1579 el alcalde mayor de Zapotitlán, el proceso de extracción seguido en las salinas de la costa era el siguiente:

"toman tierra de cerca de la mar y échanla en unas canoas grandes a manera de artesas, las cuales están agujereadas por bajo y encima y dentro de ellas ponen unas como esteras y sobre estas echan tierra de la que está junto a la mar, que parece estar muy salada, y encima de la tierra van echando agua poco a poco y va destilando por entre la tierra y colando por las esteras y agujeros y cae en unas ollas que están debajo, y aquella agua la cuelan y hierven en otras ollas y se viene a congelar y hacen sal en poca cantidad y muy ruin y menuda..."(8).

7. *Ibid.*, págs. 58 y 63.
8 Relación Zapotitlán: *Op. cit.*, pág. 79.

En las salinas del interior el procedimiento utilizado no difería demasiado del descrito para la costa y todo parece indicar que la técnica de los productores de sal no ha variado excesivamente desde los tiempos prehispánicos hasta la actualidad(9).

Desafortunadamente se desconocen todavía muchos aspectos importantes relativos a la actividad salinera. Sabemos muy poco acerca de la propiedad de las salinas y sobre las personas que trabajan en ellas. Uno de los pocos datos de que se dispone procede de un documento fechado en 1707 por el que los indios de Quezaltenango alquilaron a un español la explotación de unas salinas que el pueblo poseía en la Barra de Chapán y Acapán, posiblemente el mismo lugar que hoy se conoce como Salinas de Acapán, cerca de Champerico(10). De este documento se puede desprender que las salinas a que se refiere eran en ese momento de propiedad comunal, pero los dos siglos que separan la conquista de la fecha en que se redactó hacen que no se pueda pensar que se diera la misma situación antes de 1524 sin demasiadas reservas. Sea como fuere, se puede afirmar que la sal era un bien de primerísima importancia y que el control de las salinas fue uno de los móviles de la expansión del estado quiché tanto hacia las costas del Pacífico como hacia la región de Sacapulas.

Como ya habíamos señalado, tanto en relación con el trabajo agrícola como con las demás actividades destinadas a la producción de alimentos, la unidad productora era la familia. En el seno de cada grupo familiar existía una división sexual de las tareas que hacía que los hombres se dedicaran fundamentalmente a las faenas de la milpa mientras que la mujer cuidaba la casa y de los animales domésticos. Pero la mujer tenía asignadas también tareas tan importantes como la fabricación de tejidos y utensilios de barro para uso doméstico y, en la mayoría de los casos, debía asistir a los mercados locales para vender los excedentes de las cosechas y las manufacturas(11).

Pero no era esta la única especialización de trabajos que se dio entre los mayas del Occidente de Guatemala. De la misma forma que había una división de la producción en dos grandes regiones —la del maíz y la del cacao—, y una división funcional del trabajo por sexos dentro de la familia, existían grupos de individuos especializa-

9. Rubén E. Reina y John Monaghan: «The ways of the Maya. Salt production in Sacapulas, Guatemala». *Expedition*, 23 (3): 13-33. 1981.

10. Sobre el alquiler de unas salinas que los indios de Quezaltenango poseían en Acapán. 1707. AGC, A1.25 leg. 206 exp. 4138.

11. Sarah W. Miles: «Summary of the preconquest ethnology of the Guatemalan Chiapas Highlands and Pacific Slopes». *HMAI*, vol. 2 pág. 279.

dos en ocupaciones distintas a la agricultura y a la que se dedicaban exclusivamente: los artesanos y mercaderes.

La existencia de mercaderes como profesionales especializados queda expresamente reflejada en las *Relaciones geográficas* del pueblo de Atitlán y sus estancias. En ellas se resaltan las diferencias del vestido que llevan la generalidad de los indios de dichas comunidades con los que usan los que se dedican al comercio entre Guatemala y los principales centros mercantiles de México. Estos, por tener "posible", se visten con telas más ricas y de mejor calidad.

La presencia de artesanos como grupo definido y dedicados casi exclusivamente al trabajo de su especialidad va unida al desarrollo y esplendor de las cortes de los señoríos prehispánicos. Tanto en K'umarcaaj como en Zaculeu y Tziquinahay —y posiblemente en los centros regionales importantes como Xelajuj o Tzololá— los señores mantenían un determinado número de especialistas en el trabajo de los metales, pieles, plumas, piedras preciosas, cerámica, etc., cuyos productos se empleaban en el adorno personal de los personajes importantes o en la parafernalia civil y religiosa de los rituales públicos de la corte. Las necesidades de vestido y alimentación de estos especialistas —igual que en el caso de los miembros de la milicia— estaban cubiertas por los señores que empleaban en ellos parte del tributo pagado periódicamente por las poblaciones campesinas(12).

COMERCIO Y MERCADOS.

El mercado era una institución socioeconómica importante en todos los pueblos mesoamericanos y tuvo un enorme desarrollo entre los mayas. En el Occidente de Guatemala la diversidad ecológica y la especialización de las comunidades en la fabricación de manufac-

---

12. En la relación hecha por los caciques de Atitlán al rey en 1571 solicitando que se tenga en cuenta su posición social y se les mantengan las prerrogativas de su rango, éstos especifican que «todo lo que tenían y les daban de tributo y rentas gastaban y distribuían en sus personas y daban a todos los dichos señores, y también a muchos oficiales de diferentes oficios que en su señorío tenían y en su servicio, como de carpinteros, canteros, pintores y oficiales de pluma que entre ellos los hay hoy día...» (Relación de los caciques y principales del pueblo de Atitlán. 1571. AGI, Audiencia de México, leg. 85). También en el *Popol Vuh* se citan diversos oficios conocidos por los quichés: «Dad a conocer vuestra naturaleza, Hunahpú-Vuch, Hunahpú-Utiú, dos veces madre, dos veces padre, Nim-Ac, Nimá-Tziís, el Señor de la esmeralda, el joyero, el escultor, el tallador, el Señor de los hermosos platos, el Señor de la verde jícara, el maestro de la resina...» (págs. 28-29). Y más adelante: «Todas las artes les fueron enseñadas a Hunbatz y Hunchouén, los hijos de Hun-Hunahpú. Eran flautistas, cantores, tiradores con cerbatana, pintores, escultores, joyeros, plateros...» (pág. 49).

turas, hicieron del mercado un elemento esencial para la supervivencia de las poblaciones.

En casi todos los centros cívico-religosos del área se celebraban periódicamente mercados de carácter regional o local, de la misma forma que han seguido celebrándose hasta la actualidad en todos los pueblos. Los primeros tenían lugar en los centros ceremoniales y administrativos de importancia regional —Xelajuj, Chuwi Mik'ina, Tzololá, Xetulul, etc.— o en las capitales de los distintos estados. El lugar de reunión era normalmente la plaza central donde los vendedores montaban sus tenderetes para mostrar las mercancías. A ellos acudían los mercaderes que comerciaban con productos de regiones apartadas tanto para vender aquella mercancía que hubieran comprado en otros lugares como para adquirir especies y manufacturas locales que posteriormente venderían en otros mercados.

En los mercados regionales se solían encontrar, además de las especies y manufacturas propias del lugar, aquellos productos de los que se carecía en la región ecológica en que se celebrara. Así, en los mercados de la Sierra se vendía maíz que compraban con cacao algunos mercaderes de los pueblos de tierra caliente o incluso de pueblos de los Altos como Tziquinahay en donde la escasez de tierra impedía el autoabastecimiento; también se podían adquirir ropas tejidas por artesanos de las comunidades serranas que compraban el algodón en los mercados de las tierras bajas.

En los mercados importantes de la Bocacosta se vendía principalmente sal, algodón y cacao, y allí acudían tanto gente de la Sierra como de lugares de las tierras bajas en los que no se pudieran obtener alguno de dichos productos. Sabemos que desde las poblaciones tzutujiles de las orillas del lago Atitlán los mercaderes iban a la Costa para comprar sal y algodón y a la Bocacosta para adquirir cacao(13). También los habitantes de algunos lugares de la Bocacosta iban a mercados de la misma región o de la Costa para comprar sal y algodón: en las *Relaciones geográficas* de las estancias cacaoteras de Atitlán se dice que desde esos lugares iban indios a los mercados de la Costa para comprar sal y a los que se celebraban en Patulul y Samayac para comprar algodón para hacer mantas y ropa(14).

En los centros de ámbito local que estaban esparcidos por toda el área, se celebraban también mercados periódicos a los que acudían

---

13. Relación Atitlán: *Op. cit.*, pág. 104.
14. Relación San Bartolomé: *Op. cit.*, pág. 274; y Relación San Andrés y San Francisco: *Op. cit.*, págs. 60 y ⁵⁹

invariablemente los individuos ligados a dichos centros y de los lugares cercanos. En ellos la venta era menuda y mayor la variedad de productos. Cada familia llevaba a vender aquellas manufacturas o productos de la tierra de los que tenía excedente y podía comprar aquello de lo que carecía. A estos mercados acudían igualmente los indios que traficaban con las mercancías adquiridas al por mayor en los mercados regionales. De este modo, los indios de los centros cacaoteros que compraban algodón en la región de los Suchitepéquez y sal en la Costa vendían estos productos al menudeo en los mercados locales, igual que hacían los que subían a las tierras altas a comprar maíz en las épocas que escaseaba en la Bocacosta. El mismo sistema seguían los indios serranos que bajaban a la Bocacosta a comprar sal, algodón, cacao, y otros productos de las tierras calientes, para venderlos posteriormente en los pequeños mercados de los Altos.

La celebración de estos mercados locales que tenían lugar en las plazas de los pequeños centros ceremoniales, era ocasión para mantener y reforzar las relaciones entre todos los miembros de las comunidades que vivían aislados en los caseríos. Los campesinos aprovechaban también la ocasión del mercado para intensificar sus relaciones con el mundo sobrenatural, visitando los lugares de culto construidos en dichos centros.

Aparte de mantener este sistema organizado y permanente de comercio de corta distancia, los mayas de Guatemala participaban en la red comercial de toda Mesoamérica. De esta forma podían adquirir productos exóticos a la vez que exportar especies agrícolas y manufacturas propias. El comercio de larga distancia lo realizaban especialistas dedicados posiblemente con exclusividad a estas tareas. El principal objeto de exportación era el cacao de la región de Suchitepéquez y su punto de venta más importante fue el gran centro comercial del Soconusco, dominado por mercaderes aztecas. Desde allí el cacao se llevaba a Tenochtitlan y a las otras grandes poblaciones de México Central, donde el cacao era muy apreciado tanto por su valor de cambio en el mercado como por su empleo en diversas bebidas y remedios medicinales(15).

Además de cacao, los mercaderes mayas posiblemente llevaban a Soconusco mercancías como plumas de quetzal o piezas de obsidiana obtenidas y labradas en las tierras altas. A cambio de su mercan-

---

15. La importancia del Soconusco como «puerto de comercio» la ha puesto de manifiesto Anne M. Chapman en su trabajo: «Puertos de comercio en las civilizaciones azteca y maya». *Comercio y mercado en los imperios antiguos* (Polanyi, Arensberg y Pearson, edts.), págs. 163-200, Barcelona, 1976.

cía adquirían objetos suntuarios fabricados por expertos artesanos mexicas y tejidos mexicanos de algodón que eran muy apreciados entre los nobles de Guatemala por su fina calidad y la vistosidad de sus colores.

Parece que existió otra importante ruta comercial que unía los Altos de Guatemala con las tierras bajas mayas de Yucatán. Thompson ha detectado la presencia de un intenso comercio entre las dos áreas y ha confeccionado una larga lista de los productos que eran objeto de intercambio. Por esta ruta comercial los mercaderes de las tierras altas occidentales de Guatemala llevaban a Yucatán —o quizás a algún puerto comercial importante como el Golfo Dulce— piedras de jade procedente de la Sierra de Chuacús (Quiché), pequeñas hachas de diorita pulimentada, tintes de moluscos de las playas del Pacífico y ocote para teas. Obtendrían a cambio piezas de pedernal labrado, cuchillos finos de obsidiana, cerámica fina, pieles, plumas, sal procedente de las salinas costeras del norte de Yucatán, tejidos de algodón y, probablemente, maíz cuando por alguna irregularidad climatológica escaseaba en su país de origen(16).

TENENCIA DE LA TIERRA

En el Occidente de Guatemala la tierra era un preciadísimo bien. La extensión de las tierras aprovechables para la agricultura no era demasiada —sólo hay que recordar lo accidentado del terreno para comprobarlo— y la necesidad de hacer cultivos extensivos en los Altos imponía que cada familia tuviera que disponer de varias parcelas para obtener una cosecha cada año en una de ellas, mientras que las demás se mantenían en barbecho. Por estas y otras circunstancias la tierra aparece como un elemento esencial en el desenvolvimiento diario y en el desarrollo cultural de los mayas de Guatemala.

Como consecuencia, alrededor de la tierra se organizó un complejo sistema que reglamentaba su adscripción a los diversos grupos e instituciones existentes en cada uno de los estados que ocupaban la mayor parte del territorio de Guatemala antes de la llegada de los españoles, a la vez que determinaba los derechos que cada persona tenía sobre los diversos tipos de tierras a los que de una forma u otra podía acceder.

Son precisamente estos hechos los que hacen necesario un estudio sistemático de los materiales de que se dispone en la actualidad

---

16. J. Eric S. Thompson: *Historia y religión de los mayas.* México, 1975, págs. 177-201.

—sin desdeñar la búsqueda de nuevas fuentes— para poder definir de modo seguro las formas que adoptó la tenencia y explotación de las tierras entre los pueblos mayas de los Altos en los tiempos anteriores a la conquista(17). Un estudio de este tipo dará luz sobre muchos interrogantes que hoy están planteados y permitirá confirmar o rectificar aseveraciones que se hacen sobre instituciones sociales, políticas y económicas de estos pueblos que tienen hoy sólo un valor transitorio.

La necesidad de conseguir tierras cultivables fue una de las causas que llevó a los pueblos del altiplano a un estado de guerra casi constante durante las décadas que precedieron a la conquista española, y es posible que en esta misma línea haya que buscar alguno de los motivos que ocasionaron la ruptura de la confederación entre quichés y cakchiqueles poco antes. Por otro lado, estas guerras de conquista tenían como objetivo paralelo conseguir el control sobre las regiones en las que pudieran obtenerse recursos de los que los conquistadores carecían en su hábitat de origen, tales como cacao, algodón y sal —en la Bocacosta—, y cobre o pedernal en los Altos(18). La conquista no llevaba siempre consigo la posesión real de la tierra ganada en la guerra, pero sí daba lugar a que los vencedores adquirieran sobre ella derechos que se manifestaban en la obligación que tenían los campesinos de pagar tributos a sus conquistadores.

El derecho sobre la tierra conseguida mediante la guerra aparece como justificación de propiedad en diversos documentos indígenas que tratan el tema. Así, en el pleito mantenido en 1583 entre los señores quichés de Quezaltenango y los mames de Sacatepéquez, estos últimos decían que las tierras que tenían ocupadas los quichés habían sido siempre propiedad de los mames (Xelajuj antes de la conquista quiché había sido un importante centro mam llamado Culahá) y que tuvieron que abandonarlas por "fuerza y violencia" que les hicieron aquéllos. Por el contrario, los quichés afirmaban que

"en tiempos de su gentilidad tenían guerras unos con otros, y los que más podían desposeían y quitaban las tie-

---

17. Una relación exhaustiva de las fuentes que permiten conocer este tipo de cuestiones puede encontrarse en la obra de Robert M. Carmack: *Quichean civilization: The ethnohistoric, ethnographic and archaeological sources.* Berkeley, 1973. Una aproximación al tema y una valoración de las fuentes aparece en el artículo de Munro S. Edmonson: «Historia de las Tierras Altas mayas según los documentos indígenas». *Desarrollo Cultural de los Mayas* (Vogt y Ruz, edits.), págs. 273-302. México, 1971.

18. Stephan F. de Borhegyi: «The development of folk and complex cultures in the Southern Maya Area». *American Antiquity*, 21 (4): 343-356. 1956.

rras a los que iban de huida y aquellos eran derechamente los vencedores y las tenían y poseían como cosa suya..." (19).

Una justificación semejante daban los indios de Joyabaj y Zacualpa al fraile dominico que los doctrinaba:

"antiguamente, antes que viniesen los españoles, ambos pueblos estaban juntos en una sola población [Zacualpa y Joyabaj], aunque eran dos parcialidades, y se ayudaban en las guerras en las cuales ganaron y adquirieron de sus contrarios circunvecinos un valle de tierra llamado en su lengua Yxcanatzuum..."(20).

Si estas informaciones argumentan la propiedad de tierras por conquista entre los quichés, entre los cakchequiles también se empleaba el mismo razonamiento para justificar el derecho a las tierras. De este modo, en el pleito que los cakchiqueles del pueblo de Patulul tuvieron con los tzutujiles de Atitlán sobre la propiedad de unas tierras situadas en la Bocacosta, los primeros plantearon la siguiente pregunta en el interrogatorio presentado para probar sus derechos:

"Iten, si saben que las tierras y roza y sementera que hicieron de media fanega para la comunidad los naturales del pueblo de Patulul son tierras suyas propias y se incluyen y entran en las que llaman Tzacbalcac, y como tales las labraron, y antiguamente entraban en ellas sus antepasados por un camino viejo que abrieron los indios miguatecat que tenían poblado su pueblo en las dichas tierras muchos años ha, antes que los españoles ganasen esta tierra, que habrá más de trescientos años; y los miguatecat se fueron y despoblaron su pueblo y dejaron las tierras porque los vencieron en batalla los guatimaltecas, descendientes, abuelos y bisabuelos de los naturales del pueblo de Tecpanatitlán, y desde entonces hasta ahora las tienen y poseen libremente..."(21).

---

19. Pleito sobre tierras entre los vecinos de Ostuncalco y Quezaltenango. 1583-1584. Este documento se encuentra en: Pleito de los indios de Chiquirichapa contra los de Ostuncalco sobre ciertas tierras. 1745. AGC, A1 leg. 5987 exp. 52660.

20. Pleito seguido entre los indios de Joyabaj y Zacualpa sobre ciertas tierras. 1596. AGC, A1 leg. 5993 exp. 51884.

21. Pleito seguido entre los pueblos de Atitlán y Patulul sobre la propiedad de las tierras llamadas Tzacbalcac. 1587. AGC, A1 leg. 2811 exp. 24781.

Como los pueblos que habitaban el Occidente de Guatemala antes de la llegada de los españoles estaban organizados en estados claramente jerarquizados, en principio todas las tierras que habían sido conquistadas por cada uno de ellos eran propiedad del señor del linaje o grupo dominante de cada estado. Así, entre los quichés todas las tierras que habían llegado a dominar las consideraban como de su propiedad los miembros del linaje Cavek —de la rama Nima-Quiché— entre cuyos principales era elegido el que debía ostentar la dignidad de *ahpop,* el "rey". Sin embargo, esto no quería decir que los demás linajes, tanto de los Nima-Quiché como de los Tamub o los Ilocab, no tuvieran derechos sobre determinadas tierras, sino que el máximo derecho lo tenían los primeros en cuanto linaje dominante y como tales debían recibir tributos de todos los demás, no como individuos sino como representantes del estado, como institución.

Esta situación dio lugar a una estratificación de los derechos sobre las tierras que refleja en cierto modo la organización social y política del estado: cada uno de los grupos tenía derecho sobre ciertas tierras sin que eso fuera causa de conflictos con los de rango superior o inferior(22). De esta forma, aunque los Cavek tenían en principio derechos sobre todas las tierras dominadas por los quichés, los miembros de la rama Tamub y los de la Ilocab tenían tierras propias dentro de dichos límites. Esto se confirma en la *Historia Quiché de don Juan de Torres* (23) cuyo autor, señor del linaje Ekoamak de los Tamub, trata de demostrar los derechos de su grupo sobre ciertas tierras: "He aquí los linderos de las tierras de las once ramas y parcialidades de Tamub". Pero a la vez señala la división de estas tierras entre los linajes que formaban la rama Tamub: "Los anteriores son los mojones de la parcialidad de Ak Maktán: "He aquí los mojones de la parcialidad de Ah Nacxit". Finalmente, delimita también las tierras que pertenecían a la tercera rama de los quichés, los Ilocab: "Aquí manifestaré los de Ylocab". De la misma forma, en los *Títulos de la Casa de Ixquin-Nehaib, señora del territorio de Otzoya,* los miembros de la parcialidad Nihaib —de la rama Nima-Quiché— en los que recaía antes de la conquista la dignidad del *ahpop camhá* —segundo señor del Quiché— presentan un testimonio que pretende hacer valer ante los españoles, y ante cualquier otro grupo indígena, sus

---

22. M. S. Edmonson: «Historia de las Tierras Altas Mayas...», pág. 277.
23. Adrián Recinos: *Crónicas indígenas de Guatemala.* Guatemala, 1957, págs. 23-67. Carmack cita este documento con el nombre de «Título Tamub» (*Quichean civilization...,* pág. 31).

derechos sobre el territorio de Otzoya que miembros de su parcialidad habían conquistado duiante el "reinado" del *ahpop* Quikab (24).

De modo semejante se organizaba el derecho a las tierras entre los tzutujiles: todas las tierras eran propiedad de los señores de Tziquinahay, pero tanto los miembros de la parcialidad Tzutujil como los de Ahtz'iquinahay tenían sus derechos de propiedad sobre una parte de aquéllas; y a su vez, cada uno de los distintos linajes o parcialidades que formaban parte de las dos ramas tenían derechos exclusivos sobre ciertos territorios de los que pertenecían a la mitad de la que formaba parte(25). Entre los cakchiqueles, la relación entre el derecho a las tierras y los distintos grupos formados en función del parentesco y el rango es prácticamente similar a la de los quichés; se mantiene, por tanto, la superposición de los derechos a las tierras desde el estado o linaje dominante y las distintas ramas cakchiqueles, sus linajes y las divisiones internas de cada uno de éstos.

Así el sistema de tenencia de la tierra reproduce casi invariablemente los esquemas de la organización social y política de cada uno de los tres pueblos que dominaban las tierras occidentales de Guatemala antes de la llegada de los españoles. Desde los linajes mínimos hasta las grandes parcialidades o ramas de cada uno de los pueblos se iban superponiendo los derechos al uso de tierras, apoyando sus derechos cada una de las unidades de organización social en su pertenencia a otras de mayor entidad, hasta acabar en el estado(26).

Este sistema de estratificación de los derechos sobre la tierra dio lugar a la división de los estados prehispánicos en una serie de señoríos dominados por los jefes o principales de cada uno de los linajes. La existencia de estos señoríos se pone de manifiesto en las reclamaciones de tierras que con profusión se hicieron por parte de dichos linajes durante los cincuenta primeros años de la colonia(27).

---

24. Adrián Recinos: *Crónicas indígenas...*, págs. 69-94.

25. En el testamento que en 1569 redactó don Jerónimo de Mendoza Ahpopolahay, principal de una parcialidad tzutujil residente en San Juan Atitlán [San Juan la Laguna], legaba unas tierras comprendidas dentro de los límites del señorío de Atitlán para los miembros de su parcialidad: «estas tierras como de mi parcialidad don Jerónimo de Mendoza Ahpopolahay dejo para mis hijos y nietos y para los de mi parcialidad...» (AGC, A1 leg. 5942 exp. 51997). Evidentemente dichas tierras no eran propiedad privada del principal Ahpopolahay sino que él las legaba a su parcialidad a la que pertenecían en cuanto principal de la misma. El testamento y la cesión en este caso no es más que una prueba o testimonio de los derechos que el grupo tenía sobre el territorio señalado, hecho en evitación de posibles usurpaciones.

26. En este sentido es muy revelador el trabajo de Pedro Carrasco: *Kinship and territorial groups in pre-Spanish Guatemala.* Manuscrito inédito [1959?].

27. La mayor parte de estas reclamaciones están citadas bajo el epígrafe de *Títulos* en la obra de Carmack: *Quichean civilization...*

Cada uno de los territorios que dominaba un linaje contenía varios núcleos de población en los que residían de ordinario los miembros del linaje; un núcleo, el más importante al que los españoles llamaron después *cabecera*, era en el que residían los señores. Por ejemplo, los miembros del linaje Nihaib, de los Nima-Quiché, dominaban un gran territorio que gobernaban desde Xelajuj y Chwa Tz'ak, territorio que a su vez se dividía entre los sublinajes y que comprendía tierras tanto en los Altos como en la Bocacosta. Estas tierras fueron adquiridas por los Nihaib después de ganarlas a los mames en las campañas expansionistas organizadas en la época del *ahpop* Quikab(28). De la misma forma, Chuwi Mik'ina era el centro desde el que otro linaje dominaba un extenso señorío en ambas regiones ecológicas y que se extendía, en los Altos, hasta las mismas orillas del lago Atitlán. Xetulul era también una cabecera desde la que se dominaba gran cantidad de tierras cacaoteras donde se encontraban importantes centros como Yabacoj o Cakolquiej, tierras que pertenecían a los miembros del linaje que gobernaba en Xetulul, la "capital" del señorío.

El mismo sistema se encuentra entre los cakchiqueles cuyo territorio estaba igualmente repartido entre los linajes dando lugar a distintos señoríos, uno de los cuales tenía su capital en Tzololá —los Xahil— que dominaba las orillas orientales del lago Atitlán y gran cantidad de tierras en la Bocacosta donde tenía poblados diversos asentamientos como Patulul, Pochutla, etc.

Pero no toda la tierra que estaba adscrita a cada linaje podían utilizarla todos sus miembros. Había tierras que sólo podían ser explotadas por determinados individuos, los de más alta posición en la estructura social, tierras cuyo usufructo correspondía solamente a personas concretas en función de su dignidad; tierras de aprovechamiento comunal para todos los miembros de un determinado linaje o parcialidad; y tierras que, aun estando dentro de los límites de un grupo de parentesco, eran propiedad privada de alguno de los miembros de aquél.

Sobre estos presupuestos, y con los conocimientos que en la actualidad poseemos, es posible ensayar una tipología o clasificación de las diversas formas de tenencia de la tierra entre los mayas del Occidente de Guatemala hasta 1524, fecha en que las nuevas circuns-

---

28. «Títulos de la Casa de Izquin-Nehaib, señora del territorio de **Otzoya**», en A. Recinos: *Crónicas indígenas...*, págs. 69-94.

tancias impondrían una redistribución de esta riqueza, la más importante de todas las que pudieran encontrarse en el área. Esta clasificación admitiría los siguientes tipos(29):

1.—Tierras del estado.
2.—Tierras de los linajes o señoríos.
3.—Tierras de las parcialidades.
4.—Tierras de señores y principales.
5.—Tierras de propiedad privada.

1.—*Tierras del estado*: En principio se consideraba que todas las tierras sobre las que cada uno de los estados existentes en Guatemala antes de la conquista tenía jurisdicción, eran de su propiedad. En la mayor parte de los casos eran tierras obtenidas en las guerras contra los pueblos vecinos y que se poseían en virtud de los derechos adquiridos por la conquista. Los derechos de propiedad del estado sobre la mayoría de estas tierras eran en realidad simbólicos y se manifestaban en la facultad que tenían los gobernantes —como máximos representantes de aquél— de cobrar ciertos tributos a los que las poseían y cultivaban. Los gobernantes no podían vender ni enajenar libremente las tierras una vez que éstas hubieran sido adjudicadas a cualquier institución, grupo de parentesco o miembro de la comunidad.

En estas circunstancias puede considerarse al estado fundamentalmente como un redistribuidor de las tierras. Como se puede observar en diversas fuentes indígenas, las guerras de conquista las organizaba el estado y por lo tanto a él pertenecían todas las ganancias que se obtuvieran en las campañas. Después, dado que las guerras las hacían miembros de linajes determinados, los gobernantes cedían sus derechos sobre las tierras conquistadas a los linajes que habían llevado a cabo la campaña; una especie de recompensa por su participación en las guerras y su ayuda al engrandecimiento del estado.

Como el estado se identificaba en estos pueblos con sus gobernantes que eran siempre miembros de un determinado linaje, éste se consideraba como propietario —en la forma arriba descrita— de todas las tierras. Así, entre los quichés los miembros del linaje Cavek, del

---

29. La tipología de los modos de tenencia de la tierra que se propone es una primera aproximación al tema y por lo tanto debe ser considerada provisional, como un instrumento de trabajo. Posteriores investigaciones deben comprobar o modificar en su caso las afirmaciones que aquí se hacen.

que procedía el *ahpop*, tenían por suyas todas las tierras dominadas desde K'umarcaaj aunque de hecho poseyeran de pleno derecho sólo una parte de éstas, mientras que las otras se repartían entre los demás linajes.

Entre los tzutujiles no conocemos testimonios que expresen de forma tan clara como entre los quichés el concepto de propiedad de todas las tierras por los miembros de la casa gobernante, pero algunas referencias encontradas en la documentación colonial hacen pensar que también fuera así: en un pleito seguido en 1587 entre tzutujiles y cakchiqueles por la propiedad de unas tierras, un tzutujil declaraba que las tierras en litigio —que él mismo cultivaba— eran "de los vecinos de Atitlán y de los de las estancias y pueblos de sus sujetos", mientras que otro testigo que vivía en Tolimán, declaraba que "tenía en ellas milpas como los otros vecinos de Atitlán y que son propias suyas, de los caciques y vecinos de Atitlán y sus sujetos" (30).

Pero además, el estado poseía como tal una cierta cantidad de tierras, denominadas "realengas" en algunos documentos coloniales, de las que podía disponer el gobernante libremente en cuanto representante de aquél. A ellas nos referiremos más adelante.

2.—*Tierras de los linajes o señoríos*: Todas las tierras de cada uno de los estados se repartían entre los distintos linajes que lo componían. Ya se ha visto antes cómo entre los quichés tanto los miembros de la rama Nima-Quiché a la que pertenecían los linajes Cavek, Nihaib, Ahau-Quiché y Zaquic, como los de las ramas Tamub e Ilocab, reclamaban derechos sobre ciertas extensiones de tierras, tanto mayores cuanto más alto era el rango de la rama o linaje. Así, los miembros del linaje Cavek tenían derechos efectivos sobre ciertas tierras del mismo modo que los demás, aunque de hecho sus propiedades podían ser más extensas que las de las otras dos ramas. Igual sistema se seguía entre cakchiqueles —el linaje Xahil poseía todas las tierras dependientes del señorío de Tzololá—, y entre los tzutujiles y los mames.

La tenencia de estas tierras por los linajes representaba una propiedad y posesión real por parte de todos los miembros del mismo, aunque el derecho de propiedad podía asignarse a la persona del principal del linaje que las tenía sólo como su representante. Pero como en el caso anterior, estas tierras no eran enajenables y permanecían

---

30. Pleito seguido entre los pueblos de Atitlán y Patulul por la propiedad de las tierras llamadas Tzacbalcac. 1587. AGC, A1 leg. 2811 exp. 24781.

siempre en poder del grupo sin que el principal pudiera hacer uso de ellas como propiedad personal. Ejemplos de este tipo de tierras aparecen profusamente en la documentación. La mayoría de los documentos conocidos como *títulos de tierras* son muestra de ello ya que tratan de certificar públicamente los derechos que cada rama o linaje tenía sobre determinados territorios. También en documentos que no tienen como fin específico certificar derechos sobre las tierras —tales como los pleitos— aparecen datos que permiten afirmar este tipo de de tenencia. Por ejemplo, el señorío de Xetulul, dominado por un linaje quiché, poseía una gran extensión de tierras en la Bocacosta; en un pleito que mantuvieron en 1561 los indios de Zapotitlán (Xetulul) con los de Zambo, los primeros afirmaban que la zona en disputa

> "de tiempo inmemorial a esta parte son tierras y términos del dicho pueblo de Zapotitlán y sus sujetos y nuestros antepasados, y nosotros las hemos tenido y poseído del dicho tiempo inmemorial a esta parte quieta y pacíficamente, sin contradicción alguna y son cazaderos montes y pesquerías y donde nuestros naturales y nosotros y nuestros antepasados del dicho pueblo de Zapotitlán hacían su miel y teníamos y tenían otras granjerías y aprovechamientos..."(31).

Y posteriormente, en otra fase del mismo pleito, el defensor de los indios de Zapotitlán, afirmaba que las tierras en cuestión "tienen en posesión y las han tenido por los dichos mis partes desde tiempo antiguo, inmemorial de hombres", y que era "heredada de sus antepasados"(32). También en un pleito que los indios de Santa Clara la Laguna —estancia de los quichés de Sija— mantuvieron con los tzutujiles de San Juan Atitlán, los primeros decían que las tierras en litigio eran del "común de las ocho parcialidades de este pueblo que descienden de Santa Cruz Utatlán"(33).

3.—*Tierras de las parcialidades*: Las tierras de cada linaje se dividían entre las unidades mínimas de organización a las que se denominaba en la documentación como "parcialidades" o "calpules"; este último término es consecuencia del parecido que a los ojos de los conquistadores españoles tenía la parcialidad con el calpul de los mexicanos. Las tierras que tenían las parcialidades las explotaban in-

---

31. AGI, Justicia, leg. 317.
32. AGC, A1 leg. 5928 exp. 51825.
33. 1640, AGC, A1 leg. 5942 exp. 51997.

dividualmente cada uno de sus miembros a los que les correspondía una parte de tierras para milpa y el usufructo de las que se dedicaban a cazaderos o montes de explotación forestal.

Muestras del derecho que estas parcialidades tenían sobre sus tierras aparecen en diversos documentos. En el testamento que el principal tzutujil don Jerónimo de Mendoza Ahpopolahay, vecino de San Juan Atitlán, hizo en 1569, aparece una cláusula en la que cita las tierras que pertenecen a su parcialidad y que como tales las deja a aquélla para que las usen y aprovechen:

> "iten, otra tierra llamado Tzaquribal Uleuk Chimuk Chixalchetzan Cahquichuy Cacachea Runicahaluleuh, esta tierra mio el cacique Ahpopolahay, don Jerónimo de Mendoza, el primer mojón llamado Tzanchicok y otro mojón llamado Raxak Canopy Pachutihom Tzamzulqueh, y va bajando así otro nombrado Payatza y va Cacbatzala hasta llegar Pannahuala y de allí hasta Xebohob, allí acaba donde se nombra mojón Chaquikpanan y se va siguiendo hasta Chuachabah y otro nombre Racantzi, está encima de un cerro, pasa donde una barranca llamada Chipacok y otro nombre llamado Holohibaabok y otro Caçaabak hasta otro mojón llamado Chiuinacha, y estas son las señas donde está señalado estas tierras como de mi parcialidad don Jerónimo Mendoza Ahpopolahay dejo para mis hijos y nietos y para los de mi parcialidad y esto dejo mandado" (34).

Otro ejemplo de este tipo de tenencia de tierras, ahora entre los quichés, aparece en unas declaraciones del defensor de los indios del pueblo de Zacualpa en un pleito que seguían a finales del siglo con los de Joyabaj:

> "en el pueblo de Zacualpa hay catorce parcialidades y cada una de estas parcialidades, de tiempo antiguo hasta el día de hoy, cada parcialidad tenía y tiene sus tierras amojonadas y deslindadas, y una de las dichas parcialidades es la de mis partes que se dice Chahoma la cual parcialidad tiene las dichas tierras de Chuaholom por su-

---

34. Los indios de San Juan Atitlán contra los de Santa Clara sobre la propiedad de unas tierras. 1640. AGC, A1 leg. 5942 exp. 51997. Una transcripción del testamento, bajo el epígrafe de «Testamento Ajpopolajay», está publicada en la obra de Carmack: *Quichean civilization...*, págs. 372-374.

yas deslindadas y amojonadas, y los mojones que tienen son: Quisnabaha, Quemequeh, Chanchicot, Cuchun,
Caquiztezbipache, Bac, Tieya, Xalcacha, Chichih, Cahla,
Alacaquibac, Chuach, Alah, Razanes, Xalcatha, Caquil,
Yxcanatum, Chachicrus, en las cuales dichas parcialidades la dicha parcialidad ha siempre tenido sus tierras y
demás aprovechamientos de tiempo inmemorial a esta
parte..."(35).

También los miembros de la parcialidad de Citalá, una de las
avecindadas en el pueblo de Sacapulas, reclamaba tras la reducción
sus derechos sobre tierras:

"decimos que nosotros tenemos nuestras tierras nombradas Yxpapatl en las cuales hacemos nuestros sembrados
y cojemos leña, ocote y otras cosas para nuestro sustento
y paga de nuestros tributos..."(36).

Una última prueba de la existencia de este tipo de derechos
sobre las tierras aparece en un pleito que los indios de la parcialidad
de los "chiquimultecos" residentes en Santa Cruz Utatlán, pusieron
a los de San Pedro Jocopilas por la propiedad de unas tierras de las
que los últimos se habían apoderado. En 1602, don Juan de Rojas,
gobernador indígena de Santa Cruz y miembro de la casa gobernante quiché, declaraba en los siguientes términos:

"sabe este testigo que las tierras desde adonde se entraron los dichos de San Pedro son y pertenecen a los dichos
Chiquimultecas porque fueron de sus antepasados, y desde
que se sabe acordar los ha visto tener y poseer sin que
nadie les haya entrado en ellas y se llaman Chicuchu y
llegan junto a un arroyo porque el nombre del dicho río
se llama Chicuchu..."(37).

Las tierras de las parcialidades eran de propiedad común y no
podían ser en ninguna manera enajenadas o vendidas. En cuanto a
la forma de reparto no conocemos referencias que permitan saber si
las parcelas que se adjudicaban a cada uno de los miembros de la

---

35. AGC, A1 leg. 5993 exp. 51884.
36. Pleito de las parcialidades de Citalá, Zacualpa y Coatán contra la de Sacapulas. 1640. AGC, A1 leg. 5942 exp. 51995.
37. 1628. AGC, A1 leg. 5939 exp. 51962.

parcialidad para hacer sus sementeras eran heredadas directamente por sus descendientes, o si cada hijo de aquél, al abandonar la casa de sus padres, adquiría una nueva parcela de tierras para su propio sustento y el de su familia. Posteriores investigaciones deben tratar de aportar luz sobre esta cuestión.

4.—*Tierras de los señores y principales*: Los señores de los estados prehispánicos, y posiblemente los principales de las ramas no gobernantes y de los linajes, tenían dentro de los límites de las tierras de su grupo ciertos terrenos que eran cultivados por los macehuales o por un tipo de siervos entre los quichés. Estas tierras no parece que fueran propiedad privada de tales señores y principales sino que les pertenecían en cuanto que ostentaban la dignidad a la que estaba adscrita la tierra. Eran tierras de cargos y no de personas.

En la carta que en 1571 escribieron los caciques de Atitlán al rey en demanda de sus privilegios, se quejaban de que "por dejarnos sin servicio hemos perdido nuestras haciendas y heredades de cacao" (38). No es una alusión muy clara pero es posible que tales haciendas y heredades fueran no propiedad privada de los suscriptores de la carta sino bienes adscritos a sus cargos. Del mismo modo sucedía entre los quichés cuyos señores poseían unas tierras que les cultivaban los *nimak achíes* y que, según Las Casas, eran tierras "realengas", es decir, de la "Corona" como institución y no del "rey"(39). De la misma forma habla Zorita de unas tierras que tenían los señores de Iximché: "un hijo del Señor ya difunto, e tenía unas tierras e mayeques que habían sido del patrimonio de su padre"(40).

Aunque estas tierras no eran de propiedad personal sino institucional, parece que los señores podían usar de ellas libremente, cediéndolas en los casos que les pareciera oportuno para pagar algún servicio a alguna persona. En el documento bautizado por Carmack con el nombre de "Título Chuachituj"(41), se hace alusión al uso que los señores podían hacer de estas tierras "realengas". El documento fue escrito por un señor quiché que había presenciado en K'umarcaaj los sucesos de la conquista, con el fin de dar testimonio de los derechos que cierta familia tenía sobre unas tierras. En él certifica cómo los señores de K'umarcaaj cedieron las tierras en cuestión a los hermanos Juan Bautista Soc y Cristóbal Bautista Soc, na-

---

38. AGI, Audiencia de México, leg. 85.
39. Pedro Carrasco: «Don Juan Cortés, cacique de Santa Cruz del Quiché». *Estudios de Cultura Maya*, 6: 251-266. 1967.
40. *Ibid.*
41. *Quichean civilization...*, págs. 363-366.

turales de Santa María Chiquimula, para que las tuvieran como propias en pago de los servicios que les habían prestado: "Han servido muchísimo tiempo en casa de Montesuma; eran barberos del señor; se han acomodado mucho en la casa..."(42). Las tierras que los señores cedieron a los hermanos Soc eran las que se conocían con el nombre de Chuachituj y sobre ellas dice el autor del documento:

> "Las tierras son realengas no se han puesto en el título real de Santa Cruz Quiché porque los dichos Juan Bautista Soc y Cristóbal Bautista Soc han servido muchísimo tiempo en poder de sus antepasados, los naturales de Santa Cruz Quiché. Por eso le dieron el pedazo de tierras a éstos..."

5.—*Tierras de propiedad privada*: Finalmente, había un cierto número de personas o familias que poseía tierras a título privado. Hasta el momento no conocemos con precisión todos los mecanismos que dieron lugar a la adquisición de derechos de propiedad privada sobre las tierras. Pero lo cierto es que la mayoría de las personas que poseían este tipo de tierras eran miembros de la nobleza o de las familias más importantes de los linajes y las parcialidades. Esto se desprende de unas declaraciones hechas por un principal de Atitlán en 1555: "todos los indios no tienen milpas de cacahuetes (cacaotales) sino algunos, y estos son caciques y principales y algunos macehuales"(43). Y en el mismo sentido excluyente informaba un indio quiché en 1588: los macehuales no tienen más "de una chozuela y una piedra de moler y un hacha"(44).

La fuente más importante para conocer las características de la propiedad privada de la tierra son los *testamentos* que después de la conquista hicieron algunos indígenas para asegurar el paso de sus propiedades a sus herederos y evitar así la intromisión de otros indígenas y fundamentalmente de los españoles. Según se desprende de la información contenida en este tipo de fuentes, la mayor parte de las tierras que se poseían a título privado estaban en la Bocacosta, en la zona del cacao, lo que en cierto modo viene a reforzar la idea de la gran importancia que dicho fruto —y por tanto la tierra en don-

---

42. Según Carmack (*Ibid.*, pág. 59) la referencia al *tlatoani* azteca no es más que una confusión y refiere al *ahpop* quiché.
43. Autos hechos sobre la reducción de tributos del pueblo de Atitlán. 1555. AGI, Justicia, leg. 283.
44. Autos sobre los tributos que deben pagar los pueblos de Atitlán, Tecpanatitlán y Quezaltenango. 1588. AGC, A3.16 leg. 2800 exp. 40485.

de se obtenía— había alcanzado entre los mayas de los Altos de Guatemala.

Un individuo podía obtener una parcela de tierra por tres vías diferentes: cesión, compra o herencia. Testimonios de cesión de tierras aparecen en el testamento hecho en 1569 por don Jerónimo Mendoza Ahpopolahay: "Item, otra tierra de cacao que *me lo dio dado* mi cuñado Pedro del Castillo, se lo dejo a mi hijo Serafín"; y poco después testa otra parcela que obtuvo de la misma forma: "item otras tierras que están junto al pueblo de San Andrés de la Costilla el cual *me lo dio dado* Martín Coquixol..."(45). La compra también aparece como medio de obtener tierras en algunos documentos. En el testamento de Catalina Nihay, fechado también en 1569, se expresa lo siguiente:

> "Declaro una milpa de cacao de mi marido Miguel Ahquib Yaqui Huinac, y ahora esta tierra de Yxchal Hunahpula Poyeocatu, a la orilla de la tierra, *comprola* el padre de Andrés, Francisco, Francisco...".

Y en otro punto del testamento dice:

> "Hay unas milpas de maíz y de cacao que *compré* junto con Domingo Quewek, Miguel Tzwitzin, Francisco Kiboy, Alonso Ah Kukumatz, mi marido. *Es mi compra* porque bien los trabaja Alonso mi marido..."(46).

Finalmente, quizá la forma más importante de acceder a la propiedad privada de tierras era la herencia. Se sabe poco acerca de

---

45. Los indios de San Juan Atitlán contra los de Santa Clara por la propiedad de unas tierras. 1640. AGC, A1 leg. 5942 exp. 51997 (el subrayado es nuestro). Es evidente que la fecha en que se redactó el testamento, igual que los demás que se analizan en este trabajo, es bastante tardía: hacía más de cuarenta años que había terminado la conquista. Esto puede hacer pensar que tales documentos tienen pocas posibilidades de reflejar costumbres que se dieran en la época prehispánica por cuanto el proceso de aculturación podía estar ya bastante avanzado. Sin embargo, al observar la información ofrecida por el conjunto de las fuentes, y después de ver referencias específicas a ciertos mecanismos de transmisión de tierras que con seguridad se daban antes de la conquista (una de ellas aparece en las próximas páginas), hemos llegado a la conclusión de que no es demasiado arriesgado hacer, en algunas ocasiones, este tipo de extrapolaciones. Las conclusiones que se obtienen aplicando este método son útiles en la actualidad si bien tendrían que ser confirmadas, o en su caso refutadas, por posteriores trabajos.

46. Pleito entre Francisco Yaqui Huinac y su tío Andrés Yaqui Huinac, sobre ciertas milpas, 1586. AGC, A1.51 leg 5936 exp. 51849. El subrayado en nuestro.

las normas seguidas para la sucesión de la propiedad, pero si los testamentos hechos por los indios durante los primeros años de la colonia reflejan en cierto modo los derechos hereditarios prehispánicos, es posible acercarse al tema. Del análisis de estos documentos se desprenden varias conclusiones: en principio parece que el dueño de las tierras podía disponer libremente de ellas sin que de ninguna forma se le pudiera imponer la obligación de legar sus propiedades a una u otra persona específica; en segundo lugar, la herencia en todos los casos parece seguir una línea horizontal y otra vertical, siendo beneficiarios de ella tanto el cónyuge del propietario como sus hijos y sus hermanos; por último, cuando algún propietario moría sin hacer testamento —sin legar expresamente sus tierras—, los derechos a la propiedad eran adquiridos por los parientes más próximos, teniendo preferencia la mujer sobre los hijos y éstos sobre los hermanos del propietario muerto.

Así, en el caso del testamento hecho por Catalina Nihay(47) la transmisión de los derechos sobre las tierras se resuelven del modo que aparece en el Cuadro n.º 1. Catalina Nihay tenía tres parcelas de tierra:

a) una "milpa de cacao" que su marido anterior, ya difunto, Miguel Ahquib Yaqui Huinac había comprado y que había pasado a su propiedad a la muerte de aquél; esta milpa la deja a sus hijos por expreso deseo del difunto: "Hanla de tomar mis hijos Andrés y Francisco, Francisco, porque así lo dijo su padre; la tierra y milpa de cacao era de su padre, hanla de tomar Andrés y Francisco, Francisco".

b) un segundo "pedazo de tierra pequeña" que también poseía por haberla heredado de su marido difunto, decidió que debía permanecer en propiedad de su segundo esposo, Alonso Ah Kukumaz, dado que éste la trabajaba y había aumentado el número de árboles de cacao: "de presente la tenga en su poder Alonso, y en muriéndose Alonso la ha de tomar Andrés y Francisco; porque Alonso es mi marido".

c) un tercer trozo de tierras, "milpas de maíz y cacao", que compró junto con Domingo Quewek, Miguel Tzwitzin, Francisco Kiboy y su marido Alonso Ah Kukumatz, pasan a manos de su marido que es copropietario de la parcela junto con ella.

_____

47. **Ibid.**

También se puede observar la forma de heredar la tierra en el testamento del principal Ahpopolahay de San Juan Atitlán. En este caso don Jerónimo de Mendoza hizo la siguiente división de sus bienes (ver Cuadro n.º 4):

a) "una milpa de cacao que tengo en San Bartolomé, y donde está esta milpa de cacao bulobas se lo dejo a mi hijo don Bernardino y a mi hijo don Gaspar, y en muriendo mi mujer entonces se partirá esta milpa de cacao...".

b) "más otra milpa de cacao que también está más arriba de bulobas se lo dejo a mi hijo don Juliano y a mi hijo don Juan...".

c) "otra tierra de cacao que me lo dio dado mi cuñado Pedro del Castillo se lo dejo a mi hijo Serafín...".

d) "un pedazo de tierra... se lo dejo a don Juliano mi hijo...".

e) "otras tierras donde sembraba quatzin llamado Xebohob se lo dejo a mi mujer".

f) "otras tierras que están junto al pueblo de San Andrés de la Costilla, el cual me lo dio dado Martín Coquixol, se lo dejo dado a mi hijo don Esteban...".

g) "otras tierras de sembrar... se lo dejo a mi hijo Juan de León y Francisco López su hermano".

h) "otras tierras llamado Quisacarubaluhpani, y también por otro nombre Xequecaabak, se lo dejo a mis hijos Juan, Juliano y a su hermano Gaspar y Serafín...".

i) "item otra tierra... se lo dejo a mi hijo Bernardino para él sólo y no lo venda, y si lo vendiere la justicia se lo quite y lo entregue a los hermanos".

j) "item otra tierra llamado Pacaaj donde están las tierras llamado Itzacbal, abuelo de Juan de León y Francisco López, se lo dejo a los dichos mis hijos".

k) "item otra tierra... se lo dejo a mi hijo don Juan, Juliano".

Finalmente, en dos testamentos presentados en un complejo pleito sobre tierras planteado en 1588 entre Cristóbal Ahpop Tabal y Juan Vázquez Xahil, ambos vecinos de San Antonio Suchitepéquez, se documenta la participación en las herencias de los hermanos de los propietarios fallecidos(48). En el primero de dichos testamen-

---

48. AGC, A1.15 leg. 4087 exp. 32422.

tos, el otorgado por Cristóbal Tabal Ahpop, padre del demandante Cristóbal Ahpop Tabal, el reparto de las "diez y seis heredades de cacao" que dice tener el testador se hizo según se refleja en el Cuadro n.º 2. La mayoría de los bienes de Cristóbal Tabal Ahpop pasan a poder de su hijo Cristóbal y el resto los reparte entre su hija Magdalena Tabal y sus hermanos. Después, según se indica en el transcurso del pleito, los bienes heredados por Magdalena Tabal, casada con Pedro Cux, pasaron a manos de su hermano, al morir ambos sin descendencia y sin decir el destino que se les había de dar:

> "los cuales dichos bienes, casas y milpas, cacahuetales y tierras que nos dejó las partimos entre mi hermana y yo, la cual fue casada con Pedro Cux y durante su matrimonio no hubieron ningún hijo que heredase los bienes de la dicha mi hermana, los cuales murieron sin hacer testamento, y yo como más propincuo heredero heredé todas las haciendas que le habían cabido de su parte...".

El segundo de los testamentos contenido en el pleito, el otorgado por Juan Ahpop Tabal, hace el reparto que se indica en el Cuadro n.º 3.

Por las fechas de ambos documentos podría pensarse que la costumbre de legar tierras en favor de los hermanos del testador hubiera sido una consecuencia de la presencia española; sin embargo, una de las ordenanzas del oidor García de Palacios para el buen gobierno de los pueblos de indios, dadas en 1576, se expresa en los siguientes términos:

> "Item, no consientan que los dichos enfermos en los testamentos y última voluntad con que murieren quiten los bienes y haciendas que tuvieren a sus hijos y mujer, y lo den a parientes, compadres y otros extraños, antes hagan que cuando quedaren algunos menores dividan y partan los bienes y haciendas de sus padres por iguales partes, no consintiendo que ninguno de ellos reciba agravio ni persona alguna les ocupe ni tome las dichas haciendas que así quedaren de los dichos...".

Y, siguiendo la misma norma que en las demás ordenanzas, explica las causas que le llevan a dictarla:

> "Casi en toda la Nueva España era costumbre antigua que entre la gente común sucedían los hermanos, sin ha-

cer caso de que los muertos quedasen hijos, no sólo en las haciendas pero en las mujeres e hijos como que despertaban la generación de los tales hermanos; y después de su conversión, como ignorantes o mal instruidos en lo que debían hacer, acontecido instituir por herederos a sus hermanos y parientes y compadres, desheredando tácitamente a sus hijos legítimos o forzosos herederos, de que ha resultado y siempre resulta mucho daño entre ellos..."(49).

En consecuencia de lo visto hasta ahora, parece que una de las características definitorias más importantes de estas tierras de propiedad privada era la inmediata disponibilidad de las mismas. Por ello sus propietarios podían venderlas, legarlas o donarlas a la persona que les pareciese conveniente, sin tener en cuenta ningún tipo de normas objetivas ni requerir la aprobación de su acción por parte de ninguna persona o institución social o política. Por otro lado, y esta sería una segunda característica, parece que las tierras que se poseían a título de propiedad privada se concentraban fundamentalmente en la Bocacosta, la región en la que la tierra tenía más alto valor por cuanto podían obtenerse en ella productos tales como el cacao y el algodón. Ello viene de alguna forma a marcar diferencias notables entre las tierras de los Altos, destinadas principalmente a obtener productos necesarios para la subsistencia —maíz, frijoles, chile, etc.— y las de la Bocacosta en las que se cultivaban especies que permitían la acumulación de riquezas; las de los Altos de explotación generalmente común y las de la Bocacosta de aprovechamiento privado.

Finalmente, la existencia de tierras privadas viene también a reforzar la idea de la división de la sociedad en dos grandes sectores: la gente noble y la gente del común, los "principales" y los "macehuales". Por razones que en la actualidad no aparecen muy claras, los primeros tenían posibilidad de acceder a este tipo de tierras, mientras que los segundos sólo tenían derecho a tierras de titularidad común.

---

49. AGI, Audiencia de Guatemala, leg. 128. La referencia a la práctica del levirato aparece también en otros documentos de la época, y expresamente la menciona el cronista Fuentes y Guzmán en su *Recordación Florida*: «La mujer que enviudaba, si quedaba moza no había de quedar libre, y suelta de aquel yugo que se contraía por el género de sus matrimonios, porque el marido la casaba de su mano con hermano o pariente cercano de él...» (Madrid, 1972, vol. 1 pág. 74).

EL TRIBUTO

Los mayas de Guatemala habían desarrollado antes de la conquista española un complejo sistema de recaudación de tributos que permitió el mantenimiento de ejércitos permanentes, la realización de importantes obras públicas y, en definitiva, la existencia de poderosos estados. La información de que se dispone en relación con este tema es bastante escasa y refiere practicamente en su totalidad a quichés y tzutujiles, pero dada la uniformidad cultural de los pueblos quicheanos, se puede pensar que los sistemas tributarios de mames y cakchiqueles no variarán sustancialmente de los dos conocidos.

Entre los tzutujiles pagaban tributo al estado todos los indígenas considerados como *macehuales,* la gente del común. Estaban, al parecer, exentos de tributación los *principales* o señores de los linajes que formaban una élite social privilegiada, y los artesanos empleados al servicio de los señores en la capital Tziquinahay.

Por diversas fuentes del primer siglo de la colonia se pueden conocer algunos aspectos concretos del sistema, tanto en lo que se refiere a la forma de hacerse la recaudación como a las especies exigidas para realizar los pagos. En la carta que en 1571 escribieron al rey los caciques de Atitlán se puede leer que antes de la conquista los señores recibían los siguientes tributos y servicios de sus súbditos:

> "hombres y mujeres por esclavos y esclavas, asimismo piedras de valor que entre nosotros se llaman chalchiuitl [jade], oro y cacao y plumas, gallinas, miel y muchas sementeras de maíz, y asimismo heredades de cacao, y les hacían sus casas"(50).

Las *Relaciones geográficas* de 1585 informan de que los macehuales que habitaban en las orillas del lago Atitlán, pagaban a los señores de la capital tributos en forma de cacao, miel, mantas de algodón y plumas de quetzal, ave que al parecer criaban en cautividad para aprovechar las plumas de su cola ya que en libertad sólo se encuentra en los bosques de la Verapaz y no hay noticias de que fueran allí para cazarlas(51). Además de pagar este tributo en especies, los

---

50. AGI, Audiencia de México, leg. 85.
51. En la ya citada carta de los caciques de Atitlán al rey, éstos se quejaban de que, como consecuencia de haber perdido el servicio que antes recibían de sus súbditos, se habín quedado sin sus haciendas y heredades de cacao «y unos pájaros que se llaman papagayos nos lo han destruido y [por] no tener quién nos los guardasen ni por ellos mirar». (AGI, Audiencia de México, leg. 85).

tzutujiles tenían que prestar una serie de servicios a sus señores entre los que se encontraban el cultivo de sus milpas y el trabajo en las obras públicas de la capital(52).

La gente que vivía en las estancias de la Bocacosta tributaba esclavos, oro, cacao, mantas, plumas de quetzal, jade y productos de la tierra como ají, frijoles y algodón. Pero además tenían que emplear también parte de su tiempo y trabajo en la prestación de servicios personales que consistían fundamentalmente en la construcción de los edificios de uso público y las viviendas de los señores, así como en labrar las milpas y cacaotales que aquéllos poseían en las tierras bajas(53).

Entre los quichés el sistema había alcanzado un nivel más alto de complejidad y eficacia. Ya se ha hecho repetidas veces referencia a que los objetivos de las campañas expansionistas de los quichés iban siempre encaminadas a obtener productos de los que se carecía en la región de K'umarcaaj, y una vez dominadas las poblaciones que habitaban las tierras conquistadas el tributo era la forma usada generalmente para hacer llegar los productos deseados hasta la capital del estado(54).

Como en el caso de los tzutujiles, los quichés también exigieron tributos en forma de prestación de trabajo y servicio personal. De otro modo hubiera sido imposible la realización de las grandes obras públicas llevadas a cabo tanto en la capital del estado como en los importantes centros cívico religiosos del territorio. En su informe sobre los quichés, el oidor Zorita señala la existencia de estos servicios personales:

> "Lo que les tributaban eran sementeras de maíz y de las demás semillas que ellos comen, y al gobernador del pueblo le hacían por sí su sementera; y había en lo uno y en lo otro muy gran orden, y tenían la gente muy bien regida y en justicia"(55).

---

52. Relación Atitlán: *Op. cit.*, pág. 98.

53. Relación San Bartolomé: *Op. cit.*, pág. 269; y Relación San Andrés y San Francisco: *Op. cit.*, págs. 55 y 65.

54. Sobre los motivos de la expansión quiché a los que nos hemos referido en capítulos anteriores, se pueden ver las opiniones de Stephan F. de Borhegyi en su artículo «The development of folk and complex cultures...» y de John W. Fox en el trabajo «Quiche expansion precesses: differential ecological growth bases within an archaic state». *Archaeology and ethnohistory of the Central Quiche* (Wallace and Carmack, edits.), págs. 82-97, Albany, 1977.

55. Alonso de Zorita: *Breve y sumaria relación de los señores de la Nueva España*. México, 1942, pág. 211.

La recaudación del tributo se hacía escalonadamente. En las capitales de los señoríos, los centros de importancia regional como Xelajuj y Chuwi Mik'ina, se recogían todos los tributos de los macehuales sometidos a la autoridad de los linajes gobernantes en cada uno de ellos; desde allí los señores de los linajes enviaban las cantidades estipuladas a K'umarcaaj en donde eran acumulados y posteriormente utilizados con fines diversos.

Fray Bartolomé de las Casas, tras describir la organización de las jerarquías políticas de Utatlán, dedica unas líneas a la recaudación del tributo y a su administración. Señala que el supremo señor tenía una corte o consejo de principales que entendían en diversos negocios "como los oidores que hay en Guatemala en el Audiencia", y que dichos principales

> "vían los tributos que del reino se recogían, y repartían o enviaban al rey lo que para sustentación de su persona y estado le era asignado y pertenecía. Lo mismo para el electo y capitanes mayor y menor"(56).

De todo esto se puede deducir que el estado servía como centro acumulador de excedentes y, a la vez, como redistribuidor de riquezas, en cuanto que sólo una parte de los tributos recaudados eran empleados en los gastos de mantenimiento y suntuarios de los gobernantes. El resto se dedicaba al sostenimiento de los principales señores de las cortes, al pago y manutención de los artesanos, a las obras públicas y evidentemente, a la sustentación de los poderosos ejércitos de que había que disponer para llevar a cabo las campañas de conquista y defender las posiciones alcanzadas frente a los ataques de los estados vecinos o a los intentos de segregación que pudieran surgir entre los mismos señoríos conquistados(57).

* * *

Dos eran, entonces, los rasgos más sobresalientes y definitorios del sistema económico de los mayas que habitaban en el Occiden-

---

56. *Apologética Historia Sumaria*. México, 1967, vol. 2 pág. 499.
57. Un análisis más profundo del sistema de recaudación de tributos y de la posterior distribución de los mismos podría llevar a encontrar importantes semejanzas entre las estructuras económicas de los quichés —y en menor medida los tzutujiles— y la desarrollada por los aztecas del México antiguo que describe Pedro Carrasco en: «La economía del México prehispánico». *Economía política e ideología en el México prehispánico* (Carrasco y Broda, edits.), págs. 15-76, México, 1978.

te de Guatemala antes de la conquista española. Primero, se trataba de una economía políticamente dirigida; en segundo lugar, la presencia en el área de diversos pisos ecológicos tuvo consecuencias importantes en la articulación del sistema. La diversidad ecológica proporcionaba diferentes productos naturales necesarios para la subsistencia y excedentes para el comercio. Los estados trataban de controlar la mayor cantidad de tierras posible en cada una de las regiones ecológicas para asegurarse la autosuficiencia y evitar, en lo posible, la dependencia del comercio exterior.

Los estados funcionaban como redistribuidores de la riqueza. Los ingresos los obtenían por medio del tributo impuesto a las poblaciones sometidas y con ellos se mantenían los grupos dirigentes, el ejército y el funcionariado, y se construían obras públicas. Además, una parte de estos ingresos se destinaba a mantener al grupo de artesanos dedicados a fabricar objetos suntuarios para uso de la corte y para las ceremonias religiosas. El tributo era satisfecho únicamente por los individuos de más baja posición en el sistema social, los macehuales, en forma de productos de la tierra y de trabajo personal.

La mayor parte de los macehuales eran agricultores que dedicaban sólo una pequeña parte de su tiempo a la fabricación de útiles y al comercio menudo en los mercados locales; en consecuencia se los puede calificar como *campesinos,* en el sentido que con carácter universal los define Eric Wolf: "labradores y ganaderos rurales cuyos excedentes son transferidos a un grupo dominante de gobernantes que los emplea para asegurar su propio nivel de vida y que distribuye el remanente a los grupos sociales que no labran la tierra, pero que han de ser alimentados a cambio de otros géneros de artículos que ellos producen"(58).

Con ser muy importante, el comercio no tenía una función fundamental en el sistema: servía esencialmente para realizar el intercambio de mercancías entre las tierras altas y las bajas. Las poblaciones de los Altos dependían en gran medida de este comercio para conseguir cacao, algodón y maíz en los períodos de escasez; los habitantes de la Bocacosta, aunque tendían a la autosuficiencia en productos de primera necesidad, compraban a los mercaderes que venían del altiplano manufacturas de algodón y maíz en los tiempos del año que no se recolectaba en las tierras bajas. El comercio regional y local tenía, por consiguiente, un carácter complementario en la estructura

---

58. *Los campesinos.* Barcelona, 1971, pág. 12.

económica. El mismo carácter tenía el comercio de larga distancia mediante el cual los hombres de más alta posición social y económica de Guatemala obtenían objetos suntuarios que compraban, a cambio de cacao, a los mercaderes procedentes de México.

CAPITULO V

LA ECONOMIA COLONIAL: PRODUCCION Y COMERCIO

El contacto de culturas que se produjo a partir de la conquista española tuvo que causar algunos cambios en la organización económica de los mayas del Occidente de Guatemala y tales cambios afectaron tanto a la producción como a las estructuras del sistema económico de los indígenas. Pero ¿cuáles fueron estos cambios? Contestar esta pregunta supone conocer la forma que adoptaba la vida económica de los pueblos del área durante el tiempo que va desde 1524 —fecha de la conquista— hasta 1600. ¿Qué cultivaban los campesinos? ¿cómo y quién cultivaba? ¿qué objetos producían? ¿cómo se organizaba la actividad comercial? ¿qué personas pagaban tributo y a quién? ¿qué formas tenía este tributo? ¿cómo estaba organizada la propiedad de la tierra? En definitiva, ¿cuáles eran los elementos que definían la estructura económica desde que los nuevos señores se habían apoderado del país?

La respuesta a estas cuestiones tiene que venir dada necesariamente por un conocimiento todo lo exhaustivo posible de la actividad económica de los indígenas durante el primer siglo de la colonia. Es necesario hacer una etnografía de cada uno de los aspectos del sistema cultural relacionados con la economía que permitirá posteriores generalización y definir el modelo de organización. Este planteamiento hará posible establecer comparaciones y hallar analogías o diferencias entre la organización económica prehispánica y la colonial.

LA PRODUCCION

Después de la conquista la vida del campesino maya de las tierras altas de Guatemala seguía desenvolviéndose alrededor de la milpa y el maíz. Según todas las noticias ofrecidas por los documentos coloniales, el maíz era durante el siglo XVI el principal producto cultivado por los indios que lo seguían plantando, cuidando y recolectando de la misma forma que lo hacían antes de la llegada de los españoles. En la misma sementera que el maíz o en otras, plantaban chile, frijoles, calabaza, yucas, batatas, tomate, chía y una gran variedad de frutales que conocían y cultivaban antes de la conquista.

Los españoles trataron de introducir en los Altos el cultivo de cereales propios del mundo mediterráneo y desconocidos hasta entonces en América, pero la innovación fue mal acogida por los indígenas que no estaban dispuestos a cambiar el casi sagrado maíz por un alimento desconocido. Se puede afirmar que, cuando menos durante el siglo XVI, no se cultivaba en el área otro cereal que no fuera maíz. En este sentido hablan algunos testimonios de autoridades españolas: en 1579 un alcalde mayor de Zapotitlán decía que "trigo, cebada ni centeno no se ha sembrado, y aun se sospecha se daría mal"(1).

El mismo resultado tuvo el intento de introducir algunos árboles frutales del Viejo Mundo. En la *Relación geográfica* del pueblo de Atitlán se dice que los atitecos cultivaban frutas de la tierra como aguacates, ciruelos, zapotes, naguazapotes y "quauhxonequiles", y que junto a estos árboles habían plantado frutales de Castilla —higueras, membrillos, granados y manzanos—, pero con resultados poco satisfactorios:

> "los naturales por su floxedad an plantado pocos árboles por no ser fruta para ellos ni darse a las plantar como hazen en otras partes de esta probincia de Guatemala"(2).

Sólo frutas como la cidra, la lima y el limón fueron bien aceptadas por los indios y cultivadas sistemáticamente(3).

En la Bocacosta persistió el cultivo intensivo de cacao. Los españoles centraron su atención sobre este fruto que convirtieron en el primer producto de exportación de la provincia hacia el mercado mexicano donde alcanzaba altos precios. Así lo reconocía el alcalde mayor de Zapotitlán en 1579: los árboles de más provecho son "los cacahuatales que llevan el fruto que llaman cacao, que en efecto son las

---

1. Relación Zapotitlán: «Descripción de la Provincia de Zapotitlán y los Suchitepéquez. Año de 1579». *ASGHG*, 28: 68-83. 1955.
2. Relación Atitlán: «Relación de Santiago Atitlán, año de 1585, por Alonso Páez Betancor y Fray Pedro de Arboleda». *ASGHG*, 37: 87-106. 1964.
3. *Ibid.*, pág. 103.

minas de esta costa de donde procede la mayor contratación de esta provincia para la Nueva España"(4).

El cacao se cultivaba en la Bocacosta desde las estancias de Atitlán hasta las tierras próximas al pueblo de Santa Catalina —estancia de los mames— en la frontera con el Soconusco. Los centros de máxima producción se localizaban en los alrededores de San Antonio Suchitepéquez y Nahualapa, y en las estancias de Santiago Atitlán(5). El trabajo en los cacaotales se hacía siguiendo las mismas técnicas que antes de la conquista; para los españoles este era un cultivo desconocido y difícilmente podrían haber introducido novedades.

En las grandes plantaciones se tuvo que mantener la costumbre prehispánica de emplear mano de obra asalariada durante las épocas de mayor actividad. Los braceros asalariados procedían tanto de pueblos de la Sierra como de la misma Bocacosta. Los primeros, en general, eran de aquellos pueblos serranos que no poseían cacaotales y que estaban obligados a pagar una parte de su tributo en cacao; para cumplir con este requisito en muchas ocasiones realizaban una emigración golondrina a la Bocacosta para obtener el cacao necesario mediante el trabajo en las plantaciones. Los braceros de la Bocacosta solían ser los que, por no tener suficientes árboles en sus propios cacaotales, se veían obligados a trabajar para los demás con el fin de obtener el cacao suficiente para cumplir con el tributo y mantener a su familia(6).

Junto al cacao los indígenas cultivaban un fruto semejante conocido como *pataste* o *pataxtle* que también se pagaba como tributo y se usaba en la preparación de bebidas como sustituto del cacao que tenía mayor valor de cambio en el mercado(7).

---

4. Relación Zapotitlán: *Op. cit.*, pág. 76.

5. En la descripción del viaje que fray Alonso Ponce hizo en 1586 por Guatemala, en su visita a los conventos franciscanos de América Central, se hace referencia a la frondosidad y calidad de los cacaotales de ambas regiones (Antonio de Ciudad Real: *Tratado docto y curioso de las grandezas de la Nueva España*, vol. 1 pág. 188 y ss.). El alcalde mayor Diego Garcés también informaba en este sentido al rey en una carta fechada en 1568 (AGI, Audiencia de Guatemala, leg. 968-B).

6. Un testimonio de esta situación aparece en un pleito mantenido entre dos indios de San Antonio Suchitepéquez por la posesión de unos cacaotales. Un testigo del pleito declaró que uno de los litigantes «ha acrecentado y aumentado la dicha milpa gran parte de cacao nuevo por su mano y con indios alquilados para el dicho efecto» (AGC, A1.15 leg. 4087 exp. 32422).

7. Se trataba del *Theobroma bicolor* conocido en México con los nombres de *quauhpatlactli* o *patlachtli*, variedad de inferior categoría del cacao (*Theobroma cacao*). Thompson, a partir de las informaciones ofrecidas por Sahagún, lo califica como seudocacao y dice que era empleado por los malos comerciantes como falsificación del verdadero («Notes on the use of cacao in Middle America». *Notes on Middle American Archeology and Ethnology*, 5 (128): 95-116. 1956).

El segundo producto agrícola de importancia en las tierras calientes era el algodón. Según diversas referencias ofrecidas por la documentación, en la segunda mitad del siglo XVI se obtenía algodón en la mayor parte de la Bocacosta, siendo los lugares de mayor producción las tierras situadas entre los ríos Ixtacapa y Samalá: los pueblo de la región de Zapotitlán (San Francisco, San Martín, San Luis, San Felipe, etc.), además de Samayac, Cuyotenango, y Zambo son los lugares más frecuentemente citados como centros productores.

Además de estos cultivos propios de climas tropicales muy húmedos, en la Bocacosta los indígenas seguían cultivando maíz —normalmente dos cosechas anuales, una de temporal y otra de regadío (*tonalmilli*)—, agí, frijoles, calabazas, tomates, y otros productos de huerta. Sin embargo, la atención que requería el cacao y la gran riqueza que éste producía hacía que los campesinos pusieran menos interés en las cosechas complementarias cuyo fruto casi siempre podrían obtener fácilmente a cambio de unas cuantas almendras de cacao o unos ovillos de algodón. Como en las tierras altas, aprovechaban una serie de árboles con cuyos frutos complementaban su pobre dieta; entre ellos se citan en la documentación zapotes, aguacates, nances, ciruelas, anonas, plátanos, guayabas, etc.

También en la Bocacosta los españoles trataron de introducir nuevas especies, fundamentalmente frutales y cereales. Por las particulares condiciones del clima de la región, los cereales no llegaron a prosperar y a los frutales prestaron poca atención los indígenas ya que no formaban parte de su dieta tradicional, su fruto no fue exigido como tributo en las tasaciones, ni el clima favorecía su crecimiento. Otro intento de diversificar la producción en la Bocacosta fue el iniciado por el presidente Villalobos quien emprendió una campaña de plantación de tunas, en las que se criaba la cochinilla que después se utilizaría para la producción de tinturas. El resultado, en 1579, parece que no fue afortunado y no se vuelve a hablar del tema en todo el resto del siglo(8).

Alrededor de la casa los indígenas criaban un pequeño número de animales destinados al consumo y al pago de tributos. Tanto en la Sierra como en la Bocacosta los animales más corrientes —según las informaciones que aparecen en las tasaciones de tributos y en las *Relaciones geográficas*— eran las "gallinas de la tierra" —pavos— y las "gallinas de Castilla", ave introducida por

---

8. Carta del presidente Villalobos al rey. 25 marzo 1578. AGI, Audiencia de Guatemala, leg. 39. Relación Zapotitlán: *Op. cit.*, pág. 77.

los españoles y que fue fácilmente aceptada. Las autoridades españolas pusieron especial interés en que los naturales se emplearan en la crianza de estas especies, hasta el extremo de que el tema aparece especialmente tratado en las ordenanzas escritas en 1576 por el licenciado García de Palacios para el gobierno de los pueblos de indios:

> "...y que críen gallinas de Castilla y de la tierra, puercos y lo demás susodicho; por manera que en todo tengan más cumplido efecto, en cada uno de los meses del año uno de los alcaldes del dicho lugar por su turno visite las dichas casas y lo que así criaren, castigando al que no lo cumpliere y haciendo que de aquí adelante lo tenga y críe"(9).

En lo que refiere a los puercos no hay ninguna noticia de que fueran aceptados por los indígenas, por lo menos durante el siglo XVI: ni se citan en las *Relaciones geográficas* o en las demás descripciones de la vida de los indios, ni aparecen como objeto de tributo en las tasaciones realizadas entre 1550 y 1600(10).

La introducción de la ganadería entre los indios ha sido siempre considerada como uno de los efectos más rápidos e importantes de la presencia española en América. Se ha aceptado generalmente que poco después de la llegada de los conquistadores, los indígenas comenzaron a criar ganado mayor —vacuno— y menor —ovino— para proveer de alimento a los nuevos señores de la tierra y que incluso introdujeron la carne en su dieta. Sin embargo, los testimonios encontrados para el Occidente de Guatemala indican que, por lo menos en los primeros años de la colonia, la crianza de ganado de carne no fue practicada por los mayas que vivían en el área. Hay bastantes informaciones que ponen de manifiesto la introducción de ganado en el Occidente de Guatemala después de 1524, pero su explotación estuvo en manos de españoles. Esta situación sugiere que los españoles se reservaron una actividad que prometía ser muy rentable a la vez que necesaria para su propia supervivencia, y que los indios

---

9. Ordenanzas dadas por el oidor Palacios para el gobierno de los pueblos de indios. 1576. AGI, Audiencia de Guatemala, leg. 128.

10. Sólo en la descripción de la provincia de Zapotitlán, hecha en 1579 por el alcalde mayor Juan de Estrada, hay una referencia a la existencia de este tipo de animales, aunque no parece muy claro si lo considera como animal doméstico o silvestre: «Los animales caseros y mansos que en esta tierra hay son gallinas de la tierra que son las que en Castilla llaman de las Indias, y hay gallinas de Castilla aunque pocas... Hay muchos géneros de animales caseros y silvestres como son cabras, ovejas y lechones». (Relación Zapotitlán: *Op. cit.*, pág. 78).

mostraron poco interés tanto en dedicarse a una ocupación que nada tenía que ver con sus formas de vida tradicionales como en hacer cambios en su dieta.

En 1549 don Francisco de la Cueva poseía una estancia de ganado en los términos de los pueblos de Ostuncalco y Sacatepéquez de los que era encomendero; catorce indios realizaban los trabajos necesarios para el mantenimiento de la explotación. También en la misma fecha Juan Pérez Dardón tenía otra estancia de ganado en los términos de Momostenango(11). Sancho de Barahona, uno de los más notables vecinos de Guatemala y encomendero de la mitad del pueblo de Atitlán, tenía en 1568 una estancia de ganado vacuno cerca del pueblo costero de Chipilapa, en las orillas del río Acone. Al parecer, la estancia era una gran explotación ganadera en la que Barahona tenía más de cinco mil cabezas de ganado vacuno y casi doscientas yeguas y potros. El trabajo de la estancia lo hacían siete familias de esclavos negros propiedad del mismo Sancho de Barahona. La carne obtenida en la estancia se empleaba en el abastecimiento de la ciudad de Santiago de Guatemala(12).

En las cercanías de Huehuetenango había en 1569 otra explotación ganadera propiedad también de un español que residía en aquel pueblo. En el hato criaba puercos y cabras en número cercano a mil cabezas de cada especie, y una gran cantidad de caballos. Ante las quejas de los naturales del pueblo, que protestaban por los graves daños que el ganado hacía en sus plantaciones, las autoridades obligaron al español a abandonar el pueblo y que estableciera su hato en algún lugar que no causara perjuicios. Es de suponer que no empleaba a indígenas en el cuidado del ganado; por lo menos no se cita este hecho en el expediente que trata sobre el tema(13). Para 1579 hay noticias de la existencia de otra explotación ganadera, propiedad de un grupo de españoles, en los términos del pueblo de Xicalapa, en la llanura costera del Pacífico. La estancia, que debía ser de considerable extensión, estaba atendida por varias familias de negros y mestizos(14).

---

11. Tasación de tributos hecha por el licenciado Cerrato. 1548-1549. AGI, Audiencia de Guatemala, leg. 128.
12. Documentos sobre la venta de una estancia de ganado de Sancho Barahona. 1568. AGC, A3.30 leg. 2863 exp. 41701.
13. Segundo legajo de la residencia tomada al licenciado Briceño. 1570. AGI, Justicia, leg. 317.
14. Autos seguidos por el Pbro. Antonio Rodríguez, cura de Xicalapa, contra don Juan Rodríguez Cabrillo, encomendero. 1577. AGC, A3.12 leg. 2774 exp. 40022. Relación Zapotitlán: *Op. cit.*, pág. 68.

Según las informaciones que ofrecen los documentos, los indígenas no incluyeron en su actividad la crianza de ganado vacuno hasta los últimos años del siglo XVI y parece que de forma excepcional: sólo hay una referencia a que los indios del pueblo de Sajcabajá compraron en 1595 cierto número de vacas y las llevaron al pueblo para explotarlas como bienes propios de la comunidad(15). Sin embargo, sí prestaron especial atención a la cría de ganado equino en casi todas las comunidades del altiplano. Nuestra primera noticia sobre el tema está fechada en 1565 y refiere a cierta cantidad de yeguas y potros que los indios de Sacapulas habían adquirido con el fin de reproducirlos y venderlos para allegar bienes a la caja de la comunidad(16). De las informaciones dadas por Juan de Pineda en su *Descripción* se deduce que a finales de siglo el caballo había sido aceptado por los mercaderes indígenas como medio para transportar grandes cargas de mercancías entre las tierras altas y las bajas(17). En 1600 tenían tierras especialmente dedicadas a la cría y reproducción de caballos en Quezaltenango, Sacapulas, Motocintla, San Miguel Ixtahuacán y Sajcabajá, cuando menos, y es posible que fuera una actividad generalizada en los pueblos importantes de los Altos.

Además de realizar estas actividades, los mayas del Occidente de Guatemala aprovechaban todos los recursos que la naturaleza ponía a su alcance; de este modo obtenían una variada gama de productos con los que complementaban una monótona dieta basada fundamentalmente en el maíz, y conseguían en ocasiones algunos productos que, como la sal, eran fundamentales para la alimentación y para el comercio.

Los indígenas cazaban en los montes y bosques un tipo de cérvidos, que los españoles llamaron "venados", y otros "animalejos" entre los que se citan "puercos de monte", "armados", "tepeyzcuyntles" (*tepeitzcuintli*), "pezotles" (*peçotli*), conejos e iguanas, muy apreciadas en la mesa y en el mercado, y abundantes en las regiones de clima más cálido.

Los hombres de las poblaciones cercanas a los ríos y a las orillas del lago Atitlán pescaban diversas especies de animales acuáticos comestibles. En los pueblos de la Bocacosta se pescaban tepeme-

---

15. Pleito de los indios de Santo Domingo Sacapulas contra los de San Andrés Sajcabajá por ciertas tierras. 1601. AGC, A1 leg. 5396 exp. 51914.
16. Pleito de las parcialidades de Citalá, Zacualpa y Coatán contra la de Sacapulas. 1640. AGC, A1 leg. 5942 exp. 51995.
17. Juan de Pineda: «Descripción de la Provincia de Guatemala (año 1594)». *ASGHG*, 1 (4): 327-363. 1925.

chines, cangrejos y camarones; y los vecinos de Santa Bárbara conseguían además otras especies a las que los españoles llamaron truchas y mojarras(18). Los pueblos ribereños del lago Atitlán pescaban "cangrejos y unos peçezitos pequeños que llaman *olumina*" y un "género de pescado que llaman *mojarras* que se trajeron de otros ríos porque antes no solía aver este pescado"(19). Las mojarras fueron llevadas al lago Atitlán por los franciscanos hacia 1575. Según las noticias ofrecidas por Vázquez de Espinosa, a principios del siglo XVII se cogían en la laguna "cantidad de peces Reies, cangrejos, y otros pescados en tanta abundancia que se proveen de ella a más de 150 leguas"(20). También el cronista fray Francisco Vásquez da noticias de la importancia de esta actividad en Atitlán:

> "la pesca, que se da es de cangrejos y pescaditos, en abundancia, que se llaman de Atitlán; son como el dedo meñique, y otros, aún menores que la mitad, son el sustento de sus comarcanos, y aun su mayor ganancia; porque asados al fuego los mayores y ensartadas en unas pajas gruesas como de centeno, y fuertes como varillas, trajinan y comercian con ellos por muchos lugares y provincias... No da peje grande ni nocivo fuera de lo dicho; verdad es, que alguna vez, aunque rara, se ha cogido tal o cual mojarra de más de cuarta y cuatro dedos de largo, y muy ancha y gruesa, tierna y de lindo gusto; pero son pocos los que la han visto o comido, y muchos los que por fe saben que las hay..."(21).

No hay referencias exactas sobre la técnica empleada por los naturales para la pesca. En algún momento el cronista Vásquez habla de anzuelos para cobrar las especies más grandes, y en la descripción de una pesquería realizada por los indios de Samayac se cita el empleo de cierta raíz conocida con el nombre de *pate* que arrojada al río, después de molida, facilitaba la captura de los peces:

> "Después salieron al dicho río y luego se ocuparon todos ellos en el dicho monte con herramientas sacando de

---

18. En las *Relaciones geográficas* de Santiago Atitlán y sus estancias se hacen reiteradas referencias a la pesca de estas especies.

19. Relación Atitlán: *Op. cit.*, pág. 102.

20. Antonio Vázquez de Espinosa: *Compendio y descripción de las Indias Occidentales*. Washington, 1948, pág. 208.

21. *Crónica de la Provincia del Santísimo Nombre de Jesús de Guatemala*. Guatemala, 1937-1944, vol. 1 pág. 167.

debajo de la tierra como un palmo de hondo una raíz que se llama pate que en todas partes del dicho monte no se hallaba, con el cual se emborracha el pescado [en el] río, y todos los dichos maceguales se ocuparon un día a la vera del río en moler el dicho pate y molido lo echaron al agua. Se ocuparon todos los indios en pescar en el dicho río un día entero y pescaron mucha cantidad de tepemechines y vagras y mojarras y otros pescados..."(22).

El texto anterior refiere a una pesquería organizada por vecinos de Samayac a instancias de un español que visitaba el pueblo por orden de las autoridades de Guatemala. Según se desprende de las declaraciones del gobernador indígena, este tipo de pesquerías las realizaban una vez al año —aunque el vicario del pueblo aseguraba que no las había visto hacer en los seis años que llevaba allí— y al parecer tenían cierto carácter comunal, ceremonial y festivo. En una declaración hecha sobre el particular, el vicario dijo que cuando llegó al río en el que se estaba pescando vio

"que había en sus orillas mucha cantidad de indios e indias, principales y macehuales, viejos y mozos, que serían en total unos cuatrocientos, los cuales traían y tañían trompetas y flautas, y tenían hechos más de veinticinco ranchos hechos y cubiertos [...] Los indios llevaban muchas indias que molían pate y hacían chocolate para ellos y para los españoles y así mismo llevaban maíz para el caballo de Pablo de Escobar"(23).

Otra actividad importante para los indígenas y también para los españoles era el trabajo de extracción de sal. Todas las noticias que hemos encontrado sobre el tema permiten asegurar que no hubo después de 1524 cambios importantes en cuanto a las técnicas de extracción ni aparecieron nuevas salinas en el interior del país. La escasez de recursos salinos preocupó a los españoles desde los primeros años de la colonia; la sal era fundamental tanto para la alimentación diaria como para la conservación de alimentos —salazones— y la

---

22. Primer volumen de la residencia tomada al licenciado Francisco Briceño. AGI, Justicia, leg. 316. El texto corresponde a una declaración hecha por el indio gobernador del pueblo de Samayac sobre una pesquería que les obligó a realizar un español que visitaba el pueblo. Una declaración semejante hizo en la misma pesquisa el cura vicario del pueblo.

23. Ibid.

preocupación era tanto mayor en cuanto era un recurso absolutamente controlado por los indígenas.

Esta situación llevó a las autoridades coloniales a ensayar la posibilidad de conseguir sal por desecación de agua del mar, procedimiento tradicionalmente utilizado en España y, en teoría, más rentable que el sistema de filtraciones y evaporación empleado por los indígenas. El intento parece que no tuvo el éxito esperado, según informaba en 1578 el presidente Villalobos al rey(24). En 1579 se hacía eco de la misma preocupación el alcalde mayor de Zapotitlán y lo reflejaba en la descripción de la provincia:

"En lo que toca a la sal y salinas es así que, como digo arriba, estuvimos a la orilla del mar cerca del pueblo de Xicalapa. Se miró y consideró la mar y sitio y calidad de la tierra, y aún hubo pareceres entre los que allí nos hallamos si se podría hacer allí sal con el sol, en eras, como se halla en España, en Andalucía y Portugal y aun en España en la villa de Borcaje, en la costa de la Gascuña, que está en más de cuarenta y seis grados de altura, y habiéndolo visto y entendido lo que allí se platicó, no halló razón ni causa por qué se deje de hacer en esta costa sal en eras con la calor del sol, si no es que la tierra, o suelo cerca del mar es algo floja como arenosa, de que parece se podría sospechar que las eras se beberían el agua; aunque según parece se podría remediar con mucha abundancia de maderas que hay haciendo las eras de madera muy grandes, a manera de bajos de lagares de España... Lo que obliga entre otras cosas a temer es que un procurador de Goatemala se dio a querer hacer sal en esta costa y dice se gastó largo en la experiencia y no salió con ella; no he entendido qué fue la causa, y lo que da esperanza de más de otras cosas es que en Tegoantepeque, que es en la costa de esta mar del sur, no muy lejos de aquí, se hace mucha sal y muy buena, y parece que obliga mucho hacerse la prueba si se podría hacer sal en esta costa por la gran falta que en esta costa y en todas estas provincias de Goatemala hay por proveerse de Sacapulas y de Istatán, que es sal que se hace en pozos de la tierra con fuego. Y también se hace en esta costa sal de

24. Carta del doctor Villalobos al rey. 25 marzo 1578. AGI, Audiencia de Guatemala, leg. 39.

222

una manera que parece que es más el gasto que el provecho..."(25).

La documentación tampoco dice que estos intentos llegaran a prosperar y, por lo menos durante todo el siglo XVI, la explotación de la sal estuvo en manos de los indígenas de Sacapulas e Ixtatán, y de las comunidades próximas a la costa donde siguieron extrayéndola con los lentos pero efectivos métodos tradicionales. Hasta principios del siglo XVIII no se tienen noticias de la explotación de salinas por los españoles, y en este caso el español no es propietario de ellas sino que las tiene arrendadas a los vecinos de Quezaltenango que desde antiguo poseían salinas en las barras de Acapán(26).

Otros trabajos menos productivos, pero también importantes, estaban orientados a la recolección de miel y cera de los panales, en algunas ocasiones sistemáticamente explotados, y a la extracción de cal que tenía diversos usos tanto en la construcción de casas e iglesias como en la dieta —mezclándola con maíz para hacer tortillas—, en la medicina —mezclándola con tabaco y otras hierbas—, y en el ritual ya que en unión de determinados productos se conseguía una mezcla de propiedades alucinógenas.

Finalmente, hay que dedicar unos párrafos a las actividades indígenas relacionadas con la fabricación de utensilios y todos aquellos objetos necesarios para el normal desenvolvimiento de la vida. De la misma forma que ocurrió en México, los españoles no intentaron en ningún momento —por lo menos durante el siglo XVI— cambiar los sistemas de producción artesanal de los indígenas ni evitar que siguieran realizando las mismas manufacturas que antes de 1524(27).

Una de las industrias más importantes en el Occidente fue —y aún continúa siéndolo— el tejido. Según se desprende de la documentación, y fundamentalmente de las tasaciones de tributos, la actividad textil era común a todos los pueblos del área. En términos generales puede afirmarse que esta actividad seguía estando asignada a las mujeres ya que permitía su ejecución en el ámbito del hogar

---

25. Relación Zapotitlán: *Op. cit.*, págs. 78 y 79.
26. Sobre el alquiler de unas salinas que los indios de Quezaltenango poseían en Acapán. 1707. AGC, A1.25 leg. 206 exp. 4138.
27. En este sentido, para el caso mexicano, pueden verse las páginas que dedica al tema Charles Gibson en *Los aztecas bajo el dominio español, 1519-1810*. México, 1967, pág. 342 y ss.

(28). Los tejidos más comunes eran las llamadas "mantas" o "piernas de manta", piezas largas y estrechas —de dimensiones variables— tejidas con fibra de algodón que los naturales obtenían en sus propias plantaciones —en el caso de los pueblos de la Bocacosta— o compraban en los mercados. Normalmente el tributo en textiles se pagaba con estas mantas o piezas simples, pero en otras ocasiones los españoles exigían otras manufacturas más elaboradas que ya poseían una utilidad concreta (huipiles, "naguas", "xicoles", etc.) y que podrían tener más alta cotización en el mercado.

En otras industrias como la cerámica y la cestería tampoco se produjeron innovaciones importantes ni en las técnicas ni en la especialización de las comunidades. En el siglo XVI tributaban objetos de cerámica —comales y ollas— tres pueblos del altiplano: Sacatepéquez, Momostenango e Ixtahuacán(29); labores de cestería con palma —petates de diversos tipos y tamaños— tributaban un pueblo de la Bocacosta, Samayac, y varios de los Altos: Petatlán, Huistla, Jacaltenango, Aguacatán, Cuilco, Amatenango, Motocintla, Momostenango(30) y Santiago Atitlán(31). Otras manufacturas entregadas como tributo fueron "chicubites", pagados por el pueblo de Jacaltenango, y cotarras y curtidos de piel de venado fabricados en Motocintla (32). De todos modos, parece que no fueron éstas las únicas manufacturas elaboradas por los indígenas, ni los pueblos citados eran los únicos en que se producían. Sin embargo, el hecho de que sean éstos a los que se exige tal forma de tributo indica, cuando menos, una cierta especialización de cada uno de ellos en las diferentes industrias.

Aunque los españoles no interfirieron en estas artesanías tradicionales, sí trataron de aprovecharlas en aquellos casos que su comercialización podía ser rentable; de igual modo, hicieron que los indígenas aprendieran a fabricar aquellas manufacturas españolas que eran necesarias para su vida diaria y que de no conseguir así deberían comprar a altos precios en los mercados coloniales. En la tasa-

---

28. En una tasación de los tributos que debe pagar el pueblo de Mazatenango en 1570 se especifica que son precisamente las mujeres las que deben pagar mantas. (Primer volumen de la residencia tomada al licenciado Francisco Briceño. 1570. AGI, Justicia, leg. 316).

29. Tasación de tributos hecha por el licenciado Cerrato. 1548-1549. AGI, Audiencia de Guatemala, leg. 128.

30. Ibid.; y Tasación de varias encomiendas de la jurisdicción de la ciudad de Santiago. 1553-1555. AGC, A3.16 leg. 2797 exp. 40466.

31. Autos hechos sobre la reducción de los tributos del pueblo de Atitlán. 1555. AGI, Justicia, leg. 283.

32. Tasación de tributos hecha por el licenciado Cerrato. 1548-1549. AGI, Audiencia de Guatemala, leg. 128.

ción de tributos que hizo el presidente Cerrato en 1549, se estableció que los vecinos de Jacaltenango deberían pagar a su encomendero anualmente 100 "mastellos" —recipiente para líquidos usado en Italia, de unos 75 litros de capacidad— y 12 jáquimas para las recuas, mientras que los de Sacatepéquez y Ostuncalco debían entregar anualmente 21 paramentos —tejidos decorados que una vez tensados en bastidores servían para adornar cabeceras de camas o paredes—, y 24 sobrecamas, tejido decorado para colocar en la cama encima de las sábanas(33).

Otra industria que empezó a desarrollarse después de la conquista fue la fabricación de tejas y ladrillos para la construcción. La política de congregación de pueblos llevada a cabo por las autoridades y las órdenes religiosas, y la obligación que tenían de construir sus casas y edificios públicos según los modelos españoles, hicieron que los indios aprendieran nuevas técnicas. Existen noticias de que en 1583 los indios de Quezaltenango tenían un horno para cocer tejas y ladrillos en un paraje cercano al núcleo de población(34); posiblemente esta industria se había desarrollado más en el área pero no hay datos sobre la existencia de tejares en otros pueblos. La presencia de este tipo de actividad pone de manifiesto que los indígenas fueron aprendiendo a construir viviendas de tipo español, a pesar de que en la mayor parte de los pueblos los indios seguían viviendo en casas construidas a la manera tradicional, con paredes de adobe, maderas y cañas y cubiertas de pajón, con un sólo vano que servía de acceso y como único punto de ventilación de la vivienda.

Si hacemos caso a Remesal, los indios aprendieron con rapidez otros oficios españoles de carácter suntuario. La actividad de los frailes doctrineros hizo que en un corto espacio de tiempo los naturales estuvieran capacitados para fabricar todo lo necesario para el ornato de los templos que poco a poco se fueron construyendo en los pueblos:

> "Los ornamentos de las iglesias al principio eran muy pobres, los retablos e imágenes, por falta de oficiales, poco curiosos; mudáronse los tiempos, y por la industria de los padres se comenzaron los indios a aficionar a estas cosas y han sido muy liberales en ofrecerlas a Dios... No hay iglesia que no tenga diez o doce y más imágenes... Los ornamentos han sido con mucha abundancia los que

---

33. Ibid.
34. Pleito de los indios de Chiquirichapa contra los de Ostuncalco sobre ciertas tierras. 1745. AGC, A1 leg. 5987 exp. 52660.

se han dado, y de cada día se dan, porque unos indios a imitación de otros, y unos pueblos a emulación de sus vecinos se aventajan en estas obras... comencé a hacer memoria de la plata y ornamentos que había en los pueblos por donde pasaba, y llegaba a tanto el número y la cantidad, que era menester un libro muy grande para asentarlo..."(35).

Por el contrario, después de la conquista desapareció el grupo de artesanos dedicados con exclusividad a fabricar objetos suntuarios para uso de los nobles indígenas. La causa parece estar principalmente en la repentina supresión de las cortes de los estados prehispánicos y de las liturgias que se celebraban en los grandes centros ceremoniales. Después de 1524 el centro del poder político estaba en la capital de la gobernación, Santiago de Guatemala, y fue allí donde apareció un nuevo grupo de artesanos indígenas al servicio de los españoles más poderosos. En Santiago los artesanos indígenas aprendieron con rapidez los más variados oficios en los que alcanzaron tanta maestría como los mismos españoles, aunque siempre sus trabajos eran pagados a precios bastante más bajos que los realizados por los artesanos españoles(36).

MERCADOS Y COMERCIO

Durante todo el siglo XVI las poblaciones indígenas del Occidente de Guatemala mantuvieron una intensa actividad comercial de la misma forma que la habían realizado antes de la llegada de los españoles. Sin embargo, entre una época y otra se produjeron notables diferencias que es preciso señalar.

En principio parece que se mantuvieron los mercados periódicos locales —los españoles los llamaban "tiangues" (del náhuatl *tianquiz* o *tianquizco*)—, celebrados en las plazas de los pueblos de toda el área. Eran mercados de venta al menudeo en los que podrían encontrarse artículos necesarios para la vida diaria y a los que acudían, tanto a vender como a comprar, los vecinos del pueblo en el que se

35. *Historia general de las Indias Occidentales y particular de la gobernación de Chiapa y Guatemala.* Madrid, 1964, vol. 2 pág. 181.

36. Sobre las circunstancias de los artesanos indígenas que trabajaban en la ciudad de Santiago trata el trabajo de Beatriz Suñe Blanco: «La educación en Guatemala (siglo XVI) como un proceso de aculturación-enculturación». *Anuario de Estudios Americanos.* 38: 215-260. 1981; y el artículo de Pilar Sanchiz Ochoa: «Españoles e indígenas: estructura social del Valle de Guatemala en el siglo XVI». *Mesoamérica* (en prensa).

celebraba y hombres y mujeres de los pueblos comarcanos; los vendedores normalmente exponían productos de su propia cosecha que no necesitaban para su consumo o para pagar el tributo, y manufacturas que producían en su misma casa. A cambio de ellos esperaban obtener algún otro producto, almendras de cacao, o incluso monedas españolas de escaso valor.

El precio de los productos naturales seguía en general las leyes de la oferta y la demanda; las manufacturas partían de un precio base que se determinaba en función de la calidad de la mercancía, aunque lógicamente el precio podía aumentar cuando la situación del mercado así lo aconsejaba. Este último era el caso de las mantas de algodón, cuyo precio variaba con la calidad:

> "se ha de tener atención que las mantas que tributan los naturales son como la lencería, que hay delgadas y bastas, y unas chicas y otras grandes, porque hay mantas que valen a ocho tostones y otras de a cuatro y en otras partes de a cinco y ansí van de diferentes maneras y precios"(37).

El precio de los productos de la milpa dependía de la relativa abundancia o carestía en cada época y de la extensión de las tierras cultivables de cada pueblo; las aves de corral y otros animales domésticos también tenían precios variables:

> "Hay partes de la sierra donde las gallinas valen a real y partes que a medio real, y el maíz asimismo hay partes donde vale a dos reales la fanega y partes que a cuatro y otras a ocho..."(38).

Pero no sólo se vendían en estos mercados productos procedentes de las cosechas o las industrias locales. Allí se exponían también mercancías de gran importancia para la vida diaria de los indígenas, traídas de tierras lejanas. Estas mercancías las vendían hombres dedicados especialmente al comercio y eran el resultado de un tráfico constante entre las distintas regiones ecológicas del país(39).

---

37. Carta de Diego Garcés, alcalde mayor de Zapotitlán, a la Audiencia de Guatemala. 1568. AGI, Audiencia de Guatemala, leg. 968-B. Al hablar de cada pueblo y sus tributos especifica el precio de las mantas en cada uno de ellos.

38. Ibid.

39. La palabra *tráfico* se emplea aquí en el sentido que la usa Carrasco para traducir el concepto expresado por Polanyi con la palabra inglesa *trade* (Pedro Carrasco: «La economía del México prehispánico». *Economía política e ideología en el México prehispánico* (Carrasco y Broda, edits.), págs. 13-74. México, 1978).

En diversas ocasiones se ha visto cómo las diferencias ecológicas condicionaron la evolución política y económica de las poblaciones del Occidente de Guatemala. En cada época los pueblos de una y otra región habían procurado obtener aquellos productos que no conseguían en su hábitat de origen por los más diversos medios, dando así lugar a un constante trasiego de hombres y mercancías entre las tierras altas y las bajas. El comercio había sido antes de la conquista uno más de esos medios. Como consecuencia de la llegada de los españoles y la consiguiente destrucción de las estructuras políticas de los estados prehispánicos, el comercio se convirtió en el principal medio de tráfico de mercancías entre los Altos y la Bocacosta y descendió considerablemente el volumen de tráfico no comercial entre una y otra región.

Este comercio regional, se hacía en dos direcciones fundamentalmente. De las tierras bajas se llevaba a la Sierra cacao, algodón y sal; de la Sierra se bajaba principalmente maíz para suplir la carencia de los pueblos cacaoteros. Los testimonios que aparecen en las *Relaciones geográficas* de Atitlán y sus estancias cacaoteras son elocuentes:

> "en este pueblo ni su comarca no hay salinas ni myneros della. La sal que los naturales y otras gentes an menester la traen de acarreto los yndios que en ello tienen su contratación, que van a la costa por ello a los pueblos de la mar del sur que son e biben de hacer sal. Y la traen en cavallos y a cuestas para lo vender en los tiangues y mercados deste pueblo y en los comarcanos. Y ansi los deste pueblo no la alcançan si no es desta manera.
> El algodón de que hacen mantas de que hacen su vestido los yndios e yndias lo van a comprar a los pueblos de la costa en tierra caliente porque en este pueblo no se cría ni coge"(40).

Lo mismo decían los informantes de la *Relación* del pueblo de San Andrés:

> "En este pueblo ny en su tierra no hay salinas. La sal que han menester los naturales la traen los yndios que en ello tratan y tienen sus grangerías de los pueblos de la costa en caballos o a cuestas y la benden en los mercados

---

40. Relación Atitlán: *Op. cit.*, pág. 104.

y *tiangues* que se hacen en la comarca deste pueblo y en la cabecera del, que la traen de los pueblos questan cerca de la mar del sur. Y ansi estos no la alcanzan sy no es desta manera. Ny menos en este pueblo no se cría ni coge algodón; lo que los naturales an menester para facer de vestir para ellos y sus mujeres y hijos lo traen de los pueblos de la costa, donde se coge en gran cantidad"(41).

Pero la gente de San Andrés, situado en una zona eminentemente cacaotera, también necesitaban adquirir maíz en otras regiones para atender a sus necesidades alimenticias:

"Coxese poco mais en el aunque los yndios lo siembran tres vezes en el año y la cabsa es quel mayz que se coge no les dura mas de mes y medio que luego se les pudre y torna harina. Y ansi los yndios deste pueblo lo traen de acarreto en sus cavallos y a cuestas de los pueblos de la serranías questan a doze, quynze e veynte leguas deste pueblo"(42).

En un documento de 1587 se dice que los indios de Pazón y Tecpanatitlán, poblaciones de cakchiqueles, bajaban con frecuencia a Patulul, estancia dependiente. de Tecpanatitlán, para comprar en su mercado diversos productos como cacao, miel, chile, gallinas y maíz. En algún caso los indios de las tierras altas llevaban al mercado mantas de algodón para vender. Los hombres de los Altos que llegaban a Patulul sólo permanecían en el pueblo un día, el de mercado, y una noche, para volver a sus casas por la mañana(43).

Este tráfico constante de mercancías queda reflejado igualmente en la *Descripción* de Juan de Pineda. Respecto al pueblo de Atitlán dice que todos sus vecinos "tienen cavallos en que llevan a la costa de Zapotitlán, que es una jornada ladera abajo, todas estas cosas que tienen [maíz, chile, frijoles, mantas, huipiles...], y lo truecan a cacao y algodón"(44). Y lo mismo decía de los vecinos del pueblo de Tecpanatitlán:

---

41. Relación San Andrés y San Francisco: *Op. cit.,* pág. 60.
42. *Ibid.,* pág. 53.
43. Pleito seguido entre los pueblos de Atitlán y Patulul sobre la propiedad de ciertas tierras llamadas Tzacbalcac. 1597. AGC, A1 leg. 2811 exp. 24781.
44. *Op. cit.,* pág. 340.

"los vecinos desde [sic] pueblo cojen mucho mayz, axi, y frixoles; tienen mucha caza, ansy de venados como de conejos y codornizes; crian muchas aves, asy de la tierra como de Castylla; hazen mantas blancas, naguas, guypyles, y de la laguna toman muchos cangrejos y olomyna, y del monte que tienen sacan mucho ocote, ques de pinos, que se dize en España tea, para alumbrarse; y con todas estas cosas van a la costa de Zapotitlán, questá un dia de camyno una cuesta abaxo, y todas estas cosas llevan en sus cavallos, que todos tienen a dos y a tres que para ello tienen, y otros en que ellos van, y lo venden a trueco de cacao y algodón, y el cacao lo venden a los españoles a trueco de dinero, y del algodón tornan a hazer mas rropa de la manera questa dicho, y la buelven a llevar a vender y traen lo propio"(45).

Con las mismas palabras se refiere a la actividad comercial de Totonicapán, Patulul y Quezaltenango.

Fuentes y Guzmán también escribió sobre la actividad comercial de los indios de Atitlán en el siglo XVII:

"Los indios de este partido aplicados a el trabajo, y cultura de sus campos, son muy esmerados en sus beneficios. Pero mucho más propensos a el trato y comercio mercantil, conduciendo sus géneros de unas partes a otras, penetrando mucha distancia de leguas por todas las provincias hasta introducirse por las de San Salvador, San Antonio y Soconuzco, por conseguir el recambio de ellos; pero debe entenderse, que estos tratantes y mercaderes son los indios de la tierra fría: que los del país de la costa son naturalmente apagados, y holgazanes..."(46).

De igual forma se refiere al tema fray Francisco Vásquez:

"Dase el maíz [en las orillas del lago Atitlán] mejor que en otras partes de estas tierras, que permiten la laguna y riscos en algunas, que con no ser muchas, basta para el sustento de sus naturales, y sobra para socorrer a los

---

45. *Ibid.*, pág. 337.
46. Francisco A. de Fuentes y Guzmán: *Recordación florida*. Madrid, 1972, vol. 2 pág. 41.

de la costa, que como a granero seguro suben a buscarlo; los que más abundan son los pueblos de San Pedro, San Juan y San Pablo. Danse muchos frijoles, que llevan a vender a otras partes, en especial a la costa y provincia de Suchitepéquez, que para ellos es un día de camino" (47).

Si el tráfico regional puede considerarse como una continuación —aunque parece evidente que incrementada— del trasiego de mercaderías que se hacía antes de la conquista, ¿qué sucedió con el comercio a larga distancia? En páginas anteriores se ponía de manifiesto cómo hasta la llegada de los conquistadores españoles las regiones cacaoteras del Occidente de Guatemala mantenían un intenso comercio con el imperio azteca. El Soconusco era el puerto comercial en el que los mercaderes quichés y los *pochtecas* intercambiaban el preciado cacao de los primeros por tejidos y objetos suntuarios de los segundos. Las mercancías llegaban al Soconusco por vía terrestre y el intercambio parece que seguía unas normas muy estrictas determinadas por las relaciones entre estados.

¿Qué sucedió cuando las estructuras políticas de la Triple Alianza fueron destruidas, los *pochtecas* desaparecieron como grupo de mercaderes dedicados al comercio en otros países, y fue igualmente desarticulada la organización de los pequeños estados del Occidente de Guatemala? Para contestar a esta pregunta hay que hacer un poco de historia y volver a las motivaciones que impulsaron a los españoles a acometer la "empresa indiana".

La mayor parte de las huestes que llevaron a cabo la conquista tenían como principal objetivo la consecución de un rápido enriquecimiento. La Corona también pretendía obtener de la conquista importantes rentas que ayudaran a convertir España en un fuerte estado y a imponer sin dudas su predominio en Europa de la mano del Emperador. Por estas razones la actitud inicial de los conquistadores fue buscar por todos los rincones de las tierras conquistadas minas de metales preciosos, oro y plata, con que poder satisfacer sus aspiraciones personales y enviar remesas a la metrópoli. En Guatemala se comenzó inmediatamente después de la conquista la búsqueda de minas, pero pronto los españoles vieron que aquellas tierras no eran precisamente El Dorado; sólo algunos ríos llevaban pequeñas canti-

---

47. *Op. cit.*, vol. 1 págs. 171-172.

dades de oro y únicamente en Tegucigalpa podía explotarse una mina de plata con cierta rentabilidad(48).

La falta de metales preciosos se pretendió suplir convirtiendo América Central en el centro abastecedor de esclavos para las explotaciones mineras del resto de las colonias, fundamentalmente el Perú. Pero la promulgación de las Leyes Nuevas en 1542 —en cuya elaboración tuvo un importante papel el dominico fray Bartolomé de las Casas que conocía perfectamente los problemas de Guatemala— y su aplicación con celo desmedido por el presidente López de Cerrato, acabaron con las posibilidades de hacer de los hombres un rentable objeto de comercio(49).

Ante esta situación los españoles se vieron en la necesidad de buscar otras fuentes de ingresos que encontraron en dos productos naturales: el bálsamo y el cacao(50). De ellos, el bálsamo no afectó fundamentalmente al desarrollo de los acontecimientos en el Occidente de Guatemala; sin embargo la región de Zapotitlán y los Suchitepéquez era —junto al Soconusco y los Izalcos, en El Salvador— una de las que producía mayor cantidad de cacao, y de la mejor calidad, de toda Mesoamérica.

Los españoles de Guatemala vieron enseguida la posibilidad de sustituir el oro y los esclavos por el cacao que, ya en 1540, era solicitado y muy cotizado en los mercados coloniales de México donde los españoles se habían aficionado pronto a su consumo en forma de bebida. Como el Soconusco había dejado de ser poco después de la conquista un importante centro productor, quizá debido —entre otras causas— a la drástica reducción de su población, la posibilidad de convertir Zapotitlán y los Izalcos en los principales centros abastecedores de cacao para el mercado novohispano fue rápidamente advertida por las autoridades y encomenderos de Santiago de Guatemala quienes pusieron todo su empeño en la explotación de la nueva fuente de riqueza. Los españoles adquirían el cacao cultivado por los indígenas de dos formas distintas: exigiéndolo como parte del tributo

---

48. Una interpretación sobre el desarrollo de las actividades económicas de los conquistadores en Guatemala y América Central puede verse en Murdo J. MacLeod: *Spanish Central America. A socioeconomic history, 1520-1720.* Berkeley, 1973, capítulos 2 a 5.

49. Sobre la esclavitud de indios en América Central puede verse la obra de William L. Sherman: *Forced native labor in sixteenth-century Central America.* Lincoln, Nebraska, 1979; y el capítulo dedicado a la esclavitud en Guatemala en el libro de Salvador Rodríguez Becerra: *Encomienda y conquista. Los inicios de la colonización en Guatemala.* Sevilla, 1977.

50. Murdo J. MacLeod : *Op. cit.,* pág. 46 y ss.

que cada pueblo debía pagar a su encomendero y comprándolo a los mismos indios en sus pueblos, ya a cambio de dinero ya canjeándolo por bebidas alcohólicas o cualquier otro género deseado por los naturales.

Las consecuencias de esta situación en relación con el tema que en estas páginas se está tratando, fueron fundamentalmente dos. De un lado, la desaparición inmediata después de la conquista de los indígenas dedicados a las actividades comerciales de larga distancia al ser sustituidos por mercaderes españoles. De otro, la participación obligada de las comunidades indígenas de las tierras bajas del Occidente de Guatemala en un sistema comercial *cuasi* capitalista en el que tenían el papel de proveedores de unos intermediarios españoles que obtenían pingües ganancias extorsionando a los indígenas.

La ruta de tráfico comercial, dirigida fundamentalmente hacia territorio mexicano por la costa del Pacífico, se mantuvo prácticamente igual después de la conquista y fue denominada por los españoles "camino real". Pero además se comenzó a utilizar también una vía marítima que partía del puerto de Acaxutla, cercano a la villa de Sonsonate —en El Salvador—, y tenía como destino algunos puertos de la costa pacífica del virreinato de la Nueva España, desde donde las mercancías eran conducidas a la capital, México. El Soconusco fue poco a poco perdiendo su carácter de puerto comercial en beneficio de la capital del virreinato que se había convertido en el centro político, religioso y económico de la Nueva España.

Desde antes de 1550 los mercaderes españoles venían realizando un intenso comercio con el cacao. En la ciudad de México el precio de este producto había ido subiendo incesantemente a lo largo del siglo: la demanda era cada vez mayor mientras que la producción cacaotera de Zapotitlán y los Suchitepéquez y de los Izalcos descendía como consecuencia de la despoblación y la sobreexplotación de los cacaotales. En poco tiempo el precio del cacao alcanzó cifras alarmantes y el virrey de México se vio forzado a poner una tasa en el precio de venta. Esta medida dio lugar a la lógica protesta de los vecinos de Guatemala que veían peligrar la rentabilidad de sus minas(51).

La protesta fue realizada directamente por el cabildo de la ciudad de Santiago constituido por hombres que pertenecían a la élite dominante del país; miembros de las familias que de la mano de los conquistadores habían conseguido para sí las mejores encomiendas

---

51. Sobre la orden que se ha de tener en la venta del cacao en la Nueva España. 1555. AGC, A1.38 leg. 2336 exp. 17518.

que eran, precisamente, aquéllas que tributaban mayor cantidad de cacao (52). Para llevar a cabo su protesta ante el virrey Velasco fue designado como procurador un mercader tratante en cacao. Efectivamente, ambos grupos se sentían seriamente lesionados con la medida tomada por el virrey. Los primeros porque de la venta de su cacao a los mercaderes que lo llevaban a Nueva España dependía su nivel de vida; los segundos, los mercaderes, porque del precio al que pudieran colocar su mercancía en el mercado mexicano dependía el margen de sus ganancias.

La inoportunidad de la medida era protestada por el mercader procurador en los siguientes términos:

"como es notorio y la experiencia lo ha mostrado, las posturas y cotos de las cosas, y las penas y premias, causan falta de las cosas y de la falta sucede la carestía y la necesidad, y de venderse las cosas libremente procede la abundancia y de la abundancia la baja de los precios y así en la corte de Su Majestad todo se vende libremente; y de la libertad hay muy gran abundancia y de la abundancia baja de los precios y no hay causa para que no deba haber la misma libertad en esta corte y mayormente en las cosas que vienen de acarreto y por mar que vienen con muy gran riesgo y ventura..."(53).

Toda una defensa de la libertad de los precios en la que con pocas y sencillas palabras se trataba de hacer ver al virrey Velasco los graves inconvenientes que la aplicación de su medida tendría para los hombres de Guatemala y para las reales rentas de la provincia.

La acción emprendida por los encomenderos y mercaderes de Gutemala debió lograr los efectos deseados, ya que el comercio entre México y Guatemala no desapareció y el precio del cacao siguió subiendo paulatinamente en los mercados mexicanos hasta alcanzar el valor de más de 300 reales por carga, precio alto si se considera que en 1525 no alcanzaba los 100 reales(54). En 1579 el alcalde mayor de Zapotitlán, en el primer punto de su información sobre la provin-

---

52. Una relación de las personas que ocuparon los principales cargos del cabildo y su conexión con las encomiendas más importantes se puede ver en la obra de Beatriz Suñe: *La documentación del cabildo de Guatemala (siglo XVI) y su valor etnográfico*. Tesis doctoral, Sevilla, 1981.

53. Sobre el orden que se ha de tener en la venta del cacao en la Nueva España. 1555. AGC, A1.38 leg. 2336 exp. 17518.

54. Murdo J. MacLeod: *Op. cit.*, pág. 250.

cia, decía que los españoles que andaban por los pueblos de cacao eran únicamente "mercaderes tratantes que andan de esta provincia a la de Nueva España en el trato del cacao y trayendo de allá ropas hechas para los indios y lienzos, y otras mercadurías y cosas de comer"; y posteriormente insistía:

> "De los tratos y contratación que en esta provincia hay es el que los españoles tienen del cacao, que lo llevan a México y Nueva España, y allí lo venden y traen de retorno otras cosas, como lienzos, ruanes y nauales y paños y tafetanes labrados en México y vestidos de la tierra para los indios y mantas de algodón, y como vuelven a esta costa, lo venden, algunas veces, por junto y las más por menudo y lo truecan a cacao y vuelven otra vez con ello, y algunos, mientras están en esta costa, se aprovechan también de traer cosas de Goatemala, como es cera y velas, pan cocido, bizcocho, ajos, cebollas y otras cosas"(55).

Antonio de Ciudad Real, el fraile que relató el viaje de fray Alonso Ponce por México y América Central, insiste en el tema al describir su paso por las tierras de Zapotitlán: observa la existencia de numerosos mercaderes españoles que obtienen grandes ganancias con el comercio del cacao que llevan

> "a la Nueva España, a lo de México, en harrias por tierra y en navíos por la mar del Sur, y en esta grangería hallan grandes intereses y ganancias, y a trueque de este cacao les llevan a los indios a sus pueblos y casas, la ropa y las demás cosas que han menester"(56).

El centro de contratación de cacao más importante del Occidente de Guatemala era el pueblo de San Antonio Suchitepéquez, sede de la alcaldía mayor de Zapotitlán, y "donde es la congregación y contratación de todos los españoles de toda esta costa"(57). También aparecen como importantes centros de mercado otros pueblos de la zona como San Martín y San Francisco Zapotitlán, Zambo, Samayac, y San Juan Nahualapa, pero era en San Antonio donde residían nor-

---

55. Relación Zapotitlán: *Op. cit.*, pág. 70 y 79.
56. Antonio de Ciudad Real: *Op. cit.*, vol. 1 pág. 182.
57. Residencia tomada al capitán Juan de Estrada, alcalde mayor de Zapotitlán. 1583. AGI, Escribanía de Cámara, leg. 344-A.

malmente la mayor parte de los mercaderes españoles que llevaban a cabo el comercio con México(58).

La presencia de un elevado número de mercaderes en los pueblos de indios —contraviniendo claramente las normas dictadas en este sentido por la Corona— no fue en ningún modo beneficiosa para los naturales. Además de hacer desaparecer al grupo de comerciantes indígenas que antes llevaban a cabo dicha actividad, los españoles extorsionaban continuamente a los indios para obtener cacao a bajos precios. Esta situación fue denunciada en diversas ocasiones por algunas autoridades en términos tan duros como lo hacía en 1582 fray Gómez, obispo de Guatemala:

"También es causa de muchos pecados, daños, vejaciones, andar tanto número de tratantes por las casas de los indios dándole gravísimas pesadumbres y dejándoles las cosas que traen, quieran o no fiadas, y aun a veces a los precios que quieren, para a su tiempo tomarles el cacao y maíz o lo que tienen. Convenía mucho mandase V. M. que en cada provincia se señalasen uno o dos lugares do hubiese mercado un día señalado en cada semana en la plaza o tianguez público, y que, so rigurosas penas, allí y no en otra parte se pudiese vender y comprar asistiendo la justicia... Es también ocasión de gravísimos pecados el vino que les llevan, porque sólo uno he yo conocido que nunca le han visto tomado de vino, que todos beben para emborracharse, y estándolo, ni queda prima ni hermana ni madre"(59).

Y esta denuncia no era el resultado de la estrecha moral o el excesivo celo de un religioso que pudiera simpatizar con las ideas de un fray Bartolomé de las Casas. Tanto sobre la necesidad de controlar por medio de justicias españolas las contrataciones entre indios y mercaderes, como sobre la inconveniencia de que los españoles facilitaran bebidas alcohólicas a los indígenas ya había avisado en 1576 el oidor García de Palacios en sus ordenanzas para el buen gobierno de

58. Varios mercaderes españoles que vivían normalmente en San Antonio Suchitepéquez decían que era «pueblo de mucha vecindad y contratación donde están y residen siempre muchos mercaderes españoles», y «pueblo grande donde hay mucha contratación de indios y españoles de muchas partes y provincias» (AGC, A1.15 leg. 4078 exp. 32366).

59. Carta del obispo de Guatemala al rey. 12 noviembre 1582. AGI, Audiencia de Guatemala, leg. 156.

los pueblos de indios(60). Sin embargo, y buena muestra de ello es la carta del obispo seis años después, ni los desvelos del oidor ni sus ordenanzas dieron el resultado apetecido.

Lo que parece cierto es que en la alcaldía mayor de Zapotitlán existía un acuerdo entre autoridades, encomenderos y mercaderes para no interferir en el beneficioso negocio del cacao del que todos obtenían ganancias. Incluidos los alcaldes mayores y sus oficiales a los que en diversas ocasiones se acusa de dedicarse al comercio, contraviniendo las órdenes que prohibían expresamente a los ministros de Su Majestad dedicarse a comerciar con los indígenas. Ya que aparecer abiertamente como tratantes podría reportarles algunos perjuicios, los oficiales reales que se dedicaban a estas actividades lo hacían por medio de mercaderes que vendían su cacao en México, lo que proporcionaba a estos últimos cierta inmunidad para sus tratos con los indígenas(61).

Un buen ejemplo de la actuación de estos tratantes de cacao puede ser el caso de Bartolomé Calvo que comerciaba en los pueblos de Zapotitlán. Calvo había sido desterrado de la provincia por haber cometido el delito de vender vino a los indios, pero en 1588 quebrantó el destierro y apareció en el pueblo de San Bartolomé, estancia de Atitlán, ejerciendo funciones de teniente del corregidor de aquel distrito y dedicándose nuevamenta al comercio por lo que se le abrió proceso(62). Bartolomé Calvo vendía diversas mercancías a los indios de los pueblos cacaoteros y les obligaba a pagar su valor en cacao en las fechas de la recolección. Un indio de San Bartolomé declaró en el proceso que "debía a Bartolomé Calvo media carga de cacao por dos machetes, cada machete por 15 zontles"(63). Aprovechándose de su posición y de su autoridad fue al pueblo para obligar a los indios a que saldaran sus deudas. El indio antes citado declaró que Calvo mandó a un alguacil del pueblo para que le prendiera y exigirle así el pago de la cantidad que le debía:

"le fue forzoso para salir de la dicha prisión vender una camisa suya y un güipil de su mujer para pagarle al dicho

---

60. AGI, Audiencia de Guatemala, leg. 128.

61. De mantener una situación de este tipo se acusó a Juan de Estrada, alcalde mayor de Zapotitlán, en su proceso de residencia (Residencia tomada al capitán Juan de Estrada, alcalde mayor de Zapotitlán. 1583. AGI, Escribanía de Cámara, leg. 344-A).

62. Autos seguidos contra Bartolomé Calvo por haber violado el destierro que se le impuso. 1588. AGC, A1.15 leg. 4081 exp. 32388.

63. El cacao se medía en *zontles* (400 almendras); *xiquipiles* (20 zontles u 8.000 almendras); *cargas* (3 xiquipiles ó 24.000 almendras); y *tercios* (3 cargas ó 72.000 almendras). M. J. MacLeod: *Op. cit.*, pág. 70.

Calvo, y el dicho güipil lo había comprado en media carga de cacao y lo vendió en diez zontles y la dicha camisa le había costado quince zontles y la vendió en cinco lo cual estaba algo raído, y los otros quince zontles en cumplimiento de la dicha media carga lo tenía de su cacaotal y lo pagó y fue suelto".

Otro medio para obtener cacao consistía en entregar a alguna autoridad indígena de un pueblo una cantidad de dinero y obligarle a que por dicha cantidad le consiguiera cacao. La autoridad indígena hacía un reparto del dinero entre los vecinos del pueblo y obligaba a cada uno a entregar la correspondiente cantidad en cacao. Juan de Aguilar, alcalde indígena de San Francisco de Atitlán declaraba en el mismo proceso que "el dicho Calvo le dio a este testigo sesenta tostones para tres cargas de cacao, a razón de veinte tostones carga, y este testigo, como alcalde, repartió el dinero entre indios y le dio tres cargas de cacao por el dicho dinero". Resulta esclarecedor que, para defenderse de ésta y otras acusaciones, Calvo presentó un pliego de descargo en el que aparecen como testigos una larga lista de españoles, vecinos de Santiago, la mayoría de los cuales tenían intereses en los pueblos cacaoteros —Sancho de Barahona, encomendero de la mitad de Atitlán y sus estancias, es el primero y uno de los más importantes— o pertenecían a las más influyentes familias de la ciudad (64).

Otro caso semejante al de Bartolomé Calvo es denunciado en 1603. En esta ocasión se acusa a Diego Hordóñez, encomendero del pueblo de Samayac, de valerse de diversas mañas para obtener de los indios de su encomienda cacao a bajos precios(65). Un español residente en los pueblos de Zapotitlán acusa al encomendero en los siguientes términos:

"denuncio y delato que Diego Hordóñez de Vayçant, encomendero de parte de este dicho pueblo, sobre y en razón que contra lo procedido en ordenanzas, de un año a esta parte ha vendido vino de Castilla a Diego Ramírez, gobernador de este dicho pueblo, el cual se ha emborrachado muchas veces, y el susodicho de dos [años] a esta parte

---

64. Algunos de ellos, como Francisco Díaz del Castillo, son citados por Pilar Sanchiz como miembros de las más importantes familias de hidalgos de Guatemala (*Los hidalgos de Guatemala*. Sevilla, 1976).

65. Autos para averiguar si los españoles residentes en la alcaldía mayor de Suchitepéquez venden licor a los indígenas. 1603. AGC, A1.21 leg. 5532 exp. 47817.

repartió gran cantidad de dinero para treinta cargas de cacao que le rescatasen, lo cual dio a Diego Ramírez, gobernador, el cual repartió el dinero entre los naturales, tomándolo a doscientos cacaos al real, valiendo a ciento y cuarenta y a ciento y sesenta cacaos al real; y el dicho gobernador recogió el dicho cacao y lo entregó al dicho encomendero, de que resultó a los macehuales gran daño y perjuicio por poner de su casa en cada real a sesenta cacaos y otros a cuarenta, lo cual se hizo forsiblemente, y así mismo perdieron su trabajo, y el tiempo que se ocupaban en comprar el dicho cacao dejaban de acudir al beneficio de sus milpas y haciendas, para lo cual y que el dicho gobernador acudiese a lo hacer le dio vino de Castilla a él y a otros principales, todo lo cual resultó del dicho vino en que fue dañificado el pueblo en más cantidad de quinientos tostones...".

Uno de los aspectos más interesantes de la declaración es la denuncia del papel mediador ejercido por el gobernador indígena quien, a cambio de unas botijas de vino, colabora con el español en la explotación de su propio pueblo. Es la misma actitud de la que se acusa en 1583 a un principal de San Antonio Suchitepéquez al que un español vendió una botija de vino a cambio de que los hombres de su parcialidad fueran a trabajar en la construcción de una casa que aquél estaba levantando en el pueblo(66).

Los mercaderes españoles no sólo obligaban a los indios a proporcionarles cacao sino que les pagaban precios bastantes más bajos de los corrientes en el mercado guatemalteco y lógicamente en el mexicano. Cuando subía el precio en el mercado de México y Guatemala también se pagaba a los indios más dinero por cada carga de cacao, pero el valor en origen era casi siempre la mitad o menos que el precio pedido por el mercader español. Además éste, valiéndose de los métodos antes descritos, podía obtener aún mayores beneficios. Así es posible ver cómo en las denuncias contra Bartolomé Calvo se decía que obligó a los indios de San Francisco a venderle tres cargas de cacao por 60 tostones, a 20 tostones la carga, cuando en ese mismo año se cotizaba en México a más de 50 y en el mercado de Guatemala

---

66. Residencia tomada al capitán Juan de Estrada del tiempo que fue alacalde mayor de Zapotitlán. 1583. AGI, Escribanía de Cámara. leg. 344-A. También en este negocio obtenían ganancias los españoles, ya que en el caso aquí denunciado se vendió a los indios el «cubilete» de vino por un tostón (4 reales), mientras que en Santiago se vendía por un real.

solía costar como mínimo 30(67). De la misma forma, el encomendero de Samayac obligó a los indios de su pueblo, a principios del XVII, a venderle cacao a razón de 30 tostones la carga (200 cacaos por un real) cuando el precio normal de venta en los pueblos de indios estaba entre los 37 y 43 tostones (140-160 cacaos por un real), y el precio en el mercado de Guatemala rondaba los 70 tostones la carga (68).

Pero además de esto y de los efectos que sobre las estructuras sociales y económicas de los indígenas tuvo la demanda de cacao por parte de los españoles, la presencia de los mercaderes en el Occidente de Guatemala y el continuo trasiego de hombres y mercancías en los pueblos por los que pasaba el camino real entre Guatemala y México, supusieron otra fuente de presiones para los indios. Los indígenas tenían obligación de alimentar a los viajeros españoles que pasaban por sus pueblos así como a sus cabalgaduras y animales de carga; la legislación obligaba a que estos servicios fueran debidamente renumerados y que los alimentos proporcionados por los indios a los españoles fueran pagados a los precios normales del mercado. Sin embargo, son demasiado frecuentes las protestas de los vecinos de los pueblos situados en el camino real quejándose de no haber cobrado sus servicios a los españoles o de haber sido obligados a entregar alimentos —maíz, gallinas, huevos, pescados de río, etc.— a bajos precios o a cambio de nada. Igualmente tenían la obligación de mantener en estos pueblos mesones para el resguardo de los viajeros y comerciantes, y edificios que sirvieran de establo para las cabalgaduras. Esto añadía un servicio extraordinario para las poblaciones cacaoteras que se vieron obligadas a soportar continuamente la presencia de todo español, comerciante o no, que se trasladara por tierra entre México y Guatemala.

67. Carta de Audiencia de Guatemala al rey. 8 abril 1589. AGI, Audiencia de Guatemala, leg. 10. También Antonio de Ciudad Real (*Op. cit.*) cita el precio de 30 tostones (reales de a 4) como el corriente en Guatemala en 1586.
68. Informe del fiscal de Guatemala sobre la decadencia de Zapotitlán. 1601. AGI, Audiencia de Guatemala, leg. 14.

CAPITULO VI

LA ECONOMIA COLONIAL:
TRABAJO Y TRIBUTOS

La mayoría de los españoles que llegaron a Guatemala en los primeros años no pretendían enriquecerse comerciando. Entre otras razones, y fundamentalmente, porque comerciar era —igual que los trabajos manuales— un "oficio vil", impropio de un hidalgo, estatus que proclamaban o pretendían poseer todos los conquistadores y sus descendientes; además, no habían conquistado aquellas tierras para tener que trabajar tanto como en la lejana metrópoli(1).

Como consecuencia los españoles, desde los primeros momentos de la conquista del Nuevo Mundo, articularon diversas formas de obtención de riquezas basadas fundamentalmente en la extorsión y explotación de las poblaciones indígenas de cada una de las tierras conquistadas. La historia de esta explotación y las diversas formas que adoptó, así como sus casi siempre funestas consecuencias para los indígenas, ha sido uno de los capítulos más estudiados y polémicos de la Historia de colonización de las tierras americanas y no es necesario aquí volver sobre ella. Cuando se produjo la conquista de Guatemala las instituciones que debían propiciar el aprovechamiento de las riquezas de las colonias estaban casi definitivamente configuradas y, en general, no sufrieron los vaivenes a que se vieron sometidas durante los casi cuarenta años que mediaron entre la colonización de las Antillas y el establecimiento definitivo de Pedro de Alvarado y sus hombres en los Altos de Guatemala. Hay que exceptuar, desde luego, las alteraciones que se produjeron tras la promulgación

---

1. Una excelente descripción del comportamiento, actitudes y valores de los españoles en Guatemala puede verse en la obra de Pilar Sanchiz: *Los hidalgos de Guatemala. Realidad y apariencia en un sistema de valores*, Sevilla, 1976.

de las Leyes Nuevas cuya aplicación en la Audiencia de Guatemala por el licenciado Cerrato, a mediados de la centuria, marcó un hito definitivo en las formas de explotación de las riquezas y el trabajo de los indígenas(2).

En Guatemala, después de los primeros años de incertidumbres, y cuando se observó la absoluta ausencia de metales preciosos, se abolió la esclavitud y se suprimió definitivamente el comercio legal de esclavos, la explotación de las riquezas del país se hizo fundamentalmente imponiendo a los indios la obligación de pagar determinadas cantidades de tributos y de prestar servicios a los nuevos señores. En líneas generales fue la encomienda la institución empleada por los españoles para canalizar la tributación de los naturales y por medio de ella los conquistadores se apropiaron de la mayor parte de los excedentes producidos por los indígenas, excedentes que les debían servir para garantizar su subsistencia, sacar rendimiento económico a sus aventuras y —al menos teóricamente— engrosar las arcas de la Corona.

Sin embrago, ni fue esta la única forma de obtener beneficios empleada por los españoles, ni los indios tenían sólo que pagar el tributo que les correspondía como miembros de una encomienda. Los indios tenían que tributar por diversos conceptos que en ocasiones variaban en función de la situación de sus pueblos; tenían que prestar una serie de servicios a los españoles; debían mantener al cura o fraile doctrinero que les evangelizaba; tenían que aportar fondos para los bienes de su comunidad; tenían que trabajar en las obras públicas de sus mismos pueblos y en la ciudad de Santiago, etc. Pero las presiones no venían sólo del lado de los españoles, fueran autoridades provinciales o locales, encomenderos, comerciantes o eclesiásticos. También tenían que soportar los desmanes de sus propios señores naturales que mantuvieron su autoridad y que en muchas ocasiones tomaron partido por el lado de los conquistadores; estos caciques obligaron por diversos métodos a los indios de sus comunidades a pagar más tributo o a trabajar más de lo que los españoles habían estipulado en su propio beneficio.

---

2. Sobre el tema de las formas de explotación de los indígenas por los españoles puede el lector encontrar abundantes referencias bibliográficas tanto al final de este trabajo como en cualquier obra especializada. Para el caso específico de Guatemala se pueden consultar los siguientes trabajos: Murdo J. MacLeod: *Spanish Central America. A socioeconomic history, 1520-1720*. Berkeley, 1973; Salvador Rodríguez Becerra: *Encomienda y conquista. Los inicios de la colonización en Guatemala*. Sevilla, 1977; William L. Sherman: *Forced native labor in sixteenth-century Central America*. Lincoln, Nebraska, 1979.

Sobre las formas de explotación, las encomiendas, los tributos, el trabajo obligatorio y todas las formas de prestaciones impuestas a los indios en Guatemala se ha escrito mucho y bien. En conjunto, todos estos estudios permiten conocer la evolución del sistema de encomiendas en Guatemala: las circunstancias que rodearon los repartos de encomiendas entre los primeros conquistadores y los parientes y paniaguados de los presidentes-gobernadores; la formación de una poderosa camarilla de encomenderos que dominó casi todos los resortes del poder en Guatemala; las consecuencias de las reformas llevadas a cabo por Cerrato, etc. También ofrecen un panorama de las vicisitudes por las que pasó la población indígena, y de los usos y abusos que los españoles de cualquier rango cometieron con los indios. Pero en casi todas las ocasiones se ha tratado el tema de forma general y, en algunas, teniendo en cuenta más los aspectos puramente formales o episódicos que los que definen de modo sistemático la nueva situación creada después de la conquista.

De entre todos estos estudios destacan en los últimos tiempos los realizados desde un punto de vista indigenista a ultranza. En ellos se dibujan los perfiles de un cuadro casi dantesco en el que los españoles representan el papel de satánicos tiranos y los naturales el de víctimas indefensas. Según esta interpretación, los indígenas vivían en un estado de perfección natural casi *rousoniano* y se vieron inmersos en una situación apocalíptica que dio al traste con todas sus formas de organización y rompió todas las estructuras que armonizaban su modo de vida. En estricto lenguaje sociológico, se produjo el paso repentino de una situación de *eunomia* a otra de *anomia* total.

Es indudable, desde luego, que la conquista y la imposición de obligaciones tributarias a los indígenas produjo una ruptura importante en las estructuras de las culturas prehispánicas. Pero en muy pocas ocasiones se ha determinado cuál fue en términos reales el peso que tuvo ques oportar la población indígena en cada uno de los casos. Sólo conociendo estos términos podremos evaluar con cierta exactitud cuáles fueron las consecuencias de la presencia española sobre culturas indígenas concretas.

Para conocer esta cuestión en el caso que aquí se analiza es preciso responder, entre otras, las preguntas siguientes: ¿qué tenían que tributar los indios del Occidente de Guatemala? ¿quiénes eran los destinatarios de los tributos? ¿cuál era el destino que se daba a los excedentes entregados por los indígenas? Es claro que los tipos, cantidades y destinatarios de los tributos variaron a lo largo del período que va de 1524 a 1600; pero con la información que actualmente poseemos es posible hacer una clasificación tipológica de las clases de tributos, y señalar las características más importantes de cada uno de ellos. Los tipos de tributos que aparecen en esta clasificación se pueden considerar estables —aunque con ligeras variaciones— a lo largo de todo el período.

La clasificación de los tributos pagados por los indígenas viene dada fundamentalmente por la normativa que los conquistadores dictaron. Sin embargo, los beneficiarios de los tributos no siempre se atuvieron estrictamente a las normas dadas por las autoridades coloniales; en consecuencia, es necesario saber cuál fue la práctica cotidiana para conocer en términos reales el sistema tributario. Cuando determinadas desviaciones de la norma legal fueran habituales, estas serán consideradas como elementos estables y permanentes del sistema, aunque en sentido estricto pudieran ser tenidas como "ilegales". Aquellas otras desviaciones que tengan un carácter esporádico o accidental —o cuando menos escasamente citadas en la documentación— deben servir, por su carácter anecdótico, solamente para ejemplificar casos concretos de abusos de los españoles, pero no como formas permanentes de apropiación de excedentes. Establecer dicha tipología y describir los rasgos característicos de cada una de los tributos así como su importancia es el objetivo de las páginas siguientes.

TRIBUTOS PAGADOS A LOS ESPAÑOLES

En el Occidente de Guatemala —como en la mayoría de los territorios americanos— el indígena tenía que dedicar su trabajo a tres grandes capítulos: el destinado a conseguir su propio sustento y el de su familia; el dedicado a satisfacer el tributo impuesto por los españoles, cualquiera que fuese el tipo de tributo y su receptor; y el trabajo destinado a cubrir las necesidades de su propia comunidad.

Los indígenas tenían que tributar a los españoles por diversos conceptos y ese tributo tenía beneficiarios distintos en cada caso. El más importante de todos los tributos era, sin lugar a dudas, el que cada indio tenía que pagar a su encomendero; pero también tenía que tributar por diversos conceptos a la Corona, a la Iglesia y a los eclesiásticos, y tenía que prestar una serie de servicios a los españoles de carácter extraordinario pero que eran permanentes a lo largo del año, por lo menos para un buen número de comunidades.

a) *La encomienda.*

La parte más sustanciosa de los tributos que un indígena tenía que pagar a los españoles se canalizaba por medio de la encomienda.

Esta institución había sido introducida por los conquistadores en el Nuevo Mundo con dos fines: por un lado, y fundamentalmente, debía servir para la sistemática explotación de los pueblos conquistados; por otro debía funcionar como célula elemental para la aculturación de los indígenas, especialmente en su aspecto religioso.

Por medio de la encomienda cada comunidad indígena, o parte de ella, tenía que entregar cierta cantidad de tributo estipulada en una tasación a una persona o institución, el encomendero. Los encomenderos podían ser personas particulares que habían recibido, como merced o pago de sus servicios, el derecho a recibir los tributos de un grupo de indígenas, tributo que en principio sólo pertenecía a la Corona. También gozaban del usufructo de encomiendas algunas instituciones civiles o eclesiásticas, tales como el cabildo de la ciudad de Santiago, conventos, hospitales, etc.; en este caso las encomiendas eran concedidas a esas instituciones para que dispusieran de fondos con los que sufragar sus gastos. Finalmente, la Corona también era depositaria de indios en encomienda, especialmente desde mediado el siglo XVI(3).

En las tasaciones que periódicamente se debían hacer de las encomiendas, se establecía la cantidad y clase de tributo que regularmente cada comunidad debía pagar a su encomendero. La primera tasación formal que con carácter general se hizo en Guatemala fue la que llevó a cabo el presidente López de Cerrato en 1549(4). Desde esta tasación los indígenas tenían que pagar a su encomendero una cierta cantidad de productos agrícolas —maíz, frijoles, cacao, algodón...—, gallinas y pavos, mantas de algodón y otras manufacturas, o monedas españolas cuando éstas circularon en suficiente cantidad como para ser manejadas por los indios. Hasta las reformas de Cerrato los indios tuvieron que prestar algunos servicios personales a sus encomenderos: cuidar ganados, cultivar parcelas de tierra, trabajos domésticos, etc. Cerrato ordenó que estos servicios se sustituyeran por el pago de una cantidad compensatoria en especies o en dinero, medida que produjo grandes descontentos entre los encomenderos.

La adjudicación de encomiendas pasó por muchas vicisitudes durante los primeros quince años de colonia. En este período tuvo lugar en Guatemala una feroz lucha entre los principales conquista-

---

3. Una tipología de las encomiendas y un análisis de sus características, referido precisamente al caso de Guatemala durante el siglo XVI, se puede ver en el trabajo antes citado de Salvador Rodríguez, *Encomienda y conquista*.
4. AGI, Audiencia de Guatemala, leg. 128.

dores por poseer las encomiendas más numerosas y rentables; en la lucha tuvieron mucho que ver las veleidades de Alvarado y su familia y las ansias de poder y riquezas de los más importantes hombres de su hueste. Fueron años de particiones y reparticiones continuas y de abusos descontrolados de los conquistadores que, sin tasa, expoliaban los bienes de los indios que en cada ocasión les correspondían. La muerte de Alvarado y, poco después, la de su esposa Beatriz de la Cueva en la catástrofe de 1541, marcó el comienzo de una fase de estabilización en la distribución de las encomiendas que sería reforzada diez años después con las reformas de Cerrato.

Alvarado se había reservado la encomienda de algunos de los principales pueblos del Occidente de Guatemala, región que junto con los Izalcos, ofrecía las mejores perspectivas económicas. Tras la muerte de Beatriz de la Cueva, la Corona decidió que todas las encomiendas que estaban en sus manos pasaran a la Real Corona y que sus réditos se dedicaran, durante los primeros años, a sufragar los gastos que se siguieran de la construcción de la nueva capital de la gobernación en el valle de Panchoy(5). De esta forma quedaron incorporadas a la Corona las encomiendas de los pueblos de Totonicapán, Tecpanatitlán, la mayor parte de Quezaltenango y la mitad de Atitlán, todos pueblos grandes y que tenían estancias en las tierras de la Bocacosta, cuestión importante desde el momento que el cacao era el tributo más valioso que podía conseguirse en Guatemala.

Además de éstos, la Corona percibía tributos de encomiendas de otros pueblos cacaoteros como Ayutla, parte de San Gregorio y Santo Tomás y Patulul que en 1581 pasó a manos de un encomendero particular, Francisco Marroquín. En las tierras altas poseía también la encomienda de los pueblos de Huistla, Nahuatán —cuyos beneficios fueron asignados temporalmente al hospital de San Alejo— y la mayor parte del pueblo de Santa Cruz Utatlán, la antigua K'umarcaaj, capital de los quichés. La apropiación por la Corona de estas encomiendas respondía al deseo de ir restando poder a los conquistadores y a los más poderosos vecinos de las colonias; para conseguirlo se promulgó una Real Cédula disponiendo que toda encomienda que quedara vacante por muerte de su encomendero fuera incorporada a la Real Corona, disposición que quedó derogada en 1546 por otro documento semejante(6).

El resto de los pueblos de la alcaldía mayor de Zapotitlán se los repartían encomenderos particulares en una proporción desigual

---

5. AGC, A1.24 leg. 2367 exp. 17896.
6. Real Cédula de 26 de marzo de 1546. AGC. A1.24 leg. 1511 folio 101.

ya que las más importantes familias lograron apoderarse de las encomiendas más rentables, dejando para los más débiles aquellas que daban beneficios menos sustanciosos. Todos los pueblos del área quedaron en manos de algo más de treinta vecinos de la ciudad de Santiago, de los que muy pocos eran grandes encomenderos, y de los últimos muchos estaban unidos por lazos de parentesco.

Esta peculiar distribución es aún más patente en lo que se refiere a las encomiendas de los pueblos cacaoteros. Así el pueblo de San Antonio Suchitepéquez, uno de los centros cacaoteros más importantes de la Bocacosta, estaba desde 1550 casi totalmente en poder de dos grandes encomenderos: Pedro Hernández Montesdoca —quien heredó la encomienda de su padre, Hernán Gutiérrez de Gibaja— y Hernán Méndez de Sotomayor, casado con una hija de Juan López, rico encomendero y uno de los hombres más influyentes de la ciudad de Santiago(7).

Hernán Méndez de Sotomayor y sus descendientes disfrutaron también de parte de los tributos de Nahualapa, otro centro cacaotero, y de la mitad de Amatenango, Cuilco y Motocintla, pueblos mames del altiplano. Hernández Montesdoca y sus descendientes recibían asimismo los tributos de importantes centros mames de los Altos: Amatenango, Cuilco, Huistla, Motocintla, Nahuatán y Tenango.

Otro caso semejante es el de Bartolomé Becerra y sus herederos directos, que recibieron los tributos de Cuyotenango y la mitad de los de Zapotitlán, ambos en la Bocacosta. En Bartolomé Becerra se reunían las mismas preeminencias que en los anteriores y estaba también emparentado con las principales familias de Guatemala. Baste decir que su hija estaba casada con el célebre cronista y hombre principal de Santiago Bernal Díaz del Castillo, poseedor asimismo de rentables encomiendas y miembro perpetuo del cabildo de la ciudad.

Del mismo modo se puede ir comprobando el resto de los casos de importantes familias que controlaban las mejores encomiendas: Francisco de la Cueva, el yerno de Alvarado, poseía los grandes centros mames de Ostuncalco y Sacatepéquez y sus estancias; Sancho de Barahona disfrutaba de la mitad de los tributos del antiguo seño-

---

7. Las relaciones de parentesco entre los principales hombres de Guatemala en el siglo XVI se estudian en un capítulo dedicado al análisis de las familias de los conquistadores en la obra de Pilar Sanchiz: *Los hidalgos de Guatemala...*, pág. 67 y ss. Su situación preeminente en el gobierno de la ciudad se estudia en la obra de Beatriz Suñe: *La documentación del cabildo de Guatemala (siglo XVI) y su valor etnográfico*. Tesis doctoral, Sevilla, 1981.

río tzutujil; Gaspar Arias Dávila y sus herederos recibían tributos de Chichicastenango y parte de Momostenango —en el altiplano—, y de partes de Nahualapa, Suchitepéquez, Zambo, San Gregorio y Santo Tomás, en las tierras cacaoteras; Alonso Gutiérrez de Monzón, regidor perpetuo de Santiago, casado con otra hija de Juan López, poseía encomiendas en los pueblos de Santa Catalina Totonicapán, Santa Lucía Tecpanatitlán, Santo Tomás, y Samayac y su estancia San Gregorio —estos últimos adquiridos por medio de su matrimonio—, todos en la Bocacosta.

Lo mismo se puede decir de hombres como Martín de Guzmán, pariente del presidente Maldonado y encomendero de parte de Zapotitlán; Gonzalo Ortiz, Juan Pérez Dardón —suegro de Lorenzo de Godoy—, Gregorio de Polanco —yerno de Juan de Chaves—, Diego de Robledo —secretario de la Real Audiencia—, Juan Rodríguez Cabrillo de Medrano —dueño de una importante estancia ganadera en Xicalapa—, y otros. La importancia de estos individuos era tal que cinco de ellos —Martín de Guzmán, Juan López, Becerra, Sancho de Barahona y Gaspar Arias— aparecen citados por MacLeod entre los diez encomenderos más importantes de América Central a mediados del siglo(8).

La cantidad de tributo que debía pagar cada pueblo dependía del número de tributarios que tuviera. Estos se determinaban en las tasaciones siguiendo las directrices que se expusieron en el segundo capítulo de este libro. En los primeros tiempos la obligación de tributar no era personal sino colectiva, de modo que una vez asignado al pueblo el monto de su tributo, los indígenas debían repartir el total entre cada uno de los miembros de la comunidad con obligación de tributar.

De la misma forma que hicieron los señores prehispánicos, los españoles fijaron también a los indios los productos específicos en que tenían que hacer efectivo el tributo; pero no eran desde luego los mismos productos antes y después de la conquista ya que unos y otros receptores tenían intereses bien distintos. Los españoles exigieron desde el principio aquellas especies más necesarias para su mantenimiento y las que tenían mayor valor en el mercado de la ciudad de Guatemala o de México.

Otro tema fue el de la cantidad de tributo que los pueblos debían entregar a sus encomenderos. Esta cuestión planteó constantes conflictos, a veces violentos, entre los distintos grupos de

---

8. M. J. MacLeod: *Op. cit.,* pág. 117.

españoles que se disputaban el control de la colonia, y entre aquéllos y los indios. Los primeros años se caracterizaron por una desmedida presión de los encomenderos sobre los naturales. Este período
se prolongó hasta mediados de siglo cuando Cerrato, aplicando las
Leyes Nuevas, trató de poner un poco de orden y racionalidad en la
explotación del trabajo de los indios(9). Pero no terminarían con Cerrato los problemas. Después de 1550 continuaron las protestas de los
indios, por considerar excesivas las cargas que se les imponían, y las
de los conquistadores que tenían por muy cortas las rentas que les
proporcionaban sus encomiendas.

Reflejar aquí todas las especies y cantidades de tributo pagado
por los indios del Occidente de Guatemala a los españoles durante los
primeros setenta y cinco años de colonia sería largo y poco útil para
los fines que se persiguen. Por ello, y a modo de ejemplo, vamos a
describir varios casos que pueden ser representativos de las diversas
situaciones que se presentaban en el área en el siglo XVI. Observa-
remos los tributos de Atitlán como ejemplo de una gran comunidad
que tenía enclaves tanto en los Altos como en la Bocacosta, lo que la
convertía en una de las encomiendas más preciadas del país. Después
se estudiará una encomienda de la Bocacosta que pagaba su tributo
casi exclusivamente en cacao. El último caso corresponde a una comunidad de los Altos que no poseía tierras en la zona del cacao y que,
por tanto, sólo disponía directamente de productos propios del medio
serrano. Con todo ello el lector tendrá una visión completa de las
diversas situaciones del área en relación con el tributo pagado por
medio de las encomiendas.

La encomienda de Atitlán.—Estaba formada por todos los pueblos que integraban el antiguo estado tzutujil, es decir, su capital
Tziquinahay —ahora llamada Santiago Atitlán—, las aldeas que rodeaban el lago y las estancias de la Bocacosta. Esta encomienda inmediatamente después de la conquista estuvo asignada a Pedro de
Alvarado y a otro conquistador conocido como Cueto; tras su muerte,
la parte de Alvarado pasó a la Real Corona y la de Cueto a Sancho
de Barahona en cuya familia se mantuvo por lo menos hasta el primer cuarto del siglo XVII.

Durante el siglo XVI se hacía la tasación de la encomienda
como una unidad, sin tener en cuenta las diferencias que había entre
las comunidades de la Sierra y las de la Bocacosta. La primera no-

---

9. Los pleitos mantenidos entre los indios y los diversos grupos sociales y administrativos de Guatemala en torno a la tributación se estudian en el libro de Salvador
Rodríguez: *Encomienda y conquista.*

ticia sobre el tributo que los tzutujiles pagaron a los españoles la ofrecen sus caciques en la carta dirigida al rey en 1571(10); en ella aseguraban que tras la conquista pagaron a los españoles tributo en esclavos ("hombres y mujeres en cantidad de cuatrocientos y quinientos para servicio de sus personas y enviar a las minas") además de una importante cantidad de cacao, mantas, gallinas y productos de la sementera. Hacia 1530 el tributo ya había sido tasado y el cacao ocupó el primer lugar en las especies pagadas por los indígenas: 1.400 xiquipiles de cacao componían el grueso del tributo, y a ello se añadían mantas de algodón, maíz y otros productos. Esta tasación se mantuvo hasta la reforma de Cerrato quien fijó el tributo en 600 xiquipiles de cacao y 800 gallinas, 400 "de la tierra" y 400 de Castilla, tributo que debía repartirse entre los 1.000 tributarios en que había tasado la encomienda(11).

La tasación de Cerrato produjo reacciones encontradas entre los encomenderos y los indígenas. Los caciques, en la carta antes citada, expresaban su alegría por la medida: "hasta que vino el licenciado Cerrato que nos tasó en moderado tributo y nos quitó lo excesivo que solían dar". Por el contrario, los herederos de Sancho de Barahona mostraron su indignación y protestaron formalmente por la reducción del 50% que Cerrato había hecho de sus tributos:

> "por odio y mala voluntad que me tenía y tiene desposeyó a mi parte de la mitad del dicho tributo, y por manera de tasación mandó a los indios del dicho pueblo que no diesen ni pagasen más de la mitad que son 100 cargas de cacao, lo cual no pudo ni debió hacer... [porque] ...estos tributos se pagan justa y derechamente y son debidos por la sustentación de la predicación evangélica..."(12).

Y para probar lo injusto de la actitud de Cerrato presentaron un interrogatorio en el que hablaban de Atitlán y sus posibilidades económicas:

10. AGI, Audiencia de México, leg. 85.
11. En el cuaderno de la tasación de Cerrato de 1549 (AGI, Audiencia de Guatemala, leg. 128) aparece como tributo la cantidad de 1.200 xiquipiles de cacao al año; sin embargo, en dos documentos posteriores, los autos seguidos por la viuda de Sancho Barahona en 1555 sobre la reducción del tributo de Atitlán (AGI, Justicia, leg. 283) y en una retasación del pueblo hecha por el mismo Cerrato en 1554 (AGC, A3. 16 leg. 2797 exp. 40466), se dice que el tributo que debían pagar era de 600 xiquipiles de cacao (200 cargas), 800 gallinas y el producto de una sementera de maíz de 8 fanegas.
12. Autos hechos sobre la reducción de los tributos del pueblo de Atitlán. 1555. AGI, Justicia, leg. 283.

"Si saben que el pueblo de Atitlán es muy principal y tiene muchos indios y muy grandes términos y tierras fértiles y abundantes donde se coge y puede coger gran cantidad de cacao y algodón, y todo el pueblo y sus sujetos podrían dar sin vejación alguna, muy descansadamente, en cada año de tributo 500 cargas de cacao y más de quinientas, y sementeras de maíz, frijoles, miel, cera y petates, y otras cosas, y cuando no dieran ni pagaran de tributos más de cuatrocientas cargas de cacao en que por esta Real Audiencia estaban tasados lo dieran tan holgadamente que ninguna pesadumbre ni vejación recibieran porque tienen cacahuetes [cacaotales] y cuando no los tuvieren, con un día de trabajo cumplen el tributo de todo el año"(13).

Las quejas del encomendero no fueron oídas por el presidente y la tasación no volvió a subir hasta que el presidente Landecho, y posteriormente Briceño, aumentaron sucesivamente las cantidades globales del tributo. En 1574 los indios de Atitlán tenían que pagar a sus encomenderos 260 cargas de cacao, 606 mantas de algodón, 37 docenas de gallinas, 230 fanegas de maíz y 6 arrobas de miel, todo ello a repartir entre todos los miembros de la comunidad en condiciones de tributar.

La situación no cambió hasta fin de siglo cuando el alcalde mayor de Zapotitlán, Vázquez de Coronado, hizo una nueva tasación y fijó la cantidad que debía pagar toda la comunidad. En la tasación determinó también cuánto correspondía pagar a cada uno de los tributarios, para evitar de esta forma las continuas disputas que se originaron por el constante descenso de población que sufrió el área durante todo el siglo XVI.

El origen de esta reforma parece que estuvo en el informe que en 1594 redactó Juan de Pineda, a instancias de la Corona, que consideraba muy bajos los tributos que recibía de los pueblos que poseía en encomienda en la Audiencia de Guatemala. Pineda, después de visitar todos y cada uno de estos pueblos, concluyó que realmente los tributos eran bajos y recomendaba una serie de reformas que se debían llevar a cabo para conseguir más rendimiento de las encomiendas. De Atitlán decía que tanto la "cabecera como las estancias están ricos y pueden dar otro tanto de tributo más de lo que dan muy cómodamente; y este pueblo y sus estancias están tasados ba-

---

13. Ibid.

jamente"(14). También estimaba que la Corona debía hacer los trámites necesarios para desposeer a Sancho de Barahona de su mitad, de manera que todos los tributos de Atitlán fueran a la caja real; sugería que al morir el encomendero no se diera su parte a ningún otro particular, y que mientras tanto se evitara que Barahona fuera al pueblo a recoger sus tributos.

El nuevo tributo quedó fijado en 222 cargas, 2 xiquipiles y 14 zontles de cacao limpio y 1.073 gallinas de Castilla. De esta cantidad los encomenderos recibían 185 cargas, 2 xiquipiles y 5 zontles de cacao y la totalidad de las gallinas; el resto del cacao —37 cargas y 9 zontles— debía entregarse en la caja de comunidad del pueblo para cubrir necesidades comunales o para suplir el tributo de los vecinos muertos hasta que se hiciera una nueva tasación. De este modo se aseguraba que la renta de la encomienda no descendería por la muerte de tributarios y se evitarían las quejas de los indios, que pretendían rebajas en la tasa cada vez que descendía el número de miembros de la comunidad.

Además, el alcalde mayor determinó qué parte del total correspondía a cada tributario, a todos por igual, sin distinguir si poseían o no cacaotales de modo que quien no consiguiera cacao de sus propios cultivos debía adquirirlo en el mercado. Así estableció que los indios casados debían pagar 12 zontles de cacao y una gallina; los viudos y solteros en edad de tributar, 6 zontles de cacao; los casados que tuvieran a la mujer enferma sólo 12 zontles y no la gallina; y las viudas 4 zontles de cacao y una gallina. El tributo podía pagarse en especie o en moneda, tasando en dos reales el precio del zontle de cacao. Si algún vecino moría y dejaba una propiedad, el que la comprara o heredara debía pagar el tributo que correspondía al difunto; si el número de tributarios aumentaba, por casamiento de los solteros o porque se avecindaran en los pueblos nuevos indios, éstos debían pagar el tributo que les correspondía aunque el monto total superara la cantidad tasada en principio; pero si el número de tributarios disminuía por muerte de algún vecino, la parte correspondiente debía ser abonada de los fondos de la caja de la comunidad(15).

Las nuevas normas dictadas por el alcalde mayor facilitaron la recaudación del tributo de las encomiendas pero provocaron graves

14. Juan de Pineda: «Descripción de la Provincia de Guatemala (año 1594)». *ASGHG*, 1(4): 327-363. 1925.

15. Instancias del común de indios del pueblo de Atitlán sobre el pago del servicio del tostón. 1618. AGC, A3.16 leg. 2801 exp. 40490.

problemas entre los indígenas. Tal fue el caso de un indígena vecino de San Bartolomé que a la muerte de su suegro tuvo que responder del tributo de aquél porque su mujer había heredado sus cacaotales:

> "me tasó y repartió el tributo en cada un año catorce zontles de cacao y una gallina de Castilla, y es así que en la dicha tasación el dicho oidor repartió a Andrés Ixan, mi suegro, padre de Juana mi mujer, veinte y cuatro zontles de cacao, el cual tuvo el susodicho pago como tres años que fue el tiempo que vivió él y su mujer, y luego, en muriendo, los alcaldes y regidores del dicho pueblo por decir que yo estoy casado con la dicha Juana, hija del dicho Andrés Ixan, me entregaron la cédula y el repartimiento del dicho mi suegro y me han compelido a que, además del tributo de catorce zontles que estoy obligado a pagar, pague los veinte y cuatro zontles que al dicho mi suegro le estaban tasados y repartidos [...] que es una inhumanidad grande..."(16).

La última y también la más importante consecuencia de la nueva normativa fue la desarticulación del sistema anterior que consideraba a toda la comunidad como una sola unidad fiscal y establecía un tributo general que se repartía entre los indígenas sin intervención española. Desde este momento las autoridades tasaron uno a uno cada pueblo y fijaron el tributo que cada uno debía entregar a sus encomenderos, lo que en última instancia vino a destruir un sistema de producción basado en la complementaridad entre las tierras altas y las bajas. Pero este tema será tratado con detenimiento más adelante.

El caso de Atitlán, tanto en lo que refiere a las cantidades y especies tributadas como por los problemas que suscitó, es bastante semejante a los de otras encomiendas que tenían también su cabecera o núcleo principal en la Sierra y un cierto número de estancias o pequeños enclaves en la región cacaotera de los que se hacía una tasación conjunta del tributo por considerarlos a todos miembros de una sola comunidad. De este tipo eran las encomiendas de Tecpanatitlán, Totonicapán, Quezaltenango, Sacatepéquez, etc.

La encomienda de Zapotitlán.—Las encomiendas de los pueblos de la Bocacosta que no tenían ninguna relación directa con co-

---

16. Juan Canel, indio principal de San Bartolomé de Atitlán, solicita que se le exonere de tributos. 1605. AGC, A3.16 leg. 2801 exp. 40498.

munidades del altiplano, eran diferentes. En esta situación estaban los grandes pueblos cacaoteros como San Antonio Suchitepéquez, Samayac y Zapotitlán. Eran encomiendas formadas al principio por el pueblo principal, con cuyo nombre se indentificaban, y por todos sus "barrios" o estancias, pequeñas poblaciones enclavadas en la misma Bocacosta pero a cierta distancia del pueblo principal. Como ejemplo de este tipo de encomiendas puede servir el caso de la encomienda de Zapotitlán, formada por una cabecera conocida en la colonia como San Francisco Zapotitlán —la antigua Xetulul— y las estancias de San Martín, Cuyotenango, Mazatenango y Cintecomatlán.

La primera noticia que existe sobre la encomienda de Zapotitlán aparece en el libro de las tasaciones hechas por Cerrato en 1549. En dicho libro se dice que estaba encomendada en Pedro Nájera (80 tributarios), Martín de Guzmán (500 tributarios) y Bartolomé Becerra (500 tributarios). Entre todos debían pagar a sus encomenderos el siguiente tributo:

Cacao	860	xiquipiles
Mantas blancas	620	unidades
Gallinas de Castilla	18	docenas
Miel	9	arrobas
Agí	2	cargas
Cera	4	arrobas
Maíz, una siembra de	10	fanegas
Frijoles, una siembra de	1	fanega
Indios de servicio ordinario	3	
Indios para cuidar ganados	2	

Cuando en 1555 Cerrato suprimió el servicio personal de los indígenas, se hizo una nueva tasación de la encomienda. En el nuevo reparto de tributos se especificó las cantidades que cada una de las estancias debía de entregar en las especies de cacao, mantas y pataxtle o cacao de inferior calidad que abundaba en la región y no figuraba en la tasación original. También se eliminó del tributo el agí y se libró a los indios de hacer las sementeras de maíz y frijoles, además de reducir considerablemente las cantidades a pagar en las demás especies. A partir de este año 1555 el tributo que debían pagar los indios de la encomienda de Zapotitlán era el siguiente:

Cacao	600	xiquipiles
Pataxtle	100	xiquipiles
Mantas	500	unidades
Gallinas de Castilla	100	unidades
Cera limpia	4	arrobas
Miel	6	arrobas

Las gallinas, la miel y la cera se debían repartir entre todos los tributarios por igual, pero los otros productos se dividían entre cada población según las siguientes cantidades:

	Cacao	Pataxtle	Mantas
Zapotitlán	150 xiquipiles	16 xiquipiles	120 unidades
Cintecomatlán	160 "	37 "	135 "
Cuyotenango	160 "	33 "	135 "
Mazatenango	130 "	14 "	110 "

La medida vino a repartir la parte más gravosa del tributo y fue el comienzo de la desintegración de la gran comunidad de Zapotitlán; al tener tributo independiente, cada una de las estancias rompía una parte importante de los lazos que la mantenían unida a su cabecera(17).

No obstante, parece que la encomienda no se dividió hasta 1564, fecha en la que aparecen encomenderos que recibían los tributos de una parte o de la totalidad de los vecinos de algunas estancias. Esta reforma modificó sensiblemente el sistema anterior en el que los encomenderos se repartían proporcionalmente el tributo de la cabecera y sus estancias. A partir de 1564 la encomienda de Cuyotenango se divide entre Juana de Saavedra, viuda de Bartolomé Becerra, que antes tenía parte de la encomienda primitiva, y Gonzalo Ortiz que también era encomendero de Mazatenango. La tasación independiente de Cuyotenango suponía un paso más hacia la desintegración del sistema que mantenía unida a la cabecera con sus estancias(18).

---

17. **AGC**, A3.16 leg. 2797 exp. 40466.

18. En el informe que hizo Diego Garcés en 1568 sobre el estado de la alcaldía mayor, decía que Mazatenango y Cuyotenango eran «sujetos al dicho pueblo de Zapotitlán» de la misma forma que San Martín Zapotitlán (AGI, Audiencia de Guatemala, leg. 968-B).

Hacia 1573 ya se tasaban por separado la cabecera y cada una de las estancias(19), y parece que se había llegado a determinar con precisión la cantidad de tributo que correspondía pagar a cada tributario. Por lo menos este era el caso de Mazatenango en donde a cada tributario varón le correspondía 15 zontles de cacao y 2 zontles de pataxtle; y a cada mujer una pierna de manta, un calabazo de miel, media fanega de maíz y una gallina de Castilla. La nueva normativa venía a poner remedio a los abusos que los principales de las comunidades estaban cometiendo al cargar excesivamente a algunos macehuales mientras que otros no pagaban ningún tributo o entregaban muy poco. Además, la nueva tasación tenía en cuenta las recomendaciones que en 1568 había hecho el alcalde mayor Diego Garcés: los indios de Zapotitlán debían pagar su tributo en cacao, pataxtle, maíz, gallinas y mantas, "con que no pase de a seis tostones cada tributario" (20). La determinación de la carga tributaria de cada indio ponía fin a las vinculaciones que estancias y cabecera habían podido seguir manteniendo hasta ese momento; el sistema prehispánico había quedado roto definitivamente en las poblaciones de la región cacaotera.

Las encomiendas de los Altos.— Los pueblos serranos que no disponían de tierras en la Bocacosta constituyen el último de los tipos de encomiendas del Occidente de Guatemala. Eran pueblos que no podían acceder directamente al cacao y el algodón que los españoles les exigían como tributo porque sólo tenían tierras en el altiplano.

La mayoría de estas encomiendas fueron obligadas a pagar su tributo durante los primeros años de la colonia fundamentalmente en cacao, mantas y maíz. Tanto el cacao como el algodón necesario para las mantas tenían que adquirirlos en los mercados, a cambio de monedas o de maíz, a precios generalmente bastante altos. En estas circunstancias se encontraban muchos pueblos de los Altos tanto en la región de predominio quiché como en la de los mames, y eran tanto más abundantes cuanto más alejados estaban de la Bocacosta. Pueblos como Huehuetenango, Huistla y San Mateo Ixtatán —entre los mames—, y Momostenango, Sacapulas y Chichicastenango —entre los quichés— eran algunos de los más importantes que se encontraban en estas condiciones.

Momostenango —importante centro quiché llamado antes de la conquista Chuwa Tz'ak— era una de las más rentables encimien-

---

19. Comprobantes de la recaudación pagada por los indios de San Martín Zapotitlán. 1573. AGC, A3.16 leg. 2887 exp. 42328.

20. AGI, Audiencia de Guatemala, leg. 968-B.

das del altiplano y estuvo en manos de Juan Pérez Dardón y sus descendientes durante la mayor parte del siglo. En las tasaciones de Cerrato se obligó al pueblo a entregar un importante tributo en cacao —60 xiquipiles—, maíz, mantas, miel, gallinas, sal, frijoles, agí, petates, ollas y comales, así como indios de servicio. Poco después los indios de servicio fueron sustituidos por 40 xiquipiles de cacao.

Una tasación semejante se hizo en cada uno de los pueblos, variando las cantidades en función del número de tributarios estimado. Como la obligación de entregar cacao suponía para estos pueblos una pesada carga, pronto surgieron conflictos y protestas por parte de los indios, y, en muchas ocasiones, de los frailes que los atendían. Unos y otros alegaban los múltiples inconvenientes que producía tener que comprar cacao en los mercados o desplazarse a trabajar a las tierras calientes para conseguirlo. La situación llegó a tal extremo que el mismo alcalde mayor Diego Garcés informaba en 1568 al rey sobre la inconveniencia de mantener esa clase de tributos:

"Los pueblos de la sierra no pueden ni deben tributar en cacao por ninguna vía, porque ni lo hay ni se cría en ella, y de ir los indios a buscarlo fuera de sus tierras enferman y mueren unos y otros se quedan amancebados en los pueblos de cacao y aun se casan segunda vez teniendo viva a la primera mujer, y hay pueblos que tributan cacao estando como están en la sierra donde no se da.

Iten, aunque en los dichos pueblos de la sierra tributan en mantas generalmente, en todos ellos se ha de tener atención que no se cría ni coge algodón en toda la serranía y se lleva de esta costa, aunque es cosa necesaria que tributen en mantas así por el pro de esta tierra, como porque es gente desocupada y no tienen en qué entender y pueden tejer y hacer las dichas mantas..."(21).

Este tipo de recomendaciones y las continuas protestas de los indios surtieron efecto en algunas ocasiones, y muchos pueblos de los Altos se vieron libres de entregar tributo en cacao. En otros casos la situación mantuvo durante el siglo XVI y algunos pueblos sólo dejaron de tributar cacao cuando la decadencia de las plantaciones de la Bocacosta hizo materialmente imposible mantener tal forma de pago. Así, por ejemplo, en 1581 el pueblo de Huistla, situado en la barrera de los Cuchumatanes y encomendado en la Real Corona, tenía que pa-

---

21. Ibid.

gar 27 cargas y 12 zontles de cacao, a pesar de no haber constancia de que poseyera tierras en la Bocacosta(22).

La situación de estos casos residuales cambió al finalizar el siglo XVI. En 1599 el mismo pueblo de Huistla tenía que tributar monedas por el mismo valor del cacao que antes estaba obligado a entregar: cada uno de los ochenta y seis tributarios y medio en que estaba tasado el pueblo debía pagar a su encomendero monedas por valor de cinco tostones y un real, una manta, una gallina de Castilla y una fanega de maíz; además debían repartirse entre todos los tributarios, a partes iguales, un tributo adicional de 16 pavos, 5 fanegas de agí y 7 de frijoles. Los tributarios podían entregar su tributo en especies o en dinero, para lo cual en la tasación se fijó el valor monetario de cada una de las especies que entraban en el tributo(23).

* * *

En todas las encomiendas, cualquiera que fuera su beneficiario y la situación del pueblo, los tributos se recaudaban siguiendo un sistema escalonado. Los macehuales debían entregar la parte que les correspondía del tributo a unos indígenas que la comunidad encargaba de ello, los mismos que hacían la función de recaudadores antes de la conquista. Estos indios eran llamados *tequitlatos,* término náhuatl empleado en Guatemala tras la conquista, aunque en algunos documentos se les llama "tlatoques", palabra erróneamente usada por los españoles para nombrar al recaudador de los tributos(24).

Estos tequitlatos entregaban los tributos de cada parcialidad a sus principales o "cabezas de calpul", quienes debían depositarlos en la caja de comunidad de cada pueblo hasta que fuera entregado al encomendero. En el caso de las encomiendas de particulares o instituciones, eran los mismos encomenderos quienes acudían al pueblo a recoger el tributo o bien obligaban a los indígenas a que se lo llevaran a la ciudad de Santiago. Si el beneficiario del tributo era la Corona, los

---

22. Tasaciones de pueblos hechas por el presidente Valverde. 1578-1582. AGI, Audiencia de Guatemala, leg. 966.

23. Instancia de Luis Medina para que se le confirme una ayuda de costa. 1561-1600. AGI, Patronato, leg. 82-3-2.

24. En un documento sobre la tasación de los tributos que deben pagar los indios de Atitlán, Tecpanatitlán y Quezaltenango, fechado en 1588 (AGC, A3.16 leg. 2800 exp. 40485), se dice que de «tiempo inmemorial» fueron los «tlatoques» los que recogían el tributo y lo entregaban a los «cabeza de calpul». Rémi Siméon, en el *Diccionario de la lengua nahuatl o mexicana* (México, 1977), define el término *tlatoque* (plural de *tlatoqui*), como «jefe, gran señor»; mientras que *tequitlato* se define como «agente, empleado encargado de repartir el impuesto, de distribuir el trabajo».

encargados de recaudarlo eran los corregidores o los oficiales reales quiénes, a su vez, los hacían llegar a las cajas reales de la capital de la gobernación.

La actuación de los indígenas encargados de recaudar el tributos fue con el tiempo volviéndose en contra de sus propios hermanos de raza, llegando a convertirse en muchos casos en fieles servidores de los intereses de los encomenderos. En otras ocasiones aprovecharon su situación privilegiada y emplearon los tributos del pueblo en su provecho, gastando lo entregado por los macehuales y obligándoles a pagar nuevamente cuando el tributo era exigido por los encomenderos. Un caso de este tipo fue denunciado en 1587 por los indios de Quezaltenango a los que se reclamaba el tributo de los años 1578, 1579 y 1580, que ellos aseguraban haber entregado: "delinquieron los dichos tlatoques y calpules gravemente en gastar en sus borracheras y quedarse con el tributo que los macehuales pagaron"(25).

¿Qué debían dar los beneficiarios de las encomiendas a cambio del tributo? Según las normas del siglo XVI, la encomienda fue un medio adoptado por la Corona para pagar los servicios prestados por los conquistadores cediéndoles el disfrute de los tributos de sus vasallos. Pero con los beneficios, la Corona también delegaba obligaciones, y la principal era la de promover la evangelización de los indios, deber que habían contraído los reyes de Castilla tras las donaciones papales. De esta forma el rey, a la vez que concedía a los encomenderos el privilegio de cobrar los tributos de un número de indios, "descargaba" en ellos su conciencia y les hacía responsables de la cristianización de los indios de su encomienda.

Mediante este intercambio de obligaciones y derechos, el encomendero tenía que comprometerse a correr con una parte de los gastos que se siguieran de la construcción de la iglesia del pueblo que tenía encomendado, aportar ciertas cantidades para el mantenimiento del culto y pagar a los curas doctrineros o a los frailes que se encargaban de evangelizar y administrar los sacramentos a los indígenas. Las cargas económicas que todo esto imponía a los encomenderos —en realidad una mínima parte de los beneficios proporcionados por la encomienda— fueron esgrimidas en ocasiones por éstos como argumento contra la reducción de tributos emprendida por algunos presidentes de la Audiencia. Tal fue el caso de los herederos de Sancho de Barahona, encomenderos de la mitad de Atitlán y sus estancias, que se querellaron contra Cerrato cuando redujo el tributo:

---

25. Autos sobre la tasación de los tributos que deben pagar los indios de Atitlán, Tecpanatitlán y Quezaltenango. 1588. AGC, A3.16 leg. 2000 exp. 40485.

"estos tributos se pagan justa y derechamente y son debidos por la sustentación de la predicación de la fe evangélica, la cual según de derecho divino y humano se ha de re cibir con todas las costas que consigo trae y son necesarias y forzosas a los españoles..."(26).

Pero, a pesar de estos argumentos, no parece que los encomenderos pusieran un celo desmedido en el cumplimiento de sus obligaciones con sus encomendados. Puede servir como ejemplo el pleito que los franciscanos del convento de Atitlán mantuvieron en 1587 con la familia Barahona para forzarla a que pagaran unos ornamentos que se habían comprado para el convento de la estancia de San Bartolomé(27).

b) *Tributos debidos a la Corona*

Pero además de entregar una parte importante de su producción a los encomenderos —ya fueran particulares o la Corona—, los indios tenían que destinar otra parte de su trabajo al pago de dos tributos específicos que iban a parar a las arcas reales. En el siglo XVI se los conocía con el nombre de "tributo real" uno, y "tostón del rey" o "servicio del tostón" el otro.

El tributo conocido como "tostón del rey" tuvo su origen en una ayuda o "limosna" que el rey pidió ocasionalmente y que después quedó institucionalizado como tributo permanente y anual. Estaba obligado a pagarlo todo indio tuviera o no condición de tributario, fuera casado, soltero o viudo. Había que entregarlo obligatoriamente en moneda de plata del valor de un tostón, lo que suponía una pesada carga para los indígenas por cuanto debían vender en los mercados sus cosechas o bienes para reunir tal cantidad. En una instrucción de 1603 se especifica claramente cómo y quién tenía que pagar el tributo:

"cobrando de cada indio tributario entero, que se entiende cada viudo o viuda, soltero o soltera, de los que comprenden o comprendieren las dichas tasaciones, un tostón en cada un año, sin exceptar ni reservar a los gobernadores, alcaldes, tenpantecas, ni a otros indios de los tasados en cada un año de pagar el dicho servicio, aunque por las

26. Autos hechos sobre la reducción de tributos del pueblo de Atitlán. 1555. AGI, Justicia, leg. 283.
27. Pleito entre el convento de San Francisco de Atitlán y el encomendero Sancho de Barahona. 1587. AGC, A1.11 leg. 4055 exp. 31428.

dichas tasaciones estén reservados de tributo, salvo a los varones de más de sesenta años y mujeres de más de cincuenta, y a los viejos y tullidos o enfermos de enfermedad continua, si no fuere que de los susodichos se cobrare tributo por razón de milpas de cacao que posean [tributo real], porque si pagaren tributo por razón de las dichas milpas han de pagar asimismo el dicho servicio del tostón aunque por razón de la edad o por otra causa no debieran pagarlo"(28).

Era un tributo sobre toda la población, distinto en cierto modo al de la encomienda del que estaban exentos los principales y miembros de los cabildos de los pueblos además de los *teopantecas* ["tenpantecas" en el documento] —indios dedicados al servicio de las iglesias—, y que obligaba por igual al indio considerado como tributario entero —casado— que al que en las tasaciones de encomiendas se consideraba medio tributario.

El otro tributo, el "tributo real", gravaba no a las personas sino a las tierras y recaía exclusivamente sobre aquellas que se dedicaban al cultivo del cacao. Los indios o pueblos propietarios de cacaotales debían pagar una cierta cantidad de dinero por cada árbol que cultivaran, cantidad que no variaba en función de la cantidad de fruto dado por el cacaotal ni de la condición personal del propietario o explotador de la parcela, sobre el que también recaía el "servicio del tostón", aunque por su edad pudiera estar libre de otras obligaciones tributarias(29).

En una información que el cabildo eclesiástico de Guatemala hizo sobre los padecimientos que sufrían los indios por la cantidad excesiva de tributos que tenían que pagar, decían que el "tributo real" era extremadamente gravoso para los dueños de cacaotales —una de las razones para que se perdiera el cultivo de tan preciado fruto— y que estaba fuera de todo derecho por siete motivos: porque las tierras eran de los indios y no del rey y por tanto no debían pechar; porque no hay que discriminar a los indios que cultivan cacao de los cultivan maíz o algodón; porque los indios que tienen cacao ya pagan excesivo tributo a sus encomenderos; porque se les obliga a pagar cada año aunque no hayan obtenido cosecha; porque se grava más al que más árboles tiene y, por tanto, al que más trabaja; porque los indios son

28. Instancia del común de indios del pueblo de Atitlán sobre el pago del servicio del tostón. 1618. AGC, A3.16 leg. 2801 exp. 40490.
29. Capítulos que el cabildo eclesiástico de Guatemala envía al rey (fines siglo XVI). AGI, Audiencia de Guatemala, leg. 11.

los únicos propietarios de sus tierras y por tanto no deben pagarle a nadie por tenerlas y cultivarlas(30).

Tanto el "tributo real" como el "servicio del tostón" fueron frecuentemente protestados por los indígenas y por las órdenes —fundamentalmente los franciscanos— que doctrinaban a los naturales, considerándolos, igual que a la encomienda, como causa de múltiples trastornos y de la perdición de los indígenas. Por ambas partes se hicieron constantemente peticiones y súplicas, y se provocaron expedientes que llenaron cientos y cientos de folios sin que, normalmente, dieran el resultado apetecido. Los promovidos por los indígenas, por carecer aquéllos de medios efectivos para que se les atendiera e hiciera justicia; y los de los frailes por los prejuicios que los oficiales reales tenían sobre la actuación de los religiosos a los que consideraban culpables de la holgazanería de los indios. Un ejemplo de la actitud de los funcionarios reales hacia los religiosos es el informe que, en 1594, dio Juan de Pineda al rey después de visitar el país:

> "los dichos frailes van por oras y momentos a importunar al presidente y oydores, diciéndoles que por amor de Dios myren aquellos pobrezitos de aquellos yndios están muy pobres y necesitados y cargados y que no pueden cargar el tributo que les esta repartido, y que es cargo de conciencia que den tantos tributos, y que se an muerto casi todos y que ellos no pretenden ynterese ninguno, sino un abito, y otras cosas que saben ellos bien dezir en su provecho, pues cobran los tributos de los que les reservan por viejos y viudas y otros que dizen que no pueden tributar, y lo meten en la caja de la comunydad para tener que destribuyr y gastar..."(31).

No se puede dudar de que unos y otros tenían razones para hablar de la forma que lo hacían. Cada uno reflejaba desde su óptica una situación real, y desde ambos puntos de vista es posible saber con cierta exactitud cuál fue de hecho el efecto que la actitud de los españoles en América produjo en la población indígena.

c) *Tributos pagados a eclesiásticos*

Una vez cumplidas sus obligaciones con los encomenderos y la Corona, el indígena tenía que dedicar otra parte de su trabajo a man-

---

30. Ibid.
31. Juan de Pineda *Op. cit.*, pág. 356.

tener a los religiosos y sacerdotes que les evangelizaban y administraban los sacramentos. Este capítulo de gastos era distinto al fondo que los indígenas dedicaron a los gastos ceremoniales tanto de la nueva religión como a los ritos antiguos que mantuvieron durante todo el período colonial. Entre las obligaciones que los indígenas tenían para con los eclesiásticos —frailes o clérigos seculares— destacaban las de proporcionarles el sustento, hacer ofrendas en la iglesia, y el "pie de altar"; además, tenían que prestar una serie de servicios personales a los religiosos y encargarse del mantenimiento de la iglesia del pueblo.

El sustento o "camarico" que los indígenas tenían que entregar diariamente a los clérigos estuvo desde el principio de la colonización reglamentado por las autoridades civiles y eclesiásticas. Hacia mediados de siglo consistía en dos gallinas diarias (una de Castilla y otra de la tierra), fruta y pienso para los caballos(32). Sin embargo, no siempre los doctrineros se contentaban con esta cantidad y a menudo se extralimitaron exigiendo mayor cantidad de productos y no sólo a los indios de aquel pueblo en el que residían, sino que debían entregarlo todos los pueblos que estaban bajo su custodia. Esta situación llevó a las autoridades, después de continuas denuncias, a demandar del rey la promulgación de una orden que pusiera remedio a tal estado de cosas. La consecuencia fue una Real Cédula emitida en 1561 por la que se estableció que los doctrineros sólo podían exigir a los indios diariamente dos gallinas de Castilla (los días de carne) y dos docenas de huevos (los días de pescado), además de una fanega de maíz a la semana; igualmente se ordenó que sólo podían recibir estos alimentos en aquellos pueblos en los que estuvieran residiendo y no en todos los de su distrito, debiéndose pagar de la caja de comunidad del pueblo correspondiente o de la sobra de los tributos recaudados para pagar a los encomenderos. El resto de las necesidades alimenticias debía el clérigo cubrirlas con el salario que el encomendero del pueblo tenía obligación de abonarle como pago por la evangelización de los indios de su encomienda(33). Sin embargo, no parece que los clérigos se atuvieran definitivamente a esta normativa, y hacia finales de siglo surgen nuevas denuncias sobre abusos, e incluso de la tendencia de los

---

32. Carta del provincial de la orden de Santo Domingo al rey. 22 de mayo 1533. AGI, Audiencia de Guatemala, leg. 8.
33. Traslado de Real Cédula de 16 de junio de 1561. AGI, Audiencia de Guatemala, leg. 41.

doctrineros a cobrar en monedas de plata el valor de las especies que debían recibir, lo que supuso una nueva carga para los indios(34).

El segundo concepto por el que los indígenas tenían que tributar a sus doctrineros era el conocido como "pie de altar". Con este nombre se designaba la cantidad que los feligreses tenían que pagar a los clérigos por los servicios religiosos tales como misas, administración de sacramentos, entierros, etc. Por este concepto ingresaban los clérigos una sustanciosa cantidad que a veces llegó a ser para ellos la más atractiva y la que determinaba la calidad de cada distrito o "beneficio". Este hecho dio lugar a una continua disputa entre los curas seculares y las órdenes religiosas por controlar los pueblos más grandes y los más ricos, sobre todo los de la región cacaotera. Una muestra de cuánto beneficio podía suponer este concepto para los religiosos es la relación que en 1570 se hizo de los partidos que disfrutaba el clero secular y lo que daba el "pie de altar" de cada uno. Los citados en el Occidente de Guatemala son los siguientes:

Ayutla	700 pesos
San Francisco Zapotitlán	500 pesos
San Luis Zapotitlán	300 pesos
Samayac	500 pesos
Suchitepéquez	800 pesos

Y añade la fuente: "los dichos aprovechamientos de pie de altar tiene cada partido cuando menos y sin la comida que les den los dichos indios"(35).

El tercer concepto, más o menos reglamentado, era el de las "ofrendas". Estas consistían en una cierta cantidad de especies que los vecinos de cada pueblo debían entregar como limosna a la iglesia los domingos y días de fiesta. La norma que en principio regía la entrega de ofrendas era la voluntariedad, tanto en la donación como en la cantidad a entregar; sin embargo, poco a poco se fue perdiendo el carácter voluntario y los eclesiásticos impusieron a los indios la obligación de pagar siempre una cantidad estipulada. Según afirmaban los clérigos que ejercían en los pueblos de la Bocacosta, las ofrendas eran

---

34. Pilar Sanchiz Ochoa: «Cambio en la estructura familiar indígena. Influencias de la iglesia y la encomienda en Guatemala». *Economía y sociedad en los Andes y Mesoamérica*, (J. Alcina, edit.), págs. 168-191. Madrid, 1979.

35. Memoria de los partidos de clérigos que hay en el obispado de Guatemala y lo que valen. 16 diciembre 1570. AGI, Audiencia de Guatemala, leg. 394.

los únicos beneficios que obtenían en sus curatos y éstas no daban para sustentarse:

"los provechos que los dichos beneficiados tienen de los dichos beneficios sólo es las ofrendas, porque como los diezmos que ahora se pagan son solos los que dan los encomenderos, todo es nada, y las dichas ofrendas son hoy tan tenuas y como son voluntarias los dichos indios unas veces ofrecen algo y otras nada..."

Esta opinión contrastaba con la de las autoridades civiles que consideraron la necesidad de poner dos clérigos en cada partido para así evitar —eso pensaban ellos— los desmanes que cometían los curas cuando estaban solos en los pueblos:

"Se ha visto por experiencia que un clérigo solo en uno de los dichos partidos, como no tiene quien le vaya a las manos, en contrataciones y en otros modos hacen inmensos excesos y ganancias..."(36).

A los tres conceptos anteriores hay que añadir una serie de servicios personales que los naturales estaban obligados a prestar tanto a los eclesiásticos como a la misma iglesia. Entre los primeros, según la cédula de 1561, los vecinos de cada pueblo debían proporcionar al clérigo una "india vieja que haga pan y se remude al cabo de la semana, y un indio que traiga hierba para un caballo tan solamente". Esto era lo estipulado, pero la realidad parecía bien distinta; los clérigos se rodearon de una completa cohorte de servidores sacados de entre los vecinos de los pueblos en los que residieron y a los que en ningún momento pagaron salario alguno por su trabajo(37).

Finalmente, en cada pueblo había otros indios dedicados al cuidado y servicio de los templos y los conventos. Los primeros eran los llamados *teopatencas,* indios ocupados permanentemente, y casi con exclusividad, al servicio del templo pero que a cambio estaban excluidos de pagar tributo a los encomenderos, aunque si tuvieran que entregar el "servicio del tostón". Para el servicio de los conventos se designaban "semaneros"; indios, normalmente varones, que trabaja-

---

36. Información hecha ante la Real Audiencia por los clérigos de Guatemala para que no pongan dos en cada partido. 1572. AGI, Audiencia de Guatemala, leg. 113.

37. En una carta escrita al rey por Diego Garcés en 1572, denunciaba que algunos clérigos llevaban cargados «hasta doce indios» cuando viajaban, y esto lo hacían para «dar a entender que eran poderosos». AGI, Audiencia de Guatemala, leg. 55.

ban durante una semana a las órdenes de los religiosos siguiendo un sistema de turno y tanda que afectaba a todos los macehuales de la comunidad(38). Junto a ellos aparece también la figura del indio "alguacil de la iglesia y convento", servicio del que sólo hay noticias de su existencia pero no de las funciones ni del sistema seguido para nombrarlo.

d) *Servicios y tributos extraordinarios*

Pero no acaban aquí las obligaciones de los indios. Además de pagar el tributo a los encomenderos, entregar el "tostón del rey" y el "tributo real" —en su caso—, alimentar y servir a los religiosos y curas doctrineros, y servir en las iglesias y conventos, los indígenas tenían que pagar otra serie de tributos y prestar otros servicios. Algunos estaban reglamentados y ordenados por las autoridades españolas, pero otros eran caprichosas imposiciones de los españoles que la práctica habitual, y no impedida por los responsables del gobierno, acabó convirtiendo en un cierto tipo de tributo extraordinario, ilegal e incontrolable. Este tipo de tributo constituyó una pesada carga para una población que ya tenía que dedicar una buena parte de su trabajo a cumplir con las obligaciones fiscales legalmente reglamentadas.

Entre los primeros, aquellos que estaban reglamentados y ordenados por las autoridades españolas, hay que citar los que tenían relación con el servicio de los viajeros españoles que pasaban o se alojaban temporalmente en los pueblos de indios. Eran servicios que correspondían a toda la comunidad y que se nombraban entre todos los indios siguiendo el sistema de turno y tanda, igual que el antes citado para el servicio de los templos. Dentro de este apartado se encuentra la obligación que tenía el pueblo de mantener en condiciones de tránsito el tramo del "camino real" —el empleado por los españoles— que quedaba dentro de los límites de cada uno de los pueblos. Además, en cada pueblo —y esto era más importante en aquellos por los que cruzaba el "camino real"— había que nombrar unos indios que debían atender y dar "recaudo" a los pasajeros. Estos últimos tenían que hacer dos trabajos: unos debían servir en los mesones a los viajeros y darles agua, y otros, llamados *atzalanes,* tenían

---

38. En los autos hechos contra un comerciante en cacao —Bartolomé Calvo—, por haber violado un destierro que se le impuso, un indígena de San Bartolomé de Atitlán declara: «Habrá seis días poco más o menos que estando este testigo en el convento que servicia por semanero...». (AGC, A1.15 leg. 4081 exp. 32388).

la obligación de buscar caballos y *tamemes* o cargadores a los españoles(39).

Estos servicios, igual que los demás de turno y tanda, debían hacerlos todos los macehuales del pueblo sin excepción, quedando fuera de turno únicamente los principales a los que por consideración a su estatus se eximía de éstas y otras cargas tributarias. Sin embargo, parece que no siempre el turno fue seguido con justicia por las autoridades indígenas que eran las encargadas de nombrar y hacer cumplir los trabajos; eso es lo que se desprende de las ordenanzas dadas en 1576 por el oidor García de Palacios:

> "otrosí, porque de ordinario acontece que por ruines fines y respetos y odios y enemistades que el gobernador y alcaldes tienen a los naturales que acuden a los servicios personales y particulares, los dichos son vejados y molestados haciendo que el trabajo que debe ser igual entre todos no lo sea y padezcan algunos, y por las dichas razones mando que de aquí adelante los dichos trabajos se repartan igualmente, por manera que en las obras y los trabajos públicos que los dichos indios deben hacer no echen a unos y dejen a otros reservados, antes haya en ello igualdad, y así mismo la hayan y tengan en el servicio que las indias hacen a los padres y gobernador y otras cosas, habiendo en ello la dicha igualdad sin que nadie reciba daño".

Y después, con intención pedagógica y tratando de demostrar la necesidad de que se cumpla tal precepto, explica las causas que le llevaron a dictarlo:

> "Los daños que cerca de lo que esta ordenanza quiere remediar hay no se podrán referir en este sumario. Acontece que si el lugar es chico todo el trabajo carga sobre pocos macehuales, si se les permite que en siendo del tlatoque queden por principales, y, aunque sean muchos vecinos, los del tlatoque suelen reservar del dicho trabajo

---

39. En las declaraciones hechas en 1588 por un indio de San Bartolomé Atitlán, en un pleito sobre malos tratos que los indios recibían del doctrinero, dice que se negó a dar agua a unos españoles porque «no era su oficio, porque era atzalán que daba recaudo a los que pedían caballos o tamemes a los españoles...»; y otro declaraba que los atzalanes son «indios que dan recaudos de caballos a los pasajeros que van al dicho pueblo». (AGC, A1.15 leg. 4081 exp. 32388).

a sus hijos, hermanos, amigos y parientes, de los servicios personales y obras públicas y otros trabajos, por manera que el trabajo común carga sobre particulares como la ordenanza dice. Es necesario por el bien común de los macehuales mucho cuidado en la ejecución de ella, pues según los pocos naturales que han quedado, conviene mirar mucho por ellos, pues si falta, faltando faltará todo lo que hemos menester que ahora tenemos de ellos"(40).

Pero no era sólo la obligación de dedicar una parte de su tiempo a este servicio lo que más perjudicaba a los indígenas, sino que tenían en muchas ocasiones que soportar la altanería y el mal trato de los españoles. Hay numerosas denuncias de los indígenas en este sentido. Una de ellas fue hecha por un indio alguacil del pueblo de Xicalapa en 1583, quien acusó de abusos de autoridad al alguacil mayor de la alcaldía mayor de Zapotitlán:

"...podrá haber seis meses que el dicho Alonso Gutiérrez de las Canillas fue al dicho pueblo de Xicalapa y pidió zacate, y porque no se lo trajeron dio a este testigo de coces y bofetones, no embargante que este testigo le dijo que ya habían ido por zacate y por recaudo, por lo cual este testigo se vino a quejar al dicho Juan de Estrada..."(41).

Otro trabajo reglamentado y de turno era el llamado de *tapisque*, que era prestado por los indios a su encomendero en su casa y era distinto al servicio personal recibido por aquéllos antes de las reformas de Cerrato(42). También a las autoridades españolas que residían en la alcaldía mayor de Zapotitlán tenían que prestar servicio los indígenas. De este modo, los indios de San Antonio Suchitepéquez le daban al alcalde mayor dos indios de servicio ordinario cada día "que llaman huaraneles", una india molendera para hacer tortillas

---

40. AGI, Audiencia de Guatemala, leg. 128. Como se observó páginas atrás, donde se dice «tlatoque» debe entenderse *tequitlato*, término náhuatl empleado para designar al encargado de repartir el tributo y distribuir el trabajo.

41. Residencia tomada al capitán Juan de Estrada del tiempo que fue alcalde mayor de Zapotitlán. 1583. AGI, Escribanía de Cámara, leg. 344-A.

42. En unos autos hechos en Zapotitlán en 1603 para averiguar si los españoles vendían vino a los indios, uno de los testigos declara que estaba sirviendo «de tapisque en casa de Diego Ordóñez» que era su encomendero (AGC, A1.21 leg. 5532 exp. 47817). No hay noticias exactas sobre el cometido de estos indios; «tapisque» puede ser una deformación del término náhuatl *tlapixqui*, definido como guardián.

"y muchas veces le daban dos cuando tenían huépedes en su casa", además de proporcionarle zacate para los caballos, leña, sal, chile, cal para cocer el maíz, y todo tipo de legumbres para su alimentación y la de sus oficiales; "todo lo cual daban contra su voluntad" según declara un principal del pueblo(43).

A todo esto había que añadir los regalos que el alcalde mayor recibía de los indígenas que acudían ante él para pedir que se les hiciera justicia en algún pleito:

> "...era tan de ordinario recibir las cosas que los negociantes traían de presente sin pagar que ninguna persona venía de fuera a negocios, así ante el dicho alcalde mayor como ante cualesquiera de sus tenientes, les traían presentes así de gallinas de la tierra como de Castilla, huevos, pescados y otras cosas, y lo recibían sin pagarlo..."(44).

La misma actitud mantenían estas autoridades cuando viajaban por los pueblos, exigiendo de sus vecinos que les dieran gratuitamente alimentación para ellos y su séquito, costumbre expresamente prohibida por la legislación que obligaba a los viajeros, fueran autoridades o no, a pagar el importe de los alimentos que consumían.

Otro servicio prestado por los indígenas a los españoles era el de *tamemes* o porteadores. La falta de animales de tiro y carga en toda América había hecho que el transporte de mercancías se hiciera a hombros de porteadores; los españoles tras la conquista aprovecharon este sistema de transporte y obligaron a los indios a cargar pesadas mercancías a grandes distancias. En principio este servicio era obligatorio y no renumerado. En 1532 se dictó una Real Cédula por la que se prohibía que los *tamemes* llevasen cargas superiores a dos arrobas y posteriormente se obligó a los españoles a pagar un salario a dichos *tamemes*. En 1548 se prohibió totalmente el empleo de cargadores lo que produjo inquietud entre los colonizadores que vieron peligrar el único medio de transporte de que disponían. Para oponerse a la medida argumentaban el peligro que correría la colonia si no se podían emplear *tamemes,* además de que, entre otras razones, los indios siempre habían empleado este sistema para trasladar cargas y que no era ninguna imposición española(45).

---

43. Residencia tomada al capitán Juan de Estrada del tiempo que fue alcalde mayor de Zapotitlán. 1583. AGI, Escribanía de Cámara, leg. 344-A.
44. Ibid.
45. Sobre que se derogue o suspenda la Real Cédula que prohibía que se alquilasen indios en Guatemala. 23 febrero 1548. AGI, Justicia, leg. 289.

La cédula no tuvo efecto y los españoles siguieron empleando cargadores, aunque con un teórico mayor control por parte de las autoridades. En 1576 el oidor García de Palacios recordaba en sus ordenanzas a los gobernantes y caciques de los pueblos que no se podía obligar a ningún indio a servir de *tameme,* sino que hicieran dicho trabajo voluntariamente y cobrando el salario estipulado. De esta forma se trataban de evitar los abusos de los españoles tanto como de los mismos principales de los pueblos que —según decía— obligaban a los macehuales a cargarse

> "por venganza y satisfacción de los enojos que de ellos toman algunos principales que mandan y, algunas veces, para que echándolos de sus casas, los pueden mejor afrentar con sus mujeres o matarlos"(46).

Finalmente, hay que señalar una serie de servicios y tributos que los indígenas daban a los españoles sin que estuvieran legalmente reglamentados, pero que se pueden considerar cargas permanentes por la frecuencia con que aparecen citados en la documentación. Dentro de este tipo de cargas se deben citar los abusos constantes que encomenderos y mercaderes cometían con los indios de los pueblos productores de cacao —muchas veces con la complicidad de los principales—, obligándoles a vender el cacao a precios bastante más bajos de los corrientes en el mercado.

Los clérigos y religiosos que vivían permanentemente en los pueblos también aprovechaban su situación de poder para obtener grandes ganancias. En 1559 el presidente Landecho denunciaba esta actitud de los eclesiásticos:

> "Los indios naturales de este distrito hallo que son bien tratados de los españoles, que si por ventura hay entre ellos algún desorden nace de que los clérigos vicarios que residen en los pueblos donde se coge el cacao y tratan y contratan con ellos y les fían y hacen notables vejaciones al tiempo de la cobranza"(47).

Y no hablaba el presidente contra los eclesiásticos sólo por atacar nuevamente a un estamento que estaba en constante pugna con las autoridades civiles de la gobernación. Los frailes y curas seculares

---

46. **AGI,** Audiencia de Guatemala, leg. 128.
47. **Carta** del presidente Landecho al rey. 28 abril 1559. AGI, **Audiencia** de Guatemala, leg. 9.

eran sumamente poderosos en los pueblos de indios y aprovechaban esta situación para obtener algún beneficio económico. La forma más común empleada por los doctrineros para sacar rendimiento de los indios eran las *derramas* y las limosnas. Las primeras, prohibidas taxativamente por las autoridades coloniales, consistían en imponer a cada uno de los indios del pueblo la obligación de entregar en la iglesia una determinada cantidad de dinero o de especies —principalmente cacao— bajo cualquier pretexto, y que normalmente iba a engrosar las arcas del clérigo que la ordenaba. La limosna era un capítulo más de las citadas páginas atrás pero con carácter no periódico. Las referencias a este tipo de comportamiento de los eclesiásticos son abundantes. En 1562 un cura secular acusa a los franciscanos de obtener beneficios por estos métodos:

> "los naturales de los dichos pueblos [Patulul y Pochutla] se quejaron a este testigo diciendo que cuando los dichos frailes los doctrinaban venían algunos de los dichos frailes y les decían que se hacía alguna obra en el monasterio de San Francisco, que para ella favoreciesen con tostones, y repartían a cada uno de los indios de los dichos pueblos a dos reales, y después que ya habían pagado aquello venía otro fraile y les decía otro tanto, y respondiendo ellos que ya habían dado los tostones que tenían y que no tenían más, el dicho fraile les tornaba a decir que de lo que rescataban para sí diese cada pueblo siquiera una carga, y así se lo hacían juntar, y después de junto se lo tornaban a vender a ellos propios por tostones..."(48).

Si esta acusación puede considerarse en principio como una más de las que curas seculares y religiosos se hicieron en la lucha por poseer la doctrina de los pueblos cacaoteros, no parece que realmente fuera así; puede considerarse, por el contrario, como un testimonio más de una situación denunciada en multitud de ocasiones por diferentes personas y estamentos, desde los indios hasta las autoridades españolas.

Pero tampoco el clero secular quedaba fuera de este sistema de explotación de la población indígena. En 1581, el alcalde mayor de Zapotitlán acusaba al licenciado Haro, cura beneficiado de San Antonio Suchitepéquez, de tener en su casa a una mujer comerciante de

---

48. Probanza hecha en Guatemala sobre ciertas derramas y otros excesos cometidos en pueblos de indios. 1562. AGI, Audiencia de Guatemala, leg. 45.

cacao de la que se tenía "común sospecha entre los tratantes del dicho pueblo que trata y contrata con hacienda del dicho licenciado Haro" haciendo con ello mucho perjuicio a los indios. Además, acusaba al clérigo de haber obligado a todas las indias del pueblo a que entre cada diez tejiesen una pierna de manta —salieron más de cien— para el Monumento del Jueves Santo; y que pudiendo guardar las mantas de un año para otro, no lo hacía sino que cada año obligaba a tejer mantas nuevas. El mismo cura ordenó cierto domingo que cada vecino del pueblo —y eran muchos— dejara en la puerta de la iglesia una cantidad de cacao para comprar ornamentos nuevos, compra que al parecer no llegó a realizarse. De lo mismo le acusaba también un indio del pueblo que afirmaba que en varias ocasiones el sacerdote les había obligado a dejar en la puerta del templo doscientas almendras de cacao, "y esto sin las veces que en días de fiesta se suele ofrecer voluntariamente"(49).

Todo ello, en definitiva, no viene más que a componer un cuadro en el que —sin tener en cuenta los malos tratamientos— el indígena aparece inmerso en un mar de obligaciones y cargas. Para cumplir con todas ellas tenía que emplear una buena parte de su tiempo y su trabajo anual; a cambio recibía atención religiosa y doctrina cristiana, algo con lo que muchos naturales no debieron estar muy de acuerdo. Pero este tema y el de las consecuencias más o menos graves que esta situación produjo en la vida de los pueblos indígenas serán tratados con detenimiento más adelante.

TRABAJO COMUNAL Y FONDO CEREMONIAL

No terminaban las obligaciones de los indígenas con el cumplimiento del pago de los tributos impuestos por los españoles. Además, los indios debían destinar otra parte de su fuerza de trabajo y de sus excedentes a cumplir con una larga serie de obligaciones con su propia comunidad y a diversos gastos de índole religiosa y ceremonial.

Desde que se formaron los pueblos surgieron para los indios del Occidente de Guatemala nuevas necesidades que vinieron, desde luego, a sustituir otras que ya tenían antes de la conquista. De éstas, la más pesada fue al principio la construcción de los edificios públicos que debía tener cada pueblo: la iglesia, el ayuntamiento y el mesón para los viajeros. Aparte de la construcción de la nueva vivienda que debía hacerse igualmente siguiendo normas oficiales.

---

49. Autos criminales contra el cura beneficiado de San Antonio Suchitepéquez. 1581. AGC, A1.15 leg. 4078 exp. 32366.

De la construcción del templo ya se habló páginas atrás. Para edificarlo debían aportar una suma los encomenderos y el resto tenían que ponerlo los indios que debían trabajar sin remuneración y por turnos de forma que todos los vecinos de cada pueblo participaran en la obra. Pero la realidad fue que normalmente todo el peso de la construcción del templo y de los demás edificios públicos recayó exclusivamente sobre los indígenas, ya que los encomenderos se desentendieron de su obligación y nadie se preocupó, pese a las contínuas denuncias de indios y religiosos, de obligarles a cumplir con lo dispuesto por las normas que regían las encomiendas.

Las autoridades coloniales establecieron también que debía existir en cada pueblo una caja de comunidad custodiada por los principales que formaban el cabildo. Con sus fondos se sufragarían los gastos que la comunidad tuviera que hacer para el mantenimiento del pueblo, alimentación del sacerdote, celebración de las fiestas locales o cualquier otro gasto extraordinario. En los primeros años los fondos de la caja de comunidad se allegaban de las sobras que hubiera del tributo recaudado, una vez que se había entregado al encomendero la cantidad estipulada en las tasaciones. Después cada comunidad organizó un sistema para obtener bienes comunes; normalmente éstos se conseguían del rendimiento que se obtuviera de las estancias de ganados que la mayoría de los pueblos fueron adquiriendo poco a poco. En estas estancias criaban potros y yeguas que se empleaban para el transporte o vendían a los españoles, y que eran cuidados, por turno, por todos los vecinos de cada pueblo. Así lo hicieron los vecinos de Sacapulas, Chichicastenango, Quezaltenango, Motocintla, Ixtahuacán y otros pueblos serranos.

Pero como pueblo y comunidad no siempre se identificaban, y los indígenas no siempre dispusieron de suficiente cantidad de excedentes de tributo como para hacer frente a todos los gastos que debía cubrir la caja de comunidad, pronto surgieron problemas en torno a los bienes comunes de cada pueblo. Esta situación llevó a las autoridades españolas a imponer y reglamentar la forma de allegar fondos a la caja de la comunidad. La más importante de las medidas adoptadas fue señalar en las tasaciones la suma que cada tributario debía aportar anualmente a la caja común, aparte de la cantidad que estaba obligado a entregar al encomendero.

Las primeras noticias sobre estas medidas aparecen en la tasación que hizo el presidente Valverde entre 1578 y 1582. En ella se señala la cantidad que cada pueblo pagaba de tributo antes de 1582 y la que después de la tasación debía entregar, especificándose también la cantidad que antes debía entregar a la comunidad —lo que muestra que antes del 1582 ya se había puesto en práctica el sistema— y lo que debían dar después. Así, por ejemplo, el pueblo de San Felipe, en la Bocacosta, tasado antes de Valverde en 128 tributarios, debía entregar como tributo de encomienda cada año 56 xiquipiles de cacao, 12 fardos de algodón, 48 fanegas de maíz, y 128 gallinas; además, se le había señalado una entrega de "doce fardos de algodón para su comunidad", cantidad que después, en 1578, se rebajó a ocho fardos. Igual se hizo en el pueblo de Huistla, en la Sierra, donde los vecinos debían entregar como tributo anual "27 cargas y 17 zontles de cacao, las 24 cargas y 2 xiquipiles para S.M. y las 2 cargas, 1 xiquipil y 17 zontles, con lo procedido de las sementeras de maíz de media fanega de sembradura, para su comunidad". También en Huehuetenango cada tributario debía entregar al año una pierna de manta para la comunidad; y en Patulul, a cada tributario se le impuso un real al año para los gastos comunes. La misma división se hizo en los demás pueblos tasados(50).

Otro sistema impuesto por los españoles para que los indígenas tuvieran fondos en la caja de comunidad, fue hacer que cada pueblo labrara una milpa de maíz que debían trabajar entre todos los vecinos; así lo decía claramente el oidor García de Palacios en sus ordenanzas de 1576:

> "Primeramente se les manda al gobernador, caciques, alcaldes y principales del dicho pueblo hagan hacer una milpa de maíz para su comunidad, del grandor y tamaño que según los vecinos de él la pudieran hacer, y tenga mucha cuenta y cuidado en el beneficio de ella; y lo que se cogiere lo pongan y tengan a buen recaudo, y de ello suplan y remedien sus necesidades y acudan a las cosas públicas, sin que sea necesario hacer repartimiento ni derrama alguna entre los naturales de él, haciéndose cargo de lo que así se cogiere, poniendo por memoria lo que de ello se gastare para que de todo haya buena cuenta y razón".

Y en las mismas ordenanzas se reglamentaba el trabajo común:

> "Iten, tengan mucho cuidado en el reparo de su iglesia, casa de comunidad, tiendas, cárcel y las demás casas públicas, reparando y reedificando lo que tuviese necesidad

---

50. AGI, Audiencia de Guatemala, leg. 966.

de reparo o de edificio, de manera que tengan mucha policía y concierto en ellas..."(51).

Un segundo aspecto del trabajo comunal en los pueblos era aquel que estaba dirigido a recaudar fondos con el fin específico de celebrar las fiestas locales; fiestas establecidas por el calendario ceremonial cristiano ya que las otras —las tradicionales entre los pueblos quicheanos— estaban taxativamente prohibidas y no podían celebrarse por lo menos públicamente. Los fondos necesarios para estas celebraciones, el *fondo ceremonial*, se conseguía normalmente siguiendo el procedimiento de las *derramas*. Los principales de cada pueblo o comunidad calculaban aproximadamente la cantidad de dinero necesaria para las celebraciones y repartían el total, a partes iguales, entre todos los vecinos del pueblo. Aunque era un sistema de recaudación prohibido, el cacique de Cuyotenango impuso en 1567 el pago de un ovillo de algodón a cada vecino del pueblo para sufragar las fiestas. El mismo año, don Domingo, gobernador de Samayac, "echó" una derrama de dos tostones a los vecinos para reparar la iglesia y otra de ovillos de algodón para comprar velas, todo ello con el fin de dar gran esplendor a la celebración de las fiestas en honor de Nuestra Señora de la Concepción, patrona del pueblo. En 1570 las autoridades del mismo pueblo volvieron a imponer otra derrama —esta sin cantidad establecida— "para comprar velas para hacer la fiesta de la advocación de este pueblo que es Nuestra Señora de la Concepción". Según el alcalde del pueblo —que declaró lo anterior— el alcalde mayor de Zapotitlán condenó a los responsables de las derramas por no guardar las normas dictadas por las autoridades españolas(52).

El oidor García Palacios explicaba en sus ordenanzas las causas por las que se prohibía a los principales emplear este procedimiento para obtener dinero, tanto para gastos ceremoniales como con cualquier otro fin:

"Los que antiguamente eran señores entre estos hermanos pocas veces tenían tributo señalado, más poníanle a sus macehuales y sujetos según las necesidades que se les ofrecían, por manera que nunca los tristes tenían propiedad en cosa suya. Desta antigüedad ha quedado entre los principales que ahora les mandan un género de tributo y robo

---

51. AGI, Audiencia de Guatemala, leg. 128.
52. Juicio de residencia del alcalde mayor de Zapotitlán Gasco de Herrera. 1567. AGI, Justicia, leg. 313.

con que los desangran y quitan su sudor echando derramas así como para pleitos, gastos públicos de su iglesia y su comunidad, comida de los sacerdotes que los administran, cosa por cierto de gran compasión para quien sabe y entiende..."(53).

Ciertamente, no parece que los principales quedaran libres de sospechas de abusos y explotación de los macehuales de los que, por éste y otros métodos, obtenían en muchas ocasiones grandes cantidades de dinero.

La existencia de la caja de comunidad y de los bienes comunes en cada pueblo planteó diversos problemas; en su mayor parte fueron consecuencia de la absoluta falta de integración de las antiguas unidades de organización social que formaban las comunidades elementales —las parcialidades o *ama'k*— en los pueblos formados por los españoles y que éstos pretendieron convertir en comunidades sin tener en cuenta situaciones anteriores. Así, cuando en un pueblo, como en el caso de Santo Domingo Sacapulas o en el de Santiago Atitlán, se reunieron familias de dos o más parcialidades originales y los españoles pretendieron que tuvieran una única autoridad municipal y una sola caja de comunidad, las divisiones aparecieron rápidamente. Los miembros de cada unidad original no se consideraban parte de la misma comunidad que los de la otra —una muestra de la falta de indentificación entre pueblo y comunidad a la que hemos aludido al hablar del cambio de los patrones de asentamiento— y por tanto se resistían a que los bienes de su grupo fueran empleados o custodiados por los del otro. Las autoridades españolas llegaron en estos casos a adoptar una solución de compromiso que, aunque superó momentáneamente el problema, no le dio solución definitiva: obligó a que miembros de todos los grupos originales que se habían juntado en cada pueblo —en caso de que se diera la circunstancia— formaran parte de los órganos de gobierno municipal y por tanto tuvieran acceso al control de los llamados bienes comunes.

Un ejemplo de este tipo de conflictos fue el que se dio en Santiago Atitlán y que fue presentado a la autoridad española en 1563 para que le diera solución(54). El pueblo de Santiago Atitlán había sido fundado por los franciscanos en las orillas del lago Atitlán, cerca de la antigua Tziquinahay, poco después de 1540. Allí se reunieron

---

53. AGI, Audiencia de Guatemala, leg. 128.
54. Petición de los caciques de Atitlán sobre ciertas diferencias que tenían con don Pedro, gobernador de dicho pueblo. 1563. AGC, A1.15 leg. 5946 exp. 52042.

a miembros de los dos grupos que formaban el antiguo señorío tzutujil: la parcialidad Tzutujil y la parcialidad Ah Tz'iquinahay. Con ambas parcialidades reunidas en el mismo asentamiento los frailes franciscanos quisieron organizar una sola comunidad, con una sola autoridad y con una sola caja en la que se guardaran los bienes comunes, así como con las mismas explotaciones comunes con las que conseguir los fondos para sus gastos. La contradicción salió pronto a relucir y con ello los conflictos entre ambos grupos que siempre habían mantenido relaciones tensas. En 1563 los principales de la parcialidad Tzutujil protestaron porque los cargos del cabildo estaban siempre en posesión de los miembros de la parcialidad contraria, lo que consideraban injusto dado que si ellos también eran principales, debían participar igualmente en el gobierno del pueblo. Y añadían: "en lo de los tributos y sobras de él que se mete en la caja de la comunidad, que quieren que se les dé a ellos una llave y los otros tengan otra". La parte contraria acusó a los demandantes de querer romper la unidad de los bienes comunes, infringiendo las órdenes dadas por los españoles en las que argumentaron su defensa:

> "Y que en las milpas de la comunidad que no quieren que haya partida en San Francisco ni en San Andrés ni en San Bartolomé, como las quieren partir don Gonzalo y los de su parcialidad, sino que todas sean una y lo que sacaren de ella se meta en la caja de la comunidad y quiere que sea una, pues que el licenciado Ramírez mandó que hubiese tres lleves, y que la una la tuviese don Pedro, y la otra don Gonzalo y la otra el mayordomo que se llama Jerónimo de Mendoza, y que el don Gonzalo quiere que haya dos cajas y que no es bien así...".

En el auto que un oidor de la Audiencia dictó para resolver el contencioso se ordenaba que cada parcialidad nombrara un mayordomo que tuviera una llave, y que entre los dos abran y cierren la caja de la comunidad y anoten siempre todo lo que en ella entre o salga. El conflicto parecía definitivamente zanjado, pero la historia mostró que no era más que un paréntesis en el enfrentamiento entre ambas comunidades.

El mismo problema se planteó en el pueblo de Sacapulas; allí las parcialidades que los dominicos juntaron tuvieron que llegar a un acuerdo, por mediación de los religiosos, en el que se establecía un concierto que debía poner fin a la cuestión. Los miembros de la parcialidad de Sacapulas, originaria en el pueblo, poseía un cierto número de potros y yeguas como bienes comunes; cuando se unieron al pueblo las parcialidades de los Citaltecas, Coatecas y Tzacualpanecas, acordaron que los primeros darían a los "advenedizos" un número anual de potros de esos bienes comunes —en un documento dice trece y en otro tres—; a cambio los recién llegados debían preocuparse de mantener en buenas condiciones las cercas destinadas a proteger las milpas del pueblo de los daños que pudieran producir el ganado.

También se estipuló que debían tener entre todos una sola caja de comunidad, controlada —como en el caso de Atitlán— por hombres de los dos grupos. Sin embargo, el fondo ceremonial que se debía destinar a celebrar las fiestas de Santo Domingo, el patrón del pueblo, se recaudaría por separado:

> "las dichas tres parcialidades alleguen y recojan para el gasto de la dicha fiesta por sí como a ellos les pareciere, y asimismo lo hagamos nosotros los naturales del dicho pueblo, que lo que se hubiere de gastar de nuestra parte en la dicha fiesta lo busquemos como mejor nos estuviere"(55).

Pero el conflicto no quedó resuelto definitivamente. En 1573 los miembros de la parcialidad de los sacapultecos consideraron que el acuerdo era desventajoso para ellos y que les perjudicaba por dos motivos fundamentales: el primero, porque se les obligaba a entregar a los advenedizos un número de animales de una explotación en cuya creación sólo ellos habían participado; el segundo, porque se daba el mismo trato a su parcialidad compuesta por ciento veinte familias, que a las advenadizas que no contaban con más de veinte cada una. La reconsideración del problema dio lugar a un nuevo pleito que se prolongó, cuando menos, hasta bien entrado el siglo XVII y en el que se ponía de manifiesto una y otra vez la falta de identificación entre pueblo y comunidad. Donde no existía sentido comunitario difícilmente se podría mantener sin conflictos una caja de comunidad sostenida por el trabajo de todos los vecinos de un pueblo(56).

---

55. Ejecutoria dada en el pleito que mantenían los indios de Citalá con los de Sacapulas por la posesión de unos potros y yeguas que tenían en comunidad. 1572. AGC, A1 leg. 6025 exp. 53132.

56. Pleito de las parcialidades de Citalá, Zacualpa y Coatán contra la de Sacapulas. 1640. AGC, A1 leg. 5942 exp. 51995.

TRIBUTO Y SERVICIOS A CACIQUES Y PRICIPALES

La población campesina del Occidente de Guatemala tenía que servir y pagar tributo a los principales de sus comunidades. Desde el principio de la colonia los españoles trataron de abolir cualquier forma de prestaciones o servicios y tributos que los indígenas tuvieran en su "gentilidad", es decir, antes de que se convirtieran a la fe cristiana. Ello llevó a los principales y señores de los distintos pueblos a una situación de miseria impropia —según ellos— de su estado y condición social. Consecuencia de la prohibición fue la carta de protesta que los descendientes de los señores de Atitlán escribieran al rey en 1571:

> "Y asimismo nosotros sus hijos padecemos hoy día de que nos cargamos y nuestras mujeres nos muelen y sirven, y para sustentar nuestras casas cavamos y usamos de lo que nuestros esclavos nos solían servir, por donde pasamos y padecemos mucha necesidad, y los hijos de señores vamos en disminución porque no somos acostumbrados a tales oficios de servir, sino de ser servidos, por descender y ser hijos de tales señores..."(57).

El oidor Zorita también se hacía eco de la triste situación de los principales que había podido ver en el pueblo de Utatlán, la antigua capital del estado quiché:

> "...estaban a la sazón los señores en el pueblo que llaman de Utatlán, de quien toma nombre toda la provincia, tan pobres y miserables como el más pobre indio del pueblo, y sus mujeres hacían las tortillas para comer, porque no tenían servicio ni con qué lo mantener, y ellos traían el agua y leña para sus casas"(58).

Los principales consiguieron con sus protestas que se les exonerara de tributar a los encomenderos y a la Corona. Además, cuando menos en el caso de los descendientes de los señores de K'umarcaaj, también consiguieron que se les permitiera seguir disfrutando de pri-

---

57. AGI, Audiencia de México, leg. 85.
58. Alonso de Zorita: *Breve y sumaria relación de los señores de la Nueva España*. México, 1942, pág. 204.

vilegios tales como la recepción de tributos y servicio personal de los indios de sus pueblos(59).

En este caso, los descendientes de los principales señores quichés, el *ahpop* y el *ahpop camhá,* don Juan Cortés y don Juan de Rojas, consiguieron que se les encomendara a cada uno la mitad de los indios conocidos como "parcialidad de los nimacachíes". Los *nimak achí* eran indios que poseían antes de la conquista el estatus de siervos de los señores del Quiché; una situación muy semejante a la que tenían los *mayeque* de México Central. Normalmente eran cautivos de guerra y tenían la obligación de servir a sus señores a los que pagaban un cierto tributo que obtenían de cultivar tierras propiedad de aquéllos. Tras ser encomendados a los citados caciques, los *nimak achí* siguieron pagando tributo y cultivando sus tierras, además de hacer y reparar sus casas, y proporcionarles indios para servicios personales(60).

¿Disfrutaron del mismo privilegio los señores de los demás pueblos? Esta es una pregunta de difícil respuesta a la luz de las informaciones de que se dispone en la actualidad. Sin embargo, es posible pensar que de alguna forma los descendientes de los señores de los otros tres estados prehispánicos gozaban de semejantes privilegios, además de los concedidos a todos los principales por su condición de tales. Según Zorita, los descendientes de los señores cakchiqueles que residían en Tecpan Guatemala —la antigua Iximché— recibían servicios personales y alimentación de unos siervos de condición paralela a la de los *nimak achí*:

> "Y en Tecpan Guatemala, que es un pueblo muy principal junto a Guatemala, conocí yo a un Señor que había sucedido a un su hermano; y era vivo y yo le conocí, un hijo del Señor ya difunto, e tenía unas tierras e *mayeques* que habían sido del patrimonio de su padre, y el tío tenía el señorío..."(61).

El fiscal de la Audiencia de Guatemala se refería en 1595 a la misma cuestión en una carta en la que trataba de convencer al rey de la inconveniencia de que los caciques de Utatlán siguieran reci-

---

59. Pedro Carrasco: «Don Juan Cortés, cacique de Santa Cruz del Quiché». *Estudios de Cultura Maya*, 6: 251-266. 1967.
    60. *Ibid.*
    61. Alonso de Zorita: *Op. cit.,* pág. 76. El subrayado es nuestro.

biendo el tributo de los *nimak achí*. Al final de la carta dice textualmente:

> "...mayormente que a estos caciques les acuden todos los indios con los servicios que como a tales caciques se les deben que son repararles las casas, hacerles una milpa de maíz, proveerles la casa de agua y leña y darles indios que les sirvan"(62).

Si cuando el fiscal habla de los servicios que se debe a los señores de Utatlán "como a tales caciques" refiere a un deber general de todos los indígenas, es posible pensar que no sólo aquéllos recibían servicio de sus macehuales, sino también los descendientes de los señores de Atitlán —después de 1571 desde luego— y los caciques mames descendientes de los señores prehispánicos de Zaculeu, de la misma forma que, según Zorita, recibían servicios los señores cakchiqueles.

Con estas prestaciones concluían las obligaciones tributarias de macehuales del Occidente de Guatemala. Cuánto tiempo y trabajo tenía que dedicar cada campesino para cumplir con ellas es algo que probablemente nunca lleguemos a saber, pero es indudable que al menos la mitad del trabajo de cada indio iba a parar a manos españolas y otra buena parte tenía que dedicarla a cumplir con obligaciones con su propia comunidad y a cubrir los gastos ceremoniales. El indio tenía que emplear otra parte de su trabajo en conseguir los medios para asegurar la cosecha del siguiente ciclo agrícola, el *fondo de reemplazo;* el resto de los frutos de su esfuerzo se dedicaba a la sustentación y vestido de él mismo y su familia. No parece que en estas circunstancias los hombres del "común" dispusieran de excedentes para acumular, algo que curiosamente asombraba a los españoles del siglo XVI que por esa razón calificaban a los indígenas de vagos y holgazanes.

---

62. AGI, Audiencia de Guatemala, leg. 10. Citado en Pedro Carrasco: *Don Juan Cortés...*, pág. 262.

CAPITULO VII

EL PROBLEMA DE LA TIERRA

El gran valor que la tierra cultivable tenía hizo que en los Altos de Guatemala se desarrollara un sistema de adscripción que permitía a cada individuo disponer siempre de alguna parcela en la que obtener los productos necesarios para asegurar su subsistencia; incluso, en algunas ocasiones, disponer de cazaderos y montes comunes en los que podía conseguir animales para completar una dieta basada fundamentalmente en el maíz. Como se observó página atrás, desde el estado hasta las más pequeñas organizaciones, todo el mundo conocía las tierras a las que tenía derecho por haber nacido en el seno de un linaje o parcialidad determinado. Algunos, los más poderosos o "principales", disponían de tierras propias que habían heredado de sus antepasados o que les habían cedido los señores como recompensa por sus servicios al estado. De esta forma parece que maíz había para todos. Al cacao no todos podían acceder ya que su importancia para el mantenimiento de los estados prehispánicos llevó a los grupos dirigentes a ejercer un control más estricto sobre la tierra de la Bocacosta.

Con la llegada de los españoles se produjo una importante ruptura en este sistema de distribución de la tierra. La presencia en un plano de dominio de los nuevos actores en el escenario americano hacía obligatorio un nuevo reparto de las tierras disponibles. Por otro lado, la desintegración de los estados prehispánicos tras la conquista llevó a una nueva estructuración de los sistemas de adscripción y derechos a las tierras que antes se fundamentaban en la existencia de tales estados.

El primer cambio de importancia se produjo al mismo tiempo que la conquista. Igual que entre los pueblos quicheanos, en el

Viejo Mundo las tierras conquistadas en guerra justa pertenecían a los conquistadores. Este derecho sobre las tierras conquistadas
venían reforzado además por las donaciones papales que siguieron
al descubrimiento y por la recepción del Derecho Común vigente en
Europa —con orígenes en el Derecho Romano— que admitía el descubrimiento y ocupación como título jurídico para tener la propiedad
sobre aquéllas(1). Esto suponía en primer lugar que la Corona de
Castilla asumía, desde el momento en que sometió a los estados mayas
de los Altos de Guatemala, todos los derechos que éstos tenían sobre
las tierras que se circunscribían dentro de los límites de sus dominios.
Así aparece textualmente citado en la cédula que en 1591 emitió el
rey para llevar a cabo las "composiciones" de tierras en todos sus
dominios de Ultramar:

> "por haber yo sucedido enteramente en el señorío que tu-
> vieron en las Indias los señores que fueron de ellas, es mi
> patrimonio y corona real el señorío de los baldíos, suelo y
> tierras que estuviesen concedidos por los señores reyes
> mis antecesores o por mí en su nombre..."(2).

Como consecuencia de este principio, la Corona se convertía
en la propietaria de todos los bienes sobre los que tenían derechos
reales los señores de los estados prehispánicos. Sin embargo, se reconocían los derechos de propiedad que legítimamente tuvieran las
poblaciones conquistadas sobre todas aquellas tierras que cultivaban
en el momento de la llegada de Alvarado y sus hombres; pero se consideraron como tales solamente aquellas que estuvieran labradas en
el momento de la conquista y no las que permanecían en barbecho
—que precisaba ser muy prolongado dado el sistema de cultivos de
tala y quema— y que sin embargo los pueblos indígenas siempre habían considerado suyas. Todas las tierras que en ese preciso momento
no hubiesen estado roturadas las autoridades coloniales las consideraron baldíos y como tales eran propiedad de la Corona.

Esta situación dio lugar a que durante todo el siglo XVI los
señores de los distintos linajes que formaban cada uno de los esta-

---

1. Sobre los derechos que se argumentaban en el siglo XVI para justificar las
prerrogativas de la Corona de Castilla sobre las tierras americanas existe una abundante bibliografía; como obra de carácter general se puede consultar el libro de J. M.
Ots Capdequí: *España en América. El régimen de tierras en la época colonial*. México, 1959.
2. Esta real cédula fue enviada a diversas autoridades indianas en noviembre
de 1591. Un traslado de la dirigida al presidente de la Audiencia de Guatemala se
conserva en un expediente del AGC bajo la signatura A1 leg. 5942 exp. 51995 (Pleito de
las parcialidades de Citalá, Zacualpa y Coatán contra la de Sacapulas).

dos prehispánicos se dedicaran, por todos los medios a su alcance, a probar los derechos que sus respectivos grupos tenían sobre determinados territorios. De esta acción surgieron la mayoría de los documentos que hoy se conocen como *títulos indígenas de tierras* y que constituyen una fuente de inapreciable valor para conocer tanto las formas de tenencia de la tierra y los territorios dominados por cada linaje, como aspectos importantes de la evolución política y la organización social de estas poblaciones(3).

Pero no sólo la Corona y los distintos grupos de filiación indígenas reclamaban derechos sobre tierras. Tras la conquista habían desaparecido una serie de instituciones indígenas —algunas de la importancia del mismo estado— y a la vez habían aparecido otras que reclamaban igualmente determinadas tierras; tal era el caso de los pueblos de indios que surgieron como consecuencia directa de la presencia española y que precisaban de ejidos y bienes propios para cubrir sus necesidades. De la misma forma, las poblaciones españolas que se crearon en el transcurso de la colonización necesitaban tierras comunes, y los mismos españoles deseaban obtener tierras en propiedad. De una u otra forma, todos esgrimieron sus derechos ante la Corona que, como poseedora del señorío político, debía decidir en cada una de las ocasiones. El final de todo fue la ruptura del sistema indígena en sus niveles más elevados —parece que no en los inferiores— y un nuevo reparto de las tierras disponibles. También fue resultado del nuevo orden la existencia de una situación permanente de conflictos tanto entre los diversos grupos indígenas que mantuvieron sus disputas por el control de la tierra, que ya había dado lugar a guerras antes de la llegada de los españoles, como entre españoles e indígenas, los indios y la Corona, y los mismos españoles y el rey.

Al final del siglo XVI la tierra ya estaba repartida. Después de las "composiciones" casi todo el mundo tenía señaladas las tierras de que podía disfrutar; a partir de este momento sólo surgirían pleitos entre los distintos grupos de intereses arriba señalados tendentes a dilucidar conflictos de límites o jurisdicciones. Estos pleitos en muchas ocasiones —sobre todo en los que se produjeron entre grupos indígenas— venían de antiguo y normalmente pasaron de una generación a otra, llegando a veces hasta el período republicano.

---

3. La mayor parte de estos *títulos* se conservan en diversos expedientes del Archivo General de Centroamérica, en Guatemala. Otros los conservan aún en su poder algunas poblaciones indígenas de los Altos. Muchos de ellos han sido publicados por Robert M. Carmack en diversos trabajos. Otros han sido publicados por Adrián Recinos y M. Crespo (1956). La mayoría de estas publicaciones se citan en la Bibliografía.

En ese momento final del siglo XVI podían distinguirse en el Occidente de Guatemala tres tipos de tierras, fundamentalmente. En primer lugar, las tierras de la Corona ya definidas después que se habían fijado cuáles eran las que legítimamente pertenecían a las distintas comunidades indígenas; después, las tierras de los españoles, normalmente de propiedad privada y que éstos habían conseguido de la Corona por diversos medios; en último lugar, las tierras de los indios, obviamente la mayor parte de todas las del área, y que se distribuían manteniendo en algunas ocasiones los sistemas de adscripción que regían antes de la conquista española, o creando otros cuando la nueva situación hacía inviable el mantenimiento de las antiguas estructuras.

TIERRAS DE LA CORONA

Como se ha visto arriba, la Corona por el hecho de la conquista había adquirido la propiedad de todas las tierras que pertenecían a los estados prehispánicos. En principio esta propiedad podía estar referida a todas las tierras conquistadas, pero de hecho se limitó a aquellas que antes de 1524 se consideraban propiedad exclusiva del estado, las que en la normativa de Castilla se designaban con el nombre de *realengas,* y a los *baldíos* y *mostrencos.*

Sin embargo, como ya se apuntó, el problema se planteó cuando la Corona consideró baldíos todas las tierras que no se cultivaban. Estas debían suponer una gran extensión después de la conquista por dos motivos fundamentales: en primer lugar, porque el cultivo de rozas imponía necesariamente el barbecho prolongado de aquellas tierras que se habían explotado durante un período de tiempo; en segundo lugar, la mortandad que siguió a la conquista debió dejar sin cultivar una importante parte de las tierras.

Consecuencia de este derecho fue la facultad que tenía la Corona para poder repartir o vender las tierras a aquellas personas o instituciones que las precisaran, siempre que las tierras así dadas no fueran en perjuicio de la propiedad que de tiempo inmemorial se reconocía a los indígenas y cuyos límites se definían en los títulos de tierras hechos tras la conquista. Esta facultad de la Corona se expresaba en una real provisión dada en 1563 al licenciado Garci Jufre de Loaisa, encomendándole el reparto de las tierras de la jurisdicción de Guatemala:

> "y asimismo podáis dar y déis a los conquistadores, vecinos y pobladores de la dicha provincia de Guatemala, y

naturales de los pueblos, las tierras y caballerías en que labren, cultiven y siembren, y estancias para ganado y aguas y solares para casas y edificios en que vivan y moren y en que hagan huertas y otras labranzas que convengan para su vivienda y perpetuidad, y de todo lo susodicho y cualquier cosa y parte de ello les deis tan bastantes títulos como se requiere y sea necesario..."(4).

Y posteriormente, en 1568, el rey insistía de nuevo en sus derechos sobre las tierras baldías en otra cédula:

"Los baldíos, suelos y tierras de las Indias que no estuvieren concedidos particularmente por Nos, o nuestros antecesores a lugares o personas particulares, es nuestro cargo y nuestra Corona Real, y *podemos de ello disponer a nuestro arbitrio y voluntad,* de los cuales se podrá asignar y repartir a los lugares y concejos para propios, ejidos y términos públicos y concejiles...
Y otrosí, podrá dar a los naturales españoles e indios algunas tierras en propiedad para que puedan labrar y cultivar..."(5).

Esta facultad y derecho de la Corona sobre las tierras estuvo siempre en la mente de los españoles residentes en las Indias, e incluso en algunas ocasiones se empleó como argumento en las disputas por tierras entre distintas comunidades indígenas. Este fue el caso de un pleito entablado entre un grupo de indios de Zambo y los de Zapotitlán —ambos en la Bocacosta— por ciertas tierras que ambos decían poseer legítimamente; el argumento lo empleó un procurador español que hablaba nombre de los indios de Zambo:

"los dichos mis partes nunca pagaron arrendamientos por tierras algunas a los naturales de Zapotitlán, y en caso de que algo les hubieran pagado, que niego, como imposición injusta se ha de quitar porque *todas las tierras que estuvieren sin perjuicio de terceros, montes y aguas, son de Su Majestad, y las puede dar y repartir,* y Vuestra Señoría en su real nombre que tiene poder y comisión especial

---

4. Juicio de residencia del licenciado Briceño. AGI, Justicia, leg. 317.
5. Real Academia de la Historia. Colección Mata Linares, Tomo XCVII, f.º 334. Publicado en Francisco de Solano: *Tierra y sociedad en el reino de Guatemala.* Guatemala, 1977, pág. 232-233. El subrayado es nuestro.

para ello, a quien quisiere y por bien tuviere, y lo realengo y que a Su Majestad pertenece nadie lo puede arrendar ni tomar sin especial licencia ni comisión suya, y hacer lo contrario es delito..."(6).

En estas circunstancias, la Corona actúa efectivamente como auténtica propitaria de las tierras señaladas y las vende o reparte a indios y españoles; con ello, la compra o donación real y el argumento de propiedad inmemorial por parte de los indios son durante el siglo XVI los únicos títulos legítimos que se pueden poseer para tener la propiedad de las tierras.

Haciendo uso de esta facultad, la Corona había repartido por medio de sus delegados en Guatemala numerosos territorios a los españoles. La parte más importante de estas donaciones se hizo en los parajes aledaños a la ciudad de Santiago, capital de la gobernación y el único centro de población española de Guatemala durante el siglo XVI. Sin embargo, algunos vecinos —normalmente los que formaban parte del grupo más influyente— habían conseguido obtener por diversos medios tierras en propiedad en parajes del Occidente de Guatemala, cerca de los lugares en que residían los indios que la mayoría de ellos tenían encomendados.

Como muchas de estas tierras se habían conseguido empleando procedimientos poco ortodoxos, si no ilegales, al final del siglo la Corona decidió considerar nulas todas las propiedades que antes de 1591 se hubieran obtenido por cualquier medio. A los españoles que presentaran títulos legítimos de propiedad se les debía confirmar en ellos dándoles otros debidamente autorizados; a los que no los tuvieran se les debían quitar las tierras que de cualquier forma hubieran tomado. Pero llevar a sus últimas consecuencias esta medida era algo que no beneficiaría en absoluto a la estabilización de la vida colonial: los españoles no habían arriesgado su vida para no obtener de ello ningún beneficio. Por otro lado, la Corona en esos momentos no estaba en una situación económica floreciente, como consecuencia de la política europea del Emperador y su sucesosr Felipe II. Por ello decidió tomar una medida de compromiso que beneficiara a las dos partes:

"ordeno que me hagáis restituir todas las tierras que cualesquier personas tienen y poseen en esa provincia sin justo y legítimo título, haciéndolos examinar para ello, y co-

---

6. Proceso entre los indios de Zapotitlán y los de Zambo-Zacualpa sobre ciertas tierras. 1561. AGI, Justicia, leg. 317. El subrayado es nuestro.

moquiera que justamente se pueda ejecutar lo que contiene la dicha cédula por algunas justas causas y consideraciones, principalmente por hacer merced a mis vasallos, he tenido por bien que sean admitidos alguna acomodada compusión [sic] para que, sirviéndome en lo que fuera justo para poner y fundar y anclar una gruesa armada para asegurar estos reinos y esos y las flotas que van y vienen [...] se les confirmen las tierras y viñas que posean..."(7).

Por este procedimiento la Corona vende tierras y confirma situaciones que, en la mayoría de los casos, eran el resultado de verdaderas depredaciones cometidas por los colonos españoles contra las propiedades de los grupos indígenas.

El mismo procedimiento se siguió con la población indígena. Es evidente que los naturales no podrían subsistir sólo con aquellas tierras que les habían dejado después de la conquista. Estas, pasado un período de tiempo, tendrían que ser puestas en barbecho y sería necesario cultivar otras. También las necesidades derivadas del tributo —fundamentalmente de aquella parte cuyo pago se tenía que hacer en cacao— obligaba a buscar tierras en la Bocacosta. Para obtenerlas las naturales tuvieron que recurrir a la donación real y en algunas ocasiones a la compra de aquellas tierras que posiblemente antes de la conquista habían sido de su propiedad.

Testimonios de solicitud y concesión de tierras a indígenas por la Corona hay en gran número entre la documentación consultada. En algunas ocasiones estas donaciones de tierras, supuestamente realengas, daban lugar a complejos y larguísimos pleitos entre poblaciones ya que unos conseguían del rey lo que otros consideraban suyo. También aparecen en la documentación testimonios de contratos de compraventa entre indios y la Corona. Uno de estos testimonios se encuentra en un *título* que presentaron en 1712 los indios de San Bartolomé Atitlán para certificar sus derechos sobre ciertas tierras que se trataba de medir aquel año. El documento, que no señala la fecha de su expedición aunque indudablemente pertenece al siglo XVI, se expresa en los siguientes términos:

---

7. Real Cédula sobre composiciones de tierras dirigida al presidente de la Audiencia de Guatemala. El Pardo, 1.º de noviembre de 1591. El texto está tomado de un traslado que se encuentra en el AGC bajo la signatura, A1 leg. 5942 exp. 51995.

"Nosotros los alcaldes, justicias principales, estando en estas montañas y tierras entramos nosotros en consulta para recoger y ajustar, las cuales tenemos ya recogidas y nos convocamos todos por la palabra de Dios Padre, Dios Hijo y Dios Espíritu Santo para que nos diese espíritu y valor a todos nosotros, y dijimos: determinemos de una vez nuestra intención a nuestro colmo y deseo para que ninguno se entrometa en nuestras tierras y montañas a donde nos han dejado nuestros abuelos y abuelas [...] y fue Dios servido que se nos apareció un hombre español llamado Chacona con el cual hablamos y *nos compusimos con él y llevamos ocho cargas de cacao* las cuales llevaron cuatro mulas, y fuimos a buscar al que nos busca y enseña Don Fernando Cortés, conquistador [...], acompañados de el español don Pablo Chacona quien presentó nuestra petición al dicho don Fernando Cortés en la cual dicha petición declaramos todos los menoscabos, desdichas y trabajos que padecemos con los indios del pueblo de San Juan de Nagualapa [...], y por eso mismo *compramos las tierras en ocho cargas de cacao* en el nombre de Dios Padre a nuestro rey Carlos Quinto y nos entregaron los títulos de las tierras..."(8).

De este modo, con la conquista no sólo se sustituyó la antigua organización estatal por otra encarnada en la Corona de Castilla, sino que se perdió el carácter de redistribuidor automático de tierras que pudieron tener los estados prehispánicos. Antes, de algún modo, el estado se veía forzado a entregar las tierras conquistadas a los linajes que participaron en la conquista; tras la llegada de Alvarado, la Corona se apropió de las tierras del estado prehispánico, despojó a los indígenas de parte de sus tierras y confirmó el expolio llevado a cabo por los españoles. Ahora la Corona ya no está obligada a repartir las tierras entre los conquistadores, sino que lo hace en función de *gracia* o *merced,* aunque de algún modo esta merced es el precio que hay que pagar por un servicio; algo semejante a lo que los señores quichés prehispánicos hacían al regalar tierras realengas para premiar servicios

---

8. Autos de medidas de unas tierras del término de San Bartolomé de la Costilla. 1712. AGC, A1 leg. 5963 exp. 52303. El subrayado es nuestro. Una transcripción del testimonio se encuentra en M. Crespo: «Títulos indígenas de tierras». *Antropología e Historia de Guatemala,* 8 (2): 10-15. 1956. Un comentario crítico del documento, que Carmack denomina *Título San Bartolomé,* aparece en su obra *Quichean civilization* (Berkeley, 1973), págs. 67 y 68.

prestados. Los indígenas se vieron obligados a suplicar o comprar a la Corona sus propias tierras para tener donde cultivar y obtener los productos necesarios para pagar a los mismos españoles el impuesto exigido.

TIERRAS DE ESPAÑOLES

Los vecinos españoles de la ciudad de Santiago de los Caballeros habían procurado tener tierras en propiedad desde los primeros años de la colonización. En las Indias un español podía llegar a tener tierras por tres procedimientos diferentes: alcanzando una merced real; mediante una adecuada "composición" con la Corona; y comprándolas a los indígenas o a otro español propietario. Según se desprende de la documentación, el método más corriente era el segundo, es decir, comprar a la Corona tierras de las que le pertenecían por haberse considerado baldías después de la conquista. Este procedimiento suponía de hecho la legalización de la usurpación que los españoles hacían a los indígenas de sus antiguas tierras.

Las primeras noticias relativas a propiedades de españoles aparecen en las tasaciones de Cerrato de 1549. En ellas se especifica que don Francisco de la Cueva y Juan Pérez Dardón, dos importantes vecinos de la ciudad, tenían estancias de ganado en las cercanías de los pueblos que poseían en encomienda, San Juan Ostuncalco y Momostenango, respectivamente. En la fuente sólo se indica que ambos poseían dichas estancias, pero no se especifica cómo llegaron a adquirirlas. Sin embargo, la cercanía de las tierras a los pueblos de la encomienda parece confirmar que fueron tomadas directamente a los indios sin que mediara la acción real. Esta debió ser una práctica frecuente ya que, en el mismo año de 1549, la Corona emitió dos reales cédulas en las que prevenía y trataba de rectificar los abusos cometidos por los encomenderos en este sentido. En la primera, fechada en 29 de abril, el rey anunciaba a Cerrato que era práctica común entre los encomenderos usurpar tierras a los indios:

> "si les parecen bien algunas tierras y prados de los indios que tienen encomendados, diz que hacen con los caciques y principales que se las vendan y se les den por ellas lo que quieren, de lo cual los dichos indios reciben daño"(9).

---

9. AGI, Audiencia de Guatemala, leg. 402. Publicado en Francisco de Solano: *Op. cit.*, págs. 194-195.

En la segunda, fechada en Valladolid el 9 de octubre y dirigida a la Audiencia, se trata de remediar la situación:

"conviene que se haga una visita general desas provincias por personas de conciencia y temerosas de Dios, para que vean y examinen los agravios que se han hecho a los indios por los encomenderos y sus calpisques y otras personas, y las tierras que les han tomado como propias suyas y se las restituyesen no embargante que dijesen que se las habían comprado, porque se las habían tomado por fuerza, poniéndoles miedo para ello, y que la paga que le daban era una camisa o una arroba de vino por tierra que valga mucho más..."(10).

De cualquier forma, no parece que las buenas intenciones de la Corona tuvieran efecto. La cédula de 1591 en la que se ordenaba la composición de tierras indica que hasta final de siglo la apropiación ilegal era un asunto corriente.

En otras ocasiones, y presumiblemente después que se recibieran en la Audiencia las dos cédulas de 1549, los españoles que deseaban tener tierras solicitaban a la Audiencia, que tenía por expresa delegación del rey la facultad de repartirlas, que les hiciera merced de alguna parcela alegando siempre que no iba en "perjuicio" de los indios. Que este método era legal según las normas vigentes nadie lo ponía en duda; pero el efecto de tales apropiaciones para los naturales era el mismo que el que producía el método anterior. La corrupción y los intercambios de favores no eran desconocidos en Guatemala durante el siglo XVI, y era muy posible que los miembros de la Audiencia concedieran las mercedes de tierras a sus paniaguados y a todos aquellos personajes de cierta relevancia en la vida de la colonia, a cambio de algunos servicios o de cierta impunidad a la hora de rendir cuentas de su actuación en los juicios de residencia.

De esta forma muchos españoles obtuvieron propiedades en diversas regiones del Occidente de Guatemala. Una parte importante de tierras se repartió en la Costa, en las proximidades del lugar llamado Xicalapa, el único centro de población indígena que quedaba en la costa del Pacífico en el siglo XVI. En 1568 tenían propiedades allí hombres como Sancho de Barahona, Antonio de Paredes, Juan Rodríguez

---

10. AGI, Audiencia de Guatemala, leg. 402. Publicado en Francisco de Solano: *Op. cit.*, págs. 198-199.

Cabrillo y Andrés Martín, todos ellos con gran ascendiente entre los vecinos de Santiago y algunos —como Barahona y Cabrillo— beneficiarios de importantes encomiendas(11). Otro español, Luis Manuel de Pimentel, había conseguido en 1563 títulos de propiedad de varias extensiones de tierras en las proximidades del pueblo de Huehuetenango, en el altiplano. Se le concedieron títulos de "una estancia para ovejas y cabras", tres caballerías de tierras para "sembrar trigo" y otras tres caballerías para "sembrar maíz"(12).

Un caso de propiedad más antiguo que los dos anteriores es el de la estancia que poseía Juan de León Cardona entre los pueblos de Quezaltenango y Totonicapán, cerca del lugar conocido antes de la conquista como Sajcajá. Esta tierra había sido concedida a Juan de León por Pedro de Alvarado poco después de la victoria sobre los ejércitos quichés en los llanos próximos a Xelajuj:

> "...dándole tierras a Dn. Juan de León Cardona de este Pueblo [Quezaltenango] Totonicapán y Santa Catalina Sija que los tres Pueblos era la tierra de Sacaja, en donde se le señaló al dicho Dn. Juan León Cardona, quien quedó de Governador de todos estos Pueblos asistiendo a esto Dn. Martín Belasques ajpopo Guizisil Zunun"(13).

En la misma región obtendría tierras posteriormente otro español llamado Mazariegos, y cerca de Chiquirichapa, en el camino real que iba a Quezaltenago, poseía una estancia de ganados la hija del Adelantado, doña Leonor de Alvarado(14).

El otro sistema que utilizaban los españoles para obtener tierras de los indios era la compra. Como constaba en las cédulas de 1549, los encomenderos tenían por costumbre adquirir tierras de los indios a cambio de cantidades exiguas. Para evitar que esta práctica dañara constantemente a los indígenas, la Corona ordenó que ningún

---

11. Autos seguidos por el presbítero Antonio Rodríguez, cura de Xicalapa, contra Juan Rodríguez Cabrillo, encomendero. 1577. AGC, A3.12 leg. 2774 exp. 40022. Documentos sobre la venta de una estancia de ganados de Sancho de Barahona. 1568. AGC, A3.30 leg. 2863 exp. 41701.

12. Títulos de tierras concedidas a españoles en Guatemala. 1563. AGC, A3.30 leg. 2863 exp. 41698. En Guatemala se emplearon diversas medidas para las tierras; una *caballería* medía aproximadamente 43 hectáreas, y una estancia para ganado menor aproximadamente 33. Según esto, la extensión de las tierras concedidas a Pimentel sumaba un total de 291 hectáreas. La definición de las unidades más usualmente empleadas para medir tierras en Guatemala se puede ver en Francisco de Solano: *Op. cit.*

13. Francis Gall: *Título del Ajpop Huitzitzil Tzunún.* Guatemala 1963, pág. 29.

14. Pleito de los indios de Chiquirichapa contra los de Ostuncalco sobre ciertas tierras. 1745. AGC, A1 leg. 5987 exp. 52660.

indio, en su nombre o en el de su comunidad, pudiera vender ninguna tierra a los españoles sin la presencia de una autoridad que tuviera cuidado de que tal venta no era desventajosa para los indígenas, ni fuera el resultado de la extorsión de los encomenderos(15).

En consecuencia, este tipo de venta se hacía de forma pública y su realización queda reflejada en documentos que atestiguan la validez de la transacción. Un caso de este tipo aparece en 1579 cuando unos indios vecinos de Quezaltenango piden licencia para vender una caballería de tierra, que afirmaban haber heredado de su padre, a un español llamado Gómez de Escalante; los indígenas consideran que dichas tierras no les pueden rendir ningún beneficio y proponen vender la parcela al español considerando que con tal acción se beneficiarían. Alegando tales circunstancias solicitan la licencia:

> "pedimos y suplicamos nos de licencia para las poder vender atento a lo susodicho, ya que de manera libre y agradable y espontánea voluntad lo hacemos y confesamos y decimos que en ello no hay fraude ni engaño..."(16).

Otro caso semejante se dio en 1582 en la Bocacosta, donde los indios de una parcialidad del pueblo de Zambo vendieron unas tierras de titularidad común a un español, posiblemente comerciante en cacao, residente en el pueblo de Samayac. Las tierras estaban dedicadas a cultivar algodón pero se desconoce la utilidad que el español les diera después de adquirirlas(17).

Cuando algún español obtenía de la Corona títulos legítimos de propiedad de tierras conseguía derechos absolutos sobre ellas. Sin embargo, en ciertas ocasiones la Corona ponía algunos límites temporales a la libre y absoluta disponibilidad de las tierras por parte de los nuevos propietarios: en la mayoría de las concesiones aparece una cláusula final en la que se especifica que las tierras que se otorgan a título de propiedad no pueden ser vendidas, cambiadas ni donadas a ninguna iglesia ni monasterios, ni vendidas en ningún momento a personas privilegiadas; asimismo se establece que en un plazo deter-

---

15. Real Cédula disponiendo que los indios puedan vender sus bienes con autoridad de justicia. Madrid, 23 de julio de 1571. Publicada en Francisco de Solano: *Op. cit.*, págs. 236-237.

16. Autos sobre la señalización de las tierras compradas por Gómez de Escalante en Quezaltenango. 1579. AGC, A1.15 leg. 5929 exp. 51831.

17. Autos sobre ciertas tierras propiedad de los indios de Zambo. 1579. AGC, A1 leg. 5929 exp. 51833.

minado —cuatro años normalmente— las tierras deben ser explotadas por sus propietarios. Estas medidas tendían a evitar que las órdenes religiosas pudieran hacerse con grandes propiedades —tal como sucedía en España— y que los hombres más poderosos de las colonias consiguieran tal extensión de tierras que llegaran a adoptar posiciones cercanas a las que permitían el régimen señorial en Castilla, cosa que estuvo siempre en la mente de los conquistadores y que los monarcas trataron continuamente de evitar.

Excepto en el caso de las tierras concedidas a un español en las cercanías de Huehuetenango, la mayor parte de las posesiones de españoles en el Occidente de Guatemala estaban dedicadas a explotaciones ganaderas. Las mayores estancias ganaderas se situaban en los llanos de la Costa y según las informaciones que han quedado, a pesar de lo insalubre del clima el ganado se reproducía y la inversión era productiva. Por lo menos así parece confirmarlo el hecho de que Sancho de Barahona, propietario de una estancia en los términos de Xicalapa, pudiera venderla a otros vecinos de la ciudad por un total de 8.000 pesos. En el precio se incluían tanto las tierras como todos los útiles necesarios para la actividad ganadera y siete familias de esclavos negros que Barahona tenía empleados en la estancia(18).

Parece que las tierras no aptas para explotaciones ganaderas eran poco apreciadas por los españoles. Esta fue la causa de que otro vecino de Santiago, Hernán Gutiérrez de Xibaja, cediera en 1565 a los indios del pueblo de Samayac cuatro caballerías de tierra que en 1563 le había concedido el presidente de la Audiencia a diez leguas de San Antonio Suchitepéquez, en el camino de Xicalapa(19). En el documento de donación se especifica que

> "no podía cultivar ni labrar las dichas tierras ni las había menester, y los indios del pueblo de Samayac las habían pedido y le constaba que tenían de ellas necesidad, y el dicho su parte se las quería dar según y como él las tenía...".

De lo visto hasta ahora en relación con las tierras que los españoles obtuvieron en el Occidente de Guatemala se pueden extraer

---

18. Documentos sobre la venta de una estancia de ganados de Sancho de Barahona. 1568. AGC, A3.30 leg. 2863 exp. 41701.

19. Diversos títulos de tierras concedidas a españoles e indios en Guatemala 1565. AGC, A3.30 leg. 2863 exp. 41697.

varias conclusiones. En primer lugar, los españoles se apoderaron por un procedimiento u otro de una considerable extensión de tierras. Estas tierras fueron dedicadas fundamentalmente a explotaciones ganaderas y sólo aparece un caso de español que supuestamente dedica sus propiedades al cultivo de cereales durante el siglo XVI. Esta situación puede ser debida, en primer lugar, a que los productos agrícolas que los españoles precisaban para su sustento y que no conseguían en las milpas cercanas a la ciudad de Santiago, los adquirían por medio del tributo impuesto a los indígenas; en segundo lugar porque los indios no aceptaron la ganadería como parte de su actividad diaria; y finalmente, porque el negocio de abastecimiento de carne a la capital de la gobernación y a otros centros de población española de la jurisdicción de la Audiencia parece que reportaba importantes beneficios a los ganaderos.

Finalmente, hay que destacar un hecho de singular importancia por cuanto viene a aclarar algunos puntos relacionados con la tenencia de la tierra en siglos posteriores. Durante el siglo XVI los españoles se apoderaron de tierras tanto en las regiones frías del altiplano como en los llanos de la costa del Pacífico; sin embargo, sólo aparece un caso en el que un colonizador —no precisamente miembro de le oligarquía de Guatemala— adquiere tierras en la Bocacosta. Todo parece indicar entonces que los españoles no tuvieron gran interés en poseer tierras en esta región, que sin embargo era y continúa siendo la de mayor interés económico de toda el área por ser la zona en la que se podían obtener cosechas de alto valor en el mercado. Las razones pudieron ser dos: las tierras de la Bocacosta estaban totalmente repartidas entre las numerosas comunidades indígenas que la habitaban antes de la llegada de los españoles y, como por mantener un sistema de cultivos intensivos y emplear el regadío no precisaban de largos barbechos, los españoles no las consideraron realengas sino de propiedad inmemorial de las comunidades. Por otro lado —y esta puede ser una hipótesis más plausible— los españoles conseguían por medio de la encomienda y del comercio grandes cantidades de cacao a bajos precios, cacao que después vendían en los mercados mexicanos, por lo que era preferible dejar a los indígenas el duro trabajo de preocuparse de la rentabilidad de las "minas" de cacao. Es evidente que el cultivo del cacao precisaba de gran cantidad de mano de obra especializada que el español tendría que pagar —aunque con salarios mínimos— mientras que para las explotaciones ganaderas hacían falta menos trabajadores y los propietarios empleaban para estas labores esclavos negros de su propiedad.

De este modo, todo parece indicar que hay que buscar después del siglo XVI las causas que dieron lugar a la formación de los grandes latifundios en manos no indígenas en la Bocacosta y, por tanto, el origen de las grandes transformaciones que la presencia de estas inmensas plantaciones produjo en la vida de las comunidades indígenas del área.

TIERRAS DE INDIOS

"Toda la tierra universalmente es de los concejos de los indios y libremente pueden sembrar donde quisieren en las tierras donde mejor les estuviere", decía el presidente de la Audiencia en una carta dirigida al rey en 1578; pero aclaraba que esto era así "no estando ocupada por los españoles"(20). De hecho, la Corona y muchos de sus funcionarios se habían preocupado desde fechas muy tempranas de garantizar que los indios mantuvieran una buena parte de sus tierras, siempre que las comunidades pudieran demostrar que les pertenecían de tiempo inmemorial y que siempre las habían cultivado.

Desde luego esto no siempre sucedió ya que el expolio de tierras fue unido al proceso colonizador; sin embargo, está claro que los conquistadores comprendieron —cuando menos en el caso de Guatemala— que su única fuente de ingresos eran los tributos de los indios y que éstos no podrían pagarlos si no tenían tierras donde hacer sus sementeras.

Pero que los indios mantuvieran sus tierras —las que les pertenecían desde el punto de vista de la legislación española— no quiere decir que nada cambiara en el sistema de adscripciones y derechos de tenencia que regía en los tiempos anteriores al contacto. La conquista fue un fenómeno trascendental para los pueblos americanos y era imposible que no produjera cambios importantes en las estructuras de los conquistados; y no hay que olvidar que los sistemas de adscripción de tierras eran fundamentales en una cultura cuya economía se sustentaba sobre una base agrícola.

Como se observó en las páginas dedicadas a la descripción de las distintas formas de tenencia de la tierra durante la época prehispánica, los derechos de posesión de tierras estaban íntimamente ligados a los sistemas de organización social y política de los mayas de los Altos de Guatemala. En consecuencia, cualquier alteración que se produjera en dichos sistemas llevaría inmediatamente a una reorga-

---

20. Carta del presidente Villalobos al rey. 17 marzo 1578. AGI, Audiencia de Guatemala, leg. 10.

nización de los sistemas de adscripción de tierras. Y esto de manera independiente a las transformaciones sufridas como consecuencia de las usurpaciones hechas por los españoles.

Fenómenos tan importantes como la desaparición de los estados prehispánicos y, por tanto, de instituciones políticas importantes como el *ahpop* y los demás cargos de la jerarquía de gobierno de los quichés, y de los señores de los demás estados de los Altos, fueron el primer resultado de la conquista. Pero también los procesos originados por la política colonizadora dieron lugar a cambios en el sistema de tenencia de la tierra. De estos últimos quizás el más importante fue la reducción de los indios a pueblos, cuyas consecuencias en otros aspectos de la cultura ya han sido analizados antes. Los pueblos de indios surgieron como una nueva forma de organización y, necesariamente, tenían que dar lugar a la aparición de nuevos tipos de reparto de la tierra o a la sustitución de los prehispánicos por otros más funcionales y mejor adaptados a las nuevas circunstancias.

Obviamente, no todos los cambios se produjeron de forma tan radical e inmediata como los que ocurrieron tras la desaparición de los estados prehispánicos. En general el proceso fue bastante lento y en ocasiones se pueden seguir las transformaciones de las formas de tenencia de la tierra ocasionadas por la conquista hasta finales del siglo XVIII y principios del XIX. Sin embargo, se puede decir que al terminar el siglo XVI estaban ya sentadas las bases de las nuevas formas de adscripción y reparto de tierras entre los indígenas y, aunque no todas las tierras estaban repartidas en esa fecha según el nuevo esquema, poco a poco se fueron adaptando a él.

En los últimos años del siglo XVI se pueden distinguir cinco tipos distintos de tierras atendiendo tanto a los derechos que sobre ellas tuvieran las personas y los grupos, como al uso que se les daba. Estos cinco tipos responden a las siguientes categorías:

1.—Antiguas tierras de los linajes o señoríos.

2.—Tierras de las parcialidades.

3.—Tierras comunes de los pueblos.

4.—Tierras de caciques y principales.

5.—Tierras de propiedad privada.

1.—*Antiguas tierras de los linajes o señoríos*: La unidad superior de organización política de los pueblos mayas de los Altos de Guatemala era el estado, formado a su vez en cada uno de los casos por varios señoríos que generalmente se correspondían con los grandes linajes de cada uno de los pueblos que se habían asentado en el país a comienzos del período posclásico. Mientras los linajes eran unidades a la vez de organización social y política, el estado era una institución de tipo político integradora de todas las demás formaciones sociales. Hasta 1524 el estado era por principio el propietario de todas las tierras y en su representación lo era el *ahpop,* miembro del linaje dominante entre los quichés, de la misma forma que ostentaban este derecho los gobernantes de los otros tres estados del área. Por debajo de él se situaban los grandes linajes que también tenían derechos sobre ciertos territorios que a su vez se dividían entre unidades de menor importancia.

Con la conquista desaparecieron los estados prehispánicos y todo su poder político pasó a la Corona de Castilla que lo ejercía en Guatemala por medio de funcionarios integrados en la institución conocida como Real Audiencia. Al desaparecer el estado, los grandes linajes que ostentaban el señorío sobre los territorios de los estados perdieron toda ligazón institucional y permanecieron desde entonces como unidades independientes integradas por lazos de parentesco, con organización política propia y sólo unidas a los demás linajes por razones étnicas, lingüísticas y por el recuerdo de la historia común.

Con la conquista y consecuente pérdida del señorío político, los estados —y por tanto los linajes dominantes— perdieron todos los derechos que tenían sobre las tierras, tanto aquellas que se consideraban patrimonio del estado como las que pertenecían al supremo señor. Por el contrario, los linajes mantuvieron sus derechos sobre los territorios que dominaban a la llegada de los españoles, aunque perdieron parte de sus propiedades en favor de la Corona —aquellas que constituían lo que los españoles llamaban baldíos o bienes mostrencos—, o les fueron arrebatadas por los conquistadores por los diversos procedimientos comentados. La mayoría de los *títulos indígenas de tierras* a los que en repetidas ocasiones se ha hecho referencia, son casi siempre testimonios de las tierras de los señoríos.

Estos señoríos de los linajes eran conocidos en la colonia por el nombre de su población principal que los españoles habían llamado *cabecera.* Los más importantes entre los quichés eran los de Quezaltenango, Zapotitlán, Totonicapán, Momostenango, etc. Entre los tzutujiles no parece que existiera esta división, aunque se mantenían las dos grandes mitades que sin embargo son siempre denominadas como *parcialidades.* De los cakchiqueles sólo hay en el Occidente de Guatemala un señorío, el de Tzololá dominado por uno de los más importantes linajes, el Xahil.

303

Los dominios de los linajes no constituían territorios continuos, sino que en la mayoría de los casos estaban formados por parcelas más o menos extensas diseminadas por las distintas zonas ecológicas. Con ello se pretendía obtener el máximo rendimiento que el medio podía ofrecer, y se dio lugar a una forma de reparto de las tierras cultivables entre los distintos grupos que será analizada detalladamente en el próximo capítulo.

Los sistemas de adscripción de las tierras y los derechos que tenían sobre ellas los miembros de cada linaje no parece que fueran sustancialmente distintos a los que se seguían en la época anterior a la conquista. Estas tierras se dividían entre las diversas parcialidades que formaban parte de cada linaje, quienes —como se verá más adelante— las repartían a su vez entre sus miembros. Sin embargo, todos los individuos de las parcialidades se sentían integrados en el linaje y alegaban esta filiación como fundamental para el uso de las tierras cuando aparecían conflictos con los españoles o con miembros de otros linajes o de otro grupo étnico.

Referencias que atestiguan esta situación aparecen con regularidad en la documentación. Además de los pleitos sobre tierras, en los juicios aparecen numerosos testimonios en este sentido. Así en 1561 se entabló un pleito entre los indios de Zapotitlán y la estancia que los de Zacualpa tenían en Zambo(21) en torno a los derechos que unos y otros decían tener sobre unos cacaotales; en el pleito los de Zapotitlán argumentaban lo siguiente:

> "de tiempo inmemorial a esta parte son tierras y términos del dicho pueblo de Zapotitlán y sus sujetos, y nuestros antepasados y nosotros las hemos tenido y poseído del dicho tiempo inmemorial a esta parte quieta y pacíficamente, sin contradicción alguna, y son cazaderos, montes y pesquerías...".

Los términos de las tierras de Zapotitlán lindaban con las de Suchitepéquez, Quezaltenango y Ayutla, y dentro de ellos existían poblaciones como San Francisco Zapotitlán —la antigua Xetulul, que mantuvo su carácter de cabecera—, San Martín Zapotitlán, Mazate-

---

21. AGI, Justicia, leg. 317. El pueblo de Zambo parece que era un asentamiento en el que convivían gentes de varios pueblos de los Altos que poseían tierras en la Bocacosta; los de Zacualpa eran, por tanto, sólo uno de los grupos o «parcialidades» que lo formaban.

nango y Cuyotenango. Todos los vecinos de estos pueblos se consideran sujetos de Zapotitlán lo que en cierto modo puede dar a entender su filiación con el linaje que gobernaba desde San Francisco; en sus declaraciones, tanto en este pleito como en otro que se inició hacia 1578 contra la "parcialidad" de los chiquimultecos del asentamiento de Zambo(22), están de acuerdo en los derechos que Zapotitlán tenía sobre todas las tierras contenidas dentro de dichos límites.

En otro pleito sobre tierras, esta vez entre tzutujiles de Tolimán y cakchiqueles de Patulul, también aparecen referencias a la existencia de propiedad de tierras por parte de los linajes(23). En esta ocasión, los vecinos de las estancias de Atitlán que declaran en el pleito, aseguran que las tierras en litigio, conocidas con el nombre de Tzacbalcac, pertenecen al pueblo de Atitlán y a todas sus estancias —es decir a los miembros del antiguo estado tzutujil—. Así declara un vecino de la estancia que los de Tolimán tienen poblada en las tierras que se disputan:

> "que sabe que son de los vecinos de Atitlán y sus estancias donde siempre este testigo ha visto sembrar...".

Y un vecino de San Francisco Atitlán informa:

> "en tiempos pasados tuvo este testigo milpa en ellas como vecino de la estancia de Atitlán, como los demás vecinos que quieren tener sus milpas en ellas...".

Más adelante se puede leer la declaración de otro indígena en el mismo sentido:

> "y que sabe este testigo que las dichas tierras llamadas Tzacbalcac sobre que es este pleito y que sabe que son suyas de los vecinos de Atitlán y los de las estancias y pueblos sujetos [...] y así las tienen pobladas de caserías y vecinos indios con sus mujeres [...] que tienen cargo de guardarles aquellas tierras y milpas...".

El defensor de los indios de Patulul argumenta su defensa alegando los mismos criterios de propiedad por parte de los miembros

---

22. AGC, A1 leg. 5928 exp. 51825.
23. 1587. AGC, A1 leg. 2811 exp. 24781.

del linaje Xahil de los cakchiqueles, que poseían todas las tierras dominadas desde Tecpanatitlán:

> "son al presente y han sido de los naturales del pueblo de
> Tecpanatitlán y sus estancias que las hubieron y heredaron
> de sus padres y antepasados y son tierras de su patrimonio
> desde tiempos inmemoriables...".

Los mismos argumentos pueden encontrarse en el pleito, ya varias veces citado, entre los tzutujiles de San Juan Atitlán y los quichés de Santa Clara la Laguna —descendientes y dependientes de Santa Catalina Ixtahuacán— por unas tierras próximas al lago Atitlán (24). Y en el celebrado en 1583 entre indios de Quezaltenango y los mames de Ostuncalco, cabecera de un señorío que comprendía pueblos tan importantes como Chiquirichapa y diversas estancias en las tierras de cacao(25).

La presencia de este tipo de testimonios viene a demostrar el mantenimiento —por lo menos durante el siglo XVI y una parte del XVII— de un sistema prehispánico de derechos a tierras basado en la presencia de grandes linajes que extendían su poder sobre personas y tierras. Estas tierras eran propiedad común de todos los miembros del linaje aunque, como consta en algunos títulos, el señor del linaje pueda aparecer como su propietario. En principio son tierras no enajenables sin el expreso consentimiento de los miembros del grupo y al parecer se repartían, de manera que no conocemos, entre todas las parcialidades que, en definitiva, aparecen como poseedoras directas de las tierras por cuanto son las que, a su vez, las dividen entre sus miembros.

2.—*Tierras de las parcialidades*: Después de la conquista y de la reducción de los indios a pueblos, todo parece indicar que las parcialidades seguían siendo para los indígenas las unidades primarias de organización social y las poseedoras de las tierra. Tal era la importancia de estas instituciones que a finales del siglo XVIII aún mantenían sus dominios y personalidad propia en algunos pueblos del Occidente de Guatemala. Ese era el caso del pueblo quiché de Santo Domingo Sacapulas donde convivían en 1778 —como consecuencia de las reducciones del XVI— cinco parcialidades a las que se ha cambiado los nombres indígenas para llamarlas con el de santos cristianos que se les asignaron como patronos: Santiago, San Esteban, San Pedro, San-

---

24. 1640. AGC, A1 leg. 5942 exp. 51997.
25. AGC, A1 leg. 5987 exp. 52660.

to Tomás y San Francisco. En estas fechas se llevó a cabo un complejo pleito, cuyas raíces pueden encontrarse en los años inmediatamente posteriores a la conquista, entre dos de las parcialidades por diferencias que tenían en relación con los límites de las tierras que cada una poseía en los alrededores de la población de Santo Domingo(26).

La funcionalidad e importancia de las parcialidades era tal que los españoles tuvieron que admitir su convivencia con las nuevas instituciones creadas tras la conquista, lo que dio lugar en más de una ocasión a fuertes tensiones e incompatibilidades entre la situación creada por la colonia y la persistencia de sistemas de organización y modos de comportamiento prehispánicos. En el pleito a que se ha hecho referencia arriba, un miembro de la Real Audiencia que debía entender en el asunto informaba:

> "debían extinguirse [las parcialidades] generalmente en todas partes por las discordias, desavenencias y enemistades que producen entre los vecinos de un mismo pueblo".

A pesar de los esfuerzos españoles por hacer de los pueblos las unidades fundamentales de organización de los indígenas, la documentación del siglo XVI permite comprobar que las parcialidades eran en realidad las poseedoras directas de la mayor parte de las tierras. Algunos testimonios en este sentido ya fueron citados al hablar de la existencia de tierras en manos de las parcialidades antes de 1524. Uno de los documentos más importantes para estudiar estas cuestiones es el testamento redactado en 1569 por el cacique Ahpopolahay de San Juan Atitlán. En dicho testamento el cacique especifica claramente los derechos de su parcialidad sobre unas tierras, cuyos límites cita, y declara expresamente que las deja para los hombres de su parcialidad a quienes pertenecían.

El mismo carácter tienen las declaraciones que hacía en 1596 el defensor de los indios de la parcialidad Chahoma de Zacualpa, en un pleito que seguían contra el pueblo de Joyabaj:

> "en el pueblo de Zacualpa hay catorce parcialidades y cada una de estas parcialidades, de tiempo antiguo hasta el día de hoy, cada parcialidad tenía y tiene sus tierras amojonadas y deslindadas..."(27).

---

26. Títulos de tierras de Santo Domingo Sacapulas. 1748. AGC, A1 leg. 6025 exp. 53126.

27. AGC, A1 leg. 5993 exp. 51884.

Otro testimonio aparece en un pleito seguido entre las parcialidades reunidas en Sacapulas, a las que antes se hizo referencia; en este caso es una de las parcialidades del pueblo, conocida como Citalá, la que defiende sus derechos:

> "nosotros tenemos nuestras tierras nombradas Yxpapalt en las cuales hacemos nuestros sembrados y cogemos leña, ocote y otras cosas para nuestro sustento y paga de nuestros tributos, y sin embargo [...] los indios del calpul Toltecat Ahaucanil Uchubahá, incluso en el dicho pueblo, han dado en inquietarnos entrándose en dichas tierras..."(28).

En un documento sobre separación de términos entre Sacapulas y Aguacatán, redactado en 1778, aparece un testimonio de 1595 en el que se hace nuevamente referencia a la propiedad de la tierra por las parcialidades de Sacapulas:

> "se hizo reconocimiento de los mojones pertenecientes al dicho pueblo de Santo Domingo Sacapulas y particularmente las que pertenecen al calpul del glorioso apóstol Santo Tomás y demás parcialidades..."(29).

Finalmente citamos otro testimonio que aparece en un pleito mantenido entre los quichés de Quezaltenango y los mames de Ostuncalco en el que se trata de definir los límites de las tierras de ambos pueblos. En el relato del reconocimiento que hizo de las tierras en litigio un juez especial, aparecen las siguientes palabras:

> "y a la linde está una zona y milpa que dijeron ser de los vecinos del pueblo de Quezaltenango que la habían hecho cuando las demás, que es del capul de Francisco López..." (30).

Los españoles fueron conscientes en el siglo XVI de la funcionalidad de este sistema de adscripción de las tierras. Prueba de ello son las donaciones de tierras que la Corona —por medio de sus funcionarios— hizo a las parcialidades, especificando que éstas debían ser las legítimas propietarias de dichas tierras. En este sentido hay noticias de un reparto hecho por el licenciado Jufre de Loaisa entre pue-

---

28. 1640. AGC, A1 leg. 5942 exp. 51995.
29. AGC, A1 leg. 5978 exp. 52518.
30. 1745. AGC, A1 leg. 5987 exp. 52660.

blos de la Bocacosta. Uno de los beneficiarios de una de las parcelas así concedidas fue una parcialidad de Samayac:

> "en nombre de Su Majestad y por virtud de la comisión a
> mí dada, digo que hago merced a vos el dicho don Domin-
> go y a los demás principales y macehuales de la dicha
> vuestra parcialidad de un término y tierras que se puso
> nombre Santa Catalina, que está junto a otro que yo hice
> merced a Don Cristóbal y Don Juan de Rojas y a Don
> Diego Gutiérrez y a Don Diego y Don Cristóbal, caciques
> de otra parcialidad y a sus macehuales..."(31).

El licenciado Briceño, actuando como juez de residencia en el territorio de la Audiencia, concedió en 1565 unas tierras cerca del pueblo de Mazatenango a los miembros de la parcialidad de los chiquimultecos que tenían su asiento en Zambo; al final de la diligencia en la que se hace cesión, Briceño hace la siguiente salvedad:

> "entiéndase que las dichas tierras que así se dan a los in-
> dios y naturales del dicho pueblo de Zambo de la parcia-
> lidad del dicho Hernando de la Barrera, perpetuamente no
> las puedan vender ni enajenar, sino que sea para la dicha
> parcialidad y vecinos de ella"(32).

La aceptación de las parcialidades como instituciones poseedoras de tierras aparece también en los testimonios de los actos de toma de posesión que los funcionarios españoles les dan en la persona de sus principales. Uno de ellos aparece al final del pleito entablado entre los miembros de la parcialidad de Chachoma, de Zacualpa, y el pueblo de Joyabaj. El juez comisionado para resolver el caso acude a las tierras en litigio y realiza la siguiente formalidad:

> "tomé por las manos a Diego de Cárdenas, fiscal, Diego
> de Chaves, Diego Pérez, Miguel López, Sebastián Hurta-
> do, Jerónimo Pérez, Domingo Toh, Cristóbal Pérez, Bar-
> tolomé Guerra de Benavides, Pedro Lico, Juan Bico, Juan
> Lobo, Diego de Chávez, Gaspar Arias, Bartolomé Tohax,
> Tomás de Bico, Pedro López, Domingo Hernández, Diego

---

31. Proceso de los indios de Zambo-Zacualpa sobre las tierras que se les repartió. 1561. AGI, Justicia, leg. 317.

32. Autos sobre ciertas tierras propiedad de los indios de Zambo. 1579. AGC. Al leg. 5929 exp. 51833.

Cárdenas, Juan Toho, Diego López, Diego Bezerra, Sebastián Tihaz, Pedro de Chaves, Miguel de Salamanca, y Andrés Guerra, todos indios que el dicho gobernador y alcaldes declararon con juramento ser de la dicha parcialidad de Chahoma, y juntamente con ellos tomé por las manos a Francisco Hernández y Diego de Mendoza, indios vecinos del pueblo de Santa María Joyabaj que son de la dicha parcialidad de Chahoma, y a todos juntos los metí en las dichas tierras de Chuychuaholom, y en nombre de la real justicia les di la posesión de ellas, sin perjuicio de tercero, y los amparé y estoy presto a los defender en ella, los cuales dichos indios de la parcialidad de Chahoma de suso declarados, pusieron cruces y cortaron árboles y arrancaron hierbas, echando y apartando de sí a todas las personas que allí estaban, todo lo cual dijeron en señal de posesión y en nombre de sus herederos y sucesores y por sí..."(33).

En otro testimonio, esta vez de 1627, el corregidor tomó de la misma forma a un grupo de indios de la parcialidad de los chiquimultecos del pueblo de Utatlán, y los introdujo en las tierras que les daba; estos, en señal de que las recibían,

"dijeron que en señal de la posesión que yo les daba que ellos aprehendían, se paseaban y pasearon y de ellas en la dicha señal cortaron algunas yerbas y ramos y las tomaron y aprehendieron quieta y pacíficamente, sin contradicción alguna, por sí y por lo que a cada uno toca y por los demás indios de la dicha parcialidad y para que todos siembren y puedan sembrar sus milpas en las dichas tierras..."(34).

En estos años las tierras de las parcialidades seguían siendo consideradas propiedad común y patrimonial de todos los indios que pertenecían a ellas. Las tierras de las parcialidades tenían uso tanto común —cazaderos, pastos, bosques...— como privado ya que la mayor parte de ellas se dividía en parcelas que se adjudicaban a sus miembros. El reparto de las parcelas correspondía al principal o jefe de la parcialidad quien, además, tenía la titularidad de la tierra por razón de su cargo. Esto se desprende de una acusación hecha por los

33. 1596. AGC, A1 leg. 5993 exp. 51884.
34. AGC, A1 leg. 5939 exp. 51962.

chiquimultecos de Utatlán contra el principal de su parcialidad —que ocupa el cargo de alcalde— por negarse a repartir las tierras que habían conseguido en el pleito contra los de Jocopilas:

> "teniendo ellos unas tierras [...] era así que habiendo pedido al dicho Jerónimo Martínez, su alcalde, se las repartiese entre la dicha su parcialidad e indios de ella para sembrar sus milpas [...] el dicho alcalde lo dejó de hacer por cierto cohecho que los indios del dicho pueblo de San Pedro le habían dado..."(35).

Desafortunadamente no conocemos ningún dato acerca de los criterios seguidos para realizar estos repartos entre los miembros de las parcialidades. Tampoco sabemos si la adjudicación de una parcela a una familia implicaba la posesión permanente de la misma en manos del receptor y sus herederos, o si las tierras se adjudicaban a cada persona y quedaban disponibles cuando éste las abandonaba o fallecía. Tampoco hay referencias exactas sobre si los miembros solteros de las parcialidades adquirían derechos personales sobre alguna milpa en el momento de contraer matrimonio, aunque es posible que sucediera así ya que con el matrimonio, todo indígena adquiría obligaciones tributarias plenas que no podría cumplir si no poseía una parcela que cultivar.

3.— *Tierras comunes de los pueblos*: La creación de los pueblos de indios a lo largo del siglo XVI dio lugar a la aparición de una serie de necesidades y gastos que debían afrontar todos los vecinos. Como consecuencia, fue preciso emplear una parte de las tierras en conseguir rendimientos con los que cubrir dichas necesidades. Así surgen las llamadas "milpas de comunidad" y las tierras comunes de que todos los pueblos debieron disponer; estas últimas adquirieron la forma jurídica de bienes propios y ejidos, inspirados en el modelo castellano, y aparecen como una consecuencia clara del proceso de aculturación formal sufrido por los pueblos indígenas de América.

Las "milpas de comunidad" fueron apareciendo conforme avanzaba el proceso de reducción de los indios a pueblos; su existencia fue reglamentada en 1576 en las ordenanzas que confeccionó el oidor García de Palacios para el gobierno de los pueblos de indios:

> "Primeramente se les manda al gobernador, caciques, alcaldes y principales del dicho pueblo hagan hacer una mil-

---

35. Ibid.

pa de maíz para su comunidad del grandor y tamaño que según los vecinos dél la pudieran hacer, y tenga mucha cuenta y cuidado en el beneficio de ella, y lo que se cogiere lo pongan y tengan a buen recaudo, y de ello suplan y remedien sus necesidades y acudan a las cosas públicas, sin que sea necesario hacer repartimiento ni derrama alguna entre los naturales dél, haciéndose cargo de lo que así se cogiere poniendo por memoria lo que de ello se gastare para que de todo haya buena cuenta y razón"(36).

Las primeras referencias a las milpas de comunidad aparecen en el año 1570 cuando los vecinos del pueblo de Ostuncalco pagaron los derechos que cobró Pablo de Escobar por hacer una tasación de lo que "resultó de una milpa que la comunidad de este pueblo tiene" (37). A partir de esta fecha aparecen en la documentación numerosos testimonios en relación con ellas. Así, en el pleito que mantuvieron en 1583 los indios de los pueblos de Quezaltenango y Ostuncalco, los vecinos del primero pidieron al juez que fuera al lugar en el que tenían una milpa de comunidad "la cual dijeron que habrá quince años que habían sembrado"; posteriormente, el mismo juez visitó otra milpa, esta vez de los de Chiquirichapa, que los vecinos habían "hecho para la comunidad"(38).

También en el pleito que se celebró en 1587 entre los vecinos del pueblo tzutujil de Tolimán y los de Patulul se hacen referencias a las milpas de comunidad, siendo precisamente las tierras en litigio unas de las destinadas a este fin. En el transcurso de la causa, los de Tolimán informaron que "aquella milpa y tierra cae de su pertenencia y tierras y la empezaron a rozar para sembrarla de maíz de comunidad"; posteriormente los de Patulul argumentaban sus derechos en el mismo sentido:

> "podría haber un mes poco más o menos tiempo, que teniendo necesidad de hacer una milpa de comunidad para el pueblo de Patulul, juntaron mucha gente para que fuese hecha con brevedad...".

En un interrogatorio presentado en su defensa, incluyen esta pregunta:

---

36. AGI, Audiencia de Guatemala, leg. 128.
37. Primer volumen de la residencia tomada al licenciado Francisco Briceño. 1570. AGI, Justicia, leg. 316.
38. AGC, A1 leg. 5987 exp. 52660.

"Si saben que las tierras y roza y sementera que hicieron de media fanega para la comunidad los naturales del pueblo de Patulul son tierras suyas propias..."(39).

Un caso especial de tierras destinadas a sufragar gastos comunes de los pueblos y trabajadas por todos los vecinos, parece que fueron ciertas milpas dedicadas a conseguir fondos para el mantenimiento del culto y de los templos cristianos. En la documentación consultada se han encontrado dos referencias a ellas. La primera está fechada en el año 1583 y se refiere a una "milpa de Santa María" que los vecinos de Quezaltenango habían hecho a la vez que cultivaron otras para los gastos generales de la comunidad(40); el otro caso se sitúa en el pueblo de Nahualapa —en la tierra del cacao— donde en 1569 los vecinos tienen sembradas unas "milpas de la iglesia"(41).

Un segundo tipo de tierras destinadas a conseguir fondos comunales y sobre las que tenían derecho todos los vecinos de cada pueblo eran las que adoptaron la forma de propios y ejidos, según el modelo castellano de la época. Estos habían surgido a la vez que los pueblos por expreso deseo de los colonizadores en su intención de hacer aquéllos fieles reflejos de los que existían en España. En principio estas tierras procedían de las que la Corona consideraba de su propiedad después de la conquista, y así se expresaba en la real cédula de 1591 con la que se dio origen a las composiciones:

"yo he tenido siempre voluntad de hacer merced y repartir el dicho suelo, tierras y baldíos justamente, asignando a los lugares y consejos lo que pareciere que les conviene porque tengan suficientes ejidos, propios y términos públicos según la calidad de los dichos pueblos y consejos..."(42).

Siguiendo la doctrina legal de la época, la propiedad de estas tierras era de la Corona quien las concedía en usufructo a los pueblos que sólo tenían por tanto derechos de posesión sobre ellas; esta situación les impedía disponer con entera libertad de las tierras que no podían vender ni enajenar los representantes de las comunidades.

---

39. AGC, A1 leg. 2811 exp. 24781.
40. AGC, A1 leg. 5987 exp. 52660.
41. Primer volumen de la residencia tomada al licenciado Francisco Briceño. 1570. AGI, Justicia, leg. 316.
42. Ver nota 7.

El uso que normalmente se dio a estos bienes —los ejidos y propios— fue el de estancias de ganados y montes comunes. No hay ninguna referencia en los documentos que señale su utilización para el cultivo de milpas de la comunidad. Su existencia dio lugar a múltiples conflictos dado que, al tener derechos sobre ellas los miembros de todas las parcialidades establecidas en una población, los enfrentamientos y conflictos que había entre éstas se veían reflejados en disputas en torno al control de las tierras comunes.

Uno de estos conflictos fue el que surgió en el pueblo de Santo Domingo Sacapulas entre las parcialidades originarias del lugar y las tres que se agregaron en el momento de la fundación del pueblo, hacia el año 1565. En 1572 el enfrentamiento entre el grupo autodenominado como los "naturales" y el de los "advenedizos" fue aparentemente superado por la intervención de los dominicos. La solución arbitrada por los dominicos establecía que cada uno de los grupos explotara por su cuenta la mitad de las tierras comunes que habían sido asignadas al pueblo tras su fundación; esta solución rompía los planteamientos que los españoles habían hecho sobre bienes comunales, pero la medida, junto con otras relativas al reparto de las cargas y trabajos comunes, parecía la única solución viable(43).

En contraste con los tierras consideradas ejidos y propios de los pueblos, las destinadas a milpas de comunidad parece que eran elegidas por las autoridades indígenas de los pueblos entre las que les pertenecían como miembros de un linaje o de una parcialidad determinados. Este origen explica la facultad que tuvieron los pueblos para vender estas tierras consideradas comunes, cosa que no podían hacer con las otras sobre las que sólo tenían derechos de usufructo y no de propiedad.

4.—*Tierras de caciques y principales*: Hay pocas referencias en la documentación que indiquen la permanencia de las tierras que estaban asignadas a los señores de los linajes dominantes de los distintos estados y señoríos existentes en Guatemala antes de la conquista. Evidentemente, tras la desaparición de los estados quicheanos, los señores perdieron todo su poder en favor de la Corona de Castilla, que se presentaba como única destinataria de todo el señorío político que estos señores pudieron tener. Sin embargo, la actitud de la Corona fue en la mayoría de las ocasiones mantener a los sucesores de los antiguos señores de los linajes en el desempeño de sus dignidades, si bien sólo de una forma honorífica y tendiendo a que se con-

---

43. AGC, A1 leg. 5942 exp. 51995.

virtieran en fieles aliados para mejor controlar a la población indígena. Junto con este privilegio se les concedieron otros como el derecho a mantener sus antiguos siervos de servicio personal, a percibir tributos de encomiendas, a recibir prestaciones personales por parte de los miembros de los pueblos sobre los que ostentaban su señorío, a no pagar tributo y, en algunas ocasiones, a mantener sus derechos sobre las tierras que les correspondían antes de la conquista(44).

Entre los quichés esto parece confirmarse. Pedro Carrasco ha demostrado(45) cómo don Juan Cortés y don Juan de Rojas, descendientes del *ahpop* y el *ahpop camhá* que gobernaban el estado quiché desde K'umarcaaj, quedaron en posesión de todos sus privilegios y les fue concedida por la Corona la encomienda de los indios *nimak achíes,* que residían en aquel pueblo y habían servido a sus predecesores cultivando sus tierras y prestándoles cualquier tipo de servicio personal. Es muy probable que las tierras que en la colonia cultivaron estos *nimak achíes* fueran las mismas que pertenecieron a los señores quichés antes de la conquista y de cuyos derechos siguieron disfrutando sus sucesores.

La situación en los otros grupos quicheanos es aún más confusa. En la carta que los caciques de Atitlán enviaron al rey el año 1571, éstos se quejaban de los grandes perjuicios que la conquista les había producido y de cómo estaban viviendo muy por debajo de lo que requería su dignidad y la calidad de sus personas como descendientes de los antiguos señores de Tziquinahay. Una de las quejas expresadas se recoge en el siguiente párrafo:

"por dejarnos sin servicio ninguno hemos perdido nuestras haciendas y heredades de cacao..."(46).

No es posible deducir de tan escueta referencia si los autores de la carta denunciaban la pérdida material de tales tierras o si querían expresar que éstas habían dejado de ser cultivadas por falta de mano de obra. Tampoco es posible comprobar si tales "heredades" eran tierras que poseían los señores en función de su dignidad o si eran tierras que les pertenecían a título privado, de cuya existencia hay noticias tanto para la época prehispánica como para el período colonial. Sin embargo, entre los cakchiqueles sí parece que los descendientes de los señores mantuvieron sus derechos sobre las tierras

___

44. Pedro Carrasco: «Don Juan Cortés, cacique de Santa Cruz del Quiché». *Estudios de Cultura Maya,* 6: 251-266. 1967.

45. *Ibid.*

46. AGI, Audiencia de México, leg. 98.

que como tales poseyeron antes de la conquista. El testimonio de Zorita parece claro:

> "Y en Tecpan Guatimala, que es un pueblo muy principal junto a Guatimala, conocí yo a un señor que había sucedido a un su hermano; y era vivo y yo le conocí, un hijo del Señor ya difunto, e tenía unas tierras e mayeques que habían sido del patrimonio de su padre, y el tío tenía el señorío; pero también decían que se había hecho esto porque el hijo del señor era ciego, y puso en el cacicazgo al hermano, el que gobernaba en aquella sazón"(47).

La referencia al patrimonio del señor y la continuidad del mismo en manos de la persona que ostentaba el señorío en aquel momento, y no en su heredero directo que por razones de deficiencia física no pudo heredar el cacicazgo, muestran las permanencia de las tierras ligadas a los cargos durante los primeros años de la colonia, por lo menos en lo que refiere a las que pertenecían a las más altas dignidades de los estados prehispánicos.

5.— *Tierras de propiedad privada*: La existencia de abundantes testamentos redactados por indígenas y el hecho de que varios artículos de las ordenanzas del oidor García de Palacios para el buen gobierno de los pueblos de indios traten de la regulación de los testamentos y las herencias de propiedades, son pruebas concluyentes de que después de la conquista una parte de las tierras del Occidente de Guatemala eran propiedad privada de algunos indígenas.

Las informaciones ofrecidas por documentos como los testamentos de Catalina Nihay, Cristóbal Ahpop Tabal y el cacique Ahpopolahay de San Juan de Atitlán, a los que se hizo referencia en el apartado dedicado a describir las formas de tenencia de la tierra en la época anterior a la conquista, indican que —si las conclusiones obtenidas entonces son válidas— la forma de acceder a la propiedad privada de las tierras no varió sustancialmente después de la llegada de los españoles. La compra, la cesión y fundamentalmente la herencia eran los métodos que servían para convertirse en propietario.

Tampoco parece que cambiaran las manos en que se concentraban estas propiedades: todas las informaciones de que se dispone muestran que los propietarios indígenas pertenecían a las capas más altas de las comunidades, manteniendo los macehuales su condición

---

47. Citado en Pedro Carrasco: «Don Juan Cortés...».

indigente que sólo les permitía el acceso a las tierras de titularidad común, ya fuera de las parcialidades ya de los pueblos. Finalmente, también fue en la Bocacosta donde —por las circunstancias comentadas anteriormente— se concentraban la mayor parte de las tierras privadas del área.

Sin embargo, aunque las vías de acceso no variaron fundamentalmente, las nuevas circunstancias impuestas por la conquista produjeron importantes perturbaciones en el sistema. Estas perturbaciones estuvieron causadas fundamentalmente por los nuevos tributos que pesaron sobre los propietarios de las tierras cacaoteras y por el control que la Corona pretendía mantener sobre toda operación que tuviera como objeto el cambio de propietario de las tierras.

La primera modificación fue consecuencia de la introducción del impuesto conocido como "tributo real". Este pesaba sobre las tierras cacaoteras exclusivamente de modo que su propietario estaba obligado a pagarlo aunque por su edad o situación estuviera exento de otras cargas tributarias. Esta circunstancia hacía que, en muchas ocasiones, los propietarios abandonaran sus cacaotales, ya que los gravámenes que tenían que soportar podían ser mayores que los beneficios que pudieran obtener cultivándolos. El alcalde mayor Diego Garcés informaba en este sentido al rey en una carta fechada en 1572:

> "Y asimismo hay otro muy grande [perjuicio] y es que si el marido hubo con su mujer alguna milpa de cacao, tributa por sí en su pueblo y tributa en el pueblo de la mujer en razón de la milpa que con ella hubo, y es tanta carga ésta que cada día hacen dejación de las milpas y las quieren perder antes que pagar tanto tributo, y otras veces les ponen pleito los del pueblo donde tienen la tal milpa..."(48).

De la misma forma se expresaba un indio de San Bartolomé de Atitlán que protestó por la carga tributaria que tuvo que asumir al hacerse cargo de unas tierras de cacao heredadas de su esposa:

> "el dicho mi suegro tenía milpa de cacao y que, perdida al tiempo de su muerte, mi mujer como su heredera sola heredó las tierras de las cuales jamás he tenido aprovechamiento ninguno por ser monte heriago y vístome afli-

---

48. AGI, Audiencia de Guatemala, leg. 55.

gido, que aunque trabajo toda la vida para beneficiar un poco de cacao tal que tengo y en otros servicios, no puedo alcanzar sustentarme a mí ni a mi mujer ni a seis hijos que tenemos..."(49).

De cualquier forma, no parece que siempre los indios renunciaran a la propiedad sobre las tierras cacaoteras para verse librados de las pesadas cargas fiscales que llevaban aparejadas. Los pleitos que algunos indígenas mantuvieron para demostrar los derechos de propiedad sobre sus parcelas muestran que, en ocasiones, éstas seguían siendo apetecibles. Hay múltiples referencias en la documentación a estas situaciones. Así un indio de Nahualapa —en los Suchitepéquez— denunció en 1570 que teniendo él encomendado el cuidado de un menor y de dos milpas de cacao de su propiedad, por expreso deseo de su padre difunto, la viuda volvió a casarse y el nuevo esposo se había apoderado ilegalmente de las propiedades del niño(50).

En otra ocasión una india de la región de Izquintepeque (Escuintla) reclamaba sus derechos sobre unas tierras de cacao que un hijo suyo había dejado al morir sin descendencia. Las tierras en cuestión habían sido propiedad del esposo de la demandante quien al morir las había dejado a su hijo:

> "digo que por fin y muerte de Diego Pérez, mi marido, quedaron ciertas milpas de cacao y otros bienes, y por su testamento que hizo y otorgó ante los alcaldes y tlatoque del dicho pueblo, so cuya disposición falleció, dejó repartidas las dichas milpas de cacao entre Martín Ucha y Simón y otros nuestros hijos, y cada uno llevó su parte, y es así que el dicho Simón nuestro hijo se casó con Petronila, india vecina del dicho pueblo, y habrá un año que falleció el dicho mi hijo sin dejar hijos que pudiesen heredar sus bienes, y ahora la dicha Petronila mi nuera ha pretendido y pretende quedarse con las milpas de cacao que el dicho su marido heredó del dicho su padre Diego Pérez sin tener a ello derecho ninguno, porque yo como su madre los tengo de haber y heredar..."(51).

---

49. Juan Canel, indio principal de San Bartolomé Atitlán, solicita que se le exonere de tributos. 1605. AGC, A3.16 leg. 2801 exp. 40498.

50. Primer legajo de la residencia tomada a Francisco Briceño. 1570. AGI, Justicia, leg. 316.

51. 1602. AGC, A1.43 leg. 6083 exp. 55029.

Este último texto, además de reforzar la idea de la importancia de las tierras cacaoteras para los indígenas, viene a mostrar una nueva característica del sistema de herencia de las tierras: la tendencia a que éstas permanezcan en el seno de la familia del propietario siguiendo una línea de descendencia partilineal. Esta apreciación viene confirmada también por las disposiciones que se hacen en los testamentos ya analizados(52), en los que las tierras del testador se repartían tanto entre sus hermanos —aquéllas que había recibido del tronco familiar— como de sus hijos, favoreciendo a los varones pero sin desheredar a las mujeres.

Un segundo aspecto a destacar en lo que refiere a la propiedad privada de la tierra entre los indios en la colonia es el relacionado con la disponibilidad que éstos podían tener de sus propiedades. Si antes de la conquista parece que los indígenas que poseían tierras a título personal podían disponer de ellas libremente, sin que ninguna persona ni institución tuviera poder para interferir en sus decisiones, con la llegada de los españoles esta situación sufrió una transformación importante. La cédula enviada en 1571 a la Audiencia de México, en la que se ordenaba que para que los indios pudieran vender sus tierras tenían que obtener licencia expresa de las autoridades judiciales del distrito quienes además debían supervisar el contrato —sobre todo cuando el negocio se realiza con compradores españoles—, supone una clara limitación de la libre disposoción que los naturales tenían de sus propiedades y además de mostrar el deseo de la Corona de proteger a los indios de fáciles abusos(53).

Un caso de este tipo se presentó en Guatemala cuando dos indígenas principales del pueblo de Quezaltenango pretendían vender unas tierras de su propiedad a un español. Para poder llevar a cabo el negocio los dos indios tuvieron que pedir permiso a las autoridades españolas:

"nosotros hubimos y poseímos unas tierras sabanas que el dicho nuestro padre tenía y poseía en los términos de este pueblo [Quezaltenango], linde con el camino real que va a Totonicapán y por otra el río y por otra la ciénaga y tierras baldías por otra parte, y no embargante que el dicho nuestro padre las había dejado perdidas y desaprovecha-

---

52. Ver capítulo IV.
53. Real Cédula disponiendo que los indios puedan vender sus bienes con autoridad de justicia. Madrid, 23 de julio de 1571. Publicada en Francisco de Solano: *Op. cit.*, págs. 236-237.

das, y desde que murió hasta hoy lo han estado por el poco uso que de ellas se puede tener y no tienen comodidad
alguna para nuestro aprovechamiento, Gómez de Escalante, por nos hacer buena obra, habiéndole tratado que nos
la compre dice que lo hará, de que nos viene beneficio por
ser cosa perdida y yerma, con el precio que nos diere nos
podemos aprovechar"(54).

En el plano legal esta medida se fundamenta en la calificación
jurídica de *miserable* que se había dado al indio americano después
de la conquista(55). Al aplicar al indígena la condición de miserable se
le colocaba al mismo nivel que las viudas, huérfanos, menores de edad
y enfermos mentales, es decir, se le hacía digno de conmiseración y
protección. En última instancia no se le consideraba totalmente capacitado para enfrentarse responsablemente con determinadas situaciones. El rey, como responsable absoluto de todo el proceso colonizador
y el bienestar de sus vasallos, había tomado sobre sí la tutela de los
indios y, en función de tal, dictaba órdenes tenedentes a evitar los abusos que pudieran cometerse sobre ellos. Una de estas órdenes era la
que prohibía a los indios vender sus bienes sin licencia de las autoridades delegadas de la Corona en las Indias.

En la práctica, la real cédula era en efecto una medida que tendía a evitar los abusos de los encomenderos que aprovechaban su situación para obligar a los indios que tenían encomendados a vender
sus tierras por precios sensiblemente inferiores a su valor real. En la
misma línea hay que considerar las medidas dictadas por el oidor García de Palacios en sus Ordenanzas, cuando indicaba que un sacerdote
debía estar presente en el momento en que un indio moribundo hiciera testamento. El religioso debía velar porque el testamento se hiciera siguiendo las normas vigentes en la legislación española y evitar
así que hermanos y parientes del moribundo quedaran más beneficiados en el testamento que sus propios hijos a quienes se consideraba
principales herederos.

---

54. Autos sobre la señalización de las tierras compradas por Gómez de Escalante en Quezaltenango. 1579. AGC, A1.15 leg. 5929 exp. 51831.
55. Un extenso análisis del contenido de tal calificación se encuentra en el
trabajo de Paulino Castañeda: «La condición miserable del indio y sus privilegios».
Anuario de Estudios Americanos, 28: 245-335. 1971.

CAPITULO VIII

ECOLOGIA CULTURAL:
EL CONTROL DE LOS RECURSOS

La historia cultural de los mayas que habitan las tierras occidentales de Guatemala ha estado, durante siglos, estrechamente unida a las características físicas y ambientales del área y, en alguna medida, condicionada por ellas. La configuración del terreno y las consiguientes condiciones climáticas y bióticas fueron esenciales en el diseño de las principales instituciones económicas, políticas y sociales de las poblaciones que han vivido en la región a lo largo de los siglos, tanto en la época prehispánica como durante los períodos colonial e independiente. Es difícil comprender plenamente la cultura y la historia de estas poblaciones sin tener muy presente el alto grado de interacción que se produjo entre el medio y los hombres que lo habitaron.

En los capítulos precedentes se han hecho diversas y reiteradas referencias a esta íntima unión entre medio y cultura; entre condiciones naturales del área y demografía, patrones de asentamiento, formas de entender la comunidad y estructuras económicas de los mayas del Occidente de Guatemala durante el siglo XVI. Los grupos indígenas desarrollaron técnicas y formas de comportamiento sumamente adaptativas que les permitieron obtener rendimientos óptimos de los recursos que ese medio ponía ante ellos. En este capítulo se pretende describir la forma específica que adoptó esa interacción hombre/medio; es decir, de qué manera los pueblos quicheanos lograron obtener el máximo de provecho a las posibilidades del área y en qué grado el sistema prehispánico fue afectado por la presencia española en Guatemala.

Una de las características más importantes del paisaje del Occidente de Guatemala es el relieve. Ya se ha observado en repetidas ocasiones cómo los grandes desniveles del terreno dan lugar a diferentes ecosistemas que permiten o impiden el cultivo de una u otra especie agrícola. Así, mientras que en las tierras altas —sobre los 1.400 metros de altura— se cultiva maíz y algunas otras especies como chile y frijoles, en la Bocacosta las condiciones son excepcionales para la explotación intensiva del cacao y en la llanura costera se puede obtener algodón.

Acceder a todos y cada uno de estos recursos fue una preocupación constante para las poblaciones establecidas en el altiplano desde varios siglos antes de la conquista. Pero no sólo interesaba dominar tierras en cada uno de los nichos ecológicos para acceder a productos agrícolas. También la sal era un elemento necesario, y en Guatemala sólo se podía conseguir en las playas del Pacífico o en las salinas interiores de Ixtatán y Sacapulas. Como también eran importantes otros materiales necesarios para la fabricación de útiles y que igualmente se encontraban en las tierras altas del interior.

En consecuencia, la historia cultural de los mayas que habitaban los Altos de Guatemala es, en gran medida, la historia de su lucha por acceder directamente a estos recursos, y la historia de la adaptación de sus estructuras o la creación de otras nuevas para conseguir este fin.

EL CONTROL DE DIVERSOS ECOSISTEMAS EN LA EPOCA PREHISPANICA

La distribución espacial de las lenguas indígenas habladas en Guatemala durante el siglo XVI (ver Mapa 1) refleja con bastante exactitud la preocupación de los estados por controlar tierras en cada una de las regiones ecológicas del área. En el momento de la conquista, cada estado dominaba tierras tanto en el altiplano como en la Bocacosta y la Costa: los mames controlaban una estrecha franja de tierras en la región más occidental del área que iba desde los Cuchumatanes hasta la costa del Pacífico; los quichés dominaban una gran parte de las tierras altas y la región de Bocacosta y Costa comprendida entre los ríos Samalá y Nahualate; los cakchiqueles extendían su poder sobre las tierras situadas al sur del río Motagua, en los Altos, así como sobre las tierras bajas que se extendían al este del río Madrevieja; finalmente, los tzutujiles dominaban la vertiente sur del lago Atitlán, en los Altos, y la parte de Bocacosta y Costa comprendida entre los ríos Nahualate y Madrevieja.

El control de estas regiones por cada uno de los estados fue resultado de un largo proceso que comenzó poco después de la llegada de los pueblos quicheanos a los Altos de Guatemala. Cada uno de estos pueblos se expandió a partir de un asentamiento originario —considerado como la "capital" del estado— situado siempre en la Sierra, desplazando con sus conquistas a los pueblos que, como los mames, dominaban antes aquellas regiones.

La expansión de los quichés comenzó después de la fundación de K'umarcaaj, hacia el año 1350. A partir de este momento, cuando ya constituían un estado fuerte, trataron de ir dominando, con ayuda de sus aliados cakchiqueles y rabinales, aquellos grupos que ocupaban regiones en las que pudieran encontrarse productos de los que carecían en su región original. La primera fase de la expansión estuvo dirigida fundamentalmente hacia el norte y el este. En opinión de John W. Fox (1), los dirigentes de K'umarcaaj pretendían obtener por medio de los tributos de los pueblos conquistados materias primas para fabricar objetos suntuarios: plumas, gemas y metales preciosos.

La segunda fase de expansión se realizó poco tiempo después, durante el gobierno del *ahpop* Quikab; tenía como objetivo conquistar las cabeceras de los valles que conducían a las tierras bajas, así como una parte importante de la región del piedemonte de la cordillera volcánica y de la Costa. Al dominar a los pueblos que habitaban estas regiones, los señores de K'umarcaaj pretendían asegurarse por un lado el paso libre a la Bocacosta, y por otro el acceso directo a productos como el cacao y el algodón(2).

La expansión hacia el sur comenzó con la conquista de los lugares que permitían dominar los accesos naturales a las tierras bajas. En ellos fundaron establecimientos permanentes, un tipo de *colonias* desde donde los miembros de los principales linajes quichés dominaban las tierras circundantes y gobernaban a sus moradores. Así surgieron Chuwa Tz'ak (Momostenango), Chuwi Mik'ina (Totonicapán), Sija (Ixtahuacán) y Xelajuj, nombre este último que los quichés dieron al antiguo centro mam conocido como Culahá y que después de la conquista sería llamado Quezaltenango. Desde estas posiciones los gobernantes de K'umarcaaj se lanzaron a la conquista de la Bocacosta.

La campaña destinada a la anexión de las tierras bajas estuvo dirigida por el *ahpop* Quikab y su desarrollo se narra con gran belleza literaria en los *Títulos de la Casa de Ixquin-Nehaib,* uno de los docu-

---

1. «Quiche expansion processes: differential ecological bases growth within an archaic state». *Archaeology and Ethnoristory of the Central Quiche* (Wallace and Carmack, edits.), págs. 82-97. Albany, N. Y., 1977.
2. *Ibid.,* pág. 96.

mentos más importantes de cuantos existen relativos a las culturas indígenas de los Altos de Guatemala(3). El autor del documento relata cómo una vez dominados pueblos de la región de Totonicapán y Quezaltenaango, "muy grandes, todos de indios mames principales", Quikab se lanzó a la conquista del valle del río Samalá:

> "Primeramente entró conquistando por *Excamul* [volcán Santa María] y ganó un grandioso pueblo junto al dicho Excamul; era también de los indios mames".

Siguiendo el curso del río alcanzó la región cacaotera,

> "... y fueron entrando entre los indios de la costa que eran achíes, llamándose el pueblo y sitio *Xetulul* [Zapotitlán]. Entraron a medio día y empezaron a pelear y les ganaron el pueblo y las tierras y no mataron a ninguno sino que los atormentaron y luego se dieron estos indios achíes al cacique y ya le dieron de tributo pescado, camarón y otras cositas, y de presente le dieron al cacique cacao y mucho pataxte...".

Al lugar de Xetutul fueron a rendir obediencia todos los principales de los pueblos comarcanos:

> "y les traían mucho cacao de presente y venían a darles paz que no querían guerras sino reconocerlo por rey, y que todos le obedecieran como sus tributarios. Y estos indios achíes le dieron al dicho cacique dos ríos y son éstos: el uno se llama *Zamalá* y el otro *Ucuz* [Samalá y Ocós]; y de presente volvieron a darle otros dos ríos, el uno llaman el *Nil* y otro *Xab*...".

De ahí siguieron sus conquistas hacia el sur:

> "fueron entrando por *Naguatecat* [región del río Nahualate], primer pueblo y mataron a más de cuatrocientos de los de *Naguatecat,* y conquistaron la tierra, les quitaron

---

3. Una copia manuscrita de este documento, realizada posiblemente en el siglo XIX, se encuentra en el AGC con la signatura A1.18 leg. 6074 exp. 54483 y la denominación de «Título de los señores de Quezaltenango y Momostenango». Adrián Recinos ha publicado una transcripción comentada del texto en su obra *Crónicas indígenas de Guatemala* (Guatemala, 1957, págs. 69-94).

toda la hacienda que tenían, cacao algodón, y se adueñó de todo. Luego entró por otro pueblo llamádose *Ayutecat,* también peleando [...] y se fue entrando por *Mazatán,* otro pueblo de muchos indios... y habiendo visto el cacique la bondad de estos mazatecos, les animó y los llevó a todos a conquistar otro pueblo llamádose *Tapaltecat...*"

El documento continúa describiendo la conquista de los pueblos occidentales cercanos al Soconusco y la vuelta del ejército victorioso a las tierras de Zapotitlán, por la Costa, donde conquistaron Xicalapa. Desde este lugar emprendieron el regreso a los Altos por una región próxima al lago Atitlán y culminaron la campaña con la conquista de Chwilán(4).

Por su parte los cakchiqueles, una vez desvinculados de los lazos que los unían a los quichés y establecido el centro de su territorio en Iximché, también comenzaron a conquistar regiones de clima cálido. En este caso la expansión se hizo hacia el este, arrebatando territorio a los grupos mayas que poblaban las tierras de Guatemala antes de la llegada de los quicheanos, pokomames y pipiles especialmente. Este proceso expansivo que comenzó hacia 1470, quedó repentinamente cortado con la llegada de los españoles.

La expansión de quichés y cakchiqueles obligó a replegarse a los pueblos que dominaban antes las regiones conquistadas, aunque al menos en el caso de mames y tzutujiles no perdieron totalmente el control sobre algunas zonas de la Bocacosta y la Costa. Los mames, habían perdido buena parte de sus tierras en los Altos —cuando menos el área dominada desde Culahá— y una extensa región en la Bocacosta. Los tzutujiles al parecer perdieron también en beneficio de los quichés la región de los Suchitepéquez y quizá toda el área dominada desde Xetulul, de la que existen indicios de que pudo ser un señorío dependiente de Tziquinahay(5); pero mantuvieron en su poder todas las tierras calientes que se extendían al sur del lago Atitlán.

En todos los casos —con la posible excepción de Xetulul— las tierras de la Bocacosta y sus pobladores dependían de centros serranos. El caso mejor conocido de las relaciones de dependencia entre Bocacosta y Sierra es otra vez el de la región dominada por los quichés. En su proceso de expansión los quichés fueron estableciendo

---

4. Robert M. Carmack: *The documentary sources, ecology and culture history of the prehistoric Quiche Maya.* Doctoral dissertation. Los Angeles, 1965, págs. 265-286.
5. Pedro Carrasco: «El señorío tz'utuhil de Atitlán en el siglo XVI». *Revista Mexicana de Estudios Antropológicos,* 21: 317-331. 1967.

centros político-administrativos fortificados en los lugares que iban conquistando desde donde gobernaban los territorios colindantes. Cada uno de estos centros —a los que denominamos anteriormente "centros de importancia regional"— se convertía en la capital de un señorío en el que gobernaban miembros de los principales linajes de K'umarcaaj. Este carácter tuvieron, por ejemplo, Xelajuj y Chuwi Mik'ina.

Todas las poblaciones conquistadas quedaron bajo el gobierno de alguno de estos centros principales. A los habitantes de cada una de las regiones se les imponía un tributo que tenían que pagar a los gobernantes del centro del que dependieran y que siempre consistía en productos propios del lugar, cuya obtención había sido el móvil de la conquista. Estos tributos recogidos en cada uno de los centros eran enviados posteriormente a K'umarcaaj que se proveía de este modo de aquellas especies de las que carecía. En otras ocasiones, los gobernantes de los centros serranos enviaron gente a las tierras calientes de la Bocacosta para cultivar cacao en aquellos lugares que no estaban poblados antes de la conquista de Quikab. Se dio lugar, como consecuencia, a la formación de una serie de pequeños asentamientos, a modo de colonias, formadas por gente serrana cuya misión era exclusivamente proveer a los señores de los Altos de cacao, sal o algodón.

Pero la vinculación de las poblaciones de la Bocacosta con los centros serranos no sólo era política. También se dio lugar a una vinculación social por medio de la asimilación de las poblaciones conquistadas a los linajes quichés que tenían sus centros en el altiplano. De esta forma, todos los habitantes de las tierras calientes se sentían ligados por lazos de parentesco a las poblaciones serranas: en el caso de los que habían vivido siempre allí, por la asimilación; en el de las poblaciones enviadas porque éstas nunca perdieron sus lazos con los lugares de la sierra a los que pertenecían.

En cuanto a los tzutujiles, también se puede observar la estrecha relación que existía entre los habitantes de la Sierra y los de los asentamientos cacaoteros. El tzutujil era en la época de la conquista española un estado bastante pequeño en relación con la gran extensión de tierras dominadas por quichés y cakchiqueles, y todo el territorio y sus habitantes estaban gobernados desde un único centro principal, la capital Tziquinahay. Desde este lugar gobernaban los señores tzutujiles tanto a las poblaciones de las orillas del lago Atitlán como a las que habitaban en los tres asentamientos que habían poblado en la Bocacosta: Xeoj, Xeohg y Quiohg.

Las *Relaciones geográficas* de Atitlán y sus estancias ofrecen alguna información en este sentido. La gente que vivía en las cercanías de Quiohg, el lugar que después de la conquista fue llamado San Francisco, decían que

> "los prencipales y naturales deste pueblo y estancia en el tiempo de su ynfidelidad siempre fueron subjetos a los caciques y señores naturales de la cabecera de Atitlán a los quales sirbieron, obedecieron y acataron como a su señor y rrey natural y a sus ascendientes y descendientes por línea rrecta..."(6).

Los informantes de las otras estancias declararon de la misma forma sobre su vinculación prehispánica. También de las *Relaciones* se desprende que las poblaciones cacaoteras se consideraban estrechamente vinculadas a los centros serranos de donde decían proceder. Los vecinos de San Bartolomé, lugar que antes de la conquista llamaban Xeohg, declararon:

> "los naturales deste pueblo son procedentes de los del pueblo de Atitlán su cabecera y que los señores y caciques del los pasaron y fundaron en este sitio desde antiguamente..."(7).

Entre los tzutujiles, los señores que residían en Tziquinahay obtenían los productos de las tierras calientes bien mediante el tributo que estaban obligados a pagar los campesinos que habitaban en la Bocacosta, o cultivándolo en las tierras que poseían en aquella región y en las que trabajaban los mismos campesinos. En este sentido declaraban los viejos informantes de las *Relaciones geográficas* cuando les preguntaban sobre los tributos que entregaban a sus señores antes de la conquista:

> "le pagaban sus tributos de esclabos, oro y cacao, mantas, queçales, agí, frisoles, myel y otras cosas que ellos cogían y sembraban y acudían con todos los demás servicios personales y hazían y rreparaban sus casas y sementeras"(8).

---

6. Relación San Andrés y San Francisco: «Estancias de San Andrés y de San Francisco sujetas al pueblo de Santiago Atitlán, año de 1580 [1585]. *ASGHG*, 42: 51-72. 1969.

7. Relación San Bartolomé: «Descripción de San Bartolomé, del partido de Atitlán, año 1585». *ASGHG*, 38: 267-276. 1965.

8. Relación San Andrés y San Francisco: *Op. cit.*, pág. 65.

Las mismas relaciones decían mantener los de otra estancia tzutujil:

"A este cacique y señor y después de sus ascendientes y descendientes por línea recta respetaron los naturales deste dicho pueblo y los demás de sus subjetos y le reconocían por su señor natural y pagaban su tributo en oro, cacao, mantas, queçales, esclavos, y acudían con todos los demás servicios personales [...] Y a este señor hacían sus casas y milpas y labraban sus heredes sin reconocer a otro ningún señor y este tal señor los mantenía en justicia y tenía su horca y cuchillo en este pueblo, y sus executores que la executaban con mucho rigor"(9).

Se puede concluir diciendo que cuando los españoles llegaron a Guatemala, los estados de los Altos habían desarrollado un sistema que les permitía abastecerse de todos aquellos productos de los que carecían en su habitat original, y lo habían conseguido dominando política, económica y socialmente a las poblaciones que habitaban en regiones ecológicas distintas al medio serrano, y enviando gente de la Sierra a establecerse en las tierras conquistadas para que explotaran las riquezas que se pretendía conseguir.

Como ya hemos dicho, toda la gente que vivía en esos enclaves que los señores de los Altos dominaban, consideraban que estaban ligados por vínculos de diverso tipo a las poblaciones serranas. Los que habían sido enviados por los señores desde los Altos mantuvieron su filiación con sus centros originarios; los que vivían en las regiones dominadas desde antes de la conquista fueron asimilados por los conquistadores a sus linajes y pasaron a depender de los centros regionales del altiplano que se constituyeron en capitales de señoríos gobernados por miembros de los linajes dominantes.

Las capitales de cada uno de los estados recibían las especies que habían constituido el móvil de la expansión, fundamentalmente por medio del tributo que la gente que vivía en las tierras conquistadas tenía que pagar. Pero también los señores de las capitales y de los centros regionales importantes se reservaron para sí algunas parcelas de tierra que se hacían cultivar por los macehuales. El comercio fue otra forma de abastecer a las poblaciones serranas de productos de los demás ecosistemas, aunque como ya vimos, el intercambio mercantil no

---

9. Relación San Bartolomé: *Op. cit.*, pág. 269.

era fundamental en el sistema económico de los pueblos mayas del Occidente de Guatemala antes de la conquista española.

CABECERAS Y ESTANCIAS: EL CONTROL DE ECOSISTEMAS COMPLEMENTARIOS DESPUES DE LA CONQUISTA

La caída de K'umarcaaj, Iximché y Zaculeu tuvo como consecuencia inmediata la desintegración de los estados de la Guatemala prehispánica. Los territorios dominados desde cada uno de esos centros quedaron desvinculados de la capital y, al mismo tiempo, de los demás territorios que formaban parte de cada estado; sólo permaneció intacto el territorio dominado en 1524 desde Tziquinahay, el estado tzutujil. El resultado inmediato de la desmembración fue el fin del sistema que se había organizado desde cada capital para obtener productos de las distintas regiones ecológicas que existían en el área.

No obstante, la conquista no acabó definitivamente con el control de ecosistemas complementarios por núcleos de población serranos, por lo menos durante los primeros setenta años de presencia española. Después de 1524 el estado quiché se desmembró pero permanecieron las unidades políticas de rango inferior al estado, los señoríos que se gobernaban desde los principales centros de importancia regional tanto del altiplano como de la Bocacosta. De este modo las tierras y los hombres gobernados desde lugares como Xelajuj y Chuwi Mik'ina siguieron manteniendo con estos centros relaciones muy semejantes a las que existían antes de la conquista; estos centros serranos seguían controlando recursos tanto en los Altos como en la Bocacosta. También mantuvieron sus posesiones anteriores a la conquista los dirigentes de Chuwa Tz'ak y Xetulul, pero en los dos casos todas las poblaciones que dependían de ellos se encontraban en el mismo ecosistema que el centro principal, la Sierra y la Bocacosta respectivamente.

El mismo proceso de desintegración se produjo en los demás estados prehispánicos con la excepción ya citada del estado tzutujil. Los distintos señoríos controlados desde Iximché perdieron su vinculación con la capital del estado cakchiquel, y así Tzololá quedó convertido en un centro serrano independiente al que quedaron vinculados los lugares de los Altos y de las tierras cacaoteras que habían sido gobernados antes de la conquista desde allí. El mismo proceso se dio en las tierras controladas por los mames de Zaculeu: la capital perdió todas sus prerrogativas sobre el resto de las poblaciones, mientras que lugares como Sacatepéquez y Ostuncalco, antiguos centros de importancia regional, mantuvieron el control sobre diversas poblaciones se-rranas y de la Bocacosta.

Los primeros años de la presencia española en el Occidente de Guatemala no alteraron sustancialmente esta situación. Los nuevos se-ñores del país vieron que la vinculación de los pueblos de las tierras cacaoteras a los centros serranos más importantes podía ser beneficio-sa para alcanzar los objetivos que se habían propuesto, y mantuvieron el sistema durante la mayor parte del siglo XVI. La única modifica-ción que hicieron al sistema prehispánico fue cambiar el nombre de los centros principales y de las pequeñas poblaciones dependientes de aquéllos, aplicándoles los que ya se usaban en Castilla para institucio-nes semejantes. Al pueblo principal le llamaron *cabecera* y a los de-pedientes *estancias* o *sujetos* tal como se conocían en España (ver ca-pítulo III); las relaciones entre unas y otras fueron de absoluto pre-dominio político, económico y social de las primeras sobre las segun-das.

La documentación ofrece testimonios abundantes y valiosos que permiten conocer con cierta exactitud esta institución que permitía el máximo aprovechamiento de los recursos naturales del área por las poblaciones indígenas, y cómo la presencia española afectó a su per-manencia. En las páginas que siguen se analizarán algunos casos de relaciones entre poblaciones serranas con calidad de *cabecera* y sus *estancias* situadas tanto en la Bocacosta como en la misma Sierra.

a) *Las estancias de Atitlán*

Debido a su reducido tamaño, el estado tzutujil fue el único que no se desintegró después de la conquista en Guatemala. La capi-tal Tziquinahay, a la que dio el nombre de Santiago Atitlán, se con-virtió en la cabecera de todas las poblaciones que formaban parte del primitivo estado. Desde Santiago Atitlán, situado en las orillas del la-go, a unos 1.600 metros de altura, se dominaban un mínimo de trece estancias de las que cuatro se situaban en la Bocacosta, por debajo de los 800 metros, y el resto se esparcían a lo largo de las orillas del lago Atitlán.

Las cuatro estancias de la Bocacosta, a las que se ha hecho re-ferencia en repetidas ocasiones a lo largo de este trabajo, eran las que se conocían durante la colonia con los nombres de San Bartolomé —situada a 800 metros s.n.m.—, San Francisco —a 620 metros—, Santa Bárbara —a 420 metros— y San Andrés, cuya localización no se conoce con exactitud aunque se sabe que estaba cerca de San Francisco y que era la más occidental de todas. Tanto San Andrés como San Francisco y San Bartolomé eran pequeños lugares formados tras las reducciones con las gentes que dependían de centros prehispánicos situados en los mismos lugares en los que se erigieron los pueblos; es decir, existían antes de la conquista. Santa Bárbara, por el contrario, fue una fundación posterior a la llegada de los españoles. Las cuatro estaban en una de las regiones más ricas en cacao de toda Mesoamérica:

> "San Francisco, Santa Barbola, y San Andrés y San Bartolomé, estancias de Atitlán, de la Real Corona, son pueblos ricos de cacao y lo mismo los vecinos de Atitlán que tienen milpas de cacao en los dichos cuatro pueblos"(10).

Todas las estancias dependían directamente de su cabecera, habían sido pobladas con gente procedente de aquélla, y los vecinos principales de Santiago Atitlán tenían cacaotales en las tierras de la Bocacosta que se controlaban desde cada una de ellas. La posesión de cacaotales por los vecinos de la cabecera la confirma Juan de Pineda en su *Descripción*:

> "casi todos los vecinos de este pueblo [Atitlán] tienen myllpas de cacao en la dicha costa, en quatro estancias que tienen que se llaman San Bernardino [San Bartolomé], ques grande, y Sant Francisco, y Santandres y Santa Bárbara cojen mucho cacao de sus milpas y achiote, axy y frisoles..."(11).

Sobre el origen de los vecinos de las estancias y su relación con las cabeceras ya se han visto los testimonios que aparecen en las *Relaciones geográficas*. La fundación de Santa Bárbara, algunos años después de la conquista, se hizo de la misma forma que lo habían sido las demás estancias antes de la llegada de los españoles:

> "El pueblo [Santa Bárbara] que puede haber quarenta años poco más o menos que de la dicha cabecera de Atitlán se poblaron los naturales desta estancia que se llama Sancta Barbola a bibir en ella por la gran fertilidad de aquella tierra porque en ella los naturales an plantado mu-

10. Carta de Diego Garcés, alcalde mayor de Zapotitlán, a la Real Audiencia. 1560. AGI, Audiencia de Guatemala, leg. 968-B.
11. «Descripción de la Provincia de Guatemala (año 1594)». *ASGHG*, 1 (4): 327-363. 1925.

chas guertas y heredades de cacao y cogen por sus tiempos mucho y aun oy tienen posible y de cada día van plantando cacaguatales..."(12).

También después de la conquista los principales de Santiago Atitlán decidieron cultivar maíz en unas tierras cercanas a la estancia de Santa Bárbara conocidas con el nombre de Tzacbalcac. Para cuidar de las milpas enviaron algunas familias de Santa Bárbara, de San Lucas Tolimán y de la misma cabecera. En el pleito que los tzutujiles mantuvieron con los cakchiqueles de Patulul acerca de la propiedad de estas tierras, aparecen testimonios que muestran las relaciones que la gente de Tzacbalcac mantenían con las poblaciones tzutujiles de los Altos(13).

En los autos que dictó el juez comisionado para resolver el pleito se puede leer lo siguiente:

"Y luego, otro día siguiente por la mañana salió del dicho pueblo [Santa Bárbara] y fue por un camino seguido, pasando por muchos cacaotales y milpas de maíz y grandísimas montañas y tierras de Atitlán y su sujeto, hasta que llegó a las dichas tierras de Tzacbalcac sobre que trata este pleito, donde halló muchas casas de bihao y de paja cubiertas, nuevas y viejas, y arboledas de naranjos y achiote y otras frutas y maizales con mucho maíz que ya está para coger, y muchos indios con sus mujeres e hijos y aves y perros, y sus cosas necesarias de piedras de moler y ollas y cántaros y otras muchas cosas de su servicio y pasadía, y para más informarse el dicho juez de lo que había en este asiento, de su oficio preguntó a los dichos indios de una parte y de la otra que aquellas casas y gente cuyas eran, *dijeron que los caciques y alcaldes del pueblo de Atitlán tenían allí aquellas casas y gente para en guarda de las tierras y milpas que allí tenían*..."(14).

Después de hacer esta averiguación, el juez comenzó a visitar una por una las casas que había en la aldea. Uno de los habitantes del lugar declaró que había llegado allí porque

---

12. Relación San Andrés y San Francisco: *Op. cit.*, pág. 71.
13. 1587. AGC, A1 leg. 2811 exp. 2478.
14. Ibid. El subrayado es nuestro.

"siendo muchacho lo trajeron sus padres que murieron en
este asiento [...] y dijo que estaba en este asiento guardando estas tierras y milpas de los vecinos de Atitlán y
sus sujetos".

Otro indígena decía que había llegado al lugar hacía tres meses y que "están guardando las casas y milpas de los vecinos de Tuli-
mán, sujeto al pueblo de Atitlán". En el mismo sentido declararon los
otros cinco indígenas que, con sus familias, vivían en el lugar guardando las tierras y las veinte casas que la gente de Atitlán tenía allí.

En el transcurso del pleito declaró un indígena vecino de la estancia de San Francisco, de más de ochenta años de edad. En su declaración dijo:

"que en tiempos pasados tuvo este testigo milpa en ellas
como vecino de la estancia de Atitlán, como los demás vecinos que quieren tener sus milpas en ella [...] y que sabe
este testigo que las dichas tierras llamadas Tzacbalcac sobre que es este pleito, y que sabe que son suyas de los
vecinos de Atitlán y los de las estancias y pueblos de sus
sujetos de más de sesenta años...".

Otro indio, vecino también de San Francisco, declaró posteriormente que

"conoce las tierras llamadas Tzacbalcac de siete o ocho
años a esta parte porque ha ido allá muchas veces a trabajar en hacer la milpa de la comunidad de Atitlán por
mandato de la justicia de Atitlán..."

Las familias que vivían en las estancias de las tierras cacaoteras dependían política y económicamente de las autoridades indígenas
de Santiago Atitlán. El gobernador indígena de la cabecera tenía autoridad sobre todos los tzutujiles de la Bocacosta y, hasta poco antes
de terminar el siglo XVI, los alcaldes y regidores indígenas de las estancias eran nombrados por los miembros del cabildo de Santiago Atitlán; de esta forma las autoridades de las estancias eran delegados directos de las que había en la cabecera que, por el contrario, eran
elegidas anualmente por los miembros del cabildo saliente.

La dependencia económica de las estancias respecto de la cabecera tampoco se rompió durante la mayor parte del siglo XVI. Al hacer los repartos de las encomiendas, los primeros responsables de la

335

administración colonial no rompieron la unidad prehispánica; la tasación de cabecera y estancias se hizo de manera conjunta, de modo que se impuso a las autoridades indígenas de Santiago Atitlán un tributo que debían recaudar entre todos los indígenas que dependían de una forma u otra del pueblo. En consecuencia, los vecinos de los pueblos cacaoteros debían seguir enviando sus excedentes a los Altos, de la misma forma que lo habían venido haciendo antes de la conquista, cuando enviaban sus tributos a Tziquinahay. Y los productos que formaban este tributo tampoco variaron: antes y después de 1524 cacao y algodón eran las especies exigidas para el pago de los tributos por los señores de los Altos.

Las relaciones económicas entre la gente de la Bocacosta y las del altiplano no se centraban exclusivamente en el tributo, con ser éste el capítulo más importante. Bastantes principales que vivían permanentemente en la cabecera serrana poseían tierras en la Bocacosta y durante todo el siglo XVI se mantuvo un constante trasiego comercial de hombres y mercancías entre una y otra región ecológica. Los hombres de los Altos se proveían en la Bocacosta de cacao, algodón y sal, mientras que los de las estancias cacaoteras obtenían de la Sierra fundamentalmente maíz y manufacturas.

Además de las cuatro estancias de la Bocacosta, los tzutujiles tenían otras estancias en las tierras altas, fuera de los límites de la cabecera. De estas estancias se conocen nueve de las que al menos siete se encontraban repartidas a lo largo de las orillas del lago Atitlán. Antes de la conquista eran caseríos que después de las reducciones se convirtieron en pueblos: San Pablo, Santa María Visitación —también llamado Santa María de Jesús—, San Juan, San Pedro, Santa Cruz, San Marcos y San Lucas Tolimán. De las otras dos estancias conocemos el nombre —Payanchicul y Pampati o Pampato— pero no su emplazamiento; en el siglo XVI hay muy poca información relativa a estas dos pequeñas poblaciones, pero aún a finales del primer cuarto del siglo XVII se consideraban estancias dependientes de Santiago Atitlán.

Las estancias tzutujiles de los Altos eran lugares escasamente poblados: a finales del siglo sólo San Pedro tenía más de trescientos habitantes, mientras que en la misma fecha Pampati sólo contaba con trece personas. Su situación respecto a la cabecera era semejante a la de las estancias cacaoteras. Dependían social, política y económicamente de Santiago Atitlán tanto antes como después de la conquista; durante casi todo el siglo XVI se tasaron junto con la cabecera, sin distinguir el número de tributarios que habitaba en cada una de ellas, y su tributo era pagado por los principales de Santiago Atitlán que eran los encargados de recogerlo y entregarlo a los encomenderos. Parece que la función de estos pequeños asentamientos era doble: por un lado acceder a la mayor cantidad posible de recursos lacustres y aprovechar cada palmo de tierra cultivable en una zona extremadamente fragosa; por otro, mantener asegurado el control de buena parte de las orillas del lago Atitlán frente a posibles usurpaciones de los cakchiqueles de Tzololá que dominaban la orilla oriental.

b) *Tecpanatitlán y sus estancias*

Tecpanatitlán era el nombre que se dio al antiguo Tzololá, centro considerado como capital del señorío cakchiquel de los Xahil. Se situaba por encima de los 2.100 metros de altitud, al norte del lago Atitlán. Desde allí se dominaba un territorio que se extendía por la Sierra y la Bocacosta, incluyendo la orilla oriental del lago. Tzololá había sido un lugar densamente poblado antes de la conquista y siguió siendo un centro de población importante a lo largo de todo el siglo XVI.

Como en el caso de los tzutujiles, los cakchiqueles de Tecpanatitlán poseían estancias tanto en tierras cacaoteras como en los Altos. En la tasación que el presidente Valverde hizo en 1581 se citan las estancias de San Jorge, Panajachel, Cimitabat, San Gabriel, Santo Tomás, San Jerónimo, San Agustín, San Juan, San Miguel y San Bernardino Pazón(15). En un nombramiento de corregidor de Tecpanatitlán hecho en 1591 se dice que dependen y están sujetas a Tecpanatitlán las estancias de San Jorge, San Francisco Panajachel, Pazón, Patulul, Santo Tomás, San Miguel, San Jerónimo y San Juan (16).

De estas diez estancias al menos dos se encontraban en la Bocacosta: Patulul y San Agustín Tzacbalcac. Esta última se fundó después de la conquista muy cerca del asiento tzutujil de Tzacbalcac, fundación que dio lugar al pleito citado páginas atrás. Era una estancia pequeña poblada en 1581 por nueve familias que cumplían las mismas funciones que los vecinos de la estancia tzutujil(17). Santa María Magdalena Patulul era una estancia más antigua que la anterior y tenía una población bastante más importante; en 1580 poseía en torno a los 600 habitantes. Era uno de los centros de mercado más importantes de la Bocacosta a donde acudían a tratar tanto gente de los pueblos de los Altos como de otros lugares de las tierras cacaoteras.

---

15. AGI, Audiencia de Guatemala, leg. 966.
16. AGC, A1.39 leg. 1751 exp. 11737, f.º 22.
17. 1587. AGC, A1 leg. 2811 exp. 24781.

Todas las demás estancias de Tecpanatitlán debían estar por encima de los límites de la Bocacosta, o por lo menos no aparece ninguna cita en la documentación que haga pensar lo contrario. La más baja de todas debía ser San Miguel Pochutla, a unos 1.000 metros de altitud en el lugar que hoy se encuentra el pueblo cakchiquel conocido como Pochuta. Más al norte, a una altura de 2.230 metros, estaba San Bernardino Pazón o Patzún que marcaba el límite oriental de la alcaldía mayor de Zapotitlán, así como el de las tierras dependientes de Tecpanatitlán; cuando Juan de Pineda se refería a él en su *Descripción* decía:

> "por queste pueblo es estancia de Tecpanatitlán y tributa con la cabecera, en tratando que se trate della se tratará del tributo que solía dar"(18).

En las orillas del lago Atitlán había al menos dos estancias cakchiqueles: San Francisco Panajachel y San Jorge, actualmente San Jorge la Laguna. En el momento de las tasaciones del presidente Valverde tenían 266 y 527 habitantes respectivamente. De la misma forma que los asentamientos que los tzutujiles tenían en las orillas del lago, estas dos estancias permitían acceder a los recursos lacustres a la vez que cuidar que la gente de Atitlán no se introdujera en las posesiones de los cakchiqueles.

Otra estancia, cuyo nombre desconocemos, estaba situada en los Altos, a unas leguas de la cabecera. En ella vivían unos setenta indígenas procedentes de Tecpanatitlán, que hacían sus milpas en aquel lugar "porque el pueblo de Tecpanatitlán tiene mucha gente y pocas tierras y los dichos indios son trabajadores". Su función era la misma que la de las otras estancias, proporcionar alimentos que no se podían obtener en las cercanías del pueblo de procedencia de los habitantes de la estancia:

> "tienen grandes milpas y crían muchas gallinas con lo cual acuden al servicio del pueblo. Lo cual no podrían hacer viviendo en el pueblo, y los dichos indios son nacidos y criados en las dichas milpas y siempre las han tenido pobladas, y siempre ha constado a los religiosos que tenían cargo de ellos cómo vivían en las milpas y teniendo mucha experiencia de indios los han dejado [...] y digo que en conciencia deben vivir en sus milpas por el provecho

---

18. *Op. cit.*, pág. 337.

que a los del pueblo de Tecpanatitlán les viene proveyendo de maíz y aves y otras cosas''(19).

Las relaciones de Tecpanatitlán con sus estancias tenían el mismo carácter que las mantenidas entre Atitlán y las suyas. De la misma forma que en el caso de Atitlán, la encomienda de Tecpanatitlán comprendía tanto a los indios que vivían en la cabecera como a los de todas las estancias, unidad que se mantuvo cuando menos hasta 1594, fecha en la que recorrió el pueblo Juan de Pineda. Este, en su *Descripción,* se refiere a las estrechas relaciones que existían entre los hombres de la cabecera y los que habitaban las estancias de la Bocacosta, y posteriormente añade:

> "y *están emparentados estos yndios con los de la costa de Zapotitlán,* y este trato y granjería que tienen lo tienen por recreación y porque se huelgan dello, asy por el ynterese que se les sigue como *por lo questa dicho estar emparentados unos con otros* [...] estos yndios y sus estancias de Pazon y la Madalena, más a de veinte y cinco años tributavan mantas y cacao y maíz..."(20).

También Tecpanatitlán y sus estancias formaban durante el siglo XVI una unidad en relación con la administración religiosa. Los franciscanos que tenían encomendada la evangelización de los cakchiqueles de Tecpanatitlán —de la misma forma que la de los tzutujiles y de otras poblaciones importantes— consideraron que era más provechoso mantener la unidad prehispánica entre toda la gente ligada a la cabecera que dividirlos en guardianías diferentes. Una muestra de la utilidad que los franciscanos encontraron al sistema de cabeceras y estancias, es la defensa que uno de los guardianes hacía de la conveniencia de su mantenimiento, uno de cuyos párrafos ha sido reproducido anteriormente.

c) *Las estancias de Totonicapán*

San Miguel Totonicapán era en la colonia un importante centro serrano, situado a unos 2.500 metros de altitud, que había sido fundado por los franciscanos en el lugar que había ocupado el antiguo centro indígena conocido con el nombre de Chuwi Mik'ina. Este había sido uno de los más importantes centros del estado quiché, desde

---

19. Acerca de reducir a poblado a varios indios de Tecpanatitlán. 1600. AGC, A1.12 leg. 4060 exp. 31535.
20. *Op. cit.,* págs. 337-338. El subrayado es nuestro.

el que uno de los linajes de la rama gobernante dominaba una gran cantidad de tierras y hombres tanto en los Altos como en la Bocacosta.

Después de la conquista y las reducciones, San Miguel Totonicapán mantuvo su carácter de centro principal y fue considerado por los españoles como pueblo cabecera. En calidad de tal los franciscanos erigieron allí un convento desde el que se debía dirigir la evangelización de todos los indios de la cabecera y de las estancias que de ella dependían; fue la sede de un corregimiento dependiente de la Audiencia que debía velar por los intereses de la Corona que era depositaria de la encomienda del pueblo y sus estancias; y, finalmente, era el lugar de residencia del gobernador indígena que tenía autoridad sobre todos los naturales de la cabecera y sus estancias.

Como en los casos anteriores, la unidad de todas las tierras y gente que dependía de Totonicapán no se rompió a lo largo de casi todo el siglo XVI. Cuando en 1594 Juan de Pineda visitó el pueblo, pudo comprobar la existencia de relaciones estrechas entre los vecinos de San Miguel Totonicapán y los de sus estancias de la Bocacosta:

> "van a la dicha costa de Zapotitlán a las vender [sus productos de la milpa], y las llevan en sus caballos que para ello tienen, y las venden a trueco de cacao y algodón [...] y *están emparentados con los indios de la dicha costa,* igualmente que todos, como el pueblo de atrás [Tecpanatitlán]..."(21).

De San Miguel Totonicapán dependían durante el siglo XVI al menos siete estancias. De ellas, cuatro estaban en las tierras cacaoteras y tres en los Altos. Las cuatro estancias de la Bocacosta aparecen citadas como tales en una relación de las cuentas de las cajas reales de Guatemala del año 1574(22) y se identificaban con los nombres de San Pedro, Santo Tomás, Santa Ursula y San Bernardino. Hay pocas referencias sobre ellas en la documentación que permitan localizar exactamente su situación y conocer su importancia.

El alcalde mayor de Zapotitlán, Diego Garcés, se refería a tres de ellas en su informe de 1560(23). Según estos datos, Santa Ursula debía estar situada a unos 400 metros sobre el nivel del mar, cerca de las orillas del río Samalá:

---

21. *Op. cit.,* pág. 338. El subrayado es nuestro.
22. AGI, Contaduría, leg. 967.
23. AGI, Audiencia de Guatemala, leg. 968-B.

"Santa Ursula, barrio de San Luis [estancia de Quezaltenango] y sujeto a Totonicapán [...] son pocos indios y pobres [...] y no pueden tributar en cacao".

Debía ser un lugar con muy pocos habitantes ya que en 1574 tributaba 14 cargas de cacao, y treinta años después entregaba poco más de cuatro cargas(24).

De San Bernardino, estancia que debía estar aproximadamente a la misma altura que la anterior, decía el alcalde mayor:

"Iten, San Bernardino, estancia de Totonicapán de la Real Corona, está a una legua de Zamayaque abajo, hacia la Mar del Sur, es buena tierra de cacao, salvo que no tienen tierras, y las de San Antonio Suchitepéquez llegan hasta las mismas casas de San Bernardino..."

Finalmente, cuando se refería a la estancia de San Pedro señalaba que "está cerca de Izambo [Zambo], son pobres y aunque tienen cacao es poco". De este mismo lugar decía uno de sus vecinos que "es muy cercano del [pueblo] de Zambo y San Francisco Zapotitlán" (25). De la estancia conocida como Santo Tomás no aparecen datos entre la documentación consultada. Se podría pensar que fuera el mismo lugar que se conoció durante el siglo XIX como Santo Tomás La Unión. También tributaba cacao.

Las tres estancias de los Altos se conocían con los nombres de San Andrés, San Francisco y San Cristóbal. De las dos primeras no tenemos noticias anteriores a las que aparecen en la relación de tributos de 1606 y 1607, en la que se indica que ambas entregan su tributo en dinero, por lo que es lógico situarlas en el altiplano y no en la tierra de cacao. Es posible que San Andrés, al que se cita como San Andrés Totonicapán, corresponda con el actual San Andrés Xecul(26), y que San Francisco Totonicapán sea el mismo lugar que hoy se conoce como San Francisco el Alto; ambos eran lugares poblados antes de la conquista.

San Cristóbal Totonicapán corresponde con el pueblo actual del mismo nombre, conocido antes de la conquista como Pujulá, situa-

24. Cuenta de los tributos recogidos por los oficiales reales de Guatemala entre 1607 y 1608. 1607-1609. AGC, A3.16 leg. 2318 exp. 34234.
25. Autos sobre ciertas tierras propiedad de los indios de Zambo. 1579. AGC, A1 leg. 5929 exp. 51833.
26. En el *Diccionario geográfico de Guatemala* (Guatemala, 1962) se apunta esta posibilidad (vol. 2 pág. 122).

do a pocos kilómetros de San Miguel Totonicapán. En 1578 los vecinos de San Cristóbal entraron en conflicto con las autoridades del cabildo del pueblo cabecera como consecuencia del mal uso que aquéllos hicieron de los tributos que les habían entregado. En un escrito que con este motivo enviaron a la Audiencia, se ponen de manifiesto las relaciones de dependencia que los vecinos de las estancias tenían respecto de su cabecera:

> Muy poderoso señor: Francisco Mexía y Francisco Pérez, Francisco López, Juan Pérez, en nombre de los demás principales vecinos del pueblo de San Cristóbal, estancia de Totonicapán, parecemos ante V. A. y decimos que en el dicho nuestro pueblo no hay alcalde ninguno para que tenga cargo y cuidado de recoger el tributo de los macehuales de lo que deben y son obligados a pagar a Su Majestad, y porque los años pasados se ha recogido el tributo y como se lleva al alcalde y otros principales del dicho pueblo de Totonicapán y como entran en poder de ellos lo gastan y lo destruyen y siempre queda tributo rezagado [...] conviene que V. A. mande dar su provisión real para que haya un alcalde que tenga especial cuidado de recoger el tributo y no se lleve al dicho pueblo de Totonicapán ni los dichos alcaldes y principales sean osados ni se entremetan en cosa alguna..."(27).

La respuesta de la Audiencia fue inmediata: se nombraron un alcalde, dos regidores y un alguacil vecinos del pueblo, nombramientos que vinieron a recaer en los cuatro firmantes del documento anterior, exactamente en el orden en que aparecen al principio de la solicitud. Esta relación de dependencia que hasta 1578 mantuvieron los vecinos de San Cristóbal con su cabecera, puede hacerse extensiva a las demás estancias de Totonicapán: todos formaban parte de la misma comunidad que se identificaba con el pueblo cabecera en donde residían las personas que los representaban a todos. Las estancias las formaban, como en los casos descritos antes, gente destacada en parajes lejanos de la cabecera para conseguir productos que no podrían obtener directamente en el lugar de origen.

---

27. Los indios de San Cristóbal Totonicapán piden que se elija cada año un alcalde y regidores para recoger el tributo. 1578. AGC, A1.24 leg. 4646 exp. 39601.

d) Las estancias de Quezaltenango

El pueblo de Quezaltenango había sido fundado en 1529 en un lugar cercano al que había ocupado el importante centro quiché conocido como Xelajuj. A su vez éste había sido construido por los quichés sobre un centro ceremonial mam llamado Culahá cuando el *ahpop* Quikab comenzó la expansión hacia las tierras de la Bocacosta.

Xelajuj estaba situado en uno de los valles que daban acceso a la Bocacosta, en la cuenca del río Samalá. Cuando los quichés dominaron el lugar lo convirtieron en capital de uno de los señoríos dominados por los linajes, y desde allí controlaron tanto tierras serranas como algunos sectores de Bocacosta desde los que se proveían de cacao y algodón.

Las muestras de que durante el siglo XVI no se rompió el sistema de control de tierras de la Bocacosta por parte de la gente de Quezaltenango son relativamente abundantes. Según los datos que poseemos, Quezaltenango tenía cuatro estancias en los primeros años de la colonia. las cuatro ubicadas en la Bocacosta: San Luis, San Felipe, Santo Tomás y San Antonio. De ellas obtenía Quezaltenango el importante tributo en cacao que se le había impuesto desde las primeras tasaciones que se hicieron después de la conquista.

San Felipe y San Luis debían ser las dos estancias más importantes. De la primera, que había sido conocida antes de la conquista como Tak'ajal, decía el alcalde mayor en su carta de 1560:

> "San Felipe, estancia de Quezaltenango, de la Real Corona, está al lado de San Martín [Zapotitlán], obra de media legua hacia la sierra. Las milpas de cacao de este pueblo son como las demás de Zapotitlán y Zambo porque es tierra más fría; tienen algodón, maíz, gallinas, cacao y pataxtle"(28).

Y posteriormente se refería a la otra estancia:

> "San Luis, asimismo estancia de Quezaltenango [...] es de la misma suerte".

También Juan de Pineda dedicaba un párrafo de su *Descripción* a las estancias de Quezaltenango:

---

28. Carta de Diego Garcés, alcalde mayor de Zapotitlán, a la Real Audiencia. 1560. AGI, Audiencia de Guatemala, leg. 968-B.

"tiene dos estancias, que la una se llama Sant Luis y la
otra la Madalena, y en estas estancias tienen los vecinos
deste dicho pueblo myllpas de cacao. [...] El pueblo de
Sant Luis está en la costa de Zapotitlán, que serán seys
leguas del pueblo de atrás [Quezaltenango], y es estancia
sujeta a él; está al pie de una sierra, tyerra caliente; es
pueblo de mucho cacao, patachitle, achiote, algodón y de
mucho mayz, axi y frisoles [...] este pueblo tiene dos es-
tanzuelas pequeñas que se llaman la Madalena y San Bernardino, que estará cada una dos leguas deste dicho pueblo"(29).

El origen de la estancia llamada San Felipe parece claramente prehispánico, mientras que el pueblo de San Luis pudo haber sido
fundado después de 1524. Esto es lo que se puede deducir de un pleito entablado entre los vecinos de Ostuncalco y los de Quezaltenango,
en 1583, a causa de la propiedad de algunas tierras. En el documento
se habla de cómo Pedro de Alvarado confirmó a los quichés la posesión de las tierras que habían conquistado a los mames en las guerras
de expansión de Quikab, a pesar de que los mames habían instado
al Adelantado para que se las devolvieran por considerar injusta aquella guerra. El juicio de Alvarado fue favorable a los quichés de Quezaltenango y así lo reconocieron entonces los de Ostuncalco:

"por ser indios suyos y de su encomienda y que no nos
hacían mal, y nosotros, por ser hombre tan poderoso y gobernador de toda la tierra no tratamos de ello y así se
poblaron y nunca nos dieron pesadumbre alguna, y *habrá
veinte o veinte y dos años poco más o menos que los dichos achíes, como son muchos, se han ido extendiendo, y
así se poblaron un pueblo llamado San Luis*, cerca de Santa Catalina, que es nuestros términos..."(30).

Esta declaración de los mismos indígenas viene a confirmar el
carácter de las estancias como colonias formadas por gente procedente de la cabecera de la que se sentían miembros, creadas con el fin

---

29. *Op. cit.*, págs. 338 y 340. La estancia de la Magdalena citada en las primeras líneas del texto no aparece en ningún otro documento, por lo que se puede pensar que refiere a alguna de las que hemos citado antes con otro nombre.

30. Pleito presentado por los naturales de Chiquirichapa contra el pueblo de
Ostuncalco sobre la pertenencia de ciertas tierras. 1745. AGC, A1 leg. 5987 exp. 52660.
El subrayado es nuestro.

específico de obtener recursos complementarios a los que se podían tener en el lugar de origen.

Además de las cuatro estancias en tierras cacaoteras, los vecinos de Quezaltenango disponían de unas tierras en la misma costa del Pacífico, en el lugar conocido como Barra de Chapán o Acapán, posiblemente el mismo sitio que hoy se conoce como Salinas de Acapán cerca de Champerico. En aquel lugar los vecinos de Quezaltenango explotaban unas salinas y realizaban pesquerías. La primera noticia que tenemos sobre esta propiedad procede de un documento fechado en 1707 en el que se refleja el arrendamiento que los vecinos del pueblo hicieron a un español para que explotara sus recursos. El arrendatario se refiere al lugar con las siguientes palabras:

> "digo que los indios de el pueblo de Quezaltenango son dueños de las Barras de Chapán y Acapán que por otro nombre llaman, que están en la costa de la provincia de San Antonio Suchitepéquez y de el usufructo de sus pesquerías tienen fundada una cofradía de Señor San Pedro..."(31).

De este modo los hombres de Quezaltenango tenían asegurado el acceso a la mayor parte de los recursos que el área podía proporcionar: productos serranos en los Altos; cacao, algodón —en la estancia de San Felipe— y maíz, en cosechas alternadas con las del altiplano, en la Bocacosta; y sal y pescados de la Costa. Mientras que el sistema no fuera desorganizado, la obligación de pagar cacao y mantas como tributo no supondría una carga excesivamente pesada para los vecinos de Quezaltenango.

e) *Estancias controladas por los mames*

A pesar de la expansión de los quichés, los mames habían mantenido el control de una estrecha franja de tierra en el extremo occidental de Guatemala, desde los Altos Cuchumatanes hasta la costa del Pacífico. Tras la conquista todo este territorio que gobernaban los señores de Zaculeu quedó dividido entre diversos linajes que —como en el caso de quichés y cakchiqueles— dominaban algunos territorios desde centros ceremoniales de importancia regional.

Dos de los centros más importantes del antiguo estado mam eran los que se conocieron después de la conquista como San Juan

---

31. AGC, A1.24 leg. 206 exp. 4138.

Ostuncalco y San Pedro Sacatepéquez. Ambos fueron considerados por las autoridades coloniales como pueblos cabecera de los que dependían un considerable número de estancias, y en cada uno de ellos residía un gobernador indígena, descendiente de los señores de los linajes dominantes prehispánicos. Eran centros serranos situados a unos 2.500 metros de altitud.

Como ambos pueblos eran grandes y disponían de recursos serranos y de plantaciones de cacao en la Bocacosta, fueron encomendados en don Francisco de la Cueva, yerno de Alvarado y uno de los hombres más poderosos de la joven colonia. Como consecuencia de haber considerado ambos pueblos como una misma encomienda, en la mayoría de los documentos no se hace distinción entre las posesiones y el número de habitantes de uno y otro, por lo que es difícil precisar qué estancias dependían de cada cabecera. No obstante, parece que era San Juan Ostuncalco el más importante de los dos y el que poseía las estancias más rentables en las tierras de cacao.

La más importante estancia de Ostuncalco era la conocida como Santa Catalina, cuyo emplazamiento podría coincidir con la actual ciudad de Retalhuleu, a 240 metros sobre el nivel del mar. A este lugar dedicó unas líneas el alcalde mayor Diego Garcés en su informe:

> "Iten, Santa Catalina, estancia de Ostuncalco, de la encomienda de Francisco de la Cueva, está a dos leguas de San Luis y es tierra de más calidad y muy mejor de cacao, aquí tornan a engrosar la tierra y corresponde con la de la provincia de Soconusco con quien confina, porque de este pueblo al de Tilapa, que es el primero de la provincia de Soconusco, hay nueve leguas de despoblado y al medio se parten los términos; tienen buenas milpas de cacao, y las mantas de aquí valen a ocho tostones"(32).

El alcalde mayor cita también en su informe otras estancias mames en la Bocacosta sin especificar a qué cabecera corresponden:

> "Iten, a la parte de arriba de este pueblo hay muchos pueblos de la misma encomienda de don Francisco de la Cueva que confinan con la provincia de Soconusco y tienen buen cacao conforme al de la dicha provincia, que son la

---

32. Carta de Diego Garcés, alcalde mayor de Zapotitlán, a la Real Audiencia. 1560. AGI, Audiencia de Guatemala, leg. 968-B.

Madalena, Coatepeque, San Pablo, Santa Lucía, Malacatán, Zazitepeque, Tequintepeque; todos los cuales son estancias y sujetos de Sacatepéquez y Ostuncalco, sus cabeceras".

En un empadronamiento de tributarios que se hizo en 1617, el
gobernador indígena de Sacatepéquez dijo que ellos tenían en la tierra del cacao una estancia pequeña llamada San Sebastián Cuyume-
sunúa y que en otros lugares se cita como Coyametzompa. En la declaración del gobernador se refleja con claridad la relación íntima
que existía entre cabecera y estancia:

> "en el que están tres indios casados y una india viuda
> guardando unas milpas de cacao que tienen algunos natu-
> rales de este pueblo, y los dichos tres indios e india viuda
> se empadronaron en la tasación y cuenta de este pueblo de
> Sacatepéquez y están inclusos en ella como indios de este
> mismo pueblo"(33).

Además de las estancias de la Bocacosta en las que, según Diego Garcés, algunos vecinos de Sacatepéquez y Ostuncalco "tienen milpas de cacao", estos pueblos controlaban territorios serranos a veces
bastante alejados de las cabeceras y en ellos tenían asimismo pobladas estancias. El alcalde mayor Diego Garcés nombra algunas de ellas
en su reiteradamente citado informe:

> "Iten, hay otras estancias sujetas a los dichos pueblos de
> Ostuncalco y Sacatepéquez como son Chiquirichapa y San
> Martín y Texutla y Comitán, las cuales están en la sierra
> y tierra muy fría".

De las cuatro estancias que se citan, al menos tres dependían
de Ostuncalco: Chiquirichapa, Texutla y Comitán. Además de éstas,
los vecinos de Ostuncalco poseían otra estancia serrana conocida como San Cristóbal Cabilicán, de origen prehispánico, igual que las tres
antes citadas. En 1617 las doce familias que vivían en San Cristóbal
Cabilicán —llamada Cabricán antes de la conquista— mantenían su
dependencia directa de la cabecera y así lo afirmaban en unas declaraciones:

---

33. Empadronamiento de los tributarios de los pueblos de la alcaldía mayor
de Totonicapán. 1617. AGC, A3.16 leg. 2801 exp. 40502.

"La dicha estancia de San Cristóbal Cabilicán jamás ha
tenido ni tiene tasación de por sí, porque doce indios que
viven en la dicha estancia son de este dicho pueblo de Ostuncalco y están empadronados y comprendidos en la tasación de él y pagan el tributo con los indios deste pueblo,
y que no son distintos ni desamparados, sino que están en
aquella estancia de San Cristóbal que es donde tienen la
mayor parte de sus milpas y una calera, y para el beneficio
de ella y guarda de las dichas milpas llevaron allí los dichos indios"(34).

Posiblemente la estancia que Diego Garcés llamaba San Martín correspondería a los de Sacatepéquez, y podría ser el lugar conocido posteriormente como San Martín Chile Verde y en la actualidad
como San Martín Sacatepéquez. Además de esta estancia, los mames
de Sacatepéquez tenían poblado otro lugar en la sierra que conocían
como estancia de San Cristóbal; de ésta decía el gobernador indígena
de la cabecera que

"es donde tienen la mayor parte de sus milpas de maíz y
para guardarlas de los pájaros están allí diez indios, los
cuales están empadronados y contados e inclusos en la tasación de este pueblo de Sacatepéquez"(35).

f) *Una estancia compartida: Santiago Zambo*

En todos los casos considerados hasta ahora, cada una de las
estancias estaba formada única y exclusivamente por gente procedente de una misma cabecera. Eran lugares perfectamente identi-
ficables y apartados de las estancias dependientes de otras cabeceras.
Sólo Santa Ursula, estancia de Totonicapán, estaba tan próxima a
San Luis, estancia de Quezaltenango, que los españoles la consideraron como un barrio de esta última, aunque no por ello dejó de estar
tasada con su cabecera y ser considerado como un asentamiento independiente de San Luis.

El caso de la estancia conocida como Santiago Zambo rompe
con el esquema anterior. Zambo era un pueblo de relativa importancia, situado en la Bocacosta a muy poca distancia de San Francisco
Zapotitlán, en pleno corazón de las tierras cacaoteras. En contraste

---

34. Ibid.
35. Ibid.

con todas las estancias del área, Zambo no estaba poblado por gente de una sola cabecera serrana. Los vecinos del pueblo procedían de tres lugares diferentes, aunque todos tenían en común haber formado parte del antiguo estado quiché: Zacualpa, Chiquimula y Chichicastenango. Se puede, en consecuencia, considerar a Zambo como un tipo de estancia multiétnica, es decir, formada por personas pertenecientes a grupos social y políticamente diferenciados.

La información que poseemos sobre este caso particular procede de tres pleitos —en realidad un solo problema que aparece intermitentemente— que mantuvieron entre 1561 y 1582 los indios del pueblo de San Francisco Zapotitlán y los que de él dependían, con los indígenas de Zacualpa asentados en Zambo(36). De los tres documentos se desprende un hecho fundamental: la lucha constante entre las diversas comunidades indígenas por dominar la mayor cantidad posible de las fértiles tierras de la Bocacosta.

Según estas fuentes, de los tres grupos o "parcialidades" que vivían en el asiento de Zambo, cuando menos los que procedían de Zacualpa habían llegado al lugar antes de la conquista española:

"este testigo ha visto que están en el dicho pueblo de Zambo y que residen en el dicho asiento desde que vinieron los españoles, y en el tiempo de sus guerras viniendo guerreando se quedaron en el dicho asiento porque eran montes despoblados y por parecerles a los dichos naturales ser tierra sana y buena, y luego vinieron los españoles y que ha visto que en tiempo de las guerras entre ellos los de San Francisco Zapotitlán no pasaban ni cultivaban adelante de Queza que está enmedio de dichos pueblos"(37).

La fecha del establecimiento de la gente de Chiquimula y Chichicastenango no se conoce con exactitud aunque los de Zapotitlán aseguraban que se había producido después de 1524:

"siendo como son nuestras todas las tierras hasta los términos que por una parte tenemos con los de Suchitepéquez y con los de Ayutla y con los de Quezaltenango, se

---

36. Proceso de los indios de Zambo-Zacualpa sobre las tierras que se les repartió. 1561. AGI, Justicia, leg. 317. Autos hechos sobre una petición de tierras que hizo el cacique de Zambo. 1578. AGC, A1 leg. 5928 exp. 51825. Autos sobre ciertas tierras propiedad de los indios de Zambo. 1579. AGC, A1. leg. 5929 exp. 51833.

37. AGI, Justicia, leg. 317.

nos han ido entrando muchos pueblos en ellas que son Zacualpa, Zambo, Chiquimula, Chichicastenango, Totonicapán, Santa Catalina y otros muchos, y de cada día nos van arredrando y echando de nuestras casas y posesiones, y nosotros [...] lo hemos sufrido hasta en tanto que ya no lo podemos sufrir más y ahora de nuevo vemos que V.M. los favorece y ampara en tierras que son nuestras y de nuestros padres y abuelos y antepasados las heredamos, y las da a estos advenedizos que al olor del cacao se han bajado de sus tierras y naturaleza de veinte años a esta parte..."(38).

Según la misma gente de Zapotitlán, el asentamiento de los hombres de los pueblos serranos se hizo a instancias y con el consentimiento de sus encomenderos que perseguían, sin duda, el beneficio que el tributo en cacao les podía proporcionar:

"asimismo son [nuestras] las [tierras] en que los dichos naturales de Zambo, Zacualpa y Chichicastenango y otros muchos comarcanos están poblados, los cuales después que los cristianos vinieron a estas partes nos han entrado y usurpado por culpa de nuestros primeros encomenderos que lo consintieron y lo permitieron..."(39).

Los de Zapotitlán consideraban a los indios de Zacualpa asentados en Zambo como "unos bellacos que se habían bajado de las tierras frías a tomarles sus tierras"(40). A los que procedían de Chiquimula los consideraban "advenedizos" y poco menos que desertores de su comunidad original:

"no es justo que unos indios advenedizos que vinieron huyendo por ser como son chiquimultecas que vinieron al asiento de Zambo..."(41).

A cada uno de los grupos se les designa en la documentación especificando el lugar de su procedencia —Zambo-Zacualpa o Zambo-Chiquimula— o por el nombre del encomendero al que estaban asignados. Este último dato permite comprobar que los indios de ca-

---

38. Ibid.
39. Ibid.
40. Ibid.
41. 1578. AGC, A1 leg. 5928 exp. 51825.

da uno de los grupos asentados en Zambo estaban integrados social, política y económicamente en sus respectivas cabeceras: el encomendero de cada una de las "parcialidades" de Zambo es el mismo que tiene encomendada la cabecera correspondiente. De este modo, el secretario de la Audiencia Diego Alfonso de Robledo era encomendero del pueblo de Zacualpa y de la parcialidad de Zambo-Zacualpa; Hernando de la Barrera disfrutaba de los tributos de Santa María Chiquimula y de los indios de Zambo-Chiquimula; finalmente, Gaspar Arias Dávila poseía la encomienda de Chichicastenango y de los indios que procedentes de este pueblo, explotaban cacaotales en Zambo.

Para terminar, el asiento de Zambo no tenía en absoluto carácter de comunidad; allí vivían de manera independiente la gente de cada una de las cabeceras con autoridades propias. Cada "parcialidad" poseía un alcalde y un regidor elegido anualmente desde la cabecera y que nada tenía que ver con los de los otros dos grupos. Cuando alguno de ellos tenía que resolver algún problema ante las autoridades españolas, lo hacía en representación exclusiva de los hombres de su parcialidad, sin mencionar para nada a las otras dos.

EL CONTROL VERTICAL DE DIFERENTES NICHOS ECOLOGICOS Y LA COLONIZACION: FIN DE UN SISTEMA DE ADAPTACION ECOLOGICA.

Las comunidades mayas de los Altos de Guatemala habían desarrollado un sistema que les permitía acceder a recursos en diferentes regiones ecológicas del área. El sistema estaba basado esencialmente en el control de tierras en nichos ecológicos situados a diferentes alturas, en los que se podían obtener cosechas de las que se carecía en el lugar de origen de la comunidad. En estas tierras, que generalmente estaban bastante alejadas del centro principal del grupo, fundaron asentamientos estables —un cierto tipo de colonias— en los que residían temporal o permanentemente gente procedente del núcleo original; esta gente había sido enviada allí con el fin específico de cultivar aquellas especies que sólo crecían en ese nicho ecológico y que eran necesarias para un mejor desarrollo económico de las comunidades.

Las personas que vivían en esos asentamientos o colonias, a los que los españoles denominaban *estancias,* formaban parte de la comunidad de origen y estaban estrechamente vinculados a ellas, a pesar de que mediara una considerable distancia entre la estancia y el núcleo original o cabecera. Esta era una situación perfectamente com-

351

prensible si se considera que el sentido de comunidad que existía entre los mayas de Guatemala no iba necesariamente unido al de la convivencia física ni a la territorialidad. Un individuo pertenece a una comunidad —sea un grupo de parentesco o cualquier otro tipo de organización— en función de su nacimiento y se siente unido a ella por vínculos de carácter socio-cultural que no se definen precisamente por el lugar de su residencia.

Fue este sentido de pertenecia a una comunidad lo que permitió que en asentamientos como Zambo, donde convivían individuos vinculados a distintas cabeceras serranas, cada uno de los grupos se sintieran más identificados con sus lugares de origen, de los que estaban muy lejanos, que con los miembros de los demás grupos, a pesar de la proximidad física y de la convivencia que con ellos mantenían.

Este sistema de explotación de recursos y de adaptaciones culturales no es exclusivo de las poblaciones de los Altos de Guatemala. John V. Murra observó una situación semejante en el mundo andino y para explicarla construyó el modelo conocido con el nombre de "archipiélagos verticales"(42). Pedro Carrasco ha puesto de manifiesto, asimismo, cómo diversas poblaciones del México Central explotaban directamente recursos de distintos pisos ecológicos por medio de colonias establecidas a considerables dísticas del centro original del grupo(43).

En los Andes, el control de diferentes pisos ecológicos era una estrategia para conseguir la autosuficiencia de las comunidades que se abastecían así de productos de la costa, la puna y la montaña sin necesidad de intercambios comerciales. En Mesoamérica, y específicamente en el caso de Guatemala, el sistema además de favorecer la subsistencia de las comunidades, permitía que éstas consiguieran directamente productos como el cacao y el algodón que tenían un gran valor en la economía de cada estado y permitían un más alto desarrollo económico.

Después de la llegada de los españoles a Guatemala, el sistema sobrevivió en sus estructuras fundamentalmente durante un buen número de años. Sin embargo, la política de aculturación desarrollada

---

42. *Formaciones económicas y políticas del mundo andino.* Lima, 1975, págs. 59-115.
43. «La aplicabilidad a Mesoamérica del modelo andino de verticalidad». *Economía y sociedad en los Andes y Mesoamérica* (José Alcina, editor), págs. 237-243. Madrid, 1979.

por los conquistadores tenía necesariamente que producir importantes cambios en el sistema e incluso provocar su desaparición.

La congregación de los indios en pueblos y el sistema tributario impuesto por los españoles fueron, entre otras, dos de las causas más importantes de la transformación de las culturas indígenas de los Altos de Guatemala. Las consecuencias que se siguieron de ambas medidas fueron directamente responsables de la desaparición de los mecanismos que habían permitido a los grupos indígenas mantener el control de diferentes ecosistemas sin romper la unidad de las comunidades.

Los objetivos que los españoles pretendían conseguir con la reducción de los indios en pueblos construidos según el modelo hispánico fueron de muy diversa índole: iban desde la facilidad para controlar a la población sometida a efectos de tributación, hasta el deseo de hacerlos vivir según las normas de lo que ellos consideraban la verdadera civilización, pasando por metas de carácter netamente religioso.

De todas las consecuencias que se siguieron de la medida, una de las más importantes para la transformación de la cultura indígena fue, sin duda, la paulatina aparición de un nuevo sentido de comunidad que fue superando los lazos impuestos por el parentesco —sin que éstos desaparecieran en ningún momento— por los que se derivan de la vecindad y la convivencia. Cuando las estancias más importantes fueron tomando conciencia de esta nueva situación pretendieron ir rompiendo poco a poco los lazos que les unían a sus cabeceras.

En esta ruptura tuvieron un papel importante los principales que formaban parte de los cabildos de las estancias; en general éstos eran designados desde las cabeceras, y dependían de las autoridades de aquélla. El caso antes presentado de San Cristóbal Totonicapán muestra cómo los principales del lugar pretendieron quedar desligados de los que mandaban en San Miguel, su cabecera, y consiguieron que las autoridades españolas les autorizaran a elegir directamente sus dignidades municipales. Este deseo de autonomía, que posiblemente se viera acrecentado en siglos posteriores, fue poco a poco convirtiendo las estancias en poblaciones independientes. Las cabeceras perdieron así la posibilidad de obtener directamente los productos que habían sido el objeto de la fundación de la estancia.

Pero si ésta fue a largo plazo una causa importante en la desaparición del sistema de control de diversos pisos ecológicos, el carácter del sistema tributario español y los problemas que se siguieron de su aplicación fueron directamente responsables de su ruptura. La aplicación del sistema tributario dio lugar a dos problemas esenciales. El primero se deriva de la forma en que se hacía la tasación de cada pueblo y del reparto de la carga tributaria entre sus vecinos. El segundo era consecuencia del criterio indiscriminado que se seguía para imponer las especies en que se debía hacer efectiva la tributación.

Al asignarse a cada pueblo de indios una cantidad de tributo global, calculada en función del número de tributarios que poseyera, se desestimaban las variaciones que se podían producir en dicho número de tributarios durante el período que la tasación estuviera vigente. Estas variaciones tuvieron que ser importantes no tanto porque aumentara el número de tributarios —por casamiento de solteros— como por la gran mortandad que se produjo entre 1524 y el final del siglo.

Los indígenas protestaron continuamente porque no se tenía en cuenta esa disminución de tributarios, y los habitantes de las estancias presentaban asimismo quejas porque, según decían, los principales de las cabeceras hacían recaer sobre ellos más peso tributario que sobre los demás miembros de su comunidad; o porque gastaban el dinero que les entregaban y les obligaban a pagar doble cantidad de tributo.

La resolución de este problema vino bastantes años después del comienzo de la colonización. Las autoridades españolas estimaron más conveniente que, al realizar las tasaciones de los pueblos, se determinara expresamente qué cantidad de tributo correspondía pagar a cada tributario. Así se recaudaba el total del tributo que había que dar al encomendero y las sobras se ingresaban en las cajas de comunidad para pagar las cuotas correspondientes a los tributarios que murieran entre una y otra tasación. Esta medida venía en cierta forma a romper la unidad tributaria anterior, el pueblo cabecera y sus estacias; cada tributario fue desde entonces una unidad fiscal y el tributo que se le exigía era independiente de su condición de vecino de una cabecera serrana o de una estancia cacaotera.

La segunda dificultad que planteó el sistema tributario tenía que ver con la especie que tenía que pagar cada pueblo. Como los conquistadores querían obtener cacao por su valor en el comercio colonial, desde el principio hicieron a todos los pueblos de indios pagar el tributo en cacao, lo que no causó gran perjuicio a aquellas poblaciones serranas que disponían de estancias y buena cantidad de cacaotales en la Bocacosta; sin embargo, los pueblos serranos que, como Momostenango y tantos otros, no disponían de estancias o éstas eran muy poco importantes, tuvieron grandes dificultades para pagar su tributo. Por otro lado, la sobreexplotación de los cacaotales y el importante descenso de población hizo que incluso aquellos pueblos serranos que en algún momento dispusieron de cacao abundante, perdieran poco a poco su capacidad productiva y encontraran problemas para cumplir sus obligaciones tributarias.

Las protestas fueron constantes tanto por parte de los indígenas como de los frailes que los evangelizaban. En 1568, el alcalde mayor Diego Garcés se hacía eco de las reivindicaciones de los pueblos que no tenían estancias y proponía a la Audiencia que no se obligara a los pueblos serranos a pagar tributo en cacao. En 1575 se habían separado las tasaciones de Zapotitlán y sus estancias, todas ellas en la región cacaotera. En años posteriores algunos pueblos serranos dejaron de pagar su tributo en cacao, entregando en moneda la cantidad que debían hacer efectiva en especie, según una tasa establecida por las propias autoridades coloniales.

El paso definitivo en la desarticulación de los lazos económicos que unían a las cabeceras con sus respectivas estancias se produjo en los últimos años del siglo XVI. El alcalde mayor de Zapotitlán hizo una tasación de los pueblos de su jurisdicción después de la visita de inspección que Juan de Pineda hiciera por toda Guatemala. En la tasación, además de especificar qué cantidad de tributo correspondía a cada tributario, se separaban definitivamente las tasaciones de las cabeceras y las estancias. A partir de ese momento la estancia quedaba convertida en un pueblo más y el paso definitivo para la ruptura del sistema de control de pisos ecológicos complementarios estaba dado. La desaparición definitiva de las relaciones entre cabeceras y estancias ya sólo sería cuestión de tiempo.

CAPITULO IX

ORGANIZACION SOCIAL Y POLITICA
EN EL SIGLO XVI

En los capítulos anteriores se han hecho reiteradas referencias a las formas de organización social y política de los pueblos mayas de los Altos de Guatemala. Términos como "estado", "parcialidades", "patrilinaje", "principales", "macehuales", "cabildo de indios", "alcaldes", etc., hacían referencia a la estructura política de los pueblos quicheanos antes y después de la conquista, así como a la posición de los individuos en la sociedad prehispánica y en lo que después se conoció como "república de los indios".

La presencia española dio lugar a importantes alteraciones en los patrones de asentamiento, las formas de entender la comunidad y la organización económica de los pueblos indígenas del área; en consecuencia, al considerar la cultura como un sistema integrado, necesariamente tuvieron que sufrir cambios las formas de organización social y las estructuras de poder de estos pueblos. Las primeras, porque el impacto y la crisis que produjo la conquista tuvo que desorganizar unas instituciones que eran funcionales en un contexto sociocultural que cambió a partir de 1524; las segundas, porque además los españoles actuaron directamente sobre tales estructuras sociopolíticas con la doble finalidad de controlar mejor a la población dominada y hacer que los indios adoptaran nuevos modos de vida.

En este capítulo se analizan detalladamente tanto la estructura social como la organización política de los mayas del Occidente de Guatemala antes y después del contacto con los españoles, y se estudian los cambios que una y otra habían sufrido al finalizar el siglo XVI.

LA SOCIEDAD INDIGENA ANTES DE LA CONQUISTA

La organización social de los pueblos quicheanos se regía por dos criterios fundamentales. El primero daba lugar a una división vertical de la sociedad y seguía normas dictadas por el parentesco. El segundo determinaba una estratificación en la que se distinguían, esencialmente, dos grandes grupos —señores y vasallos—, y cuyos rasgos diferenciales seguían criterios culturales, económicos y políticos. Ambas estructuras estaban íntimamente ligadas y al superponerse dieron lugar a la formación de estados altamente jerarquizados en los que la pertenencia a uno y otro grupo de parentesco determinaba la posición de cada individuo en la estructura del poder.

a) *Los patrilinajes o parcialidades*

La unidad básica de organización por el parentesco la constituían grupos de descendencia patrilineales y exógamos. En este punto todos los especialistas están de acuerdo y, en líneas generales, el modelo de organización coincide con el de los demás grupos mayas y otros pueblos mesoamericanos. Al tratar de definir estas unidades de organización, algunos autores han encontrado similitudes con el clan y con el patrilinaje(1), sin que se haya llegado a una solución definitiva en cuanto a la identificación de aquéllos con alguno de estos modelos de organización por el parentesco. Sin embargo, sus características fundamentales permiten considerarlos más próximos al tipo de los patrilinajes que al de clan.

En lo que refiere a la denominación que los quicheanos daban a los patrilinajes, tampoco hay absoluto acuerdo entre los que se han dedicado al tema. Para Pedro Carrasco el nombre genérico era el de *nim-há*, término que coincide literalmente con la voz náhuatl *calpulli*, y que puede traducirse como "casa grande". Por el contrario, Robert M. Carmack considera que la denominación anterior sólo debe aplicarse a los patrilinajes de los señores, mientras que para los vasallos sugiere la utilización del término quiché *amak'* que en la colonia se traducía como "parentela o calpul"(2).

---

1. En líneas generales, el clan se puede definir como un grupo de descendencia unilineal —masculina o femenina— cuyos miembros se consideran descendientes de un antepasado remoto de carácter mítico; normalmente los clanes son exógamos y toaas las personas que pertenecen a un mismo clan creen estar genealógicamente em parentadas, aunque ese vínculo casi nunca puede ser probado. Por el contrario, el patrilinaje es un grupo de descendencia patrilineal exógamo, cuyos miembros son descendientes de un antepasado común conocido y siempre pueden determinar relaciones genealógicas incuestionables entre sí.

2. Pedro Carrasco: *Kinship and territorial groups in Pre-Spanish Guatemala* Ms.; Robert M. Carmack: «Estratificación quicheana prehispánica». *Estratificación social en la Mesoamérica prehispánica* (Carrasco y Broda, edits.), págs. 245-277. México, 1976; R. M. Carmack, J. Fox y R. Stewart: *La formación del Reino Quiché*. Guatemala, 1975.

De cualquiera de las maneras que pueda denominarse, lo cierto es que tanto entre los señores como entre los vasallos lo que aquí consideramos como *patrilinaje* constituía la unidad fundamental de organización, por lo que parece más importante conocer su estructura y funcionamiento que determinar si recibían sólo un nombre —cualquiera de los dos— o si se denominaban de una forma distinta en función de su situación en la jerarquía social.

La adscripción al grupo de parentesco era automática y ello determinaba la posición del individuo durante toda su vida; al parecer, los miembros de cada grupo poseían un patronímico que los diferenciaba de todos los demás, aunque éste es un dato que no ha podido probarse con la documentación conocida hasta el momento[3]. El sistema de adscripción era unilineal, por vía paterna, y las mujeres perdían su pertenencia al linaje original al contraer matrimonio que tenía que celebrarse necesariamente con hombres de otra parentela. Este mecanismo daba lugar a un continuo intercambio de mujeres entre los distintos patrilinajes lo que contribuía a crear lazos de afinidad recíprocos.

Referencias a la exogamia y al matrimonio se encuentran con cierta profusión en las fuentes coloniales. Uno de los testimonios más interesantes es el que aparece en un manual de doctrina cristiana, escrito en cakchiquel por un fraile en el siglo XVII, y que fue dado a conocer por Pedro Carrasco[4]. El religioso pretendió convencer a los indígenas de que no había impedimento alguno para que contrajeran matrimonio dentro de su propio grupo de parentesco, al contrario de lo que hasta entonces habían tenido por costumbre. También el cronista Fuentes y Guzmán refiere a esta norma entre los pueblos de Guatemala[5].

Para obtener una mujer el pretendiente debía entregar a los padres una cantidad de objetos y frutos así como servir durante un tiempo en su casa, lo que en definitiva suponía la existencia de un cierto precio que el novio o su familia debía pagar a la familia de la novia. Si, una vez cumplido el requisito, la familia de la novia no acep-

3. Pedro Carrasco: «Los nombres de persona en la Guatemala antigua». *Estudios de Cultura Maya*, 4: 323-334. 1964.

4. «La exogamia según un documento cakchiquel». *Tlalocan*, 4 (3): 193-196. 1963.

5. Francisco A. de Fuentes y Guzmán: *Recordación florida*. Madrid 1972, vol. 1 pág. 74.

taba el matrimonio, tenía la obligación de restituir lo que había recibido ya hubiera sido en especie o en trabajo(6).

Cuando una familia "compraba" una mujer la convertía en miembro de su patrilinaje y existían mecanismos para evitar que pudiera abandonarlo. El levirato era el medio utilizado para retener las mujeres. Así lo expresa con claridad Fuentes y Guzmán:

> "La mujer que enviudaba, si quedaba moza no había de quedar libre, suelta de aquel género de su matrimonio, porque el marido la casaba de su mano con hermano o pariente cercano a él, y los hijos de éstos casaban con parientes de la madre; juzgando que porque ella salió de la casa de sus padres, ya no era pariente de aquel *calpul*..."
> (7).

También fray Bartolomé de las Casas se refería a la práctica del levirato entre los indios de Guatemala:

> "La mujer que una vez era dotada o la habían comprado, como ellos dicen, no volvía jamás entre sus parientes, sino que en muriendo el marido la casaban con otro de la parentela, y muchas veces con el hermano del marido, y esto era común, casarse con los cuñados"(8).

Finalmente, se puede mostrar otro testimonio esta vez del oidor de la Audiencia de Guatemala, García de Palacios:

> "Casi en toda la Nueva España era costumbre antigua que entre la gente común sucedían los hermanos a sus hermanos, sin hacer caso que de los muertos quedasen hijos, no sólo en las haciendas, pero en las mujeres e hijos..."(9).

Uno de los temas que más polémicas ha suscitado en torno a las características de los patrilinajes quicheanos ha sido el de su rela-

---

6. *Ibid.* En la actualidad todavía quedan reminiscencias del pago de la novia en algunos pueblos de los Altos de Guatemala que han sido recogidas por los etnógrafos. En este sentido ver el trabajo de Luis Felipe Carranza: «Costumbres o ceremonias matrimoniales indígenas en el Departamento de Totonicapán». *Guatemala Indígena*, 6 (2-3): 161-171. 1971.

7. *Op. cit.*, vol. 1 pág. 74.

8. *Apologética Historia Sumaria.* México, 1967, vol. 2 pág. 503.

9. Ordenanzas para el buen gobierno de los pueblos de indios. 1576. AGI, Audiencia de Guatemala, leg. 128.

ción con la tierra o, más exactamente, su identificación con un territorio determinado(10). A partir de los datos ofrecidos por la documentación colonial no parece que los patrilinajes fueran unidades de residencia, es decir, que tuvieran un territorio determinado —como, por ejemplo, un barrio— en el que residieran y que se identificara necesariamente con el grupo de parentesco. Lo que sí es posible afirmar es que los patrilinajes —a los que nosotros estamos llamando "parcialidades"— poseían cierta cantidad de tierras que eran propiedad común de todos los miembros del grupo y que, al parecer, administraban los principales de cada uno de ellos. El testamento del cacique Ahpopolahay, al que se ha hecho mención en repetidas ocasiones, es una de las mejores pruebas en favor de esta argumentación.

Los patrilinajes o parcialidades mantenían una estratificación interna que distinguía entre principales y gente común. Las diferencias de rango estaban señaladas por la preeminencia de determinadas familias dentro del grupo. De una de ellas, la más importante, procedía el jefe de la parcialidad que ostentaba la representación de ésta frente a las demás instituciones tanto de parentesco como políticas. La posibilidad de ser señor de un patrilinaje pertenecía a los miembros de una sola familia y era hereditario por línea masculina aunque no seguía necesariamente el criterio de primogenitura. Al parecer, lo elegían entre los hijos varones —posiblemente de la primera mujer del señor difunto— los demás principales del grupo. La opinión del principal pesaba bastante en el momento de decidir cuál de sus hijos debía heredar el cargo. Cuando menos esto es lo que se desprende de la última cláusula del testamento del cacique Ahpopolahay de San Juan Atitlán, redactado en 1569:

> "y dejo mandado que este oficio en que estoy por cabeza de calpul lo use uno de mis hijos, don Bernardino o don Juliano, y todos los principales hagan voto en cabildo"(11).

No sabemos cuál fue la decisión final de los encargados de elegir al sucesor de don Jerónimo Mendoza Ahpopolahay, pero es interesante el hecho de que de los ocho hijos que tenía el principal en el tiempo de su muerte, don Bernardino y don Juliano, a los que recomienda para sucederle, eran también los que heredaron más parcelas de tierras de las que aquél poseía, lo que en definitiva viene a mostrar su situación preeminente en el seno de la propia familia.

---

10. Pedro Carrasco: *Kinship and territorial groups...*
11. AGC, A1 leg. 5942 exp. 51997.

Los patrilinajes tenían deidades patronales que servían como símbolos de identificación a todos sus miembros(12). Normalmente estas deidades se identificaban con la naturaleza —sobre todo en los patrilinajes de vasallos— y tenían un carácter totémico. Los dioses patronales recibían culto en lugares especiales en los que se levantaban sencillas edificaciones que, en líneas generales, reproducen los esquemas de los grandes centros ceremoniales mesoamericanos.

El conjunto de creencias y cultos relacionados con estas deidades menores pueden ser considerados como pervivencias de las religiones ancestrales de los pueblos mayas de Guatemala, sobre las que se situó el sistema de creencias y el panteón de los grupos quicheanos que tomaron el poder político a partir del siglo XIII y que fue impuesta por éstos como religión oficial; en cada patrilinaje podían servir para mantener simbólicamente la identidad de cada grupo frente a la uniformidad que pretendían imponer los linajes dominantes en el ámbito político y religioso.

Este sistema de organización en patrilinajes era común a todos los pueblos que habitaban el Occidente de Guatemala y se mantenía tanto entre la gente noble como entre los hombres del común, el pueblo llano al que los documentos coloniales denomina con el término de náhuatl de *macehuales*. Sin embargo, según Carmack, existían ciertas diferencias entre unos y otros(13). Los patrilinajes de los señores, a los que este autor identifica como *nim-há,* se reunían en sucesivos grupos de descendencia cada vez más amplios, con ancestros de origen semidivino; llevaban su filiación hasta los legendarios toltecas, lo que en definitiva constituía un modo de justificar su estatus superior y el carácter casi sobrenatural del que procedía su preeminencia política.

De este modo, entre los quichés los señores se agrupaban en linajes que constituían lo que se denominaba el *Quiche-winak* (la gente del Quiché), cuyo origen mítico se encuentra reflejado en el *Popol Vuh.* El *Quiche-winak* agrupaba a tres grandes ramas: los *Nima-Quiche,* o quichés propiamente dichos, de la que procedían los señores supremos, los *Tamub* y los *Ilocab.* A su vez, cada una de estas grandes ramas reunía otros grupos de descendencia menores. La Nima-Quiché estaba dividida en cuatro grandes grupos: *Cavek, Nihaib, Ahau Quiché* y *Zaquic;* los ancestros de los tres primeros aparecen en el *Popol Vuh* con categoría de semidioses, mientras el fundador del cuarto es un mortal deificado. Del linaje Cavek procedía el *ahpop,* el

---

12. R. M. Carmack, J. Fox y R. Stewart: *La formación del Reino Quiché,* pág. 17.
13. R. M. Carmack: «La estratificación quicheana prehispánica».

señor. También el grupo de los Tamub se dividía en otros dos grandes patrilinajes: *Kagoh* y *Ekoamak*. Del mismo modo estaban divididos los Ilocab, aunque no hay referencias en la documentación a los nombres de los grupos que lo formaban. Carrasco califica como fratrías los grupos de descendencia Nima-Quiché y como mitades a los de los Tamub(14).

A su vez, cada uno de estos grupos de descendencia estaba subdividido en patrilinajes de menor importancia en número variable que va de los doce que pertenecen al linaje Kagoh de los Tamub, a dos del linaje Zaquic de los Nima-Quiché. Finalmente, cada uno de ellos —clanes los considera Carrasco— se dividía en linajes mínimos que tenían las mismas características que los patrilinajes de los vasallos.

Del mismo modo parece que se organizaban los grupos dominantes de los otros dos estados quicheanos existentes en el área. Entre los cakchiqueles se distinguían cuatro grandes ramas entre los que destacaba la de los *Xahil* que señoreaban en Tzololá. A su vez, cada una de ellas se dividía también en linajes segmentarios. Entre los tzutujiles se distinguían dos grupos fundamentales: los *Tzutujil* y los *Ah Tziquinahay*. Es posible que entre los señores mames también pudieran distinguirse grupos de filiación semejantes(15).

Por el contrario, entre los linajes de los vasallos no se daban estas agrupaciones. En este caso parece que los patrilinajes sólo podían llevar su genealogía hasta unas cuantas generaciones atrás, aunque, en ocasiones, podían integrarse con otros patrilinajes a los que se sentían ligados por lazos de proximidad.

b) *Nobles y plebeyos*

Pero los dos estamentos fundamentales que existían entre los pueblos quicheanos no se distinguían sólo en la estructura de los grupos de descendencia. Entre señores y vasallos había notables diferencias que se mostraban en todos los aspectos de la vida.

Uno de los factores que más claramente marcaban la distinción entre señores y vasallos era el tributo. Todos los vasallos estaban obligados a pagar tributo a los señores bajo diferentes conceptos. Al convertirse en receptores de tributos —en las diversas formas que se des-

---

14. *Kinship and territorial groups...*
15. P. Carrasco: *Kinship and territorial groups...*; y S. W. Miles: «Summary of the preconquest ethnology of the Guatemalan Chiapas Highlands and Pacific Slopes». *HMAI*, vol 2 págs. 276-287. 1965.

cribieron en el capítulo IV— los nobles o señores estaban libres de la necesidad de trabajar la tierra y pudieron dedicarse a las tareas de tipo administrativo, militar o religioso.

Las actividades que señores y vasallos podían desarrollar estaban claramente definidas entre los quicheanos; en función del estatus adquirido por nacimiento, cada persona conocía cuál era el oficio en que podía emplearse. Los señores se encargaban de la administración del estado y poseían oficios tanto más importantes cuanto más alta fuera su posición en la estratificación interna de los linajes principales, y más cercano su parentesco con los señores absolutos de cada estado(16).

Carmack distingue tres niveles en los puestos administrativos de los estados quicheanos, ligados cada uno de ellos a grupos de parentesco. En el primer nivel se situaban los cargos más altos de gobierno que eran reservados exclusivamente a los señores de los patrilinajes principales. Estos eran los que entre los quichés asumían las funciones de *ahpop, ahpop camhá, kalej* y *atzih winak,* los cuatro señores que gobernaban desde K'umarcaaj. Eran cargos hereditarios por línea paterna siguiendo el principio de primogenitura. Junto a ellos asistían al gobierno otra serie de funcionarios que tenían misiones religiosas y económicas, o simplemente eran consejeros de los gobernantes. Estos funcionarios también pertenecían a los linajes de más alto estatus directamente emparentados con los señores supremos. Eran los conocidos con el nombre de *ajaw,* los nobles o aristócratas.

Existía un segundo nivel en los empleos de administración que correspondía igualmente con un estrato inferior dentro de la clase de los señores. Estos puestos estaban ocupados por señores de linajes secundarios y sus funciones eran, en general, de gobierno de territorios y militares, tales como la defensa de las plazas fuertes que se habían ido construyendo para defender las conquistas hechas en sucesivas ocasiones a los pueblos vecinos. También mandaban como oficiales los ejércitos en las guerras de conquista y formaron parte de las fuerzas que, bajo el mando de Tecum Umán, hicieron frente a las huestes de Alvarado en las cercanías de Xelajuj.

El tercer nivel de puestos lo ocupaban los señores de los linajes de menor importancia, los llamados *aca'nimak,* término que se ha traducido como *hidalgo*. Estos eran funcionarios sin poder de iniciativa que servían en actividades tales como ayudantes de los sacerdotes,

---

16. Ver R. M. Carmack: «La estratificación quichean prehispánica». *Op. cit.,* pág. 259 y ss.

contadores, tesoreros, sacrificadores, músicos, capataces, etc. También en ocasiones se empleaban en trabajos manuales de artesanía que, por razones de diversa índole, no podían ser desempeñados por los plebeyos. Estos artesanos distinguidos estaban dedicados a fabricar utensilios necesarios para el culto, a pintar y decorar los templos y palacios de los señores, y a fabricar objetos de adorno con materiales nobles como plumas, plata, obsidiana, jade, etc.

Por el contrario, a los vasallos sólo se les permitía ocuparse en trabajos físicos tales como cultivar la tierra, construir viviendas y centros ceremoniales y administrativos, y a las artesanías comunes como la fabricación de utensilios de cerámica y piedra, y de tejidos. Entre los linajes vasallos parecía existir un grupo diferenciado que estaba formado por los mercaderes que se dedicaban al comercio de larga distancia, y por artesanos que, sin ser de rango noble, se dedicaban a labores distintas de las comunes como el hilado y tejido, la cerámica o la fabricación de armas. Carmack sugiere que estos mercaderes no eran estrictamente vasallos y que podían formar un estamento intermedio entre los señores y la gente común. Los datos ofrecidos por la documentación para sustentar esta suposición son escasos, pero en cierto sentido permiten hacerla. Por lo menos parece que eran personas con mayor poder económico que los simples vasallos como se desprende de las declaraciones de los informantes de las *Relaciones geográficas*(17).

Había otra serie de rasgos que marcaban la diferencia entre señores y vasallos. Unos y otros recibían nombres genéricos diferentes. Para los señores se conocen dos denominaciones: *ajaw y xok' ojaw* para los hombres y mujeres de la alta nobleza, y *ac'animak* para los nobles de más bajo estatus. A la gente común, a los vasallos, se la reconocía con el nombre de *al c'ajol,* aunque en los documentos de la colonia se les denominaba normalmente "macehuales" por poseer la misma condición que los llamados así en el México Central. En la mitología, los señores fueron creados por los dioses Tepew y K'ucumatz, y recibieron su rango, señorío y los atributos del mismo de manos de los míticos señores toltecas de Tula; por el contrario, los vasallos no podían ostentar esta calidad. De la misma forma que los dioses de los linajes nobles eran dioses del panteón tolteca, mientras que los de los vasallos estaban relacionados íntimamente con la tierra, la agricultura y los fenómenos meteorológicos.

---

17. Relación Atitlán: «Relación de Santiago Atitlán, año de 1585, por Alonso Páez Betancor y Fray Pedro de Arboleda». *ASGHG,* 37: 87-106. 1984.

Sólamente los señores tenían relación directa con el culto oficial de cada estado; el sacerdocio era ocupación exclusiva de los nobles. Los vasallos eran meros espectadores en las grandes ceremonias que se celebraban en los centros ceremoniales en los que se rendía culto a las deidades oficiales. Estas diferencias en la vida terrenal se mantenían en la existencia ultraterrena que los hombres alcanzaban después de la muerte: los señores pasaban a un estado semidivino mientras que las almas de los vasallos abandonaban el cuerpo e iban a confundirse con la niebla y el aire.

La diferencia aparecía también en el número de mujeres que poseía cada hombre. En teoría tanto señores como vasallos podían tener un número indeterminado de esposas, pero en realidad este número dependía de la capacidad económica de las familias. Como consecuencia, la poliginia se convertía en un privilegio casi exclusivo de los señores. En las respuestas al interrogatorio de las *Relaciones geográficas* que se hicieron en Atitlán y sus estancias aparecen noticias en este sentido:

> "los caciques y señores naturales en su ynfidelidad tenían diez, quinze mugeres y más, y que a una sola que era la primera muger, a esta respetavan las demás y esta primera era la más allegada y amada del señor y cacique.
>
> Y los yndios menudos tenían a dos y a tres y a quatro mugeres y que la misma orden tenían los menudos de tener en mas la primera muger y era respetada de las demas..."(18).

En último lugar, señores y vasallos se distinguían también en su aspecto externo. Sólo a los señores les estaba permitido emplear determinados adornos, y las diferencias en el vestido eran apreciables entre los miembros de uno y otro estamento. Fuentes y Guzmán, al hablar de la organización de la corte de K'umarcaaj, describía la suntuosidad de los vestidos de los señores:

> "sirviéndose no menos de numerosa familia, que se componía y ordenaba de los más principales de sus estados, y éstos con atavío correspondiente a su calidad y al señor a quien servían: porque aunque era el mismo que ahora usan los principales, de camiseta y *aiate* o *tilma*, pero esto era sobre el campo blanco de finísimo hilo de algodón, la-

---

18. Relación Atitlán: *Op. cit.*, pág. 99.

brado de plumería matizada de variedad de colores, con que dibujaban en las mantas las figuras que querían"(19).

En las *Relaciones geográficas* también se hace referencia a las diferencias de atuendo entre principales y gente común:

> "El vestido y trage que trayan en aquel tiempo eran unos *xicoles*, que en su lengua materna llamaban *xapot*, a modo de unas chamarras sin mangas que a los caçiques les dava al medio del muslo y a los maçeguales por baxo el ombligo. Y se ponían unos masteles de tela de algodón a manera de vendas con que se cubrían sus vergüenzas. Y las mugeres trayan unos *güipiles* las que eran señoras y unas *naguas* de lo propio, y las indias *maçeguales* y baxas se cubrían de unas mantas y naguas de lo propio que les daba a la pantorrilla"(20).

Además del grupo de los señores y el de los vasallos a los que nos hemos referido hasta ahora, existía un tercer estamento de estatus ínfimo al que se denomina genéricamente en la documentación como "esclavos". Carmack considera que existían dos tipos distintos de individuos a los que se daba esta denominación y que ambos tenían una condición social y económica diferente(21). De este modo, distingue entre los *nimak achí* —ya mencionados en capítulos anteriores— que formaban un grupo que tenía más la condición de siervos que la de esclavos, y los esclavos propiamente dichos.

Los nimak achíes eran prisioneros de guerra que fueron obligados a servir en las tierras de los señores como terrazgueros. Su condición era más próxima a la de siervos ligados a la tierra que a la de esclavos; gozaban de bastante libertad, de buena consideración por parte de sus señores, e incluso llegaron a disfrutar de una situación económica holgada. Mantuvieron su propio sistema de organización interna y tenían órganos de autogobierno. Después de la conquista continuaron sirviendo directamente a los descendietes de los señores

---

19. *Op. cit.*, vol. 1 pág. 72.

20. Relación San Andrés y San Francisco: «Estancias de San Andrés y San Francisco, sujetas al pueblo de Atitlán, año de 1580 [1585]». *ASGHG*, 42: 51-72. 1969. Ver también R. M. Carmack: «La estratificación quicheana prehispánica». *Op. cit.*, pág. 253.

21. R. M. Carmack: «La estratificación quicheana prehispánica».

supremos del Quiché a quienes se los cedió la Corona bajo la forma jurídica de encomienda(22).

El grupo de los esclavos en sentido estricto también estaba formado por gente capturada en la guerra, aunque podía llegar a tal situación gente de los mismos pueblos quicheanos que hubieran cometido determinados delitos que se castigaban con la esclavitud. A diferencia de los nimak achíes, estos esclavos perdían toda vinculación con sus grupos de parentesco originarios, eran propiedad absoluta de sus dueños —podían venderlos— y no tenían consideración social alguna: entre los nombres que recibían estaban los de *tz'i* (perro), *alabitz* (muchacho de collar) y *winakitz* (gente de collar). Sus dueños los podían emplear en las labores que quisieran, y generalmente se dedicaban a las tareas domésticas en sus casas. Durante las grandes celebraciones religiosas del calendario ritual un cierto número de esclavos eran ofrecidos en sacrificio a los dioses y la carne de algunos —quizá la de los grandes guerreros o de categoría noble— era consumida en un acto de antropofagia ritual. Sólo las personas de condición señorial participaban en estos banquetes rituales.

c) *La organización del estado*

Sobre el sistema de organización por el parentesco y la división estamental de la sociedad —e íntimamente ligado con ambos— aparecía la estructura del estado. Esta era una estructura piramidal y altamente jerarquizada en la que los nobles ostentaban el poder mientras que la gente común tenía la condición de vasallos. En la cúpula del poder político se situaban los miembros de los linajes nobles más importantes; como ya se vio, los miembros del linaje Cavek ocupaban entre los quichés las más altas magistraturas del estado; igual pasaba con los tzutujiles y los cakchiqueles entre los que los miembros de los dos linajes más importantes ocupaban las dignidades de *Ahpop Tzotzil* y *Ahpop Xahil*, respectivamente(23).

Los "reyes" estaban auxiliados por un grupo de personas que les servían de consejeros, y habían desarrollado un complejo sistema burocrático para controlar tanto las finanzas del estado como la ad-

---

22. Pedro Carrasco: «Don Juan Cortés, cacique de Santa Cruz del Quiché». *Estudios de Cultura Maya*, 6: 251-266. 1966.

23. Véase de R. M. Carmack: «La estratificación quicheana prehispánica». *Op. cit.;* «El Ajpop Quiché K'uk'umatz: un problema de sociología histórica». *Antropología e Historia de Guatemala*, 18 (1): 43-47. 1966. Ver también de Pedro Carrasco: «Don Juan Cortés, cacique de Santa Cruz del Quiché». *Op. cit.;* y «El señorío Tz'utuhil de Atitlán en el siglo XVI». *Revista Mexicana de Estudios Antropológicos*, 21: 317-331. 1967.

ministración de justicia y el gobierno de la población del que era parte importante la regulación del tributo que todos los vasallos debían pagar a los señores.

Al parecer, el territorio del estado se dividía entre los miembros de los linajes nobles de modo que cada uno de éstos poseía un señorío que siempre se mantenía bajo la potestad del supremo señor que residía en la capital de cada uno de los estados: K'umarcaaj, Tziquinahay e Iximché. De este modo, entre los quichés, la rama Nima Quiché dominaba la mayor parte de las tierras del altiplano cercanas a K'umarcaaj, mientras que los de la rama Tamub señoreaban otro territorio desde Xelajuj, y los Ilocab desde el lugar del mismo nombre cercano a la capital; en el mismo caso se encontraban los miembros del linaje Xahil respecto a las tierras dominadas desde Tzololá.

La unidad elemental de organización político-administrativa era el *chinamit*. Un chinamit estaba formado por varios patrilinajes más o menos relacionados entre sí, bajo el mando de un jefe que pertenecía a los linajes de los señores. Posiblemente cada chinamit estaba compuesto por aquellos patrilinajes que habitaban y tenían sus tierras de cultivo en un territorio determinado aunque éste no tenía que ser necesariamente continuo sino que, por el contrario, los linajes podían tener tierras en regiones muy apartadas unas de otras, en distintas zoas ecológicas.

El chinamit tenía un lugar de referencia donde se levantaba un centro ceremonial y administrativo en el que residía el jefe o cabeza del chinamit; allí se celebraban ceremonias religiosas comunes. Sin embargo, los miembros del chinamit no tenían que vivir en él. Estos centros no eran independientes sino que posiblemente estaban ligados a alguno de los grandes señoríos en que estaba dividido cada reino, y sus jefes serían miembros del linaje que señoreaba dicho territorio. En estas condiciones el chinamit debía servir como el último peldaño en la escala del control de la población sometida por los quicheanos en Guatemala. También debieron tener gran importancia en la recaudación del tributo que los campesinos tenían que pagar al estado: el jefe de cada chinamit debía recoger el tributo a los principales de los patrilinajes y, a su vez, lo entregarían a los señores que residían y gobernaban en las cabeceras de los señoríos; éstos eran finalmente los encargados de hacer llegar los tributos a las capitales de cada uno de los estados.

Esta interpretación de la estructura y la función de la institución conocida como chinamit parece estar más próxima a la realidad que las que hasta ahora se han venido dando, aunque no está en modo alguno en contradicción con ellas(24). La palabra chinamit se ha traducido generalmente como "lugar cercado". Pedro Carrasco lo identifica como una comunidad local y como una unidad de residencia fortificada o cercada, un "clan-barrio" en la terminología de Murdock. Por otro lado, también considera Carrasco que se trata de una comunidad de gente sometida a un jefe sin que estas personas estén necesariamente unidas por lazos de parentesco aunque podían existir algunas formadas exclusivamente por los miembros de un solo patrilinaje. Carmack asume la descripción anterior pero toma como rasgo fundamental del chinamit su carácter de lugar cercado, en el sentido literal del término; también considera la institución como un sistema de interacción entre señores y vasallos para los asuntos de gobierno, tributo, justicia, etc.

Si bien en lo que refiere a la estructura y funcionamiento del chinamit tanto la interpretación de Carmack como la de Carrasco parecen acertadas y lógicas, no lo son tanto en lo que se refiere al aspecto territorial limitado del chinamit que, desde ese punto de vista, tendría mucha relación con el *calpulli* de los mexicas identificado como un barrio separado dentro de las ciudades.

En la Guatemala prehispánica no existieron ciudades en el sentido estricto del término ya que ni siquiera los grandes centros de población como K'umarcaaj llegaban a ser aglomerados de carácter urbano. Los lugares en los que existían edificios permanentes eran por lo general centros cívicos y ceremoniales fortificados, situados en lugares estratégicos, donde se rendía culto a los dioses oficiales y en los que residían los señores, sus administradores y los servidores del culto, así como un número variable de vasallos que servían directamente a los primeros. El resto de la población vivía esparcida en lugares cercanos a las tierras cultivables. A los lugares fortificados de importancia, ya fueran los centros en los que residían los soberanos de cada estado —las capitales— o los centros cabeceras de señoríos se les daba el nombre de *chinamit* por su carácter cercado y de fortaleza. Sin embargo, es posible pensar que recibieran tal denominación en función de que con ellos se identificaban todos los miembros del grupo sin necesidad de que residieran allí.

---

24. Véase R. M. Carmack: «La estratificación quicheana prehispánica». *Op. cit.* También son importantes para tener información sobre este tema los trabajos de P. Carrasco: *Kinship and territorial groups in Pre-Spanish Guatemala*, Ms.; y «Los nombres de persona en la Guatemala antigua». *Op. cit.*

De este modo, el chinamit debería quizá ser considerado como una institución político-administrativa de control de población, con dominio sobre un territorio más o menos extenso y con un lugar de referencia en el que se levantaba un centro ceremonial fortificado.

En resumen, la división de la sociedad en nobles y plebeyos, los grupos de parentesco y las estructuras político-administrativas se integraban dando lugar a un sistema coherente y equilibrado. Los individuos se identificaban con los demás según su parentesco como miembros de patrilinajes que constituían unidades elementales de organización. Por otro lado, se sentían identificados con otras unidades de organización social más amplias cuyos puntos de referencia estaban en los centros ceremoniales y políticos que los integraba a su vez en la estructura estatal. El chinamit se integraba a su vez en unidades territoriales y políticas superiores que poseían una cabecera o centro ceremonial de mayor importancia desde el que un señor controlaba todo un territorio. Estos señoríos confluían en la capital del estado, sede de los señores supremos y centro político y religioso.

ORGANIZACION SOCIAL Y GOBIERNO INDIGENA EN LA COLONIA

¿En qué forma repercutió la conquista y la implantación del sistema colonial sobre la organización socio-política y las estructuras del parentesco de los pueblos quicheanos? Es evidente que la consecuencia más importante e inmediata de la llegada de los españoles fue la desarticulación de las estructuras de los estados prehispánicos y la inclusión de los indios en un sistema social más amplio. Pero durante los años que van de 1524 al final delsiglo XVI se produjeron otros cambios importantes que van desde la implantación entre los indígenas de instituciones políticas españolas, hasta la alteración de algunos aspectos de la organización del parentesco. En ocasiones los cambios propiciados directamente por los españoles fueron aceptados por los indígenas; en otras fueron rechazados, y a veces los indios adaptaron sus antiguas formas de organización a los nuevos esquemas, tratando de mantener en lo posible aspectos esenciales de sus tradicionales modos de vida. Las páginas que siguen se dedican a estudiar el modo en que se fueron produciendo estos cambios y se trata de ver hasta qué punto las nuevas instituciones fueron aceptadas, rechazadas o reinterpretadas por los pueblos quicheanos.

a) *La continuidad de las parcialidades o la fuerza del parentesco*

Hay abundantes testimonios, tanto en la documentación colonial como en las etnografías actuales, que permiten sostener la tesis de la permanencia entre los mayas del Occidente de Guatemala de un tipo de organización por el parentesco cuyas características esenciales coinciden básicamente con los patrilinajes que existían antes de la llegada de los españoles. Carmack ha estudiado los patrilinajes o parcialidades actuales entre los quichés de Totonicapán y ha encontrado notables similitudes entre éstos y los que funcionaban en la época prehispánica(25).

Las parcialidades de Totonicapán —y posiblemente las que existen en otros pueblos cercanos— mantienen la adscripción lineal por vía paterna aunque por distintos motivos también pueden formar parte de estos grupos hombres que no posean el mismo apellido; casi todos sus miembros se sienten descendientes de un antepasado común que vivió algunas generaciones atrás; las parcialidades son titulares de tierras que explotan sus miembros además de tener ciertos derechos de uso sobre las tierras comunes de los municipios; cada parcialidad tiene sus dirigentes que son elegidos anualmente entre los miembros del grupo que llevan el apellido que le da nombre y que, por lo tanto, pertenecen a la línea familiar que creó la parcialidad; finalmente, por lo menos en un caso de los estudiados los miembros de la parcialidad celebran ceremonias rituales en honor del fundador y, normalmente, todas tienen celebraciones religiosas particulares relacionadas con algún santo patrono.

En otras etnografías recientes hechas en pueblos del área se alude también a la presencia de instituciones sociales con base en el parentesco, aunque en ningún caso le descripción se hace con el detalle de Totonicapán. En esta situación se encuentran alusiones a la existencia de patrilinajes entre los mames de Santiago Chimaltenango, los chortis, los cakchiqueles de Sololá y los quichés de Chichicastenango y otros lugares(26). El mismo Carmack ha encontrado organizaciones del tipo de la parcialidad en Momostenango, Santa María Chiquimula y Santa Cruz, la antigua capital del estado quiché(27).

Si estas instituciones basadas en el parentesco son formas evolucionadas de los patrilinajes de los pueblos quicheanos prehispánicos

25. Robert M. Carmack: «La perpetuación del clan patrilineal en Tononicapán». *Antropología e Historia de Guatemala*, 18 (2): 43-60. 1966.
26. *Ibid.*, pág. 47.
27. R. M. Carmack, J. Fox, y R. Stewart: *La formación del Reino Quiché*, pág. 19.

y están directamente relacionadas con aquéllos, tal como parecen demostrar las evidentes semejanzas que presentan ambos modelos, parece lógico que el primer proceso de adaptación tuvo lugar durante el siglo XVI, inmediatamente después del contacto; de la forma que adoptaran los patrilinajes tras aquel primer impacto dependió básicamente su evolución posterior.

La documentación colonial del siglo XVI contiene numerosas referencias a la existencia de parcialidades, esto es patrilinajes, entre la mayoría de las poblaciones indígenas del Occidente de Guatemala. Una vez más, el caso de Sacapulas puede servir como ejemplo. Cuando los dominicos comenzaron a reunir en un solo pueblo a una serie de grupos que vivían diseminados en el valle del río Chixoy, dieron como argumento para hacerlo la mayor utilidad que se seguiría de tener a los indios reunidos: "estando cada *parcialidad* por sí, ni podrán bien hacer iglesias ni tener ornamentos"(28).

Una vez llevada a cabo la congregación de los indios, las parcialidades mantuvieron sus intereses de grupo por encima de los del pueblo en el que se les había obligado a vivir. Como ya se ha visto en capítulos anteriores, durante más de dos siglos se encuentran documentos sobre los pleitos que, por diversos motivos, mantuvieron las parcialidades reunidas en Santo Domingo Sacapulas. Hacia 1570 existían en el pueblo —según sus mismos vecinos— cinco parcialidades: dos de ellas eran consideradas como originarias del lugar —sacapultecos e iztapanecos— y las otras tres llamadas "advenedizas" —coatecas, citaltecas y tzacualpanecas— a las que los primeros acusaron de querer arrebatarles los bienes que ellos tenían en el pueblo(29).

Durante los siglos XVII y XVIII la documentación sigue dando muestras abundantes de la presencia en el pueblo de las cinco parcialidades, citándolas con este mismo nombre o con los de calpul o barrio. Esta última denominación ha llevado a pensar en la posibilidad de que los patrilinajes, igual que el calpul mexicano, fueran unidades de residencia a la vez que de parentesco, y extrapolar dicha situación a los tiempos prehispánicos. De la posibilidad de que tal situación no fuera cierta antes de la conquista ya hemos discutido en otro lugar. Sin embargo, es posible que durante el proceso de formación de los

---

28. Carta de fray Juan de la Torre y fray Tomás de Cárdenas al Emperador. 1555. AGI, Audiencia de Guatemala, leg. 168. El subrayado es nuestro.

29. Ejecutoria dada en el pleito que mantenían los indios de Citalá con los de Sacapulas por la posesión de unos potros y yeguas que tenían de comunidad. 1572. AGC, A1 leg. 6025 exp. 52132.

pueblos, todos los miembros de un mismo patrilinaje trataran de construir juntas sus viviendas, de modo que el patrilinaje pudo así llegar a identificarse con un barrio concreto dentro del pueblo. En un pleito mantenido entre las parcialidades de Sacapulas en el siglo XVIII, un indígena decía: "en nuestro pueblo hay otros dos calpules que llaman en castellano barrios"(30).

Una de las transformaciones más importantes que sufrieron las pacialidades de Sacapulas durante la colonia fue el cambio de su nombre indígena original por el de un santo cristiano que al parecer fue adoptado como patrón. En el documento antes citado se afirma que en el pueblo convivían cinco parcialidades o calpules que se identifican con los nombres de San Francisco, Santo Tomás, San Pedro, San Sebastián y Santiago. La coincidencia en número de parcialidades y las frecuentes referencias que se hacen a ellas en los documentos del siglo XVII llevan a pensar que estas últimas son las mismas que se reunieron en Sacapulas en el momento de su fundación y que el cambio de nombre tiene que ser consecuencia del afán de los religiosos por hacer desaparecer toda relación de los indígenas con su pasado pagano.

Por otro lado, y esto queda formulado a modo de hipótesis, la nueva denominación de las parcialidades sugiere que pudo existir una identificación entre éstas y las cofradías indígenas que aún perviven en gran cantidad de pueblos del área. La presión de los doctrineros pudo llevar a los indígenas a adoptar para sus parcialidades el nombre de un santo cristiano al que también se tenía por patrón, y a la formación de una institución de tipo religioso como la cofradía para rendir culto a ese patrón, con el fin de garantizar la supervivencia de los patrilinajes. La absoluta desconexión que aún hoy se mantiene entre el clero católico y las cofradías indígenas —que éstos consideran como algo propio y desligado de la acción de las parroquias— y, sobre todo, la importancia que el sistema de "cargos" tiene en la vida de las comunidades pueden ser argumentos para sustentar la hipótesis.

Pero no sólo en el caso de Sacapulas se observa la persistencia de las parcialidades durante el siglo XVI. En una revisión de los tributos pagados por los indios del pueblo de Quezaltenango hecha en 1588, se utilizan las parcialidades, con el nombre de calpules, como unidades para contar el número de bajas que ha sufrido la población

---

30. Títulos de tierras de Santo Domingo Sacapulas. 1748. **AGC**, A1 leg. 6025 exp. 53126.

y recomponer la tasación. El documento contiene una relación de todas las parcialidades del lugar —veintiuna— identificándolas con el nombre del jefe o principal de cada una de ellas. La mayoría de los nombres de los jefes de parcialidad, entre las que se encuentra la del gobernador del pueblo, está formado por un nombre cristiano y primer apellido español y un segundo apellido indígena que pudiera ser el apellido de la familia en caso de que se identificaran por él todos los miembros de cada patrilinaje(31).

Una relación semejante se hizo en el pueblo de Santiago Atitlán el año 1609, esta vez con el fin de empadronar a todos los vecinos que tenían obligación de pagar el tributo conocido como "servicio del tostón". También en esta ocasión la tasación se hizo por "calpules", designando a cada uno con el nombre de su principal, pero aquí se escriben además los nombres de todos los vecinos que pertenecen a cada uno. El total de parcialidades del pueblo según este padrón era de catorce. Un dato interesante es la gran diferencia que existía en el número de personas o familias que componían cada parcialidad. De los catorce grupos, tres de ellos tenían más de cien "casados" —uno alcanza el máximo de 161— y seis estaban formados por menos de diez matrimonios; en tres casos solamente un matrimonio tiene obligación de pagar el tributo a que refiere el documento(32).

En el pueblo de San Miguel Totonicapán existían en el siglo XVIII por lo menos cinco parcialidades que se identifican con los nombres de "Lincatz, Tinamit, Pachatz, Cultuzuyup y Chiché"(33). En San Cristóbal Totonicapán existían durante el siglo XVI "tres calpules de gente" aunque no se conoce el nombre que recibían(34). En San Bartolomé Jocotenango había cinco parcialidades: *Tacachavales,* formada por un solo matrimonio; *Cahais,* con un matrimonio y un viudo; *Kukumatz Iiguinaa,* con 25 matrimonios, dos viudos y un

---

31. Autos sobre los tributos que deben pagar los pueblos de Atitlán, Tecpanatitlán y Quezaltenango. 1588. AGC, A3.16 leg. 2800 exp. 40485. En relación con los nombres de personas y familias puede verse el artículo de Pedro Carrasco varias veces citado: «Los nombres de persona en la Guaeemala antigua».

32. Instancia del común del pueblo de Atitlán sobre el pago del servicio del tostón. AGC, A3.16 leg. 2801 exp. 40490.

33. Pleito mantenido entre los indios de los pueblos de San Miguel y San Cristóbal Totonicapán por la posesión de las tierras llamadas Paxtoca. 1798. AGC, A1 leg. 6047 exp. 53386. Carmack afirma que una de las parcialidades actuales de Totonicapán se llama *Tinimit.*

34. Petición de los indios de San Cristóbal Totonicapán para que puedan elegir cargos de cabildo. 1578. AGC, A1.24 leg. 4646 exp. 39601.

soltero; *Ahcuinchá,* con diez matrimonios y un soltero; y otra de nombre desconocido formada por nueve familias(35).

Hay testimonios de que el pueblo de Zacualpa estaba compuesto por catorce parcialidades; Aguacatán tenía dos; Tejutla otras dos; y Cuyotenango estaba formado por cuatro. Todo esto, en definitiva, viene a demostrar que los patrilinajes superaron durante los primeros años que siguieron al contacto cultural el peligro de extinción que la política de asimilación cultural llevada a cabo por los españoles podía suponer, y han logrado sobrevivir hasta la actualidad manteniendo muchos de los rasgos que poseían antes de la conquista.

Sin embargo, el hecho de que los patrilinajes o parcialidades permanecieran entre los habitantes del Occidente de Guatemala después de 1524 no implica necesariamente que mantuvieran exactamente las mismas características que tuvieron antes de esa fecha. Las nuevas circunstancias pudieron hacer que este o aquel aspecto de la institución se modificara, desapareciera o cambiara de función para adaptarse a la nueva situación. ¿Cuáles eran entonces los rasgos distintivos de las parcialidades después de la conquista?

En primer lugar, todo parece indicar que las parcialidades seguían siendo patrilinajes exógamos. Pruebas de la permanencia de la patrilinealidad y la exogamia se encuentran en el manual de doctrina escrito en cakchiquel por el fraile Francisco Maldonado en el siglo XVII, al que ya se aludió anteriormente(36):

> "He aquí que sois de un clan, si eres una reunión, un abolengo, un grupo de parientes clánicos, 3. así como un grupo de hijos. Tú ahpop, o tú xahil 4. o tú baqahol, o tú gekaquch, o tú uchabahay, o tú tukuche, o tú nimak achí. 5. Es justo que os caséis dentro de vuestro clan. 6. No es pecado, no hay impedimento para que os caséis dentro. Bien te casas 7. con la hija de tus parientes clánicos o el hijo de tus parientes clánicos. 8. Ya no es pecado esto porque estábais engañados antes de que viniera la palabra de Dios".

En el mismo trabajo, Pedro Carrasco cita dos párrafos de los diccionarios de Coto y Varea en los que se alude igualmente a la existencia de la exogamia. En el primero, al traducir la voz correspon-

---

35. Libro de asiento de los tributos recaudados en San Bartolomé Jocotenango. 1592-1663. AGC, A3.16 leg. 2326 exp. 34159.
36. Pedro Carrasco: «La exogamia según un documento cakchiquel». *Op. cit.*

diente a "*generación*" se dice: "y como estos no acostumbran a casarse los de un mismo chinamital sino raras veces suelen decir: [...] de diferentes generaciones somos el uno y el otro bien nos podemos casar". Y en el de Varea, "dicen a los que se quieren casar: sois de diversos linajes. Y esto se pide porque se conserve su orden de vivir"(37).

Al intercambio de mujeres entre los distintos patrilinajes seguía unido durante el XVI el pago de una cierta cantidad en especie o en trabajo —precio de la novia— por parte de la familia que reclamaba para sí la mujer en cuestión. Fuentes y Guzmán alude a esta costumbre en dos ocasiones:

> "Era ley, que el que hubiera de casarse (y hasta hoy se observa), sirviese a los padres de la novia algún tiempo, y que, además de este servicio personal, hubiese de darles algunas cosas de aquellas del estilo de sus mercados; pero si efectuado este concierto, los padres de la desposada se hacían fuera, habían de volver la misma cantidad en la misma especie que la habían recibido, y servir personalmente los mismos días que él los había servido...".

Y en otra ocasión se refiere al mismo tema con las siguientes palabras:

> "Hoy sucede entre ellos generalmente este género y modo de concierto, yendo ante el Vicario del pueblo al ajuste y palabra del matrimonio un año antes de la solemnidad y ceremonias eclesiásticas. Y así suelen decir si le preguntamos a algún mancebo: *eres casado?* Tengo mi concierto. pero el yerno sirve aquel año a los suegros, barre la casa, trae leña y agua a ella, sirve en las milpas o cacaotales, y trae de cuando en cuando algunos regalillos; y si por accidente se desbarata el concierto, le vuelve a reintegrar el suegro lo que ha traido a su casa"(38).

La fuerza de esta tradición ha sido tal que aún hoy se mantiene en pueblos como Totonicapán(39), Chichicastenango(40), y San-

---

37. *Ibid.*, págs. 195-196.
38. Francisco A. de Fuentes y Guzmán: *Op. cit.*, vol. 1 pág. 73; y vol. 3 pág. 270.
39. Luis F. Carranza: «Costumbres o ceremonias matrimoniales indígenas en el Departamento de Totonicapán». *Op. cit.*
40. L. Schultze Jena: «La vida y las creencias de los indios quichés». *ASGHG*, 20 (1): 65-80. 1945.

ta María Chiquimula(41), entre los de predominio quiché, y en varios núcleos de población cakchiquel(42).

Las parcialidades funcionaron también en el siglo XVI como unidades económicas. Como ya se observó al analizar las formas de propiedad de la tierra durante los primeros años de la colonia, las parcialidades poseían la titularidad de tierras que eran explotadas en común por todos los miembros de cada una de ellas. Este hecho llevó a los españoles a considerar la parcialidad como unidad de tributación dentro de cada pueblo. Prueba de ello son las listas o empadronamientos como los de Atitlán y Quezaltenango, ambos citados anteriormente, y otras relaciones semejantes. En el mismo sentido informa una declaración hecha en 1588 por un español:

> "es uso y costumbre usada entre ellos que los calpuleros que hay en los dichos pueblos, cada uno en su calpul que llaman parcialidad, cobren los tributos de los indios del dicho su calpul y estos calpuleros los llevan a la casa de comunidad del tal pueblo y allí lo dan y entregan al alcalde y gobernador y principales del tal pueblo y estos lo traen y entregan a los oficiales reales y a sus encomenderos"(43).

Además, las parcialidades poseían otra serie de bienes comunes que se destinaban a sufragar gastos de diversa índole y que afectaban a los miembros de todo el grupo. Tales eran las estancias de ganado que poseían los miembros de las parcialidades de Sacapulas y que fueron causa de un largo conflicto entre los distintos patrilinajes que se habían reunido en el pueblo. Los beneficios obtenidos de estos bienes se destinaban a sufragar los gastos que se siguieran de la celebración de las fiestas en honor de los santos titulares de la parcialidad o a aportar la parte que les correspondía para la fiesta del pueblo (44). En otras ocasiones estos gastos se cubrían con aportaciones obtenidas por medio de derramas entre los miembros de la parcialidad. Un

---

41. Martín Ordóñez Chapín: «Estudio sobre la poliginia en Santa María Chiquimula, municipio del Departamento de Totonicapán». *Guatemala Indígena*, 6 (2-3): 154-159. 1971.

42. I. Bremme de Santos: «Aspectos hispánicos e indígenas de la cultura cakchiquel». *ASGHG*, 36: 517-563. 1963.

43. Autos sobre los tributos que deben pagar los pueblos de Atitlán, Tecpanatitlán y Quezaltenango. 1588. AGC, A3.16 leg. 2800 exp. 40485.

44. AGC, A1 leg. 6025 exp. 53126 y A1 leg. 6025 exp. 53132.

caso de este tipo está documentado en 1567 en el pueblo de Cuyote-nango(45).

Igual que en la época prehispánica, y tal como sucede en la actualidad, cada parcialidad tenía un jefe que era miembro de la familia más importante. El cargo, según se desprende del testamento del cacique Ahpopolahay, era hereditario por línea paterna entre los hijos varones del jefe de parcialidad muerto. Este jefe de parcialidad era conocido en la colonia con el nombre de *principal* y generalmente tenía el tratamiento superior de *don*, como aparece en las relaciones de las parcialidades de Quezaltenango y Atitlán, y en otros documentos. Normalmente servían como lazo de unión entre las organizaciones del parentesco y las instituciones de rango superior tanto indígenas como españolas; casi siempre formaron parte de los órganos de gobierno de los nuevos pueblos —los cabildos— y fueron interlocutores directos con los encomenderos y las autoridades coloniales.

Finalmente, no hemos encontrado en la documentación del siglo XVI ninguna información que permita deducir la permanencia de celebraciones religiosas tradicionales en la parcialidad. Por lo menos, nada que indique que estos grupos de parentesco realizaran cualquier tipo de ceremonia pública tal como lo hicieron antes de la conquista el rendir culto a los dioses patronales del linaje. Esta ausencia de información puede sin embargo, ser significativa. Los dioses a los que cada parcialidad adoraba estaban —en el caso de los vasallos— relacionados con las fuerzas de la naturaleza. Este culto fue rápidamente reprimido por los misioneros que evitaron, en la medida de lo posible, su práctica; sin embargo, la gran cantidad de ceremonias de carácter ancestral que hoy todavía practican los indígenas del área lleva a pensar que la acción de los doctrineros en este terreno no fue todo lo efectiva que ellos desearon (46). No sería aventurado afirmar que durante el siglo XVI estas prácticas siguieron realizándose de manera más o menos oculta. Posteriormente, si se puede confirmar la hipótesis antes apuntada, el primitivo dios patronal fue sustituido por un santo patrono al que la parcialidad rendía culto según la liturgia cristiana, produciéndose así un fenómeno de sincretismo en cuyo conte-

---

45. Juicio de residencia tomado al alcalde mayor de Zapotitlán, Gasco de Herrera. 1567. AGI, Justicia, leg. 313.

46. En relación con este tema hay abundante información en las crónicas y en la documentación colonial. En tiempos recientes historiadores y antropólogos han realizado trabajos en torno a la pervivencia de algunos aspectos de la religión prehispánica entre los mayas de los Altos; se pueden citar, entre otros, los trabajos de Ernesto Chinchilla (1953 y 1957), Correa (1971) y La Farge (1947). Además, el tema aparece tratado con alguna extensión en muchas de las etnografías hechas en la actualidad sobre los mayas de Guatemala.

nido sería necesario profundizar. No hay que olvidar en relación con este tema la identificación que muchos santos cristianos tienen con determinadas fuerzas naturales e incluso con deidades prehispánicas entre los mayas de Guatemala(47). Entonces, la cofradía habría servido a la vez para garantizar la pervivencia de los grupos de parentesco y como medio para rendir culto a los seres sobrenaturales que tenían encomendado el cuidado de sus miembros.

En definitiva, todo lo visto hasta ahora sugiere que los patrilinajes, las instituciones sociales elementales de las comunidades indígenas del Occidente de Guatemala, persistieron a lo largo del siglo XVI —y aún después— y que sus rasgos elementales y sus funciones no sufrieron aparentemente grandes cambios. Desde luego hay que pensar que, como consecuencia de la grave crisis demográfica que sufrieron las poblaciones del área durante los años inmediatamente anteriores y posteriores al contacto de las culturas, muchos de los patrilinajes debieron desaparecer y otros se verían obligados a unirse entre sí. Es imposible admitir la pervivencia de parcialidades que, como en el caso de las llamadas *Tacachavales* y *Cahais* de San Bartolomé Jocotenango, estaban formadas al final del siglo por un sólo matrimonio. La función de apoyo mutuo que —entre otras— mantiene todo grupo de parentesco no tiene sentido en casos como éste.

b) *Principales y macehuales.*

A partir de la conquista, la población de la América colonizada quedó dividida en dos grandes grupos conocidos en el lenguaje de la época como "república de los españoles" y "república de los indios". Del primero formaban parte los colonizadores con la condición general de grupo dominante y explotador; en el segundo se encuadraba toda la población aborigen con el carácter de vasallos, dominados y explotados. El indicador objetivo fundamental que situaba a cada individuo en uno u otro grupo era de carácter étnico. Las barreras entre las dos repúblicas eran infranqueables; entre ambas se situaba un grupo más o menos amplio de mestizos, fruto de uniones esporádicas entre españoles y mujeres indígenas, una población culturalmente desarraigada y casi siempre marginal.

Sin embargo, esta división étnica de la sociedad en dos grandes grupos constituye una simplificación excesiva de la realidad. El

47. El tema del sincretismo en la religión de los mayas ha sido tratado desde hace siglos. La primera información en este sentido aparece en la obra de fray Francisco Ximénez, *Escolios a las Historias del origen de los indios* (Valladolid, 1976). Posteriormente, muchos otros autores se han ocupado del tema; se puede citar entre otros a M. Siegel (1941) y Munro S. Edmonson (1971).

mundo colonial era algo mucho más complejo y, tanto entre los españoles como entre los indígenas, existían marcadas diferencias de rango que venían definidas de maneras diferentes en uno y otro caso.

Entre la población maya del Occidente de Guatemala se mantuvo después de la conquista un sistema de estratificación social que tenía una estrecha relación con el que existió antes de la llegada de los españoles. Como ya se ha tenido ocasión de observar en los capítulos precedentes, la documentación colonial del siglo XVI es rica en alusiones a la existencia entre los indígenas de dos grupos sociales bien diferenciados, a los que se designa sistemáticamente con los términos de *principales* y *macehuales*. Ambos grupos coinciden, en líneas generales, con los que existían antes de la conquista: nobles y plebeyos. En el primero se reúnen a los que eran conocidos entre los quichés con los nombres de *ajaw* y *ac'animak,* mientras que al segundo pertenecían todos los que antes de la conquista llamaban con el término de *al c'ajol.*

A los españoles no les era extraña esta división horizontal de la sociedad; en el mundo occidental era impensable la existencia de una sociedad igualitaria y así se reflejó en la actuación de los colonizadores. A finales del siglo XVI, un español que actuaba como procurador de don Juan Cortés y don Juan de Rojas —los descendientes de los señores quichés— en un pleito con la Audiencia, afirmaba: "entre todas las gentes del mundo hay diferencias entre los que son nobles y los que no lo son"(48). En estas circunstancias los españoles aceptaron la existencia del sistema de estratificación indígena que encontraron en los Altos de Guatemala, lo respetaron e incluso fomentaron y protegieron las diferencias como estrategia para mantener un mejor control de la población sometida.

Entre los indígenas es obvio que la nueva situación no pudo acabar con las diferencias que siempre habían considerado normales: su origen venía de antiguo y era voluntad de los dioses. La división estamental era algo demasiado arraigado en la mente del indígena como para que pudiera ser suprimida por un fenómeno tan accidental como fue la llegada de los españoles.

La condición de principal o macehual venía dada por el nacimiento y era reconocida por todos los indígenas; ningún otro factor era decisivo para colocar a un individuo en una u otra posición. En 1583, un indígena vecino del pueblo de Quezaltenango declaraba que

---

48. AGC, A1.9 leg. 205 exp. 4985.

"conoce a todos los vecinos y naturales [de Quezaltenango] y quién los caciques y principales y macehuales, dijo que sabe lo contenido en la dicha petición que es verdad que los indios que el padre guardián echó de la capilla son indios macehuales y que no son caciques, mas de que como tienen algunos dineros se entonan y se hacen señores, y que los caciques que son de este dicho pueblo son don Juan Gómez y don Francisco Mexía y don Juan de Chaves y un hijo de Andrés Vacac... que es ya difunto y que a éstos ha conocido siempre en este dicho pueblo de cincuenta años a esta parte conoció este testigo a los padres de estos caciques por señores y caciques de este dicho pueblo y no a otros... uno de este testigo que es don Juan Bautista [no es cacique] ni principal mas de que es hijo de un macehual de este dicho pueblo"(49).

Otro testigo indígena que declaró en el mismo asunto afirmaba que "un don Juan Bautista no es cacique ni principal porque este testigo sabe y conoció a su padre que era un macehual", y en el mismo sentido declara uno de los caciques del pueblo.

También en una relación hecha por los descendientes de los señores quichés, don Juan de Rojas y don Juan Cortés, se hace alusión al carácter hereditario de la condición de principal. En esta ocasión, los citados caciques pretenden que se levante a sus hijos la obligación de tributar que un tasador les había puesto como si fueran simples macehuales. Alegan que dada su condición de hijos de principales, también ellos lo son y, por tanto, deben de gozar de todos los privilegios que por su rango les corresponde:

"pues la dicha exención les viene por derecho de sangre y costumbre inmemorial y por otros antiguos, justos y derechos títulos de que consta notoriamente de la dicha costumbre".

El defensor de los citados caciques afirmó en otra ocasión:

"porque hijos y nietos de nobles son nobles aunque no sean primogénitos ni hayan de ser caciques"(50).

---

49. Autos sobre diferencias entre principales y macehuales de Quezaltenango 1583. AGC, A1.11 leg. 5797 exp. 48859.
50. AGC, A1.9 leg. 205 exp. 4985.

La similitud de esta costumbre indígena con las normas de adscripción a los distintos estamentos vigentes en la España del siglo XVI hizo que los conquistadores y las autoridades coloniales no tuvieran inconveniente en considerar hereditaria la condición de principal.

Existían importantes diferencias entre principales y macehuales. Muchas de ellas fueron continuación de las que se habían mantenido antes de la conquista; otras fueron impuestas por las nuevas circunstancias y, en muchas ocasiones, eran consecuencia de la actitud de las autoridades españolas que trataron de favorecer a los miembros más destacados de las comunidades indígenas con el fin de hacerlos fieles intermediarios entre el poder colonial y el resto de los naturales. Esta situación que fue aceptada por la mayoría de los señores y principales indígenas, no había sido nueva en el área. Cuando varios siglos antes los Altos de Guatemala fueron dominados por los grupos quicheanos, éstos asimilaron, de la misma forma que ahora lo hacían los españoles, a los líderes naturales de la población autóctona dándoles el rango de señores y considerando a sus seguidores como linajes agregados en las confederaciones de parentesco de los nuevos dueños de la tierra(51).

Desde luego, la aceptación por los españoles del rango superior de los principales, especialmente de los descendientes de los antiguos señores de los estados prehispánicos, no fue inmediata. Los años que siguieron a la conquista fueron tiempos difíciles para estos señores que se vieron súbitamente desposeídos de sus prebendas y de los atributos propios de su rango y condición. A partir de entonces empezarían a librar una larga batalla para conseguir que les fuera reconocida su calidad superior. Los testimonios en este sentido son abundantes. Refiriéndose a los descendientes de los señores de K'umarcaaj, dice el oidor Zorita:

> "y yo vi los que estaban a la sazón por los señores del pueblo que llaman de Utatlán, de quien toma nombre toda la provincia y tan pobres y miserables como el más pobre indio del pueblo, y sus mujeres hacían las tortillas para comer, porque no tenían servicio ni con qué mantenerlo, y ellos traían el agua y leña para sus casas. El principal de ellos se llamaba Don Juan de Rojas y el segundo Don Juan Cortés, y el tercero Domingo, pobrísimos en todo extremo: dejaron hijos todos paupérrimos y misera-

---

51. Robert M. Carmack: *Historia social de los quichés.* Guatemala. 1979, pág. 170.

bles y tributarios, porque a ninguno excusan de ello como ya se ha dicho"(52).

Zorita estuvo en Guatemala como oidor entre los años 1552 y 1555; si bien la situación de los principales a que se refiere debió ser lamentable durante estos años, posteriormente se vieron amparados por el favor real y mantuvieron algunas de sus prerrogativas.

La carta que en 1571 enviaron al rey los descendientes de los señores tzutujiles de Atitlán es otra buena muestra del estado en que los antiguos nobles quedaron tras la conquista:

> "Y así vinieron nuestros antepasados en tanta disminución que de señores vinieron a servicio; que para sus casas y menester ellos y sus mujeres lo trabajaban y afanaban, y gastaron sus haciendas de cacao y todas las otras cosas que les daban de tributo porque les pedían muy muchos tributos y para cumplir todo esto gastaban y vendían todo cuanto tenían y a esta causa vinieron y padecieron tanta necesidad ellos y sus mujeres que llegaron a tanto que les fue forzado cargarse y cavar y comer de frutas y raíces de árboles...
>
> Y así mismo, nosotros sus hijos padecemos hoy día de que nos cargamos y nuestras mujeres nos muelen y sirven y para sustentar nuestras casas cavamos y usamos de lo que nuestros esclavos nos solían servir, por donde pasamos y padecemos mucha necesidad, y los hijos de señores vamos en disminución porque no somos acostumbrados a tales oficios de servir, sino que de ser servidos, por descender y ser hijos de tales señores..."(53).

Poco a poco, como consecuencia de la acción emprendida por los mismos caciques, la situación de la nobleza indígena fue mejorando hasta alcanzar una serie de privilegios que les distinguían notablemente de sus antiguos vasallos y les colocaba en una posición relativamente parecida a la que gozaban antes de la conquista.

Las primeras medidas fueron tomadas poco después de 1540, cuando la Corona mandó proteger a los caciques que junto con su pueblo habían ayudado a la conquista. Posteriormente el presidente

---

52. Alonso de Zorita: *Breve y sumaria relación de los señores de la Nueva España*. México, 1942, pág. 210.

53. AGI, Audiencia de México, leg. 98.

Cerrato, a la vez que hacía la nueva tasación de las encomiendas de la Audiencia, eximió a los señores de Atitlán de pagar tributo aunque les privó de los esclavos que les servían(54). Esta decisión no calmó las aspiraciones de los tzutujiles que pedían que se les devolviera el servicio al mismo tiempo que solicitaban al rey que les concediera rentas —como correspondía a la calidad de su rango— y escudos de armas.

Mejores condiciones alcanzaron los descendientes de los señores de K'umarcaaj. Don Juan Cortés, nieto del *ahpop* quiché, fue en 1557 a España con objeto de reclamar sus derechos en la misma corte. El resultado de sus gestiones fueron dos reales cédulas en las que se reconocía su rango y se le concedían determinados privilegios(55). Después, este mismo don Juan Cortés y don Juan Rojas obtuvieron otros privilegios entre los que se encontraban el disfrute de los tributos de la encomienda de los indios *nimak achí* —a los que se ha hecho referencia anteriormente—, indios de servicio personal y, en 1591, la exención tributaria para todos sus descendientes(56).

En estas circunstancias, después de la conquista, tanto por parte de los indígenas como de las autoridades coloniales, se consideraba que la "república de los indios" estaba formada por gente de diversos estatus, desde los más altos a los que se consideró equiparados a la baja nobleza española, hasta los de estatus más bajo cuya situación era equipararle a la de esclavos, aunque oficialmente éstos no existieran entre la población indígena desde la aplicación de las Leyes Nuevas a mediados del siglo por el presidente Cerrato.

Entre los hombres de más alto rango, la "nobleza" indígena, se distinguieron durante el siglo XVI dos grupos: de un lado los *caciques* y por otro los *principales,* miembros de la nobleza de segundo orden de los estados prehispánicos y jefes de los patrilinajes. Poco a poco fueron desapareciendo las diferencias entre caciques y principales al llamarse "cacique" a todo principal que ejercía un puesto de gobierno entre las comunidades indígenas, pero manteniendo las mismas prerrogativas, privilegios y exenciones que el resto de los principales. Solamente los descendientes por línea directa del linaje real del Quiché recibieron un trato especial por parte de las autoridades: se les dio tratamiento de personas reales durante todo el período co-

---

54. Ibid.
55. Pedro Carrasco: «Don Juan Cortés, cacique de Santa Cruz del Quiché».
56. Expediente promovido por el cacique de Santa Cruz del Quiché reclamando se le mantenga el derecho a recibir los mismos tributos que sus antecesores. 1788. AGC, A1.9 leg. 205 exp. 4985.

lonial, de la misma forma que se hizo con los descendientes de los emperadores de México y de los Incas.

Las diferencias entre principales y macehuales se hacían visibles en diversos aspectos de la cultura. Existían diferencias de tipo económico y ocupacional; se daban distinciones de honra y diferencias ante la justicia; finalmente, aparecían desigualdades en aspectos tocantes al matrimonio, el adorno personal y las relaciones con el culto cristiano.

En los aspectos económicos, los privilegios más altos los tenían los caciques quichés don Juan Cortés y don Juan de Rojas. Según el cronista Ximénez, el rey dispuso que se les "asignase una renta cuantiosa para que pasase con la decensia que pedía su real persona"(57). Disfrutaron de la encomienda de los indios *nimak achí* "más a título de feudo y señorío que con el de encomienda o pensión"; en 1569, el licenciado Briceño estableció que estos indios debían hacer a sus encomenderos una milpa de maíz, prepararles las casas de su morada, proporcionarles un indio y una india para su servicio personal y otros para cuidar de su ganado. En 1592 se hizo una tasación en la que se suprimían los servicios personales, pero se mantenía una fuerte cantidad de tributo que recibirían tanto don Juan Cortés y don Juan de Rojas como sus herederos directos en la dignidad cacical, privilegio que disfrutaron hasta el siglo XIX.

Esta situación permitía a los caciques de Utatlán vivir sin necesidad de trabajar para obtener el sustento diario, lo que los situaba en una posición de verdadero privilegio. Los demás principales, incluidos los hijos de los caciques, tenían que trabajar para sustentarse. En la tasación del pueblo de Santa Cruz Utatlán, hecha en 1592, se citan expresamente a todos los hijos de los caciques, incluidos los primogénitos, especificando la actividad que desarrollan: "don Antonio Cortés, de edad al parecer de treinta años [hijo de don Juan Cortés], y Catalina su mujer, de la misma edad, Rafael de cinco años, Petronila de tres, tiene casa, hace milpa de maíz y cría gallinas". La conquista obligó a los nobles a ocuparse en actividades propias de gente plebeya.

Sin embargo, tanto estos últimos como todos los demás indígenas que tenían la condición de principales, estaban exentos de pagar tributos a los encomenderos y de prestar servicios ordinarios o extraordinarios, tanto en los pueblos como a los españoles, lo que suponía una importante distinción con el resto de la población.

---

57. Citado en Pedro Carrasco: «Don Juan Cortés...».

En general, caciques y principales eran dueños de parcelas de tierra principalmente en las regiones cacaoteras, situación de la que podían disfrutar sólo algunos macehuales(58). Al estar libres de los impuestos más gravosos y poseer tierras en propiedad, algunos principales gozaron de una situación económica desahogada, por lo menos si se les compara con los demás indígenas. Había principales que podían mantener criados en sus casas y hacían ostentación pública de su condición y riqueza. Así sucedió en el pueblo de San Antonio Suchitepéquez con ocasión de una derrama de cacao que impuso el cura doctrinero, en 1581, bajo el pretexto de sufragar determinados gastos de culto. Los principales, haciendo gala de la superioridad de su condición, entregaron una "limosna" más cuantiosa que el resto de los vecinos; así lo declara un principal del pueblo:

> "y así otro día de fiesta vio este testigo que a la puerta de la iglesia de este dicho pueblo daba cada indio de él unos a doscientos cacaos y otros a trescientos, y este testigo dio un zontle de cacao..."(59).

Como antes de la conquista, los principales ocuparon las posiciones de poder político en los pueblos de indios. Era, desde luego, un poder muy restringido, situado siempre bajo la jurisdicción de las autoridades españolas por bajas que estas fueran, pero que les permitió mantener su posición de preeminencia sobre los macehuales.

La turbulencia de los años que siguieron a la caída de los estados prehispánicos hizo que en Guatemala los españoles quitaran a la nobleza indígena todo el poder que tenían sobre sus antiguos vasallos. La medida dio lugar a un fuerte descontento tanto entre los nobles, desposeídos de sus poderes, como entre los vasallos que perdían bruscamente un sistema de organización tradicional. Poco después, la experiencia demostró que era más fácil dominar a los indios manteniéndolos bajo el control de sus antiguos señores. Se trató entonces de someter a los principales a un rápido proceso de aculturación para utilizarlos como intermediarios entre las dos "repúblicas". A finales

---

58. En 1555 declaraba un principal del pueblo de Atitlán: «todos los indios no tienen milpas de cacahuetes sino algunos, y estos son caciques y principales, y algunos macehuales». Autos hechos sobre la reducción de tributos del pueblo de Atitlán. 1555. AGI, Justicia, leg. 283.

59. Otros principales aseguran también que dieron «de su voluntad» un zontle de cacao mientras que los macehuales entregaban doscientas o trescientas almendras. Un zontle era una medida equivalente a cuatrocientas almendras. (Autos criminales contra el cura benefiado de San Antonio Suchitepéquez. 1581. AGC, A1.15 leg. 4078 exp. 32366).

de siglo un buen número de principales sabía hablar castellano, habían interiorizado gran parte del sistema de valores de los conquistadores y eran los más fieles aliados de los españoles en la explotación de su propio pueblo.

En 1558 una real cédula de Felipe II ordenaba al presidente y a los oidores de la Audiencia de Guatemala que se devolviera a los descendientes de los señores prehispánicos la jurisdicción que tenían antes de la conquista, a cada uno según su rango, siempre que éstos se hubieran convertido al cristianismo y su conducta no fuera contraria a los "buenos usos y costumbres", exceptuando en cuanto a jurisdicción la que tenía que ver con asuntos criminales. Todo ello "porque no conviene quitarles la manera de gobernarse que antes tenían"(60). A partir de ese momento, los descendientes de los jefes de los antiguos señoríos alcanzaron títulos de caciques y gobernadores con jurisdicción sobre todos los naturales que pertenecían a su antigua unidad política, y los jefes de las parcialidades tuvieron poder sobre sus miembros así como funciones administrativas, tales como la recaudación de los tributos y la representación de su pueblo ante las autoridades españolas.

Paralelamente, al crearse los cabildos en los pueblos de indios, fueron los principales los que ocuparon la mayoría de los puestos con responsabilidad de gobierno, siendo muy raras las ocasiones en que un macehual alcanzó dignidades de alcalde, regidor, mayordomo o alguacil mayor. Además, en razón de su calidad, todos los principales de un pueblo acudían a las reuniones de los cabildos, aunque en esa ocasión no tuvieran ningún cargo municipal, y firmaban las peticiones y autos que tenían que ver con los intereses de la comunidad a la que pertenecían y representaban.

La concesión del mantenimiento del poder político vino acompañada por determinadas distinciones de honra y privilegios ante la justicia. En relación con las primeras fue excepcional el caso de los caciques quichés de Santa Cruz Utatlán. Según las noticias de Ximénez, el rey ordenó que cuando don Juan Cortés fuera a la ciudad de Guatemala "se le pusiese palacio y despensa a costa de Su Majestad", así como que cuando asistiera en público a las sesiones de la Real Audiencia "tuviese su asiento inmediato a su presidente de sala"(61). Los demás principales no alcanzaron tan altos honores, pero la legislación española concedió privilegios para todos los indios de ascenden-

---

60. Valladolid, 21 de Noviembre de 1558. El texto de la Real Cédula está tomado de una copia contenida en la obra de Fuentes y Guzmán: *Op. cit.*, vol. 3 pág. 291.
61. Pedro Carrasco: «Don Juan Cortés...» *Op. cit.*, pág. 252.

cia noble, privilegios que siempre eran similares a los que poseía la baja nobleza castellana de la época(62).

Entre estos privilegios se encontraban el de poder usar el tratamiento de *don* antes del nombre, vestir a la manera española y usar armas defensivas, así como poder cabalgar sobre caballos y mulas con montura, freno y espuelas. De la utilización de estas distinciones hay abundantes testimonios en la documentación. En todas las ocasiones los principales usaron el tratamiento que se les permitía y que estaba reservado en Castilla a la nobleza. En lo que refiere al uso de ropa española no hay referencias concretas, si no es el documento de los vecinos de Buenabaj, citado por Carmack, en el que se alude a los privilegios de los caciques entre los que se encuentra el de poder "vestir paño"(63), y las alusiones al uso de prendas de cabeza por los principales de algunas localidades(64).

Además, los principales tenían el privilegio de situarse en un lugar preeminente dentro del templo durante la celebración de ceremonias religiosas. En 1583 el guardián del convento franciscano de Quezaltenango se refiere a este tema en una carta dirigida a la Audiencia:

> "digo que por ser costumbre en todos los pueblos de indios que en las capillas mayores de las iglesias de ellos solamente entren y estén a los oficios divinos los alcaldes y regidores y principales de los tales pueblos para que se diferencien los hombres principales de los macehuales y haya policía..."(65).

---

62. Sobre el tema de los privilegios que la Corona concedió a los descendientes de la nobleza indígena existe abundante bibliografía. Para el ámbito mesoamericano se puede consultar la obra de Delfina E. López Sarrelanque: *La nobleza indígena de Pátzcuaro en la época virreinal*. México, 1965; y el artículo de Francisco de Solano: «Autoridades indígenas y población india en la Audiencia de Guatemala». *Revista Española de Antropología Americana*, 7 (2): 133-150. 1972. A los descendientes de los señores de los pueblos andinos también se les concedieron diversos privilegios después de la conquista; en este caso pueden consultar los trabajos de Nathan Wachtel (*Los vencidos*. Madrid, 1976) y Carlos Díaz Rementería (*El cacique en el virreinato del Perú*. Sevilla, 1977).

63. «Análisis histórico-sociológico de un antiguo título quiché». *Antropología e Historia de Guatemala*, 19 (1): 3-13. 1967.

64. En unos autos hechos en torno a unas tierras propiedad de los indios de Zambo se dice que los miembros del cabildo de Zapotitlán recibieron un mandamiento real que «pusieron sobre sus cabezas, quitadas las gorras» (AGC, A1 leg. 5929 exp. 51833).

65. Autos sobre diferencias entre principales y macehuales de Quezaltenango 1583. AGC, A1.11 leg. 5797 exp. 48859.

Pero si estas prerrogativas de honra eran sólo protocolarias, relacionadas con el trato y la apariencia ante los demás —una de las características más importantes de la cultura española de la época—, los principales gozaron de otros privilegios que, del mismo modo que los económicos, los colocaba en una situación ventajosa respecto a los macehuales. Los españoles diferenciaban bien a las clases privilegiadas de los hombres comunes y plebeyos, y una de las diferencias esenciales estaba en el trato desigual ante la justicia. En España, un noble nunca sería condenado a penas infamantes por un tribunal; su posición social hacía que fuera imposible. Era un modo más de mostrar ante el pueblo la superioridad de la aristocracia. Con los indígenas se utilizaron en Guatemala los mismos criterios. Las autoridades españolas dictaron normas que establecían con claridad qué tipos de castigos podían recibir los principales y cuáles estaban reservados, en principio, únicamente a los macehuales. En las ordenanzas para el buen gobierno de los pueblos de indios, dictadas por el oidor García de Palacios, se dice textualmente:

> "Débense oir con flema, tratar y castigar a los principales de manera que los macehuales no les pierdan el respeto, que es de mucha importancia entre ellos, y a los macehuales de manera que entiendan que les queda libertad para pedir justicia y agravios que les hicieren sus caciques y principales"(66).

Los castigos propios de principales consistían normalmente en penas pecuniarias, embargo de bienes o privación de libertad, mientras que los macehuales, además de éstos, podían ser castigados a recibir azotes en la plaza pública, lo que era considerado como vejatorio para la gente de alta posición social(67).

Todas estas preeminencias que distinguían a los principales de la gente común, si bien en muchos casos eran similares a las que poseían en la época prehispánica, habían sido ratificadas por los españoles y en cierto modo formaban parte de la asimilación cultural que los conquistadores pretendían. Sin embargo, los principales mantuvieron otras diferencias con los macehuales que procedían directamente

---

66. 1576. AGI, Audiencia de Guatemala, leg. 128.
67. La justicia española castigó a varios principales del pueblo de San Antonio Suchitepéquez acusados de embriaguez —lo que constituía un delito entre los indios— a pagar una multa de 10 tostones, «con apercibimiento de que si otra vez se emborrachase será gravemente castigado como a indio macehual». Juicio de residencia del alcalde mayor Gasco de Herrera. 1567. AGI, Justicia, leg. 313.

de las que les eran características antes de la conquista. Estos rasgos diferenciadores se mantuvieron independientemente y muchas veces contra la voluntad de los españoles.

Una de estas diferencias es la que venía marcada por el matrimonio. Existen indicios de que durante la colonia —por lo menos a lo largo del siglo XVI— los principales mantuvieron cierta forma de poligamia encubierta. La poligamia había sido una norma de comportamiento admitida y usual entre los mayas de Guatemala y, además, un rasgo diferenciador de los principales cuando la superioridad económica les permitía mantener varias esposas. Los españoles pretendieron desarraigar esta costumbre obligando a todos los indios a contraer matrimonio monógamo tal como exigía la tradición cristiana. Si bien los indígenas tuvieron que aceptar forzosamente el cambio parece que éste sólo se produjo de cara a los españoles, empleando diversos procedimientos para ocultar la presencia de otras mujeres, en el caso en que la capacidad económica del individuo lo permitiera.

Al parecer esta era la situación de Juan Tabal Ahpop, indio principal de San Antonio Suchitepéquez, quien tenía una esposa legítima y una concubina con la condición aparente de esclava. Al menos esto es lo que sugiere la información contenida en un pleito que mantuvo Cristóbal Ahpop, hijo de Juan Tabal, contra Juan Vázquez Xahil a causa de la propiedad de unas tierras que el primero había heredado. En el pleito Vázquez Xahil declaró que Cristóbal Ahpop no era hijo legítimo, sino que había nacido de la unión de su padre con "una esclava llamada María Rumán", aspecto que negaba la parte contraria. Uno de los testigos del juicio confirmó lo último haciendo la salvedad de que María Rumán y Juan Tabal no estaban casados ante la Iglesia sino que su unión se había celebrado antes de la conquista(68). La comparación de los dos testimonios del juicio sugiere la idea de que María Rumán podo ser una segunda mujer de Juan Tabal y que éste pudo haberla presentado como su esclava para evitar conflictos con los religiosos y con las autoridades coloniales(69).

---

68. Pleito de Cristóbal Ahpop Tabal contra Juan Vázquez Xahil por ciertas tierras. 1588. AGC, A1.15 leg. 4087 exp. 32422.

69. Todavía en la actualidad se mantienen matrimonios polígamos en algunos pueblos del Occidente de Guatemala. Martín Ordóñez Chapín, en su «Estudio sobre la poligina en Santa María Chiquimula...», muestra cómo se celebra este tipo de matrimonios entre los hombres ricos del pueblo, dando la fecha de 1930 como el comienzo de la costumbre de contraer uniones polígamas. Sin embargo, habría que pensar que más que una innovación, se trata de la reaparición pública de una costumbre que se había mantenido encubierta durante cuatro siglos.

Finalmente, los principales se reservaron después de la conquista una parte importante de las funciones relacionadas con el culto cristiano. Así lo observó Vázquez de Espinosa: "todos los casiques principales aplican a sus hijos el seruicio del culto diuino de que se precian y honran mucho"(70). Parece lógico que los principales, a los que antes de 1524 les estaba reservada la participación directa en la liturgia de la religión oficial, se aproximaran ahora igualmente al culto cristiano; la relación directa con el mundo sobrenatural era un símbolo más de la superioridad de su clase.

Por debajo de los principales se encontraba la inmensa mayoría de la población indígena, los macehuales. La característica más importante de este grupo era precisamente la carencia de elementos diferenciadores específicos. Si bien existían diferencias en cuanto a la capacidad adquisitiva entre los macehuales, todos ellos tenían la condición de tributarios, es decir estaban adscritos a una encomienda. Además, tenían la obligación de prestar servicios personales en los casos y condiciones indicados páginas atrás: obras públicas, servicios a viajeros, servicios personales a eclesiásticos, autoridades españolas, principales de su propia comunidad, servicios a la comunidad, etc. Ningún macehual estaba libre de estas cargas por mucha riqueza que poseyera, a menos que quadara exento a causa de la edad, fuera inválido, o prestara servicios a la iglesia en calidad de *teopanteca,* condición que liberaba temporalmente de las cargas tributarias.

Como norma general, los macehuales no eran propietarios de tierras. Los casos en que poseían parcelas a título personal son mínimos y por tanto deben ser tomados exclusivamente como excepciones a la regla. Normalmente estos indígenas —igual que muchos principales— explotaban las tierras que pertenecían a su grupo de parentesco o, en algunos casos, las tierras comunes del pueblo en el que estaban avecindados.

En oposición a los principales, la gente común tenía una condición semejante o incluso peor que los plebeyos castellanos ya que no disponían de fuero alguno que protegiera sus intereses. No tenían derecho a gozar de ningún privilegio y la justicia empleaba con ellos todo su rigor: se debía castigar con dureza cualquier transgresión de la ley cometida por un macehual, de modo que el castigo pudiera servir como ejemplo para los demás. Esto dio lugar a constantes obusos tanto por parte de las autoridades españolas, como por los clérigos —que aplicaron la justicia en muchas ocasiones— y los mismos prin-

---

70. *Compendio y descripción de las Indias Occidentales.* Washington, 1948, pág. 222

cipales de las comunidades que tenían jurisdicción sobre determinados delitos cometidos por la gente de sus pueblos.

La sumisión de los macehuales a la aristocracia indígena mantuvo en ocasiones formas semejantes a las existentes antes de la conquista. Por ejemplo, en lo que refiere al matrimonio hay noticias de que durante el siglo XVI los macehuales debían contar con la aprobación de sus jefes naturales para elegir esposa. Esto es lo que se desprende de las ordenanzas de Palacios:

"entre los macehuales era lo más común tomar por mujer la que su cacique le señalaba; y dejando las dichas costumbres y ritos que son muchos y muy diferentes, ha venido de esta gentilidad a que hoy los que han de casar sus hijos soliciten primero y paguen las voluntades de sus principales con ruegos, presentes y borracheras, que no las voluntades de los contrayentes que el matrimonio quiere por necesario requisito"(71).

Esta costumbre fue legalmente abolida por la ordenanza, pero el hecho de que tan avanzada la colonia se cite como algo común, sugiere que permaneció y da lugar a pensar hasta qué punto los macehuales seguían supeditados a la voluntad de sus antiguos señores y, en definitiva, la permanencia de las normas prehispánicas más vinculadas a la vida diaria de los individuos.

Igual que antes de la conquista, principales y macehuales seguían diferenciándose en su aspecto exterior. El vestido de los macehuales era de inferior calidad que el de los principales; pero también se podían percibir diferencias en el atuendo entre los macehuales que venían determinadas por la capacidad económica. Era este uno de los indicadores que diferenciaba, igual que antes de 1524, a los mercaderes de los demás indios comunes(72).

La posición más baja en la pirámide social la ocupaban los indios con la condición de criados o de esclavos. Tanto unos como otros debieron ser pocos en el Occidente de Guatemala dada la escasez de información que sobre ellos existe en la documentación consultada. Los criados aparecen tanto sirviendo a españoles como a indígenas principales(73) y, por lo menos en el caso de los que servían a

71. 1576. AGI, Audiencia de Guatemala, leg. 128.
72. R. M. Carmack: «La estratificación quicheana prehispánica». *Op. cit.*, pág. 262.
73. Un indio de Samayac declaraba ser criado de un principal del pueblo al que se refiere como «su amo». (AGC, A1.21 leg. 5532 exp. 47817).

españoles, no disponían de libertad para abandonar a sus señores sin el consentimiento de éstos(74).

Estos criados indios eran considerados como "naboríos", indios desarraigados de sus lugares de origen que no estaban encomendados y que, por tanto, no tenían que pagar tributos derivados de la encomienda. En lugar de éste sus dueños tenían que pagar un tributo extraordinario de diez tostones a la Real Hacienda, cantidad que en el caso de los naboríos que no servían en ninguna casa tenían que pagar ellos mismos(75).

A la vista de lo expuesto hasta aquí se podría pensar que la conquista tuvo pocas repercusiones sobre la estratificación de la sociedad indígena y la forma en que ésta se hacía visible. Nada hay más lejos de la realidad. De hecho los principales, o cuando menos muchos de ellos, aunque mantuvieron su condición y un importante número de prerrogativas, perdieron gran parte de sus riquezas; casi todos se vieron forzados a trabajar para comer, y lo que es más importante, perdieron gran parte de los medios de que disponían para hacer ostentación de su condición superior o se vieron forzados a hacer uso de símbolos procedentes de la cultura española.

También los macehuales aprovecharon en su favor la crisis de la conquista. Hasta entonces era en la práctica imposible traspasar las barreras existentes entre los dos grandes grupos sociales, no había mecanismos culturales que permitieran la movilidad social. Sin embargo, después de la conquista los indígenas que disponían de riquezas o que habían aprendido la lengua castellana trataron de utilizar estos signos de superioridad para intentar salvar las diferencias de estatus dadas por el nacimiento. Al tener dinero muy bien podía un macehual vestir y comportarse como un principal. Saber la lengua

---

74. En una real provisión fechada en Madrid en 1565, se hacía referencia a este tema con las siguientes palabras: «mandamos que el criado o criada de cualquier condición y calidad que sea, en cualquier servicio o ministerio que sirva, que se despidiere de su señor y amo, no pueda asentar ni servir a otro señor ni amo en el mismo lugar ni sus arrabales, ni otra persona alguna pueda recibir y acoger sin expresa licencia y consentimiento del señor y amo de quien se despidió, y que el criado o criada que lo contrario hiciere y sin la dicha licencia y expreso consentimiento asentare con otro, esté preso en la cárcel por veinte días y sea desterrado por un año del tal lugar, y el que lo recibiere en su servicio caiga en pena de seis mil maravedís...». Esta prohibición no rige en caso de que el criado abandone el lugar en que residía su antiguo amo. El texto procede de un traslado contenido en un proceso seguido el año 1589 por Diego Garzón, residente en San Antonio Suchitepéquez, a quien se había condenado a la pena de seis mil maravedís por tener escondida en su casa una criada india de nueve años (AGC, A1 leg. 5532 exp. 47816).

75. Empadronamiento de los tributarios de los pueblos de la alcaldía de Totonicapán. 1617. AGC, A3.16 leg. 2801 exp. 40502.

española significaba disponer de un importante poder por cuanto suponía el único modo de poderse comunicar directamente con los españoles; el "ladino" en lengua castellana se convertía así en intermediario entre las dos "repúblicas" y esta era una misión que los españoles habían asignado fundamentalmente a los principales de las comunidades. Además, ser tenido por principal permitiría al transgresor disfrutar de los privilegios que a los de tal condición les había concedido la Corona.

En las ocasiones en que se pudieron apreciar, los intentos de traspasar las barreras de estatus fueron severamente atajados tanto por los españoles como por los mismos indígenas. Uno de estos casos fue denunciado en 1583 por el fraile doctrinero del pueblo de Quezaltenango quien declaró que, estando reservado un lugar en la capilla mayor de la iglesia para los alcaldes y principales del pueblo, algunos macehuales pretendían hacer uso de tal prerrogativa sin tener derecho a ello. Para evitar conflictos solicitó que se nombrara un gobernador que entendiera quiénes eran los principales y quiénes macehuales, de modo que en el pueblo hubiera "policía" y respeto por la costumbre. Los indígenas que declararon en los autos también estaban de acuerdo en la necesidad de guardar la tradición y mantener las preeminencias de los principales. En sus explicaciones denunciaban la forma en que algunos macehuales intentaron aparentar un rango superior:

> "Los indios que el padre guardián echó de la capilla eran indios macehuales y no eran caciques, sino por hacerse señores se entraban en la capilla [...] y que un don Juan Bautista que sabe este testigo que es hijo de un macehual *y por saber este Bautista algunas partes de la lengua castellana se ha hecho señor...*".

Y otro testigo:

> "los indios que el padre guardián echó de la capilla son indios macehuales y que no son caciques, mas de que *como tienen algunos dineros se entonan y se hacen señores* [...] que es cosa necesaria para la paz y quietud de los vecinos y naturales de este dicho pueblo hubiese un gobernador en este dicho pueblo porque entiende este testigo habría mucha paz y concordia entre los dichos naturales y no andarían en revueltas..."(76).

---

76. Autos sobre diferencias entre principales y macehuales de Quezaltenango. 1583. AGC, A1.11 leg. 5797 exp. 48859. El subrayado es nuestro.

La autoridad española trató de evitar que esas situaciones se produjeran. En 1564 un teniente del alcalde mayor de Zapotitlán condenó a un indio de Nahualapa que montaba a caballo con freno y montura —lo que sólo estaba permitido a los principales— en "perdimiento del dicho caballo, silla y freno, por haber andado en el dicho caballo con silla y freno, en quebrantamiento de la ordenanza, sin tener licencia para lo poder hacer"(77).

En resumen, después de la conquista todos los indígenas se convirtieron en vasallos del rey de Castilla y en la sociedad colonial adquirieron la condición de grupo social, política y económicamente dominado. Sin embargo, no desaparecieron las diferencias sociales que entre ellos habían existido antes de la llegada de los españoles. Los principales mantuvieron su condición en aspectos relativos a privilegios de carácter económico y preeminencias sociales, y conservaron el poder político sobre sus comunidades. En muchas ocasiones los privilegios propios de su condición fueron aumentados por las autoridades españolas que quisieron marcar bien las barreras que separaban a la gente noble de los que no lo eran. Los macehuales mantuvieron su condición de campesinos sometidos a sus antiguos señores y a las nuevas autoridades coloniales.

Pero el choque de la conquista y la implantación del sistema colonial tuvo consecuencias desestabilizadoras en el sistema de estratificación social de los conquistados. En su nueva posición, los principales sirvieron de intermediarios de los españoles a cambio de mantener su estatus y de algunos privilegios. Por otro lado, algunos macehuales aprovecharon la inestabilidad provocada por la nueva situación para intentar salvar las barreras que antes separaban a nobles y plebeyos utilizando mecanismos que la colonia había puesto a su disposición.

c) *La nueva forma de organización política: el gobernador y los cabildos de indios*

La conquista significaba fundamentalmente dominación política y explotación económica. Los conquistadores buscaban beneficios económicos que conseguían mediante la imposición de cargas tributarias a los indígenas; para asegurar la recaudación de los tributos era necesario organizar eficazmente el control político de las poblaciones conquistadas. En consecuencia, una de las preocupaciones primordiales de los españoles fue la de transformar los sistemas de organización

---

77. Juicio de residencia de Gasco de Herrera, alcalde mayor de Zapotitlán. 1567. AGI, Justicia, leg. 313.

del poder indígena de modo que los mismos señores naturales se convirtieran en guardianes de los intereses de los conquistadores dentro de la nueva estructura colonial. ¿Cómo se llevó a cabo la desorganización de las estructuras del poder prehispánicas y cuáles fueron las nuevas formas de organización política impuestas por los españoles?

Es evidente que la primera consecuencia de la conquista fue la desaparición de las grandes unidades políticas, los estados, de los Altos de Guatemala. Este era un resultado lógico desde el momento que la conquista lleva unida la integración de los territorios conquistados y de sus pobladores en la Corona de Castilla. Así, desde 1524, los estados prehispánicos no eran unidades soberanas e independientes sino que pasaron a formar parte de una macroestructura superior y los indios se convirtieron en vasallos y dependientes. Al paso de la supremacia del poder político a la Corona castellana siguió, en el caso de quichés y cakchiqueles, la desaparición física —por vía de la ejecución— de los señores supremos de los estados prehispánicos.

Inmediatamente después de la desaparición de todas las estructuras político-administrativas indígenas, las autoridades españolas se plantearon la necesidad de organizar el gobierno de las poblaciones conquistadas, de articular la colonia de manera que pudieran alcanzarse los fines perseguidos. En principio, la actitud de los españoles fue la de eliminar totalmente las jerarquías indígenas: ningún natural, de la condición que fuese, debía tener ningún tipo de poder sobre los demás indios por cuanto ello podría significar peligro de una reorganización y un levantamiento contra los españoles. Poco a poco la posición fue cambiando y los delegados del poder castellano hicieron ver la necesidad de aprovechar los sistemas de gobierno indígena para llevar adelante de modo efectivo la colonización y la explotación de los recursos(78).

Por otro lado, los descendientes de los señores de los estados prehispánicos pretendieron mantener la condición de gobernadores de sus antiguos territorios, aunque sometidos en calidad de vasallos al rey de Castilla. Pero los jefes de los distintos señoríos que formaban cada uno de ellos aprovecharon la nueva situación para desligarse de la sumisión en que estaban y se negaron a seguir obedeciéndoles. Esto es lo que se puede deducir de las informaciones contenidas en dos documentos que tratan sobre el tema.

---

78. Las controversias que se dieron entre los defensores de cada una de estas posturas y los resultados de las mismas —plasmados en forma de leyes— se estudian en la tesis de Miguel A. González de San Segundo: *Derecho prehispánico e intituciones indígenas en el ordenamiento jurídico indiano.* Madrid, 1980, pág. 105 y ss.

En la carta que en 1571 enviaron los descendientes de los señores tzutujiles de Atitlán al rey enumerándole las múltiples dificultades y las vejaciones que sufrían, los remitentes describían con estas
palabras la desaparición de su poder político:

> "otrosí pedimos y suplicamos a V. M. por razón de que
> hay en nuestras estancias algunos indios rebeldes que quie-
> ren estar fuera de nuestra sujeción y no obedecer nuestros
> mandamientos en recoger el tributo y otras cosas tocan-
> tes al bien y pro de las dichas nuestras estancias, tenemos
> necesidad de que V. M. nos haga merced de una provisión
> que seamos obedecidos y acatados, así como obedecían y
> acataban a nuestros antepasados, pues somos hijos legí-
> timos de tales señores..."(79).

En la misma situación parecía encontrarse don Juan Cortés,
el descendiente del *ahpop* quiché. En el viaje que hizo a España pidió
que le fueran devueltos los poderes que le correspondían por herencia y se obligara a los que antes habían sido sus vasallos a que le
obedecieran. Según se desprende de una real cédula, fechada en Valladolid el 30 de noviembre de 1557, la Corona concedió al pretendiente
lo que solicitaba, junto con otras mercedes a las que ya se aludió páginas atrás. En contestación, y como protesta por las prerrogativas
concedidas a don Juan Cortés, fray Pedro de Betanzos escribió en
una carta al rey en 1559 esgrimiendo diversos argumentos contra lo
dispuesto en la real cédula de 1557(80).

Betanzos expone trece argumentos por los que considera im-
procedente conceder al noble quiché el señorío sobre sus antiguos vasallos. En definitiva, viene a concluir que nunca los señores de los
distintos territorios que formaban el estado quiché habían reconocido
el poder superior de los dirigentes de K'umarcaaj, sino que sólo tenían hacia ellos cierto "reconocimiento de parentesco"; que en caso
de que tal señorío hubiera existido se debía a razones religiosas idolá-
tricas y que éstas, naturalmente, habían desaparecido al convertirse
al cristianismo; y, finalmente, que desde el momento en que todos
pasaron a ser vasallos del rey de Castilla, ningún pueblo tenía que
reconocer más señorío que el de Su Majestad, caso de que antes hubiera reconocido a otro.

---

79. AGI, Audiencia de México, leg. 98.
80. Pedro Carrasco: «Don Juan Cortés...».

El resultado de todo esto fue que don Juan Cortés mantuvo su condición sólo a efectos de protocolo y privilegio: se le trataba como persona de sangre noble, pero perdió el gobierno directo de las antiguas posesiones de los quichés, aunque en algunos casos participara en el nombramiento de caciques de poblaciones que habían pertenecido al dominio de sus antepasados(81).

Quedaba claro que ni los españoles deseaban ver nuevamente en la cúspide del gobierno de la "república de los indios" a los antiguos "reyes", ni los jefes de los señoríos que se integraban en aquellos estados querían caer otra vez bajo el yugo de sus antiguos señores. Sin embargo, las autoridades coloniales se dieron cuenta de que era necesario utilizar de algún modo a los indígenas para conseguir el control efectivo de las poblaciones conquistadas; se consideró que los naturales obedecerían mejor a sus antiguos señores que a los españoles. En relación con este tema es interesante la opinión de fray Juan de Mendoza, doctrinero de Totonicapán. En una carta que escribió en 1602 como contestación a una consulta sobre la conveniencia de mantener a las autoridades indígenas, el franciscano afirmaba que para hacer justicia en los pueblos estaban los gobernadores y alcaldes indios, y que la presencia de los corregidores coartaba la justicia que éstos impartían:

> "y no hay indio que no tenga su cabeza de calpul que le ayude en su negocio, los cuales vuelven por el delincuente delante sus justicias y no también delante el corregidor y de ninguna manera se atreven a dejar de castigar al culpable porque los contrarios insisten en esto si es negocio que les toca, y si no, averiguando tiene culpa el indio, le castiga el gobernador y alcaldes sin perdonarlo por dádivas o por favor, que esto hay muy poco entre ellos, y más se halla esto entre los corregidores y más fácilmente admiten ruegos y dádivas, y la justicia que hacen los indios son con menor costa sin comparación, porque el indio escribano con un real se contenta, y el español ni con un tostón, sin otros gastos que le hacen los españoles, como nahuatlato y firmas"(82).

A partir de aquí el problema para los colonizadores consistía en conseguir que los señores indígenas actuaran como intermediarios,

---

81. *Ibid.*, pág. 261.
82. AGI, Audiencia de Guatemala, leg. 156.

que asumieran el sistema de valores y los intereses de los españoles, y en buscar el sistema de organización de gobierno más acorde con los fines deseados. El primer problema se resolvería haciendo a los indígenas "principales" partícipes de algunos beneficios como premio a su colaboración, lo que se consiguió mediante la concesión de privilegios personales. El segundo se trataría de resolver obligando a los indios a organizar el gobierno de sus comunidades según patrones castellanos.

El gobierno de las poblaciones indígenas se llevaría a efecto en Guatemala con la introducción de dos instituciones: el gobernador de indios y el cabildo. El primero aparece como una figura no muy bien definida y tiene mucho que ver con el deseo de los españoles de mantener en puestos de poder a los antiguos señores indígenas; el cabildo, por el contrario, es desde el principio la célula básica de control y gobierno de la población, perfectamente definido en sus funciones.

En los Altos de Guatemala el gobernador de indios debe su existencia a tres circunstancias: el deseo de los conquistadores de mantener en puestos de responsabilidad a los antiguos jefes de los señoríos prehispánicos; la necesidad de contar entre los indígenas con una autoridad que tuviera ascendiente sobre todos los pueblos que dependían de una misma cabecera y sobre esta misma; y, finalmente, disponer de un elemento permanente de gobierno en los pueblos que sirviera de conciliador entre las parcialidades que se disputaban el dominio de los cargos municipales.

De este modo el gobernador de indios es heredero de los antiguos jefes de las unidades políticas en que estaban divididos los estados prehispánicos y que integraban a gentes de diversos linajes, el *chinamit,* de ahí que su figura apareciera indistintamente en la colonia designada con los nombres de "gobernador", "cacique" o "señor natural". La autoridad de los gobernadores se extendía sobre todas las personas que pertenecían a aquellas unidades de organización sin importar el hecho de que estuvieran reunidas en uno o varios pueblos. En muchas ocasiones los señoríos no tenían un territorio continuo en los alrededores de un pueblo, sino que contaban con tierras y asentamientos en diversos lugares bastante alejados entre sí y una cabecera con categoría de centro político principal. Tanto la cabecera como las estancias poseían sus órganos de gobierno locales —los cabildos— pero dado que todos se consideraban miembros de la primera y, en general, estaban encomendados en la misma persona, el gobernador actuaba como la autoridad que debía velar por las cuestiones que afectaban al interés común.

402

Así, por ejemplo, el gobernador de Sacatepéquez —cargo que ocupó muchos años un descendiente de uno de los jefes mames que tomó el nombre de Don Francisco de la Cueva— tenía autoridad y jurisdicción sobre Sacatepéquez, el pueblo cabecera, y sus estancias en la Sierra y en la tierra de cacao. Igual sucedía con los gobernadores de Zapotitlán y Quezaltenango que eran la máxima autoridad indígena del pueblo y de todas sus estancias.

Casi en todas las ocasiones el nombramiento de gobernador recaía en miembros de las familias que tuvieron poder antes de 1524, a pesar de que a veces los españoles pretendían imponer para el cargo a otros indios a los que no correspondía en función de su dignidad, pero de los que esperaban obtener ciertos favores. En este sentido es ilustrativo el siguiente texto extraído de una carta enviada por el franciscano fray Francisco de la Parra al emperador, en 1547:

> "Debe mandar V.M. que se haga inquisición de los caciques que eran señores naturales, y mandar que éstos y no otros sean señores de sus pueblos, y que ningún español tenga autoridad de quitarlo y poner otro, pues que son legítimos señores; y en esto hay gran desorden, que hacen señor a quien piensan que pagará mejor el tributo, allende del cual, algunos de estos caciques postizos roban los pueblos con otras sacaliñas para sí y para sus amos, y no es razón que fuera del tributo que la tasa les manda llevar reciban los presentes que reciben, ni coman cuando a sus pueblos van, si no fuere por sus dineros..."(83).

Cuando no se conocía con precisión a quién correspondía el gobierno según las normas de los mismos indígenas, se trataba de buscar algún principal que al superior estatus uniera determinadas características que aseguraran que podría desempeñar con efectividad sus funciones. Así, cuando a raíz del tumulto que se produjo en Quezaltenango a causa de la ocupación por ciertos macehuales de los lugares destinados a los principales, tanto el doctrinero del pueblo como algunos indígenas determinaron que debía nombrarse un gobernador que tuviera cargo de identificar a macehuales y principales para que hubiera paz en el pueblo. El propio doctrinero, al hacer la información y solicitud del nombramiento decía: "yo doy noticia a V.S. que lo puede ser Francisco García, indio natural del dicho pueblo,

---

83. «Carta de fray Francisco de la Parra al Emperador. Guatemala, 19 de febrero de 1547». *ASGHG*, 40 (3-4): 251-253. 1967.

que el año pasado fue alcalde en él y es hombre de entendeimiento y bastante para ello"(84). Lógicamente, la petición del religioso fue atendida y el nombramiento recayó sobre su patrocinado.

El "oficio" de gobernador era hereditario por vía de primogenitura y tenía carácter vitalicio. Hubo gobernadores, como Don Domingo de Santamaría, de Samayac, que llegaron a ocupar el cargo durante veinte años.

Las funciones que tenía asignadas el gobernador en la administración colonial eran muy diversas y a veces se confundían con las que se señalaban a los cabildos(85). De entre todas, las dos más importantes eran la de regular y cuidar de la recaudación de los tributos de sus gobernados con la ayuda de los principales y recaudadores, y la de impartir justicia en primera instancia entre los indios de su jurisdicción siempre que las causas no trataran delitos de muerte, mutilación o castigo atroz. Además, actuaban ante las autoridades españolas como representantes de su pueblo o "provincia", en el caso que tuvieran varios pueblos bajo su tutela. Como tales representantes tomaban posesión simbólica junto con otros principales de las tierras que se daban en los pueblos en calidad de bienes comunes. Debían atender al reparto de los servicios extraordinarios y del trabajo en las obras públicas; cuidar los caminos; controlar, junto con los cabildos, los bienes guardados en la caja de comunidad de los pueblos; vigilar la distribución justa de las aguas. En definitiva, a los gobernadores tocaba cuidar de que el buen orden y la "policía" reinara entre sus gobernados, distinguiendo a principales y macehuales, evitando alborotos y haciendo que cada uno cumpliera con diligencia las misiones que tuviera asignadas.

Con todo, la institución a la que los españoles asignaron de modo específico el control y gobierno de la población fueron los cabildos de indios. El cabildo fue una institución absolutamente nueva entre los

---

84. 1583. AGC, A1.11 leg. 5797 exp. 48859.

85. Algunas cuestiones generales relativas a las funciones de los caciques y gobernadores en Indias se pueden ver en Miguel A. González de San Segundo: *Op. cit.*, pág. 306 y ss. En relación con la Audiencia de Guatemala ver el ya citado artículo de Francisco de Solano:: «Autoridades indígenas y población india...» *Op. cit.*, págs. 137-138. Como las funciones otorgadas a los gobernadores eran prácticamente las mismas en la mayoría de los territorios indianos puede ser ilustrtivo el análisis del caso mexicano hecho por François Chevalier: «Les municipalités indiennes en Nouvelle Espagne». *Anuario de Historia del Derecho Español*, 15: 352-386. 1944. También para el caso mexicano se pueden consultar el trabajo de Gonzalo Aguirre Beltrán: «El gobierno indígena de México y el proceso de aculturación». *América Indígena*, 12 (4): 271-297. 1952; y el artículo de Mercedes Olivera: «La estructura política de las comunidades indígenas en el siglo XVI». *México Indígena*, 25 (Suplemento núm. 11). 1979.

mayas de Guatemala y su imposición por los españoles una consecuencia lógica de la formación de los pueblos de indios. La organización de las comunidades en forma de pueblos, según los patrones culturales castellanos, debía necesariamente llevar consigo la creación de una forma de gobierno también castellana y esa era el cabildo. Sin embargo, el cabildo de indios en los Altos de Guatemala no fue en el siglo XVI un fiel reflejo de la idea que los españoles tenían de la institución y ni mucho menos funcionó del modo que ellos habían deseado. Los indígenas lo aceptaron, pero introdujeron importantes modificaciones; lo adaptaron a su forma de concebir el gobierno de las comunidades y aceptaron a la fuerza el cambio formal de los órganos de poder político para tratar de que nada cambiara en las estructuras del poder prehispánico.

En Guatemala, los cabildos de indios fueron apareciendo a la vez que se iban llevando a cabo las reducciones. Legalmente la institución aparece en una orden dada por el príncipe Felipe a Tello de Sandoval, visitador de la Nueva España, en 1545. En ella, el príncipe dice que "los pueblos de indios de cada provincia se gobiernen por sus alcaldes indios y regidores elegidos en cada un año"(86). Esta primera orden se dio con carácter general para todas las colonias en una real cédula fechada el 9 de octubre de 1549; allí se daban las normas fundamentales para la creación de los cabildos, los miembros que los debían formar y las funciones asignadas a cada uno de ellos(87). La orden se cumplió pronto en Guatemala; ya en los años en que Cerrato realizó su famosa tasación los pueblos que estaban organizados disponían de su cabildo. En 1561 la mayoría de los pueblos tenían órganos de gobierno municipal(88).

La jurisdicción del cabildo se extendía sobre todas las personas avecindadas en un pueblo, sin importar la parcialidad a la que pertenecieran, y sobre las tierras que pertenecían al pueblo y a sus habitantes. Sin embargo, como en el Occidente de Guatemala había pueblos que tenían estancias en lugares alejados a su núcleo principal que no tenían órganos de gobierno municipal independientes, los cabildos de estas cabeceras también tenían autoridad sobre las personas que residían en dichas estancias. En algunos casos esta autoridad era ejercida directamente por los cabildos de las cabeceras y en otros por medio de autoridades delegadas.

---

86. González de San Segundo: *Op. cit.*, pág. 405.

87. *Ibid.*, pág. 406, y AGC, A1 leg. 4575 folio 110.

88. Carta del presidente Landecho al rey. 4 junio 1561. AGI, Audiencia de Guatemala, leg. 9.

Ese último era el caso, por ejemplo, de San Cristóbal Totonicapán que en 1578 reclamaba a la Audiencia poderes para disponer de su propio cabildo, dado que hasta esa fecha habían sido los alcaldes y regidores de su cabecera los que se habían encargado del gobierno de la estancia directamente(89). Entre los tzutujiles se daba la primera de las opciones: las autoridades municipales de las estancias de Atitlán eran nombradas cada año por los miembros del cabildo de la cabecera, y actuaban como autoridades delegadas de aquéllas de las que en realidad dependía directamente el gobierno. En el mismo caso se encontraban la mayoría de las estancias.

La composición de los cabildos variaba en función del número de vecinos de cada pueblo. La norma dada por las autoridades metropolitanas establecía que si un pueblo estaba formado por menos de cuarenta vecinos sólo tendría un alcalde; los que tuvieran entre cuarenta y ochenta deberían tener un alcalde y un regidor; y los muy numerosos podrían disponer, como máximo, de dos alcaldes y cuatro regidores(90). Además de éstos, cada cabildo podía disponer de otra serie de oficiales según las necesidades del pueblo en cuestión. Entre éstos se contaban los mayordomos, alguaciles mayores, escribanos, procuradores, etc.

Pero si esta era la norma, la realidad en los Altos de Guatemala fue distinta. Ciertamente el número de miembros del cabildo variaba según la importancia de la población, pero en los lugares muy poblados, el número de regidores excedía a menudo el de cuatro, llegando a seis y siete en los casos de poblaciones de la importancia de Atitlán y Tecpanatitlán. Por otro lado, los indígenas consideraban como miembros del cabildo a todos los principales que poseían jefatura de parcialidad —"cabezas de calpul"— aunque no tuvieran ningún puesto específico para el año correspondiente. De este modo el cabildo de Tecpanatitlán estaba compuesto en 1587 por dos alcaldes, cinco regidores, un alguacil mayor, un escribano y diez principales "cabezas de calpul"(91). De cualquier manera, tampoco el número de miembros se mantuvo permanente; si los datos disponibles son de fiar, tanto el número de regidores como el de otros oficiales de segunda categoría variaba de manera notable de un año para otro.

---

89. Los indios de San Cristóbal Totonicapán piden que se elija cada año un alcalde y regidores para recoger el tributo. 1578. AGC, A1.24 leg. 4646 exp. 39601.

90. González de San Segundo: *Op. cit.,* pág. 407.

91. Autos sobre los tributos que deben pagar los pueblos de Atitlán, Tecpanatitlán y Quezaltenango. 1588. AGC, A3.16 leg. 2800 exp. 40485.

Como los cabildos de indios se habían creado siguiendo el modelo de los ayuntamientos de los pueblos y ciudades de españoles, también las funciones de cada uno de sus miembros eran en lo posible semejantes a sus homónimos en aquéllos(92). Los miembros más importantes de los cabildos eran, lógicamente, los alcaldes; los regidores y los demás oficiales debían servir como auxiliares. Las funciones de los alcaldes estaban definidas en reales cédulas con validez para todos los pueblos de indios y se centraban en el gobierno general de los pueblos, la recaudación de tributos y la administración de justicia entre los vecinos.

En relación con las funciones de justicia, los alcaldes podrían conocer y fallar pleitos entre indios sobre asuntos civiles en primera instancia; las causas criminales quedaban en manos del gobernador indígena, aunque poco a poco éstos fueron perdiendo su poder en beneficio de las autoridades municipales. Debían prender a los delincuentes cuyos delitos excedieran de su jurisdicción y llevarlos a la cárcel del pueblo de españoles más próximo; asimismo tenían poder para prender a los negros y mestizos que cometieran delitos o molestaran a los indios de sus pueblos, mientras que llegaba alguna autoridad española que fuera competente para juzgarlos. Finalmente, podían castigar con un día de prisión y hasta seis u ocho azotes al indígena que faltara a misa en día festivo, se embriagase o cometiese una falta semejante.

En cuanto a la recaudación de los tributos, el alcalde debía cuidar de que éstos se recogieran a su debido tiempo y de guardarlos en la caja de comunidad hasta que fueran enviados a la capital, o su encomendero o el corregidor fueran a recibirlos personalmente. En esta labor debían ser auxiliados por los principales de las parcialidades y los indígenas especialmente designados como recaudadores. A su vez, en caso de existir gobernador, el alcalde debía en principio estar a lo

---

92. Sobre la composición de los cabildos de las ciudades de españoles y las funciones de sus componentes ver la tesis de Beatriz Suñe: *La documentación del Cabildo de Guatemala (siglo XVI) y su valor etnográfico.* Sevilla, 1981. Sobre cuestiones generales en torno a las funciones de los cabildantes se puede ver el trabajo de González de San Segundo: *Op. cit.;* también se trata de este tema, reducido al ámbito de la Nueva España en el ya citado artículo de François Chevalier («Les municipalités indiennes...»). Alfredo Jiménez en el artículo «Política española y estructuras indígenas: el área maya en el siglo XVI» (*Economía y sociedad en los Andes y Mesoamérica,* págs. 129-151, Madrid, 1979) recoge y comenta unas ordenanzas, dadas en 1552 por el oidor de la Audiencia de Guatemala Tomás López, en las que se presenta todo un programa para la asimilación de la población indígena; en estas ordenanzas se especifica la composición que deben tener los cabildos de indios y las funciones de sus miembros dentro del área de la jurisdicción de la Audiencia de Guatemala.

que aquél dispusiera. Igual que en la cuestión de la administración de justicia, entre alcaldes y gobernadores hubo conflictos de competencias en relación con cuál de los dos era el responsable en última instancia de que los tributos se recogieran. Finalmente, a los alcaldes correspondía el "gobierno general" de sus pueblos. Esta era la función esencial del alcalde y de los cabildos, y estaba así enunciada en la normativa emanada desde el Consejo de Indias, sin especificar qué significaba el término "gobierno general" ni dónde empezaban y terminaban las obligaciones de los alcaldes.

En Guatemala, el oidor García de Palacios confeccionó unas ordenanzas —repetidamente citadas a lo largo de este trabajo— dedicadas en su mayor parte a sistematizar razonadamente cuáles debían de ser las cuestiones que las autoridades indígenas debían tener presentes para desempeñar correctamente y con eficacia su oficio(93). Las ordenanzas, dictadas el año 1576, estaban dirigidas a las "autoridades de los pueblos de indios" en general, incluyendo en ellas tanto a los gobernadores como a los miembros de los cabildos, y especialmente a los alcaldes; sin embargo, dado su contenido, hay que concluir que García de Palacios estaba pensando fundamentalmente en estos últimos a la hora de redactarlas. Según el texto, las funciones de gobierno de los pueblos estaban relacionadas con el mantenimiento de los edificios tanto públicos como privados, el buen comportamiento de los vecinos, el control de éstos, el cuidado de la hacienda municipal, el buen servicio a los viajeros, etc.

En lo que se refiere al cuidado del aspecto del pueblo, los alcaldes debían velar por el buen estado de la iglesia, la casa de comunidad, la cárcel, las tiendas y el mesón o posada para descanso de los viajeros. Asimismo debían ocuparse de que los vecinos cuidaran el buen aspecto de sus viviendas, tanto el exterior como el interior, donde cada uno debía tener el mobiliario adecuado; los alcaldes estaban obligados a visitar periódicamente una por una todas las casas del pueblo, castigando al vecino que no mantuviera su vivienda en buena "policía".

Era obligación de los alcaldes que los vecinos observaran un comportamiento "político". Para conseguirlo debían tener en cuenta lo siguiente: cuidar de que ningún vecino tuviera en su casa a mujer casada que no fuera su esposa, para evitar pecados escandalosos, y obligar a que todo el que contrajera matrimonio edificara su propia vivienda; evitar que las indias acudieran a los *tianguez* después del

---

93. AGI, Audiencia de Guatemala, leg. 128.

atardecer, para evitar pecados públicos; hacer que las mujeres casadas convivieran con sus maridos y no los abandonaran bajo cualquier pretexto, y evitar que los alguaciles prendieran a las mujeres adúlteras sin el expreso consentimiento de sus esposos.

Correspondía también a los alcaldes velar por la hacienda municipal. En este sentido debía poner especial cuidado en que se cultivara una milpa de comunidad para que, con su producto y con las sobras del tributo de cada año, hubiera fondos suficientes en la caja comunal para hacer frente a los gastos del pueblo y sufragar las fiestas locales; con ello se pretendía evitar que por cualquier concepto se hicieran derramas entre los vecinos, algo normal en los pueblos y que los alcaldes debían suprimir. También tenían que cuidar del reparto equitativo de los trabajos públicos y de los servicios de turno y tanda, así como de que los españoles viajeros tuvieran siempre el servicio que las ordenanzas mandaban. Por el contrario, tenían que evitar que los españoles, tanto pasajeros como residentes en los pueblos, abusaran de los indios obligándoles a trabajar ilegalmente o no pagándoles los salarios estipulados por los servicios no obligatorios.

Por último, los alcaldes tenían bambién funciones de control de la población en el ámbito de lo religioso. Además de velar por la asistencia de los vecinos a la doctrina y a misa los días de precepto, tenían que cuidar de que los indios de sus pueblos no practicaran ningún tipo de ritos de su antigua religión —"idolatrías" y "hechicerías"— denunciando a los doctrineros los casos en que supieran o sospecharan que tales ritos se celebraban.

Los alcaldes debían estar auxiliados por los regidores que tenían así misiones análogas a las de sus homónimos en los ayuntamientos españoles. Los mayordomos y los alguaciles mayores tenían misiones específicas y permanentes. A los primeros correspondía controlar los bienes de la comunidad: debían tener un libro en el que asentar todas las cantidades que entraran o salieran de la caja de comunidad, y el concepto del gasto o ingreso; asimismo, disponían de una llave de las tres que tenía la caja, que siempre debía ser abierta en su presencia. Los alguaciles mayores eran los responsables de la ejecución de las órdenes de los alcaldes, y guardianes directos del orden público; estaban auxiliados por algunos alguaciles que no formaban parte del cabildo.

Finalmente, en los cabildos aparecían a veces otros oficiales tales como el escribano, oficio que ejercía algún indio que hubiera aprendido la lengua castellana y supiera escribir; era el encargado de levantar actas de las reuniones del cabildo y de redactar los documentos emanados de él. En ocasiones existía también la figura del procurador general, quien debía acudir a las autoridades superiores en representación del cabildo.

Los miembros de cada cabildo —en contraste con los gobernadores— eran elegidos al principio de cada año por los miembros del cabildo cesante, siguiendo también en ello la tradición de los ayuntamientos españoles. En principio todos los indios podían ocupar cualquier cargo municipal, con la sola condición de que tuvieran facultades para desempeñarlos y que observaran un comportamiento intachable, de modo que sirvieran de ejemplo al resto de los vecinos. Sin embargo, la realidad fue bien distinta. De hecho, los puestos rectores de los pueblos estuvieron siempre en manos de los principales de la comunidad: sólo hay referencia de un caso en el que un indio macehual ocupó el cargo de alcalde en el pueblo de San Antonio Suchitepéquez(94). Por lo general, los únicos oficios desempeñados por macehuales fueron los de alguacil, cargo que no pertenecía al cabildo y que carecía de poder decisorio en la comunidad. Se formó así en cada pueblo una camarilla de notables que —por lo menos durante el siglo XVI— monopolizó el poder político de sus comunidades. Además, se consideraba que un principal debía ocupar cargos del cabildo durante algún período: en 1570 un vecino de Samayac declaraba que había sido alcalde "como principal de este pueblo que es"(95). Por lo demás, como regla general, todos los principales que tenían la condición de jefes de parcialidad participaban en las reuniones del cabildo y firmaban en representación del pueblo en los casos necesarios.

Llegados a este punto es necesario preguntarse sobre la aceptación por parte de los indígenas de esta nueva institución de gobierno. La existencia del cabildo presuponía el hecho de que los pueblos eran unidades de convivencia, pequeñas comunidades en las que todos los vecinos alcanzaban un cierto nivel de integración, perseguían objetivos comunes y, en definitiva, consideraban al pueblo como la unidad fundamental de identificación comunal. Como ya se observó en el capítulo dedicado a la formación de los pueblos, las unidades de identificación de los indígenas, sus comunidades naturales, no fueron durante el siglo XVI los pueblos. El indígena estaba plenamente identificado con su grupo de parentesco, la parcialidad , y el pueblo no era más que un lugar en el que forzosamente tenían que residir. Cada indígena de-

---

94. Primer volumen de la residencia tomada al licenciado Francisco Briceño. 1570. AGI, Justicia, leg. 316.
95. Juicio de residencia del alcalde mayor de Zapotitlán Gasco de Herrera. 1567 AGI, Justicia, leg. 313.

bía obediencia y aceptaba la superioridad de los principales de su parcialidad, sus jefes naturales y tradicionales. Por encima de él existían otras autoridades que actuaban como representantes de los señores de cada estado. Sin embargo, el cabildo no tenía en cuenta las unidades de referencia de los indígenas; los cargos municipales podían ser ocupados indistintamente por gentes de cada una de las parcialidades que se habían reunido en el pueblo. Los vecinos tenían que acatar la autoridad de éstos y permitir que administraran sus bienes comunes. El enfrentamiento entre pueblo y parcialidad dio lugar entonces a conflictos que se trataron de superar adaptando el cabildo, haciendo que bajo la forma de una institución básicamente española persistieran en lo posible las estructuras tradicionales del poder indígena.

La primera adaptación ha sido ya citada. A pesar de que cualquier indígena podía ocupar puestos en los cabildos, sólo fueron los principales los que de hecho desempeñaron las funciones decisorias en los ayuntamientos. Además, el cabildo se convirtió en un consejo de gobierno local en el que participaban todos los jefes de parcialidad, aunque las funciones de responsabilidad y representación recayeran sobre unos cuantos cada año. Los conflictos entre las diversas parcialidades reunidas en un pueblo se resolverían repartiendo por igual los cargos de gobierno entre principales de cada una de ellas; de esta forma cada parcialidad era regida por sus jefes naturales que, al mismo tiempo, participaban en la toma de decisiones que afectaran a todo el pueblo y controlaban la caja de comunidad y los bienes comunes como milpas, estancias de ganado, etc.

Dos de los pueblos en los que estos enfrentamientos fueron más violentos son Santiago Atitlán y Santo Domingo Sacapulas. En el primero el conflicto surgió como consecuencia de una disputa en torno a la persona que debía ocupar el puesto de gobernador. Como el pleito fue zanjado al darle el título a su legítimo heredero, miembro de la parcialidad Ah Tziquinahay, los principales de la parcialidad Tzutujil pretendieron organizar su propio gobierno creando un cabildo independiente. Alegaron que el nuevo gobernador "los tiene muy avasallados y que pues ellos son también caciques y principales como los demás que quieren tener su preeminencia"(96). La parcialidad contraria, que dominaba en estos momentos los órganos de poder locales y territoriales, pretendía mantener su situación de privilegio:

---

96. Petición de los caciques de Atitlán sobre ciertas diferencias que tenían con don Pedro, gobernador del pueblo. 1563. AGC, A1.15 leg. 5946 exp. 52042.

411

"que no haya dos señoríos ni dos bandos, pues muchos
años ha que ha habido siempre un cacique y sus alcaldes
y todos sujetos a una parcialidad y que si se divide habrá
grandes escándalos y revueltas...

Y que en las milpas de la comunidad que no quieren
que haya partida en San Francisco ni en San Andrés ni
en San Bartolomé, como las quieren partir don Gonzalo
y los de su parcialidad, sino que todas sean una y lo que
sacaren de ellas se meta en la caja de la comunidad y quieren que sea una, pues que el licenciado Ramírez mandó
que hubiese tres llaves, y que la una la tuviese don Pedro
y la otra don Gonzalo y la otra el mayordomo que se llama Jerónimo de Mendoza, y que no es bien así, y que también quiere que haya dos justicias y dos cárceles y no
conviene pues hay un cacique natural, y que los alcaldes
que se eligieren en San Bartolomé y en San Andrés y en
San Francisco que no sean de los naturales de las dichas
estancias sino que de este pueblo provean naturales principales que lo sean y que los alguaciles sean de las dichas
estancias, y esto es lo que quieren".

El problema fue momentáneamente resuelto por el presidente
de la Audiencia dándole una solución de compromiso en la que ambos
grupos estaban de acuerdo:

"en cuanto al nombrar de los alcaldes se nombrará uno de
la parcialidad de los Acequinahais y otro de los Zutujiles
u otro, de manera que haya dos alcaldes, de cada parcialidad el suyo, y que cuando se hubieran de juntar a hacer
cabildo se junten entrambos dos alcaldes con los regidores
a le hacer y que sea un cabildo y que no sea cada uno por
sí, y que esté con el gobernador de dicho pueblo y su escribano y no se haga de otra manera. En cuanto a la caja
de comunidad mando que cada una de las parcialidades
nombre un mayordomo los cuales tengan cada uno de ellos
una llave de la dicha caja y que éstos tengan un libro con
cuenta y razón de lo que entra en la dicha caja y sale de
ella, y que no se pueda abrir sin que estén el gobernador,
alcaldes y escribano y que estén presentes también algunos principales que de la dicha parcialidad se puedan hallar..."(97).

_____
97. Ibid.

El conflicto en el pueblo de Sacapulas fue parecido, aunque la causa estaba en las diferencias existentes entre los grupos que ocupaban el lugar antes de la reducción y los que los frailes llevaron allí procedentes de otras regiones, los llamados "advenedizos"(98). La solución en este caso fue muy semejante al anterior y también se llegó a ella previo acuerdo entre las partes en litigio.

Pero no fue el conflicto entre parcialidades por el control de los órganos del poder la única consecuencia de la nueva situación. Como se indicó al principio de este apartado, los españoles pretendieron tener en las autoridades indígenas sus más fieles aliados de entre los indios, y para conseguirlo confirmaron y reforzaron su poder y les concedieron privilegios de diverso orden. En muchas ocasiones los conquistadores consiguieron sus objetivos: los principales se vieron dotados de un poder casi absoluto frente a sus hermanos de raza y lo utilizaron, ya que sirvieron de intermediarios en la explotación desmesurada llevada a cabo por los españoles a la vez que se sirvieron de su poder en beneficio propio. Quizá hay que ver aquí una de las consecuencias más negativas de todo el proceso colonizador, a la vez que una de las causas de la lucha por el poder local entre los principales de cada comunidad.

En efecto, aunque muchas voces se alzaron entre los españoles que consideraban la conveniencia de que los indígenas se rigieran por sus propios señores naturales, otros muchos denunciaron los constantes abusos que éstos cometían en los pueblos. En 1556 el oidor Ramírez informaba sobre ello al rey:

"en los pueblos de naturales entre sí hay gran desorden en lo que toca a la policía, porque hay muy poca orden entre ellos, ni justicia, y el que más puede más roba. A las viudas y los pobres se les hacen mil fuerzas y les quitan las tierras y haciendas; con los menores no hay cuenta, el pariente más cercano o vecino les toma lo que les quedó de sus padres y de quien más fuerza saben es de los caciques y principales y parientes. Pecados públicos los hay entre ellos muy grandes y los más se quedan sin castigo porque no vienen a justicia de la Audiencia, y aunque se les han dado alcaldes indios por cédula de V. M., éstos son los que hacen más daño, porque no se les toma cuenta

---

98. Pleito de parcialidades de Citalá, Zacualpa y Coatán contra la de Sacapulas. 1640. AGC, A1 leg. 9942 exp. 51995.

de los oficios y es darles más autoridad para robar..."
(99).

En 1570 el alcalde mayor de Zapotitlán Diego Garcés, hombre que en sus escritos muestra un buen conocimiento del área y de sus habitantes, informaba al rey sobre la actuación de los gobernantes indios:

> "Todos los gobernadores indios, en general, son perjudiciales; roban las haciendas así de comunidades como de particulares, y hacen otras muchas fuerzas y agravios y echan derramas a los macehuales..."(100).

Y en 1572 insistía de nuevo sobre el tema:

> "los gobernadores indios son muy perjudiciales en los pueblos y de ningún fruto, porque como son gobernadores y principales temen los pobres indios y por muy grandes fuerzas y robos y cohechos y prisiones que les hagan no se osan quejar, y si alguno se queja le buscan luego por donde destruirlo y le dicen que el alcalde mayor se ha de ir y que ellos han de quedarse allí siempre y que se lo han de pagar..."(101).

Pero las denuncias no venían sólo del lado de los conquistadores. También los indios acusaban a veces a sus principales por abusos y complicidad con los encomenderos. Uno de los casos más evidente aparece en un expediente de autos hechos contra un encomendero de Samayac, uno de los pueblos cacaoteros de la Bocacosta. Para conseguir cacao a bajos precios el encomendero utilizaba el poder de los principales a los que regalaba vino a cambio de sus favores. En el expediente, un principal del pueblo denuncia al gobernador indígena de colaborar con el encomendero en las compras ilegales:

> "Don Diego Vázquez, indio principal, vecino de este dicho pueblo [...] dijo que lo que sabe y pasa es que este Santiago, que ahora viene a hacer un año, que Diego Ramírez, gobernador, convidó por el día de su fiesta a este testigo y a don Juan de Ananías y a otros principales a

---

99. Carta del licenciado Ramírez al rey. 1556. AGI, Audiencia de Guatemala, leg. 9.
100. Carta de Diego Garcés al rey. 1570. AGI, Audiencia de Guatemala, leg. 9.
101. Carta de Diego Garcés al rey. 1572. AGI, Audiencia de Guatemala, leg. 55.

comer a su casa, y después que les hubo dado de comer
dio a cada uno un cubilete de vino de Castilla y les dijo
acabado de comer y beber que les perdonasen que no había podido hallar más vino de aquello poco, el cual se lo
había dado Diego Ordóñez de Villayçan su encomendero;
y que habrá dos años que el dicho Diego Ordóñez dio a
este testigo y a Diego Ramírez y a don Juan de Ananías
y a los demás principales a cada uno un jarro de vino y
les dijo que le rescatasen un poco de cacao y les dio primero para quince cargas de cacao a treinta tostones cada
carga y acabadas de se las rescatar les dio para otras
diez…"(102).

El caso denunciado por este principal no debía ser raro ni accidental en la actuación del gobernador de Samayac. Don Diego Ramírez era un indígena aculturado. Sabía hablar correctamente español
y escribir en esta lengua; además, parece que había asumido algunos
valores de la nueva cultura, sobre todo en lo que refería al concepto
que los españoles tenían de los indios. El mismo se definía como "hombre quieto y buen republicano, que procuro que en los indios del dicho mi pueblo haya toda policía y que siembren y no consiento que
haya holgazanes". Veinte años antes del caso denunciado, en 1580, un
principal de San Francisco Zapotitlán decía que Diego Ramírez era
"indio soberbio e inquieto" del que se quejaban a menudo los vecinos
de Samayac; que solía "echar derramas entre ellos" con cierta frecuencia y bajo cualquier pretexto, y le acusaba de ser revoltoso, "ladino", borracho, y amante de los pleitos.

Los casos más frecuentes de abusos de las autoridades indígenas se produjeron en los pueblos de la Bocacosta en donde la derrama solía ser un medio habitual utilizado por los principales para
obtener cacao y algodón. Esto no es extraño ya que al ser la Bocacosta la región en la que más presión hicieron los españoles también
tenían que ser sus habitantes los que más sufrieran la crisis de la
conquista y antes rompieran con su propia tradición. Sin embargo,
también existen acusaciones contra principales de poblaciones de los
Altos que —como en el caso de San Cristóbal Totonicapán— se apro-
piaban de los tributos de sus pueblos y estancias, o robaban los fondos de la caja de comunidad.

---

102. Autos hechos para averiguar si los españoles venden vino a los indios. 1603.
AGC, A1.21 leg. 5532 exp. 4.817.

Parece, por tanto, que fue en el ámbito de lo político donde más rápidamente se hicieron notar los efectos desorganizadores de la presencia española. La desaparición de las estructuras estatales de los Altos de Guatemala y la paulatina descomposición de los señoríos que integraban cada estado, como consecuencia del sistema tributario y de la política de reducciones desarrollada por los españoles, son buena muestra de que así sucedió. La aparición de los cabildos de indios fue otro de los cambios importantes en el sistema de organización política de los indígenas en su nivel más bajo; pero en este caso los conquistados pusieron en funcionamiento mecanismos de adaptación que les permitieron mantener los aspectos esenciales de su antiguo sistema de organización del poder encubiertos bajo las formas de la nueva institución.

ANALISIS
Y
CONCLUSIONES

En los comienzos del año 1524 Pedro de Alvarado, acompañado de un reducido grupo de conquistadores españoles y auxiliado por unos trescientos mexicanos, atravesaba el Soconusco y se disponía a conquistar las tierras de Guatemala para la Corona de Castilla. Poco tiempo después y tras algunos combates con el ejército indígena, se apoderó de importantes centros ceremoniales y administrativos del estado quiché —Xetulul y Xelajuj— y de su capital, K'umarcaaj, a la que destruyó.

Después del incendio de K'umarcaaj y la ejecución de los señores quichés, Alvarado recibió pleitesía de los cakchiqueles y con su concurso venció al estado tzutujil. Pero la conquista de Guatemala no terminaría con el sometimiento de Tziquinahay y la primera fundación de la ciudad de Santiago de los Caballeros en el mismo lugar en que se levantaba Iximché, el centro político del estado cakchiquel. La codicia de los conquistadores provocó muy poco tiempo después una rebelión de los cakchiqueles, hasta entonces aliados de Alvarado, a la que se unieron algunos grupos quichés que no se resignaban a perder su independencia.

Durante los dos años que duró la rebelión, el Adelantado tuvo que hacer frente a los sublevados allí donde aparecían y se lanzó a la conquista de Zaculeu, la capital de los mames, empeño en el que tuvo que emplear una buena parte de sus fuerzas. En 1528 fueron dominados los focos rebeldes más importantes y hacia 1530 todo el territorio de Guatemala estaba controlado por los conquistadores.

A partir de 1530 los españoles pusieron en marcha los mecanismos que debían hacer de la recién conquistada tierra una más de las provincias del imperio español de Ultramar. Las instituciones que permitirían el control de la población y la explotación de los recursos del país eran ya conocidas, pero su adaptación a las necesidades de Guatemala fue un proceso largo y difícil que concluyó con el siglo.

Durante los setenta años que van desde el control militar de las poblaciones de Guatemala hasta el final del siglo XVI, los españoles fijaron sus propias instituciones político-administrativas —el cabildo de Santiago y la Real Audiencia—, sistematizaron mediante la encomienda la explotación de los recursos del país y emprendieron la inmensa labor de "civilizar" a los indios, trabajo que llevarían a cabo fundamentalmente las órdenes religiosas.

Este largo período de cristalización de las estructuras que definirían la nueva sociedad colonial puede ser considerado como un período *formativo*(1). En él se pueden distinguir dos fases bastante bien delimitadas. La primera ocupa los veinte años que van desde 1530 hasta la mitad de la centuria y se caracteriza, fundamentalmente, por ser una fase de inestabilidad social y de definición de los principios por los que se debía regir la colonia, tanto en lo que se refiere a los españoles como en la política a seguir con la población indígena.

La segunda fase abarca desde 1550 hasta aproximadamente el final del siglo. Al comienzo de estos cincuenta años ya estaban bien definidos los objetivos a conseguir y los mecanismos que había que utilizar para alcanzarlos, y se habían introducido cambios importantes en la cultura de las poblaciones sometidas, Hacia 1600 tanto la sociedad española como la indígena, las dos "repúblicas", habían llegado a una posición de estabilidad que permitió el pleno funcionamiento de las instituciones y la consolidación de la sociedad colonial durante la siguiente centuria. En la transición entre una fase y otra desempeñaron un papel fundamental dos españoles de una personalidad y un carácter extraordinarios: el licenciado don Francisco Marroquín, primer obispo de la diócesis de Guatemala, y el licenciado López de Cerrato, presidente de la Audiencia Real de los Confines.

Hasta 1550 la gobernación de Guatemala se caracterizó fundamentalmente por el predominio social y político de los *conquistado-*

---

1. El término *formativo* se utiliza aquí con el sentido de período en el que se están poniendo los fundamentos de lo que va a ser una sociedad nueva y distinta a las que se pusieron en contacto y protagonizaron el fenómeno de la conquista. Un tratamiento más extenso de lo que implica esta fase en la constitución de la sociedad colonial en América se encuentra en el trabajo de Alfredo Jiménez y otros: «La cultura indiana como resultado de un proceso de adaptación: notas sobre Guatemala en el siglo XVI». *Primeras Jornadas de Andalucía y América*, vol. 2 págs. 213-237. La Rábida, 1981.

res. Fueron años de incertidumbres políticas y de explotación incontrolada de la población indígena. Entre 1524 y 1540 le gobierno estuvo en manos del Adelantado Pedro de Alvarado; tras su muerte hubo unos años de interregno que terminaron con la creación de la Audiencia, en 1542, y el nombramiento de Alonso Maldonado como su primer presidente. En 1548 este último fue sustituido por López de Cerrato que tomaría para sí la misión de hacer cumplir las Leyes Nuevas y restar influencia al poderoso grupo de conquistadores y primeros pobladores que habían impuesto su voluntad al anterior presidente.

Fueron años en los que la explotación de los recursos no se hacía de manera sistemática y racional ya que, entre otras razones, no estaba bien definida la política tributaria a seguir con los indígenas. El primer reparto de encomiendas lo había hecho Pedro de Alvarado entre los miembros de su hueste. A los principales conquistadores les repartió los mejores pueblos en los que se obtenían importantes cantidades de cacao como tributo; para él también se reservó una buena serie de encomiendas de las más rentables. El tributo no estaba tasado porque ni se sabía exactamente cuántos indios había en cada pueblo, ni a los beneficiarios de las encomiendas interesaba que se reglamentara la cantidad de tributo que debían pagar sus indios ni qué tipo de servicios podían exigirles.

El primer cambio en esta situación se produjo poco después de la muerte de Alvarado, en México, y la de su viuda que actuaba como gobernadora, en la catástrofe natural que acabó con la ciudad de Santiago en 1541. El rey se había dado cuenta de hasta qué punto Alvarado y sus hombres se habían enseñoreado del país y, para acabar con aquella situación, ordenó que todas las encomiendas que vacaron tras la muerte de Alvarado y de su esposa pasaran a ser propiedad de la Real Corona. De este modo el rey comenzó a recibir algunas rentas de una tierra que hasta entonces había procurado muy poco beneficio.

Pero esta medida no puso fin al poder que los conquistadores y primeros pobladores tenían en Guatemala. El presidente Maldonado se identificó con los intereses de esta poderosa camarilla a cambio de tener libertad para conceder favores entre la corte de parientes y paniaguados que le acompañaba. Se hicieron nuevos repartos de las encomiendas, pero en ninguna manera se pusieron frenos a la explotación de indígenas, aunque ya para esas fechas eran conocidas en Guatemala las Leyes Nuevas donde se definía la política a seguir con los vencidos.

El cambio más importante en el tema de la explotación de los naturales se produjo cuando Cerrato llegó a la Audiencia, en 1548, con el nombramiento de presidente. Cerrato iba dispuesto a que la ley imperara en su jurisdicción; era un celoso funcionario y consideraba su obligación ineludible velar los intereses reales allí donde sus servicios fueran requeridos. La primera medida que adoptó al tomar posesión de su cargo fue contar y tasar a toda la población indígena para evitar los constantes abusos a que éstos se veían sometidos. Para conseguir sus propósitos Cerrato se tuvo que enfrentar —a veces de manera muy violenta— con los más importantes vecinos de Santiago. Los suyos fueron años de conflicto permanente, pero al final de su presidencia estaban sentadas las bases que permitirían una explotación sistemática de los recursos del país.

Otro asunto en el que la Corona intervino a mediados de la centuria fue el de la reglamentación de la propiedad de la tierra. Aunque en principio el rey era por derecho de conquista propietario de todas las tierras conquistadas, los años que corrieron entre 1524 y 1550 estuvieron dominados en este aspecto por la expoliación de tierras a los indios por parte de los conquistadores, sin atender a la normativa que había sobre el tema. En 1549 fueron emitidas dos reales cédulas en las que se ordenaba una revisión de los títulos de propiedad de tierras que los conquistadores y pobladores pudieran tener, y se les obligaba a dejar aquéllas que hubieran adquirido haciendo fuerza a los indios o por procedimientos ilegales. Aunque las cédulas no tuvieron todo el efecto que de ellas se esperaba, significaron de hecho un paso decisivo en la ordenación de la vida colonial y de las relaciones entre indios y españoles.

También a mediados de la centuria se había perfilado de forma casi definitiva la estructura administrativa del territorio de la Audiencia y de modo más específico el que estaba bajo el gobierno directo del presidente-gobernador. Para el mejor gobierno del Occidente de Guatemala se creó la alcaldía mayor de Zapotitlán y los Suchitepéquez, órgano que tenía jurisdicción sobre las tierras que se extendían desde el lago Atitlán hasta la frontera con Chiapas y el Soconusco. La historia de la alcaldía durante el siglo XVI estuvo llena de conflictos entre las autoridades de la Audiencia y el Consejo de Indias, pero su existencia mostraba una vez más el afianzamiento del poder español y la estructuración de las instituciones que harían funcionar la colonia.

El otro gran aspecto de la acción española en América es el que refiere a la asimilación de la población indígena. Lo que en lenguaje de la época se llamó "cristianizar" y "civilizar". En este tema también fueron confusos los años comprendidos entre 1530 y 1550. Hubo que esperar hasta 1537, cuando Marroquín tomó posesión de la sede episcopal de Guatemala, para que la evangelización y el proceso de aculturación formal de los indígenas se hicieran de manera sistemática. El trabajo de Marroquín se orientó en dos frentes. Por un lado, trató de atraer a Guatemala a las órdenes religiosas y a miembros del clero secular para que ralizaran el trabajo directo con los indígenas. Por otro, emprendió el ambicioso proyecto de congregar a los indígenas que vivían dispersos, en pueblos construidos según el modelo tradicional español.

La llegada de las órdenes y el clero secular comenzó a ser sistemática a partir de 1540, cuando los primeros franciscanos fundaron un convento en Santiago y recibieron el encargo de misionar en el Occidente de Guatemala. Marroquín dividió el territorio de la alcaldía mayor de Zapotitlán entre las órdenes y el clero secular, dando a los clérigos y a los franciscanos las regiones más pobladas y ricas, y relegando a territorios menos importantes a dominicos y mercedarios. Se puede considerar que hacia 1550 el trabajo de la evangelización se realizaba de forma regular y que las ideas fundamentales del trabajo misional ya estaban fijadas.

En cuanto a la congregación de los indios en pueblos el esfuerzo de Marroquín no tuvo consecuencias inmediatas. El obispo se tuvo que enfrentar con la reticencia de la Corona que ponía bastantes impedimentos para que el proyecto se realizara. Durante diez años Marroquín luchó denodadamente por reunir a los indios alegando motivos de carácter práctico y doctrinal; si los indios vivían en pueblos se podrían controlar mejor, aprenderían a vivir de una manera civilizada —esto es, según los modelos de comportamiento españoles— y se les podría predicar la doctrina, lo que sería imposible si seguían viviendo esparcidos por los montes.

Al final de esta primera fase los deseos de Marroquín se convirtieron en realidad y comenzaron las reducciones de indios. Fue un trabajo hecho a medias por las órdenes religiosas y las autoridades coloniales. Hacia 1550 el proyecto recibió el apoyo del oidor Tomás López, uno de los hombres que mejor conoció a los indios de Guatemala y que había diseñado un plan concreto para su asimilación cultural.

En estas fechas ya se habían reunido los pueblos más importantes y se puede afirmar que comenzaba una fase en la que las nuevas instituciones irían desarrollando todas sus posibilidades. El tributo ya estaba bien reglamentado así como las demás obligaciones de los indios para con los españoles. Las instituciones españolas funcionaron con normalidad. Una vez que los indios vivían juntos, la evangelización progresaba más rápidamente y se pusieron en práctica las nuevas instituciones políticas por las que los indios debían regirse, los cabildos constituidos según el modelo español.

Durante la segunda mitad del siglo XVI no cambiaron aspectos fundamentales del sistema establecido por los españoles; las únicas modificaciones que se produjeron fueron consecuencia de reajustes en los esquemas definidos en 1550 para salvar dificultades y problemas que se iban presentando. Durante este tiempo la alcaldía mayor de los Suchitepéquez tomó la forma que había de mantener hasta la siguiente reforma administrativa, dividiéndose el territorio en corregimientos y dejando bajo la autoridad del alcalde mayor sólo una parte, aunque la más importante por su riqueza cacaotera. Los enfrentamientos entre clero secular y regular también disminuyeron al conseguir los franciscanos el control sobre Samayac y los pueblos de su visita.

El sistema tributario no cambió sustancialmente hasta el final del siglo cuando se decidió librar a los indios de las poblaciones serranas de la pesada carga que suponía entregar tributo en cacao cuando no disponían de cacaotales en la Bocacosta. Las disputas sobre tierras que se habían originado después de 1530, fueron poco a poco resolviéndose y se frenó en algún modo la expoliación de las tierras de los indios por medio de la real cédula de 1591. En ella se ordenaba que se procediese a realizar una "composición" de manera que se quitasen las tierras a todo el que no pudiera presentar título de propiedad expedido de la forma debida, a menos que llegase a un compromiso adecuado con las autoridades.

Se puede afirmar que hacia 1600 todos lo naturales estaban avencidados en algún pueblo, aunque de hecho no vivieran en él permanentemente. Los conflictos a que las reducciones dieron lugar entre las parcialidades también fueron resueltos en lo que tocaba a control de los bienes comunales y a la ocupación de los puestos de gobierno. Los cabildos de indios estaban, asimismo, definidos en este fecha: ya se habían regulado perfectamente las funciones y jurisdicción de la institución y las de cada uno de sus miembros. Finalmente, se rompieron los vínculos que unían a las cabeceras con sus estancias. Muchos de los pueblos de la Bocacosta que hasta entonces habían dependido social, política y económicamente de cabeceras serranas constituyeron su propio cabildo y tributaban por sí solos a sus encomenderos.

Así pues, el año 1600 marca un momento decisivo en la evolución histórica y cultural del Occidente de Guatemala. Antes de esa fecha se produjeron los cambios más importantes y se fijó el sistema colonial. A partir de 1600 y durante todo el siglo XVII no hubo transformaciones importantes en Guatemala, por lo menos en las estructuras básicas del sistema. La población indígena había entrado desde el mismo momento de la llegada de los españoles en una dinámica de cambio que evidentemente no cesó después de 1600, aunque se puede pensar que el siglo XVII fue un período de adaptación y fijación de las transformaciones operadas en su cultura durante la centuria anterior.

* * *

Las consecuencias de la presencia española sobre las poblaciones de las tierras altas occidentales de Guatemala se dejaron sentir antes de que indios y conquistadores se encontraran físicamente. Los frentes epidémicos que se extendieron por América Central desde el momento en que los españoles llegaron al Darién y México, diezmaron a los pueblos quicheanos antes de 1524. De acuerdo con las estimaciones que la mayoría de los demógrafos aceptan, un tercio de la población que vivía en el Occidente de Guatemala hacia 1520 pudo haber muerto antes de que Pedro de Alvarado y sus hombres conquistaran el territorio.

A partir de este primer impacto, la población indígena del área entró en un período de crisis demográfica que no terminaría —en su fase más aguda— hasta los años finales del siglo XVI. Hacia 1600 la población del Occidente de Guatemala había quedado reducida a una cuarta parte de la que había en 1524: de los 210.000 indígenas que podían habitar el área el año de la conquista quedaban al final del siglo unos 64.000. De acuerdo con nuestros datos, la mortandad más importante se produjo entre 1524 y 1580; después de esta fecha el descenso de población se fue haciendo cada vez menos importante, para entrar durante el siglo XVII en un período de estabilidad.

No deben quedar demasiadas dudas respecto a la causa de este impresionante desastre, quizá el más importante de cuantos haya podido sufrir un pueblo a lo largo de la historia. La mayoría de las muertes fueron provocadas por las enfermedades, sobre todo aquéllas de que eran portadores los españoles y que fueron desconocidas hasta ese momento por los habitantes del Nuevo Mundo. Entre estas enfermedades fue sin duda la viruela la que mayor número de muertes causó, pero también tuvieron efectos desastrosos el sarampión y las diversas infecciones víricas que —como la gripe— afectan gravemente el sistema respiratorio.

Con los conquistadores llegaron también gérmenes que se desarrollaron con extrema facilidad en el medio tropical, dando lugar a enfermedades como la disentería amebiana, la anquilostomiasis y la malaria. Estas últimas, sin producir tantas muertes como la viruela y el sarampión durante los primeros años de la colonia, han supuesto un azote permanente para la salud de las poblaciones que habitaban las regiones más cálidas y húmedas del área, la Bocacosta y la Costa. Por su persistencia se pueden considerar una de las más crueles herencias del contacto.

A los efectos producidos por estas enfermedades se sumaron las muertes causadas por las que eran propias del Nuevo Mundo que, al parecer, tuvieron especial virulencia durante el siglo XVI. Las constantes referencias de la documentación a las epidemias de "gucumatz" y "matlazáhuatl", dos pestilencias que algunos autores han querido identificar como "peste negra", obligan a pensar que tuvieron que producir muchas muertes entre los indígenas. A todo el cuadro hay que añadir las consecuencias de las pestes y mortandad que seguían a las épocas de carestía y hambrunas, también frecuentes en el Occidente de Guatemala durante el siglo XVI.

Sin embargo, la gran mortandad que sufrió la población de los Altos de Guatemala durante el siglo XVI no fue la más importante consecuencia de la conquista española, aunque desde luego sí la más espectacular de todas. El choque entre las culturas, la presencia permanente de los españoles en el área en posición de dominio y, sobre todo, la acción aculturadora desarrollada por las autoridades coloniales, tuvieron efectos más importantes porque alteraban las estructuras fundamentales de la cultura de los vencidos.

La política española en Indias estuvo dirigida a conseguir tres grandes objetivos: someter a la población indígena a la Corona de Castilla; civilizar a los indios, esto es, hacer que vivieran según los patrones culturales de los conquistadores, y aprovechar todas las posibilidades económicas de las tierras conquistadas, incluyendo desde luego las rentas que pudieran proporcionar la explotación del trabajo de sus habitantes(2). De las acciones emprendidas por los españoles para lograr estos fines y del contacto permanente de los españoles

---

2. Alfredo Jiménez: «Política española y estructuras indígenas: el área maya en el siglo XVI». *Economía y sociedad en los Andes y Mesoamérica* (J. Alcina, editor). págs. 129-151. Madrid, 1979.

con los indios se siguieron los cambios más importantes sufridos por las culturas indígenas después de 1524.

Los medios utilizados por los españoles para alcanzar sus objetivos fueron fundamentalmente tres. En primer lugar, para lograr el dominio político de la población destituyeron a los gobernantes prehispánicos y desarticularon las estructuras políticas de los estados de los Altos de Guatemala. Para "civilizar" a los indios emprendieron la tarea de evangelización, y obligaron a los indios a vivir en pueblos y a gobernarse por medio del cabildo. Finalmente, para obtener beneficios económicos impusieron el sistema de tributos que tenía en la encomienda su parte principal. ¿Cuáles fueron las consecuencias de estas acciones sobre los mayas del Occidente de Guatemala? ¿En qué medida los españoles lograron sus fines y en qué grado fueron alterados los patrones culturales indígenas?

Es evidente que el primer cambio importante en el sistema cultural de las poblaciones de los Altos de Guatemala fue la desaparición de los estados prehispánicos que existían en el área, desaparición que a veces fue unida a la ejecución de sus máximos representantes. Esta fue una consecuencia inmediata del hecho mismo de la conquista y suponía para los españoles alcanzar el primero de sus objetivos.

A partir de 1530 dejaron de existir los estados prehispánicos del Occidente de Guatemala; sus tierras y habitantes pasaron a formar parte de un sistema supraestatal que tenía su centro de decisión y poder en un remoto lugar de la Tierra, cuya máxima autoridad era un poderoso señor a quien todo el mundo se refería con el título de "Su Majestad" y que había recibido su poder directamente de Dios. Este nuevo señor todopoderoso tenía sus representantes en una ciudad fundada en los Altos por los recién llegados; allí residían las autoridades que los indios tenían que obedecer y que habían tomado para sí todas las funciones que antes competían a los señores supremos de cada uno de los estados. En consecuencia, entre los indios ya no había señores y vasallos; los nobles perdieron su señorío con la conquista, y todos los indios habían pasado a ser vasallos de los nuevos señores de barba y piel blanca que vinieron del otro lado del océano.

La desaparición de los estados prehispánicos y la dominación política de los españoles produjo cambios importantes en la infraestructura del sistema cultural de los pueblos quicheanos. Después de 1524 los habitantes del Occidente de Guatemala entraron a formar parte de un complejo sistema económico en el que estaban implicados el Viejo y el Nuevo Mundo. Los campesinos mayas de los Altos de Guatemala formaban el último escalón de ese sistema al

427

constituir sus excedentes de producción —sobre todo el cacao— una de las mercancías importantes del comercio colonial.

La introducción de los campesinos en la macroestructura económica que impuso la colonia hizo que los pueblos quicheanos perdieran el control sobre sus excedentes. El cacao era el producto más preciado que podía obtenerse en Guatemala durante el siglo XVI. Antes de la conquista el tributo en cacao entregado por los campesinos era enviado a las capitales de cada uno de los estados, desde donde era distribuido y empleado en la financiación de obras públicas, del ejército y de la administración, así como en el mantenimiento de las jerarquías gobernantes y de la nobleza. Otra parte de los excedentes se dedicaban al intercambio comercial que realizaban mercaderes en el Soconusco, uno de los más importantes puertos de comercio de Mesoamérica antes de la conquista española.

Después de 1524, el cacao que los indígenas producían entró en las corrientes de tráfico comercial que aparecieron con la colonia por dos vías diferentes. El que los indígenas tenían que pagar como tributo era recogido en el nuevo centro político —la ciudad de Santiago— y desde allí enviado como producto de comercio a la capital del virreinato novohispano que había sustituido al Soconusco como puerto comercial de primera importancia. Los campesinos no recibían por su tributo ningún tipo de recompensa que no fuera la predicación del evangelio y la "civilización". El excedente que se dedicaba al comercio también dejó de estar controlado por los indígenas: después de 1530 fueron mercaderes españoles los que compraban el cacao directamente a los indios en sus pueblos y lo vendían en México.

También en las formas de posesión de la tierra se produjeron cambios. Después de la conquista la Corona de Castilla quedó como propietaria de todas las tierras del Occidente de Guatemala. Se produjo una transmisión de todos los derechos de los estados prehispánicos al nuevo poder político que encarnaba el rey. A partir de este momento la Corona repartió tierras, como antes lo habían hecho los señores supremos de los estados, pero había nuevos beneficiarios —los conquistadores y pobladores— y los indígenas perdieron derechos de propiedad sobre muchas de sus tierras que no estaban cultivadas en el momento de la conquista.

Finalmente, con la caída de los estados desaparecieron asimismo todas las jerarquías de la religión oficial, y todos los cultos y ceremonias que éstas realizaban. Era una consecuencia lógica de la conquista ya que en el sistema indígena las jerarquías políticas y religiosas se identificaban en la práctica, y ambas eran incompatibles con el nuevo orden. Los españoles destruyeron también, en la medida en que les fue posible, todo el ceremonial que tuviera alguna relación con lo que denominaban hechicerías y cultos idolátricos; pero en este aspecto la acción española sólo condujo a una desaparición de los aspectos externos de las formas religiosas ya que controlar la mente y las creencias de los indígenas era mucho más difícil, sobre todo cuando los mismos indios no estaban dispuestos a cambiar sus más íntimas convicciones.

Todos los cambios que venimos enumerando se produjeron siempre que los españoles encontraron poblaciones indígenas organizadas en estados; no fueron, por consiguiente, un fenómeno exclusivo de la presencia española en Guatemala aunque en cada una de las áreas en que se produjo presentara algunos aspectos diferentes en función de las variables específicas que en ellas se dieran. En el Occidente de Guatemala estos cambios en las estructuras sociales, políticas, económicas y religiosas de los estados prehispánicos tuvieron escasa repercusión en la vida diaria de la población campesina que ya había sufrido y superado invasiones semejantes en otras épocas de su historia.

No hay que olvidar que los estados que los españoles encontraron en el Occidente de Guatemala habían aparecido como consecuencia de la irrupción de los pueblos quicheanos —de origen mexicano— en las tierras altas mayas tres siglos antes de la llegada de Alvarado y sus hombres. Para el campesino que vivía en los Altos de Guatemala casi siempre el poder de los señores de K'umarcaaj o de las demás capitales de sus respectivos estados era algo muy lejano, y notaban su presencia más por la acción de las autoridades delegadas de aquéllos y por las cargas tributarias que estaban obligados a satisfacer, que por una identificación con sus personas o por el contacto directo con ellos. De este modo, para el campesino la desaparición de la jerarquía política tenía poco significado; tanto menos si se considera que de tal desaparición se siguió un relativo aumento del poder de los señores étnicos que —a veces aliados con los españoles— se portaron en muchas ocasiones de un modo más tiránico que antes de la conquista. El dominio español significó, por otra parte, la paz entre los propios indios que durante el siglo inmediatamente anterior a la conquista vivían en guerra permanente con la carga que esta situación llevaba aparejada para toda la población.

La desaparición de las jerarquías de la religión oficial y de los cultos y ceremonias relacionadas con ella tampoco debieron ser importantes para el campesino. Esta religión había sido asimismo impuesta y convivía con formas de culto locales y familiares que habían sido practicadas desde tiempos remotos por estas poblaciones. Aunque la religión oficial desapareciera, sería muy difícil que los indígenas dejaran de practicar ceremonias y cultos familiares y locales que, además, difícilmente podían ser descubiertos o controlados por los conquistadores.

En cuanto a los sistemas de organización social, tampoco la desaparición de la división entre señores y vasallos debió afectar demasiado a los estratos más bajos de la población. No desaparecieron las diferencias entre los "principales" y los que no lo eran, ni los primeros dejaron de tener poder político. Por otro lado, los indígenas tenían asimismo un sistema de organización social con base en el parentesco que no podía desaparecer, aunque la conquista y la acción de los españoles hubiera hecho que otras formas de organización social dejaran de existir.

En último lugar, la destrucción de la estructura económica estatal no pudo tener por sí misma importantes repercusiones entre la mayor parte de los indígenas, ni en su sistema de producción ni en sus formas de vida económica. El maya de Guatemala estaba habituado a entregar a sus gobernantes importantes cantidades de sus excedentes de producción. La presencia de los nuevos señores sólo produciría, por consiguiente, alguna modificación —y no demasiado importante en el siglo XVI— en las especies en que el tributo debía ser entregado y en las cantidades que cada campesino tenía que pagar. En este aspecto fue más notable la sustitución de los mercaderes indígenas por españoles que tomaron para sí el beneficioso tráfico comercial de cacao entre Guatemala y México.

Las alteraciones más importantes en los modos de vida de la población de los Altos de Guatemala se produjeron como consecuencia de las acciones emprendidas por los españoles en orden a explotar las riquezas del país y a conseguir que los indígenas vivieran según las pautas de conducta que consideraban propias de gente civilizada, y se convirtieran a la fe cristiana. Algunas de estas alteraciones fueron consecuencia de la acción directa de los españoles que trataron de imponer a los indígenas modos de vida y formas de comportamiento imperantes en la España de la época; es decir, fueron resultado de lo que en términos antropológicos se conoce como procesos de aculturación *formal*.

Otras modificaciones se produjeron como consecuencia de los cambios que las anteriores transformaciones provocaron en el sistema cultural de las poblaciones dominadas. Eran cambios que necesariamente se tenían que producir ya que suponían adaptaciones que el sistema tenía que realizar para asimilar los nuevos elementos que en él se habían introducido. Se puede considerar que fueron transformaciones debidas a procesos de aculturación indirecta, esto es, no buscados directamente por los agentes provocadores del cambio, los españoles en este caso.

Finalmente, en el proceso total de cambio hay que considerar también las alteraciones de la cultura indígena producidas o estimuladas por la mera presencia española y el trato directo y permanente entre indios y españoles. Estas últimas tuvieron una intensidad muy variable en el Occidente de Guatemala debido a la lejanía del centro principal de población española. Los indígenas que sufrieron de una manera más contundente la presencia española fueron aquellos que vivían en los pueblos de la región cacaotera, donde los mercaderes españoles residieron de manera casi permanente a lo largo del siglo; por el contrario, el trato directo entre indios y conquistadores fue mínimo en las regiones montañosas del interior, en las que la presencia de los españoles se limitaba a la visita esporádica de algún doctrinero o de un funcionario real.

Como consecuencia de la presencia de estos procesos la cultura indígena sufrió transformaciones. Sin embargo, no todas tuvieron la misma importancia ni siempre los españoles alcanzaron los objetivos que se proponían con su política de aculturación. En muchas ocasiones el cambio sólo se produjo en aspectos formales de la cultura, es decir en la apariencia externa de las instituciones, sin que se alteraran las funciones y los significados que aquéllas tenían, bajo una forma diferente, antes de que se produjera el contacto cultural. En otros casos, el cambio no fue sólo de las formas sino también de las funciones y —en menor medida— de los significados de las instituciones culturales alteradas. Finalmente, muchas de las modificaciones provocaron procesos de adaptación del sistema cultural en su totalidad que comienzan a notarse a finales de la centuria, procesos que fueron consecuencia de la dinámica interna del propio sistema y cuyo resultado fue un nuevo sistema que tenía perfiladas sus características esenciales hacia 1600 y que se fijó de manera definitiva durante el siglo XVII.

Para obtener rendimiento económico de la colonia los españoles implantaron en Guatemala un sistema tributario que se basaba fundamentalmente en la encomienda, y obligaron a los indígenas a cultivar nuevas plantas y a criar animales hasta entonces desconocidos en el área. Para conseguir que se comportaran como gente "civilizada" hicieron que los indígenas vivieran en pueblos construidos a la manera de los pueblos españoles, trataron de destruir sus antiguas for-

431

mas de organización social y de vida religiosa, e impusieron en dichos pueblos instituciones políticas semejantes a las españolas —los cabildos— desde las que los indios principales debían gobernar cada pueblo. Además, tanto la congregación de pueblos como la nueva institución de gobierno indígena debían servir para lograr mejor y más fácilmente el primero de estos dos objetivos: al vivir en pueblos, los indios podrían ser mejor contados y tasados, y las autoridades municipales de cada pueblo servirían de recaudadores de los tributos, a la vez que de intermediarios entre la población indígena y los representantes del poder español.

De ambas acciones, emprendidas por los españoles de forma sistemática a mediados del siglo, resultaron cambios en los aspectos externos de la cultura de los conquistados. De este modo, los indios aceptaron algunos de los animales que los españoles llevaron al Nuevo Mundo (gallinas, caballos y más tarde ganado vacuno) y comenzaron a plantar nuevos árboles frutales. Sin embargo, los españoles no consiguieron que en el Occidente de Guatemala se plantara trigo y los demás cereales mediterráneos; el rechazo de los indios de los Altos occidentales de Guatemala a estas nuevas plantas se debía a dos motivos fundamentales: los indios se resistían a introducir en su dieta básica productos que no conocían ni necesitaban; además, en ningún momento se exigió a estas poblaciones que entregaran trigo como parte de su tributo al encomendero, ya que las necesidades de los españoles se cubrían con el cereal cultivado en las milpas cercanas a la ciudad de Santiago.

Los indios tuvieron que aprender también nuevas manufacturas. Unas eran utensilios que los españoles precisaban para el normal desenvolvimiento de su vida cotidiana, tales como mastellos, jáquimas, paramentos, sobrecamas, etc., y que los indios debían entregar como parte de su tributo. Otras las necesitaban los mismos indios para construir sus nuevos pueblos: tejas, ladrillos, objetos suntuarios para los nuevos templos, etc.

La reducción de los indios en pueblos emprendida por el obispo Marroquín tuvo importantes repercusiones en los aspectos más visibles de la cultura indígena. Como consecuencia de esta acción aparecieron en los Altos de Guatemala los pueblos de indios, lo que suponía un cambio importante en los patrones de poblamiento de los indígenas e incluso en el paisaje del área. Los centros ceremoniales prehispánicos fueron destruidos y en su lugar aparecieron los nuevos conjuntos en los que destacaban edificios como la iglesia, y las casas de cabildo construidos alrededor de una plaza rectangular según el modelo tradicional de los pueblos castellanos.

Los pueblos debían ser ahora el ámbito físico de las nuevas comunidades y para gobernarlos se impuso el cabildo formado por alcaldes y regidores. Se dotó a cada cabildo con un sistema de recaudación de fondos para cubrir las necesidades comunes, y se establecieron nuevos tipos de tierras —propios y ejidos— de las que eran poseedores indirectos todos los vecinos del pueblo y que debían ser administradas por las auoridades municipales. Dentro de estos pueblos, las antiguas organizaciones que agrupaban a los indígenas según las reglas del parentesco no eran útiles a los ojos de los españoles. En consecuencia, las parcialidades quedaban convertidas aparentemente en unidades de residencia (barrios dentro de los pueblos); muchas de ellas abandonaron sus nombres tradicionales para tomar el de algún santo cristiano, y sus antiguas prácticas religiosas fueron sustituidas, ante los ojos de los españoles, por cultos al santo patrón que daba nombre a la parcialidad.

Pero en muchas ocasiones estos cambios, que aparentemente suponían una transformación importante en los patrones culturales de los conquistados, no afectaron durante el siglo XVI a las estructuras básicas de la cultura y de la sociedad indígenas; sólo fueron cambios de los aspectos externos, mientras que las funciones de las instituciones permanecían inalterables; esto es, no se produjeron cambios funcionales como consecuencia de la presencia y de la acción aculturadora de los españoles.

La imposición de los nuevos tipos de tributos no tuvo consecuencias sobre la estructura económica de las comunidades indígenas durante los primeros años de la colonia. El indio estaba acostumbrado a tributar a sus antiguos señores; las especies en que entregaba el tributo eran sustancialmente las mismas y el sistema de recaudación tampoco fue alterado de una manera importante por los españoles, al menos antes de que se tasara cada pueblo por sí mismo y se rompieran las relaciones que habían existido desde antiguo entre las cabeceras y sus estancias.

Por otro lado, la creación de los pueblos tampoco tuvo los resultados apetecidos por los españoles ni dio lugar a cambios importantes hasta poco antes de 1600. El patrón de asentamiento de los mayas de los Altos de Guatemala respondía a las necesidades que imponía el medio; la agricultura de tala y quema exigía que cada familia de campesinos cambiara periódicamente su residencia y era impensable que existieran pueblos compactos ya que, en la mayoría de los casos, las milpas quedarían bastante lejos del lugar habitual de residencia. En consecuencia, antes de 1524 los indios vivían dispersos, en chozas y

433

jacales construidos cerca de las tierras cultivables, y mantenían un lugar de referencia en un centro ceremonial de pequeña importancia donde podían residir los principales, donde rendían culto a la deidad y en el que se celebraban encuentros periódicos los días de mercado.

La congregación de los indios en pueblos no tuvo consecuencias inmediatas para los indígenas. El pueblo no fue un lugar de residencia permanente porque los indios tenían que cultivar sus milpas y eso exigía que permanecieran en ellas durante una buena parte del año. La sustitución de los templos dedicados a los dioses tradicionales por la iglesia cristiana y la construcción de la casa del cabildo en sustitución del palacio donde pudieron residir los principales, fueron poco más que alteraciones formales. Con los nuevos elementos el pueblo seguía teniendo funciones de centro ceremonial, político y comercial, y mantuvo para los indios el carácter de lugar de encuentros y de referencia e identificación comunal, tal como lo había sido antes de la conquista. Además, muchos de los pueblos se fundaron sobre los primitivos centros políticos y ceremoniales lo que, en definitiva, facilitó a los indígenas la identificación de unos y otros, dando mínima importancia al cambio de aspecto.

La congregación tampoco provocó entre los indios cambios en la percepción de su grupo de referencia inmediata. La comunidad elemental de referencia de los mayas de los Altos de Guatemala era el patrilinaje que se conocía durante la colonia como "parcialidad". Los españoles trataron de hacer del pueblo una comunidad con una sola autoridad, bienes comunes, fiesta titular, etc., pero durante el siglo XVI seguía siendo la parcialidad y no el pueblo la unidad de referencia del indígena. En consecuencia, aparecieron múltiples conflictos en aquellos lugares en los que convivían diversas parcialidades, conflictos que tenían su justificación en la presencia de gente de cada parcialidad en los órganos de gobierno municipal y de control de bienes comunes, pero que en definitiva venían a mostrar que pueblo y comunidad no se identificaban.

Ante la presión de los conquistadores por conseguir que cada pueblo tuviera una sola autoridad, los indígenas aceptaron formalmente el cabildo municipal pero adaptaron sus funciones a sus formas de organización tradicionales. De este modo, el gobernador mantuvo su carácter de jefe de un chinamit, mientras los cabildos de cada pueblo agrupaban a los jefes de las pacialidades. Cuando en un pueblo hubo dos parcialidades, cada una disponía de la mitad de los puestos de responsabilidad municipal; si el pueblo estaba integrado por más de dos parcialidades las alcaldías y regimientos se repartían proporcionalmente y, en cualquier caso, todos los principales entraban a formar parte de los cabildos en calidad de tales.

La participación exclusiva de los principales en el órgano de gobierno municipal era una de las manifestaciones de la permanencia del sistema de estratificación social que existía antes de la conquista. Durante todo el siglo XVI en el Occidente de Guatemala hubo una clara diferencia entre principales y macehuales o gente común, diferencia que no era sólo de capacidad económica sino que se hacía visible en casi todas las manifestaciones de la vida comunitaria y que los españoles fomentaron liberando de cargas fiscales a los principales y dándoles ciertas prerrogativas. Cuando la crisis que indudablemente supuso la conquista fue aprovechada por algunos macehuales para intentar salvar las barreras que separaban un grupo y otro, los indígenas pusieron en marcha mecanismos que impidieron que se produjeran transgresiones a las normas.

Tres eran, en consecuencia, los rasgos que caracterizaban a los pueblos de indios que aparecieron en el Occidente de Guatemala en el transcurso del siglo XVI. Los pueblos eran durante la mayor parte del año lugares casi vacíos ya que los indios tenían necesariamente que vivir durante largos períodos allí donde tuvieran la milpa. No constituían comunidades, sino el lugar de residencia "oficial" de las parcialidades que habían sido obligadas a vivir en ellos; la parcialidad era la unidad de referencia del indígena, tenía sus propios medios de subsistencia (tierras, bienes, etc.), funcionaba como unidad económica independiente, y tenía sus representantes en los órganos de gobierno municipal. Hasta el final del siglo XVI los intereses de las parcialidades sólo fueron superados en unos pocos casos por los intereses que podían ser comunes a todos los vecinos de un mismo pueblo. En último lugar, los pueblos seguían siendo, igual que antes de la conquista fueron los centros ceremoniales, lugares de culto, sedes del poder político inmediato y centros de comercio, además de lugar de encuentro de todos los indígenas que habitaban en sus cercanías.

Pero si bien es cierto que los indígenas fueron capaces de asimilar los cambios introducidos por los españoles y adaptar sus instituciones a la nueva situación creada después de 1524, no lo es menos que el hecho mismo de la conquista y la política colonial tuvieron que producir una profunda crisis en la cultura de los conquistados. Las razones objetivas para que sucediera así son fundamentalmente dos. En primer lugar, toda situación de choque cultural producido de manera violenta, en la que una cultura vencedora ejerce el papel de dominante y trata de imponer sus patrones a la cultura vencida y dominada, da lugar a conflictos y a la disgregación o desestructuración de esta última. Tales efectos tienen como consecuencia importantes cambios en su sistema. En segundo lugar, al considerar la cultura como un sistema en equilibrio dinámico, la modificación repentina de cualquiera de sus elementos determina cambios sustanciales en todo el sistema, alteraciones que deben ser asimiladas y adaptadas para lograr un nuevo equilibrio.

En el Occidente de Guatemala se daban durante el siglo XVI ambas condiciones. De un lado, la dominación violentamente provocada por la conquista y la imposición de patrones culturales de los conquistadores; de otro, la alteración cuando menos formal de elementos de la cultura dominada y el consiguiente cambio en la totalidad del sistema.

Con la conquista, los estados prehispánicos del Occidente de Guatemala desaparecieron pero quedaron prácticamente íntegras las estructuras de las unidades territoriales que los componían, los pequeños señoríos que eran gobernados desde centros políticos y ceremoniales de segundo orden. Los descendientes de los señores que mandaban desde estos lugares fueron nombrados gobernadores por los españoles y se les dieron competencias sobre los indios que vivían en los territorios que componían el antiguo señorío. De esta forma se convirtieron en máximos representantes del poder indígena, en la autoridad política más alta de la "república de los indios", aunque compartían algunas tareas con los otros principales que formaban el cabildo de caba pueblo.

En esta situación, el cacique o gobernador indígena y los principales formaron un grupo privilegiado por los españoles que debía servir de nexo entre una y otra república. Muchos de estos principales y caciques pronto aprendieron la lengua de los conquistadores y aceptaron gustosamente el papel de intermediarios, ejerciendo a veces con tiranía sus funciones de gobierno. En los lugares donde la presión de los españoles era mayor —en la Bocacosta— muchos de estos principales se pusieron resueltamente del lado de los explotadores y cooperaron al expolio de su propio pueblo, a cambio de privilegios en el trato y de alcanzar también para ellos mismos algunos beneficios económicos.

También fue consecuencia indirecta de la conquista la crisis que comenzó a producirse en los sistemas que servían para adscribir a un individuo en el grupo de los principales o de los macehuales. La pertenencia a un grupo u otro venía determinada por el nacimiento y antes de la conquista la movilidad social fue prácticamente nula.

Aprovechando la confusión que se produjo en los primeros años de la colonia, algunos macehuales trataron de aparecer ante los españoles y ante los mismos indios como principales, intentando así disfrutar de los privilegios de rango y poder que ese estatus llevaba consigo. Para conseguirlo utilizaron mecanismos que la cultura de los conquistadores puso a su alcance. En general los indios macehuales que disponían de dinero y pretendían cambiar de estatus aprendieron la lengua española, se hicieron "ladinos", se comportaron como cristianos, y trataron de aparentar en su atuendo y en sus acciones tener calidad de principal. En definitiva, trataron de imitar en lo posible un comportamiento corriente entre los españoles que vivían en la ciudad de Santiago, según ha mostrado Pilar Sanchiz en su trabajo sobre los *hidalgos* de Guatemala.

A estos efectos se pueden añadir los que se derivaban de la evangelización y de la presión que frailes y encomenderos ejercían continuamente sobre los indígenas; los que se siguieron en la introducción lenta pero firme del uso de la moneda; de la necesidad de utilizar los mecanismos de la justicia española, incluida la intervención de letrados; el uso de la burocracia y la comparecencia ante las autoridades judiciales de los conquistadores. Medios todos ellos que los indios aprendieron a utilizar rápidamente y con profusión en la multitud de litigios en los que se vieron envueltos.

Pero quizá la consecuencia más importante de la acción aculturadora emprendida por los españoles fue la desarticulación del sistema que permitía a los indígenas del Occidente de Guatemala explotar cada uno de los diferentes nichos ecológicos que existían en el área. La desaparición de este sistema de adaptación ecológica no había sido buscada directamente por los conquistadores; fue una consecuencia necesaria de los cambios introducidos en el patrón de poblamiento y de la política tributaria seguida después de las reformas del presidente Cerrato.

El sistema de control de diferentes nichos ecológicos se basaba fundamentalmente en la dependencia directa de las estancias de sus respectivas cabeceras y en la conciencia que tanto los habitantes del núcleo central como los de las estancias tenían de formar una sola comunidad. Eran estos lazos los que permitían a las poblaciones de los Altos disponer y explotar tierras en lugares muy alejados —a varias jornadas de camino en ocasiones— sin que la distancia hiciera que la gente que vivía en las estancias tendiera a formar comunidades independientes. Cabecera y estancias formaban un cuerpo social integrado por lazos políticos, económicos, sociales y simbólicos.

La creación de los pueblos de indios —con sus correspondientes instituciones de gobierno— y la especialización del tributo que cada pueblo debía entregar en función de su situación geográfica, hicieron que a finales del siglo el sistema presentara claros síntomas de descomposición.

Después de las reformas de Cerrato y de la congregación de los pueblos, las estancias dependían políticamente de sus cabeceras, y unas y otras formaban una sola unidad tributaria. Además, la gente que vivía en las estancias pertenecían a parcialidades que tenían su asentamiento principal en la cabecera y por consiguiente su comunidad de referencia era la misma. Poco a poco debió ir adquiriendo importancia la relación que imponía la comunidad de residencia, la *vecindad*, y se fueron superando en alguna medida los lazos del parentesco cuando las distancias entre cabecera y estancias eran considerables. Este proceso fue paralelo al deseo de los habitantes de las estancias de regirse por cabildos nombrados directamente por ellos y no designados por las autoridades de las cabeceras. Ambas transformaciones llevaban a la desaparición de la unidad política y social entre cabeceras y estancias. El último paso hacia la desintegración del sistema fue la tasación independiente de los tributos de las cabeceras y las estancias en la década final del siglo.

A partir de ese momento las nuevas generaciones habrían perdido cualquier tipo de vinculación con las cabeceras y el sistema estaba destinado a desaparecer. De este modo, las grandes unidades sociopolíticas que fueron los estados de los Altos occidentales de Guatemala acabaron siendo únicamente entidades lingüísticas; un área ocupada por poblaciones desvinculadas entre sí que hablaban la misma lengua y participaban difusamente —como hasta hoy— de una cultura generalizada en todas las Tierras Altas mayas. Un modo de vida que en la actualidad sirve para distinguir entre "naturales" y "ladinos", como durante la colonia distinguió entre indios y españoles.

Para finalizar, se puede afirmar que los españoles consiguieron sus objetivos, y los indios aceptaron el cambio, en las estructuras superiores y en los aspectos más visibles del sistema cultural de los conquistados. Por el contrario, los aspectos más íntimos de la cultura, aquéllos que estaban firmemente arraigados en la mente del indígena y que se habían mantenido casi inalterados a lo largo de siglos, no sufrieron transformaciones sustanciales. Son las formas de vivir, mantenidas hasta hoy, que han permitido que el Occidente de Guatemala sea en la actualidad una de las pocas áreas de la América de habla española donde la tradición indígena aún permanece viva.

Los indios permitieron o soportaron la desaparición de las grandes estructuras políticas y religiosas, se reunieron en pueblos, adaptaron sus sistemas de organización social, política y económica a las nuevas instituciones que se crearon en la colonia. Sin embargo, mantuvieron a toda costa dos aspectos esenciales de su cultura que difícilmente podían ser descubiertos y a los que los españoles no pudieron acceder: las creencias y la vida familiar.

Los mayas del Occidente de Guatemala han sabido mantener, siempre que les ha sido posible, unas formas elementales de vida religiosa —cultos y ritos— y un sistema de creencias en perfecta convivencia con la religión que los conquistadores impusieron. En muchas ocasiones, incluso las prácticas religiosas formalmente cristianas escondían significados de las antiguas creencias, dando lugar a un importante fenómeno de sincretismo que todavía no ha sido estudiado con la profundidad y el rigor necesarios.

En relación con las formas de organización por el parentesco, los indígenas han mantenido hasta hoy los patrilinajes con las mismas características esenciales que tenían antes de 1524. Para conseguirlo aceptaron cambios en los aspectos más visibles del sistema, sustituyendo el nombre, tomando un santo cristiano como patrón, y posiblemente transformando el patrilinaje en "cofradía". La formidable capacidad de adaptación cultural de los mayas en Guatemala —de la que han dado muestras a lo largo de los siglos— hizo que supieran abandonar o transformar este o aquel aspecto superficial de la institución para lograr mantener sus rasgos esenciales y, en definitiva, su supervivencia.

Ha sido, sin duda, esta colosal capacidad para mantener inalterables dos elementos esenciales de la cultura —el sistema simbólico y el familiar— lo que, unido al uso de la lengua tradicional, ha permitido que hoy se pueda hablar de un pueblo y una cultura mayas pese a las sucesivas dominaciones políticas y culturales que estos hombres han padecido a lo largo de la historia.

FUENTES DOCUMENTALES

ARCHIVO GENERAL DE INDIAS

SECCION AUDIENCIA DE GUATEMALA

GUATEMALA, 8

1553 mayo 22

Carta de fray Tomás de la Torre, provincial de la Orden de Santo Domingo, al rey sobre la actuación de los clérigos.

GUATEMALA, 9

1545 diciembre 24

Carta del licenciado Herrera al rey sobre los gobernadores de las provincias, trabajo de los indios y otros asuntos relativos a la jurisdicción de la Audiencia.

1549 mayo 21

Carta del licenciado Cerrato al rey con quejas por la situación creada por el anterior presidente, sobre todo en lo referente al tratamiento de los indios. Solicita mayor número de oidores que le ayuden en la visita. Trata del orden que han de seguir las encomiendas y de la revisión que se tiene que hacer de las tasaciones.

1549 julio 26

Carta de Cerrato al rey sobre la Hacienda Real, traslado de la Audiencia, indios, diferencias entre pobladores y clérigos, encomiendas, comunicaciones y otros asuntos concernientes a la jurisdicción de la Audiencia.

1550 junio 9

Carta de oidor Tomás López al rey sobre el estado en que halló la provincia de Guatemala a su llegada, la falta de doctrina por descuido de frailes y clérigos. Expone las líneas generales de un programa para mejorar la actividad de la administración y la Iglesia en Indias.

1551 marzo 18

Carta del oidor Tomás López al rey sobre el despoblamiento de la tierra, comercio, tamemes, esclavos, encomiendas, y algunas reformas que él cree conveniente se hagan en cuanto a la actuación de la Audiencia.

1554 agosto 27

Carta del licenciado Cerrato al rey explicando cómo, por cumplir y ejecutar los mandatos reales, es odiado por muchas personas en Indias.

1556 mayo 20

Carta del oidor Ramírez al rey sobre la labor de los religiosos, desmanes de los indios, actuación de los clérigos y otros asuntos relativos a la jurisdicción y estructura interna de la Audiencia.

1559 abril 28

Carta del licenciado Landecho al rey sobre la actuación de los oidores Loaysa y Mejía. Informa también sobre el mal trato que los clérigos dan a los indios.

1560 junio 30

Carta del presidente de la Audiencia al rey sobre asuntos de gobierno.

1561 junio 4

Carta del presidente Landecho al rey sobre asuntos de interés de la Audiencia: cuentas, religiosos, residencia del Dr. Mejía, cumplimiento de cédulas, tributos de indios, alcalde mayor, etc.

1563 febrero 1

Relación de los oficios, corregimientos y ayudas de costa que el presidente Landecho ha proveído este año.

1563 febrero 6

Carta del fiscal y oficiales de la provincia de Guatemala al rey sobre salarios, ayudas de costa, entretenimientos y quitaciones que se dan en la provincia de Guatemala.

1570 noviembre 30

Carta de Diego Garcés al rey sobre la visita que realizó a la provincia de Zapotitlán. Solicita asimismo una merced real en pago de sus servicios.

1570 diciembre 16

Carta del licenciado Arteaga Mendiola al rey sobre asuntos relativos al gobierno de la Audiencia.

1571 septiembre 6

Carta de la Audiencia al rey acusando recibo de unas cédulas y notificando su cumplimiento. Trata también sobre la situación de la provincia, sucesos de Soconusco y consulta unas dudas sobre el tributo de los indios.

1572 enero 3

Testimonio de los nombramientos de jueces administradores de la comarca de la ciudad de Santiago a Alvaro de Paz, Alonso de Paz y Francisco del Valle Marroquín.

GUATEMALA, 10

1578 marzo 17

Carta del presidente Villalobos al rey notificando haber recibido varias cédulas reales e informando sobre su cumplimiento. Trata asimismo de otros asuntos relativos al gobierno de la Audiencia.

1582 abril 5

Carta del presidente Valverde al rey sobre asuntos relativos al gobierno de la Audiencia.

1589 abril 8

Información hecha por la Audiencia al rey sobre diversos asuntos relativos a tributos indígenas, abusos de encomenderos, situación del cultivo del cacao y otras cuestiones de interés indígena.

GUATEMALA, 11

s.f. (finales del siglo XVI)

Capítulos que el cabildo eclesiástico de Guatemala envía al rey para informarle de los daños y vejaciones cometidos contra los indios.

1600 mayo 15

Carta del doctor Criado de Castilla al rey sobre diversos asuntos de interés para el gobierno de la Audiencia.

1601 diciembre 20

El guardián del convento franciscano de Comalapa, fray Jorge de Lezcano, informa, a petición del obispo Juan Ramírez, de las cosas en que Dios es servido y los indios vejados.

445

GUATEMALA, 14

1600

Testimonio de los autos seguidos sobre el juzgado de milpas en la Audiencia de Guatemala.

GUATEMALA, 39

1578 marzo 25

Carta del doctor Villalobos, presidente de Guatemala, al rey sobre diversos asuntos de gobierno interno de la Audiencia.

GUATEMALA, 41

1561 junio 16

Traslado de una real cédula sobre el salario de los clérigos y los mantenimientos que los pueblos de indios deben dar a los doctrineros.

1574 enero 4

Relación de las encomiendas y repartimientos que se han proveído por el señor presidente de Guatemala, doctor Pedro de Villalobos.

GUATEMALA, 45

1562 noviembre 20

Probanza hecha ante la justicia ordinaria de la ciudad de Santiago sobre algunos excesos cometidos contra la prohibición de Su Majestad de echar derramas en los pueblos de indios, así como de mudarlos de sus asientos, disipar la caja de comunidad e impedir el cumplimiento de las órdenes reales. Nota sobre enfrentamiento entre los clérigos y las autoridades reales.

1581 abril

Carta de los oficiales reales al rey en la que informan de los gastos extraordinarios que tiene la Real Hacienda.

1584 abril 10

Carta de los oficiales Juan de Castellanos y Alonso de Vides con información relativa a los tributos y empleo del dinero de la Real Hacienda.

GUATEMALA, 55

1572 marzo 20

Carta de Diego Garcés, alcalde mayor de Zapotitlán, al rey sobre la situación de los naturales de la alcaldía.

1580 octubre 9

El capitán Juan de Estrada, alcalde mayor de la provincia de Zapotitlán, solicita se revise su título y se mande al presidente y oidores de la Audiencia que le pongan en dicho oficio y se quite la jurisdicción a los corregidores nombrados por la Audiencia.

GUATEMALA, 56

1584 septiembre 8

Petición de los herederos del capitán Juan de Estrada, alcalde mayor de Zapotitlán, solicitando se le pague el salario que le debían.

GUATEMALA, 96

1601 junio 15

Alonso Alvarez de Vega, vecino de Santiago, presenta una solicitud para que se le acrecienten hasta 1.000 ducados su recibo en razón de sus méritos.

GUATEMALA, 110

1531 julio 28

Probanza hecha a petición de Pedro Portocarrero, vecino de Santiago de Guatemala, para hacer constar sus méritos en la conquista.

s.f. (Ca. 1550)

Carta de Francisco Girón, procurador general de la provincia de Guatemala, al Consejo de Indias sobre tasaciones de cacao y el trabajo de los indios.

GUATEMALA, 111

1572 febrero 2

Información de méritos y servicios presentados por Pedro Páez, clérigo presbítero, para solicitar una cédula de presentación.

447

GUATEMALA, 113

1572 enero 13

Información hecha ante la Real Audiencia sobre cómo conviene que haya un sólo clérigo en cada pueblo.

1572 febrero 28

Información de méritos y servicios de Diego Garcés, alcalde mayor de Zapotitlán.

GUATEMALA, 115

1590 abril 15

Información de méritos y servicios de Gabriel Mexía, vecino de Guatemala, que fue juez de los indios de Totonicapán y Quezaltenango, y alcalde mayor de Zapotitlán.

1593 julio 21

Información de méritos y servicios de Pedro Velázquez Verdugo, alcalde mayor de Zapotitlán.

GUATEMALA, 117

1604

Relación de los beneficios de clérigos existentes en la provincia de Guatemala.

GUATEMALA, 128

1576

Relación y forma que el licenciado Palacio, oidor de la Real Audiencia hizo para los que hubieran de visitar, contar y repartir en los pueblos de las provincias del distrito.

1548-1549

Tasaciones de los pueblos de los términos de la jurisdicción de Santiago de Guatemala.

GUATEMALA, 156

1539 enero 20

Carta del obispo de Guatemala al rey sobre diversos asuntos del gobierno eclesiástico.

1582 noviembre 12

Carta del obispo de Guatemala, fray Gómez, al rey, sobre malos tratamientos a los indios, administración de justicia entre ellos y engaños a que están expuestos en sus compras a los tratantes. Se defiende ante la acusación real por haber ordenado sacerdote a un mestizo y pide ser sustituido en la sede episcopal.

1602 marzo 14

Carta de fray Juan de Mendoza contestando a una consulta sobre la necesidad de corregidores y la justicia del tributo indígena.

GUATEMALA, 168

1555 diciembre 6

Carta de fray Juan de la Torre y fray Tomás de Cárdena, vicario de Santo Domingo de Sacapulas, al Emperador.

GUATEMALA, 169

1574 enero 29

Expediente de Hernando de Escobar, clérigo, solicitando se le de presentación del beneficio de la parroquia de Zapotitlán. Hay una probanza secreta.

1574 febrero 20

Carta de los frailes de San Francisco de la provincia de Guatemala al rey.

1575

Relación de los conventos franciscanos que hay en la provincia de Guatemala.

GUATEMALA, 171

1581 noviembre 15

Los religiosos de San Francisco envían a España un procurador general para que solucione los problemas que tienen planteados en Guatemala. Incluye Real Cédula sobre este asunto y sobre la ida de nuevos religiosos. Hay una carta misiva del Superior de la orden dando cuenta de la visita realizada en la provincia y relación de pueblos y anejos y número de vecinos.

GUATEMALA, 394

1570 diciembre 16

Memoria de los partidos de clérigos que hay en el obispado de Guatemala y lo que vale de aprovechamiento cada partido para el clérigo, cada un año, en el pie del altar; en cada partido entran muchos lugares.

GUATEMALA, 402

1549 abril 29

Real Cédula al presidente de la Audiencia de Guatemala para que los encomenderos no tomen a los indios tierras y prados.

GUATEMALA, 965

1564 enero 22

Tasación de lo que han de pagar los vecinos y tributarios del pueblo de Quezaltenango en la provincia de Guatemala.

1567

Relación de los corregimientos y ayudas de costa que el licenciado Briceño, gobernador de la provincia de Guatemala, ha proveído este año de 1567.

1567

Relación de los corregimientos y ayudas de costa que el licenciado Briceño, gobernador de la provincia de Guatemala ha proveído en la dicha provincia este año de 1567. Es complementaria de la anterior.

1570

Testimonio de los corregimientos que se han dado por el muy ilustre señor Doctor Antonio González, del Consejo de S. M. y presidente de la Real Audiencia de Guatemala y gobernador de su distrito.

1570

Testimonio de los corregimientos que se han dado por el muy ilustre Sr. Doctor Antonio González, del Consejo de S. M. y su presidente de la R. Audiencia de Guatemala y gobernación de su distrito y auto que dio en lo tocante a viudas.

1570 febrero 5

Testimonio de los corregimientos que se han dado por el muy Ilmo. señor Doctor Antonio González, del Consejo de S. M., y su presidente de la Real Audiencia de Guatemala y gobernador de su distrito.

1571

Relación de los corregimientos que ha proveído el muy ilustre Sr. Doctor Antonio González, del Consejo de S. M. y su presidente de la Audiencia Real de Santiago de Guatemala y gobernador en su distrito, el año de 1571 en el oficio del secretario Diego de Robledo.

1572

Corregimientos proveídos por el Dr. Antonio González, presidente de la Audiencia el año de 1572.

1576

Testimonio de las cédulas de encomienda, alcaldías mayores y corregimientos que ha proveído su señoría el Doctor Villalobos como gobernador de estas provincias.

1576 marzo 12

Testimonio de las cédulas de encomienda y alcaldías mayores y corregimientos que el muy ilustre Sr. Doctor Pedro de Villalobos, presidente de la Real Audiencia de Guatemala ha proveído desde que tiene el gobierno de estas provincias.

GUATEMALA, 966

1575-1578

Relación de los corregimientos y alcaldías mayores y encomiendas proveídas por el presidente Villalobos en el distrito de la Audiencia.

1576-1577

Relación de las encomiendas dadas por el presidente de la Audiencia de Guatemala, a particulares y vecinos de ella y de otras ciudades y villas del distrito de dicha Audiencia.

1576-1577

Corregimientos y pensiones que el presidente y gobernador de la Audiencia de Guatemala, Dr. Pedro de Villalobos, otorgó en los años 1566 a 1577.

1578-1582

Razón de las tasaciones que se han hecho después que el Sr. Presidente Valverde vino a esta Audiencia de pueblos de su distrito con lo que antes tributaban.

1580 octubre 5

Memorial que presenta Juan de Estrada, alcalde mayor de Zapotitlán, para protestar porque el distrito de su alcaldía se encuentra dividido en seis corregimientos de los que sólo le quedan
dos para ejercer su oficio.

GUATEMALA, 968-B.

1560

Carta que Diego Garcés escribió a la Real Audiencia de los Confines.

SECCION AUDIENCIA DE MEXICO

MEXICO, 98

1571 febrero

Carta al rey de los caciques y principales del pueblo de Atitlán
solicitando que se tenga en cuenta su posición social y se les
mantengan las prerrogativas de su rango.

SECCION PATRONATO REAL

PATRONATO, 60-5-3

1564

Probanza de D. Francisco de la Cueva sobre los pueblos que se
le quitaron de primera encomienda y los que poseía el Adelantado Don Pedro de Alvarado.

PATRONATO, 61-1-4

1614

Expediente que contiene diversas probanzas de méritos y servi-
ción realizadas durante el siglo XVI.

PATRONATO, 62-1-3

1559

Alvaro de Paz suplica se le dé cédula para que le "gratifiquen
cómodamente" mientras se le da el cargo de contador del distrito de la Audiencia con salario, ya que con los pocos indios que
tiene no se puede sustentar.

PATRONATO, 65-1-2

1562 diciembre 1

Información de los servicios de Hernán Méndez de Sotomayor, uno de los primeros pobladores de Guatemala.

PATRONATO, 70-1-8

1573

Don Cristóbal de la Cueva solicita que se le haga alguna merced en España, ya que es viejo y no puede volver a Guatemala; o que se le remunere de lo cobrado por la Real Audiencia, de los indios de su repartimiento durante su ausencia.

PATRONATO, 82-3-2

1561-1600

Luis de Medina, vecino de Santiago, en nombre de Juana de Cueto, su mujer, hija legítima de Pedro de Cueto y nieta de Pedro de Cueto el viejo, solicita que se le confirme la merced hecha por el presidente de la Audiencia de 300 pesos para que los goce por todos los días de su vida y de su mujer.

PATRONATO, 183-1-1

1581

Diligencias hechas para una cédula de S. M. sobre los vecinos, pueblos, oficios de cabildo, escribanías de cámara y otras cosas.

SECCION JUSTICIA

JUSTICIA, 283

1555

Isabel de Escobar, viuda de Sancho de Barahona, tutora y curadora de sus hijos menores, con el licenciado Cerrato, sobre rebaja en los tributos que pagaban los indios del pueblo de Atitlán. Demanda presentada en residencia ante el Dr. Quesada.

JUSTICIA, 284

1561

Pleito entre Juan de Gibaja y sus hermanos menores, hijos de Hernán Gutiérrez de Gibaja y Doña Catalina de Zárate, vecinos de Santiago, y Pedro Hernández de Montedosca, de la misma ciudad, sobre los pueblos de Suchitepéquez, Cuilco, Motocintla y Amatenango.

JUSTICIA, 289

1548 febrero 23

Las ciudades, villas y lugares de la provincia de Guatemala sobre que se derogue o suspenda la Real Cédula de Su Majestad que prohibía que se alquilasen los indios en Guatemala por los encomenderos y oficiales reales.

JUSTICIA, 292

1570 enero 10

Pleito promovido por Diego Garcés, alcalde mayor de Zapotitlán, para que se le paguen 900 pesos de salario al que se opone el fiscal de la Audiencia, licenciado Arteaga Mendiola, diciendo que sus antecesores no han cobrado nunca tal cantidad.

JUSTICIA, 313

1567

Residencia que Diego Garcés, alcalde mayor de la provincia de Zapotitlán, tomó a Gasco de Herrera, alcalde mayor que fue de la dicha provincia, y de sus tenientes y oficiales.

JUSTICIA, 316

1569 octubre 9

Carta de Diego Garcés, alcalde mayor de Zapotitlán, al presidente de la Audiencia.

1570

Residencia que el doctor Antonio González, presidente de Guatemala, tomó por comisión de S. M. al licenciado Francisco Briceño, gobernador de Guatemala. Primer volumen.

JUSTICIA, 317

1561 diciembre 9

Proceso de los indios de Zambo-Zacualpa sobre las tierras que se les repartió.

1569

Proceso criminal hecho en gobernación contra los vecinos del pueblo de Quezaltenango, sobre los malos tratamientos que hicieron al padre Hernán Sánchez de Escobar.

1570

Segundo legajo de la residencia tomada al licenciado Briceño.

JUSTICIA, 318

1565-1569

Tasación de varios pueblos encomendados al secretario Diego de Robledo.

1569

Tercer legajo de la residencia tomada al licenciado Briceño.

JUSTICIA, 1031

1537

Pleito seguido por Juan del Espinar, vecino de la ciudad de Santiago, contra el Adelantado Don Pedro de Alvarado, gobernador que fue de Guatemala, sobre haberle quitado el pueblo de Huehuetenango que tenía encomendado y la condenación en que fue sentenciado.

SECCION ESCRIBANIA DE CAMARA

ESCRIBANIA DE CAMARA, 344-A

1583

Residencia tomada por comisión de los señores presidente y oidores de la Real Audiencia de Guatemala cometida al capitán Juan de la Cueva, alguacil mayor de la dicha Audiencia, al capitán Juan de Estrada, del tiempo que fue alcalde mayor de la provincia de Zapotitlán cuya residencia pasó ante Luis Ortuño, escribano de Su Majestad.

ESCRIBANIA DE CAMARA, 344-B

1609

Residencia tomada al capitán Agustín de Medinilla del tiempo que fue alcalde mayor de los Suchitepéquez.

SECCION CONTADURIA

CONTADURIA, 967

1574 julio 31

Cuentas de la Real Hacienda de Guatemala obtenidas de una visita de la Audiencia a las Cajas Reales.

ARCHIVO GENERAL DE CENTROAMERICA

A1.1 leg. 1 exp. 10

1625

Pedro Núñez de Barahona presenta el título de la encomienda que goza en el pueblo de Atitlán. Tasación de los pueblos sujetos a Atitlán: Santa Bárbara, San Francisco de la Costilla, San Andrés, San Pedro, San Juan, San Lucas Tolimán, Santa Cruz, San Bartolomé, Santa María de la Visitación y Payanchicul.

A1.9 leg. 205 exp. 4985

1788

El cacique de Santa Cruz del Quiché sobre seguir percibiendo el tributo que recibían sus antecesores.

A1.20 leg. 1497 exp. 9974 fs. 64-67

1607

Títulos de los límites de las tierras de un calpul de Santa Cruz del Quiché.

A1.39 leg. 1751 exp. 11737

1588 mayo 20

Proveimiento de alcalde mayor de los Suchitepéquez a Alonso Sánchez de Figueroa con la mitad de salario que tenía el licenciado Pedro de Ledesma.

1590 febrero 26

Asignación del corregimiento de Atitlán a Don Francisco de Aguilar.

A1.38 leg. 2336 exp. 17518

1555

Sobre el orden que se ha de tener en la venta del cacao en la Nueva España.

A1.24 leg. 2367 exp. 17896

1541

Real Provisión librada por el Virrey de Nueva España sobre que no se encomienden en nadie los pueblos que vacaron por muerte de Doña Beatriz de la Cueva y Don Pedro de Alvarado, quedando sus rentas en la Real Corona.

A1. leg. 2811 exp. 24781

1587

Proceso del pleito seguido por los indios del pueblo de Atitlán contra los del Patutul, por la propiedad de unas tierras llamadas Tzacbalcac, cercanas a la estancia de Sta. Bárbara.

A1.11 leg. 4055 exp. 31428

1568-1587

Instancia del apoderado del convento de San Francisco del pueblo de Atitlán, sobre que Sancho de Barahona —encomendero— acuda a los gastos de ornamentos.

1595 diciembre 14

El prebístero Antonio de Valderrama, cura y vicario del pueblo de San Felipe y anexos (Suchitepéquez), reclama el cobro de sus salarios.

A1.11 leg. 4057 exp. 31478

1670

Fray Juan de Miranda, guardián del convento de San Francisco de Totonicapán, informa sobre la conducta religiosa de los indígenas de los pueblos de su jurisdicción.
Relación de un fraile franciscano sobre las formas de enterramiento de los indígenas del corregimiento de Huehuetenango y guardianía de Totonicapán.

A1.12 leg. 4060 exp. 31535

1600 octubre 3

Acerca de reducir a poblado varios indígenas de Tecpanatitlán.

A1.14 leg. 4063 exp. 31594

1587

Los indios del pueblo de Cuilco piden que se guarde la costumbre que han tenido en elegir los oficiales de república en dicho pueblo y sus estancias.

A1.15 leg. 4078 exp. 32366

1581

Autos criminales contra el licenciado Pbro. Cristóbal de Haro, cura beneficiado del pueblo de San Antonio Suchitepéquez, por desacato a la autoridad real y provocar la desobediencia al cumplimiento de mandatos.

A1.15 leg 4081 exp. 32388

1588

Autos contra Bartolomé Calvo, teniente de justicia de Atitlán, por haber violado el destierro que se le impuso en sentencia dada por vender vino a los indígenas.

A1.15 leg. 4084 exp. 32408

1595

Autos criminales seguidos por el corregidor de Tecpanatitlán contra Gaspar Vargas, indio del pueblo de Santo Tomás Chichicastenango, por haber dado muerte a Mateo Osorio.

A1.15 leg. 4087 exp. 32422

1588

Pleito de Cristóbal Ahpop Tabal, indio vecino de San Antonio Suchitepéquez, contra Juan Vázquez Xahil por unas tierras de cacao.

A3.16 leg. 2316 exp. 34159

1592-1663

Libro de asiento de la partida de los tributos recaudados en el pueblo de San Bartolomé Jocotenango.

A3.16 leg. 2318 exp. 34234

1607-1609

Cuenta de cargo y data rendida del ramo de tributo por los jueces oficiales reales de la Caja de Guatemala, correspondientes a los años 1607 y 1608.

A1.24 leg. 4646 exp. 39601

1578

Los indios de San Cristóbal Totonicapán piden que se elija cada año un alcalde y regidores para recoger el tributo.

A3.12 leg. 2774 exp. 40022

1577

Autos seguidos por el Pbro. Antonio Rodríguez, cura del pueblo de Xicalapa, jurisdicción de Zapotitlán, contra don Juan Rodríguez Cabrillo de Medrano, por negarse al pago de cierto repartimiento.

A3.16 leg. 2797 exp. 40466

1553-1555

Tasaciones hechas por los presidentes Cerrato y Quesada de pueblos de la jurisdicción de Santiago (445 pueblos). No figura el número de tributarios. Indica el encomendero que lo posee.

A3.16 leg. 2798 exp. 40471

1609

Libro de copias de cédulas de asignación de encomiendas.

A3.16 leg. 2800 exp. 40485

1588

Autos hechos acerca de la tasación de los tributos que debían cubrir los indígenas de Tecpanatitlán, Quezaltenango y Atitlán. En este documento están agregadas las probanzas de varios indios caciques y el método seguido para el cobro de tributos.

A3.16 leg. 2801 exp. 40487

1579

Dictamen del fiscal de la Audiencia sobre lo pedido por don Rodrigo Larios, encomendero del pueblo de San Juan Nahualapa, sobre el recuento de los árboles de cacao, para establecer cuánto montaba dicho pueblo cuando estuvo en encomienda de Gaspar Arias de Avila.

A3.16 leg. 2801 exp. 40490

1618

Instancia del común de indios del pueblo de Atitlán, parte de la Real Corona y parte encomendado a Sancho de Barahona, sobre que no están obligados al pago del servicio del tostón conforme a tasación, sino de acuerdo con el padrón de pobladores.

A3.16 leg. 2801 exp. 40492

1599

Certificación de la revisión de los padrones de los tributarios del pueblo de San Juan Nahualapa, de la jurisdicción de Zapotitlán.

A3.16 leg. 2801 exp. 40494

1604

Autos seguidos entre doña María de Villanueva y don Alonso Alvarez de la Vega sobre que éste le de para alimentar ya que disfruta de la encomienda que perteneció a Paula de Torres, esposa de aquél y madre de la demandante, en San Antonio Suchitepéquez.

A3.16 leg. 2801 exp. 40498

1605

Juan Canel, indio principal de San Bartolomé estancia del pueblo de Atitlán, solicita que se le exonere de tributos.

A3.16 leg. 2801 exp. 40499

1606

Don Alonso Fuentes y de la Cerda pide que se le paguen los honorarios que le corresponden por haber empadronado a los tributarios de los pueblos de la alcaldía de Totonicapán.

A3.16 leg. 2801 exp. 40502

1617 abril

Empadronamiento de los tributarios de los pueblos de la alcaldía de Totonicapán.

A3.16 leg. 2802 exp. 40511

1611

Visita que Don Juan Medrano, alcalde mayor de Suchitepéquez, hizo a los pueblos de la alcaldía para revisar las tasaciones de tributos.

A3.16 leg. 2802 exp. 40513

1611

Alonso Alvarez de Vega, encomendero del pueblo de San Antonio Suchitepéquez, pide aprobación de la tasación de tributarios de su encomienda.

1611 agosto 25

Reclamación de Alonso Alvarez de la Vega, encomendero de San Antonio Suchitepéquez, para que el alcalde mayor, Juan de Medrano, determine los tributos de su encomienda.

A3.16 leg. 2802 exp. 40517

1617

El apoderado del común de indios del pueblo de Huistla, de la Real Corona, expone que dicho pueblo ha venido en disminución y que necesita sea revisado el empadronamiento.

A3.16 leg. 2803 exp. 40527

1625

Asignación de una encomienda: el pueblo de San Antonio Suchitepéquez y sus estancias a favor de Alonso Alvarez de Vega.

A3.16 leg. 2803 exp. 40537

1628

Título de encomienda de los pueblos de Diria, Nicaragua y San Juan Nahualapa, en favor de Manuel Fernández de Paz.

A3.16 leg. 2804 exp. 40541

1630

Diego de Luna, defensor de los bienes de Don Jorge de Alvarado y Samano, vecino de México, sobre que el cacao pagado en exceso de producción sea destinado para cancelar el tributo de indígenas ausentes o difuntos, en la jurisdicción de la encomienda de que goza Alvarado en San Antonio Suchitepéquez.

A1.23 leg. 4575 fs. 110-110v.

1549 octubre 9

Real Cédula a la Audiencia de Guatemala ordenando que se formen pueblos de indios y se le doten de cabildos municipales.

A1. leg. 4762 exp. 41112

1587

Juicio de residencia de Antonio de Valderrama, corregidor de Quezaltenango.

A3.30 leg. 2863 exp. 41694

1564

Diversos títulos de tierras concedidas a españoles en Guatemala.

A3.30 leg. 2863 exp. 41697

1565

Diversos títulos de tierras concedidos a indios y españoles en Guatemala.

A3.30 leg. 2863 exp. 41698

1563

Diversos títulos de tierras concedidas a españoles en Guatemala.

A3.30 leg. 2863 exp. 41701

1568

Documentos hechos sobre la venta de una estancia de ganado mayor que Sancho de Barahona poseía en la costa de la Mar del Sur.

A3.16 leg. 2887 exp. 42238

1620

Pleito entre el cabildo de la catedral de Guatemala y Sancho de Barahona y el Dr. Juan Luis Pereira Dobidos, fiscal, sobre los diezmos del pueblo de Atitlán.

A3.16 leg. 2887 exp. 42328

1573

Comprobante de la recaudación de mantas, tributo pagado por los indios del pueblo de San Martín Zapotitlán de la alcaldía mayor de Suchitepéquez.

A3.16 leg. 2887 exp. 42329

1573

Juan de Rojas otorga recibo por el valor de los tributos del pueblo de San Gaspar Cuyotenango, de la alcaldía de Suchitepéquez.

A1. leg. 5532 exp. 47816

1589

Proceso de Diego Garzón, residente en la provincia de los Suchitepéquez, sobre que se agravia de que, sin oirle, el alcalde mayor de aquella provincia le condenó en seis mil maravedís por decir que tenía una india escondida en su casa.

A1.21 leg. 5532 exp. 47817

1603

Autos sobre averiguar si los españoles residentes en los pueblos de la alcaldía mayor de Suchitepéquez venden licor a los indígenas.

A1.11 leg. 5797 exp. 48859

1583

Autos sobre diferencias entre indios principales y macehuales de Quezaltenango.

A1. leg. 5928 exp. 51825

1578

Autos y diligencias hechas en virtud de un mandamiento del Muy Ilustre Señor licenciado García de Valverde, del Consejo de Su Majestad, su presidente en la Real Audiencia de Guatemala [...] cerca de unas tierras que pide don Diego de la Barrera, por el muy magnífico señor José de Paz, teniente de corregidor en la provincia de Zapotitlán.

A1.15 leg. 5929 exp. 51831

1579

Autos sobre la señalización de las tierras compradas por Gómez de Escalante, vecino del pueblo de Quezaltenango, a don Juan de Chaves y Alonso Osorio, indios caciques de dicho pueblo.

A1. leg. 5929 exp. 51833

1579

Procesos, autos y mandamiento de algunos de los Muy Ilustres Señores presidentes y gobernadores de Guatemala y de estas provincias, a pedimiento y en favor de los indios de Zambo, del calpul de Don Diego Ramírez, y de la encomienda de Diego de la Barrera, sobre las tierras de San Lorenzo.

A1.51 leg. 5936 exp. 51849

1586

Pleito y demanda puesta por Francisco Yaquihuinac contra Andrés Yaquihuinac, su tío, por la mitad de ciertas milpas de la herencia de Catalina Nihay abuela del demandante.

A1. leg. 5993 exp. 51884

1596

Pleito de los indios de Santa María Joyabaj con los indios del pueblo de Zacualpa, sobre que se agravian de la posesión que Sebastián Gudiel les dio, en virtud de una ejecutiva real, de ciertas tierras.

A1. leg. 5935 exp. 51909

1600

Autos sobre las tierras de los indios del pueblo de San Francisco Motocintla, en términos de Totonicapán, nombradas San Mateo.

A1. leg. 5935 exp. 51910

1600

Autos hechos de la medida de la estancia de ganado mayor que poseen los indios contenidos en estos autos en términos del pueblo de Quezaltenango, que se llama la estancia Xepache.

A1. leg. 5936 exp. 51914

1601

Pleito presentado por los indios del pueblo de Santo Domingo Sacapulas contra los de San Andrés Sajcabajá, por la posesión de ciertas tierras de las que los últimos se habían apoderado.

A1. leg. 5939 exp. 51962

1628

Los indios chiquimultecas del pueblo de Santa Cruz Utatlán con los de San Pedro Jocopilas, sobre las tierras nombradas Chicuchi y Chiquichahchicul.

[1627]

Los indios de la parcialidad de los chiquimultecas de Sta. Cruz Utatlán piden se les repartan las tierras de su comunidad.

A1. leg. 5942 exp. 51995

1640

Pleito abierto por los indios de las parcialidades de Citalá, Zacualpa y Coatan, avecindados en Santo Domingo Sacapulas desde 1564, contra los naturales de la parcialidad de Sacapulas, por diferencias surgidas entre ambos sobre la partición de los bienes y tierras comunales y los puestos del cabildo municipal de dicho pueblo.

A1. leg. 5942 exp. 51997

1640

Los indios de San Juan Atitlán contra los de Santa Clara sobre la propiedad de unas tierras.

A1.15 leg. 5946 exp. 52042

1563

Petición de los caciques de Atitlán sobre ciertas diferencias que tenían con don Pedro, gobernador de dicho pueblo.

A1. leg. 5955 exp. 52149

1696

Autos hechos de la medida de la estancia que poseen los indios del común del pueblo de San Miguel Ixtahuacán en términos del dicho pueblo, que se llama la estancia Tipechulul. Contiene un traslado de los autos de composición de tierras hechos en el pueblo el año 1600 por Rodrigo de Cárdenas, siguiendo instrucciones dadas en una R. P. de la Audiencia de 1599 emitida según la R. P. de 1592, en la que se anulan todos los títulos de tierras que no estuvieran legalmente otorgados.

A1. leg. 5963 exp. 52303

1712

Autos de medidas de unas tierras del término de San Bartolomé de la Costilla [Atitlán].

A1. leg. 5978 exp. 52518

1739

Autos hechos sobre la división de tierras entre los pueblos de Santo Domingo Sacapulas y Aguacatán.

A1. leg. 5987 exp. 52660

1745 [1583]

Pleito mantenido por los naturales de Chiquirichapa con los de Ostuncalco por la propiedad de unas tierras. Contiene los autos de un pleito por tierras entre los pueblos de Quezaltenango y Ostuncalco que tuvo lugar en 1583 y 1584.

A1. leg. 6025 exp. 53126

1748

Autos de las dos parcialidades y calpules de San Sebastián y Santiago del pueblo de Santo Domingo Sacapulas acerca de ciertas tierras contiguas a la parcialidad de San Pedro, Sto. Tomás y San Francisco, sobre lo que se libraron los correspondientes títulos.

A1. leg. 6025 exp. 53132

1572

Ejecutoria de lo determinado en pleito seguido por los indios del pueblo de Citalá contra los de Santo Domingo Sacapulas, sobre unos potros y yeguas que tenían en comunidad de que se apropiaron los últimos.

A1. leg. 6047 exp. 53386

1798

Pleito mantenido por los indios de San Cristóbal, contra los de San Miguel, ambos de Totonicapán, sobre la posesión de ciertas tierras nombradas Paxtoca.

A1.18 leg. 6074 exp. 54483

s.f.

Título de los señores de Quezaltenango y Momostenango.

A1. leg. 6074 exp. 54486

1758

Título de los señores de Sacapulas. Historia de su origen y venida de sus padres en las tierras del Quiché.

A1.43 leg. 6071 exp. 54671

1604

Autos sobre los bienes de María Flores, negra, que murió en el pueblo de Santa María Asunción de Chiquimula de la Sierra.

A1.18 leg. 6074 exp. 54884

Títulos de los antiguos nuestros antepasados, los que ganaron estas tierras de Otzoya, antes que viniera la fe de Jesucristo entre ellos, en el año de mil y trescientos.

A1.43 leg. 6083 exp. 55029

1602

Juana Cuzca, india viuda vecina del pueblo de Izquintepeque, contra Petronila, india, sobre unas milpas de cacao que le pide.

BIBLIOGRAFIA

BIBLIOGRAFÍA

AGUIRRE, Jerardo G.

1972   *La Cruz de Nimajuyú: historia de la parroquia de San Pedro la Laguna.* Guatemala.

AGUIRRE BELTRAN, Gonzalo

1952   "El gobierno indígena en México y el proceso de aculturación". *América Indígena,* 12 (4): 271-297. México.

1957   *El proceso de aculturación.* UNAM. México.

ALCINA FRANCH, José (editor)

1979   *Economía y Sociedad en los Andes y Mesoamérica.* "Revista de la Universidad Complutense", vol. XXVIII núm. 117. Madrid.

ANONIMO

1963   *La muerte de Tecún Umán. Estudio crítico de la conquista del altiplano occidental de la República.* Editorial del Ejército. Guatemala.

ARRIOLA, Jorge Luis

1973   *El libro de las Geonimias de Guatemala.* Seminario de Integración Social Guatemalteca. Guatemala.

BALANDIER, Georges

1970   *El concepto de "situación" colonial.* Cuadernos del Seminario de Integración Social Guatemalteca. Guatemala.

BASTIDE, Roger

1970   *El prójimo y el extraño. El encuentro de las civilizaciones.* Amorrortu Editores. Buenos Aires.

BEALS, Ralph L.

1951 "History of acculturation in Mexico". *Homenaje a don Alfonso Caso,* págs. 73-82. México.

1952 "Notes on acculturation". *Heritage of Conquest* (Sol Tax, edit.), págs. 225-232. The Free Press. Glencoe, Illinois.

1967 "Acculturation". *Handbook of Middle American Indians,* vol. 6 págs. 449-468. Austin.

BECQUELIN, Pierre

1970 "Historie et acculturation chez les indiens ixil du Guatemala". *Journal de la Societé des Americanistes,* 59: 7-26. París.

BENAVENTE, Fray Toribio de (Motolinía)

1971 *Memoriales o libro de las cosas de la Nueva España y de los naturales de ella.* Instituto de Investigaciones Históricas. UNAM. México.

BORHEGYI, Stephan F. de

1956 "The development of folk and complex cultures in the Southern Maya Area". *American Antiquity,* 21 (4): 343-356. Salt Lake City, Utah.

1965 "Archaeological synthesis of the Guatemalan Highlands". *Handbook of Middle American Indians,* vol. 2 págs. 3-58. Austin.

1965 "Settlement patterns of the Guatemalan Highlands". *Handbook of Middle American Indians,* vol. 2 págs. 59-76. Austin.

BREMME DE SANTOS, Ida

1963 "Aspectos hispánicos e indígenas de la cultura cakchiquel". *Anales de la Sociedad de Geografía e Historia de Guatemala,* 36: 517-563. Guatemala.

BROOM, L.; B. J. SIEGEL; E. Z. VOGT; J. B. WATSON

1954 "Acculturation: an exploratory formulation". *American Anthropologist,* 56: 973-1.000. Menasha, Wisconsin.

CABEZAS, Horacio de Jesús

1974 *Las reducciones indígenas en Guatemala durante el siglo XVI.* Universidad de San Carlos de Guatemala. Guatemala.

CARMACK, Robert M.

1965 *The documentary sources, ecology, and culture history of the prehistoric Quiche Maya.* Ph. D. Dissertation. University of California, Los Angeles.

1966 "El Ajpop Quiche K'uk'umatz: un problema de sociología histórica". *Antropología e Historia de Guatemala*, 18 (1): 43-47. Guatemala.

1966 "La perpetuación del clan patrilineal en Totonicapán". *Antropología e Historia de Guatemala*, 18 (2): 43-60. Guatemala.

1967 "Análisis histórico-sociológico de un antiguo título quiché". *Antropología e Historia de Guatemala*, 19 (1): 3-13. Guatemala.

1968 "Toltec influence on the Postclassic Culture History of Highland Guatemala". *Middle American Research Institute*, vol. 26 págs. 44-92. Tulane University. New Orleans.

1973 *Quichean civilitation: The ethnohistoric, ethnographic and archaeological sources*. University of California Press. Berkeley and Los Angeles.

1976 "La estratificación quicheana prehispánica". *Estratificación social en la Mesoamérica Prehispánica* (P. Carrasco y J. Broda, edits.), págs. 245-277. México.

1977 "Ethnohistory of the Central Quiche: the community of Utatlán". *Archaeology and Ethnohistory of the Central Quiche* (D. T. Wallace and R. M. Carmack, edits.), págs. 1-19. Albany, N. Y.

1979 *Historia social de los Quichés*. Seminario de Integración Social Guatemalteca. Guatemala.

1979 "La etnohistoria: una reseña de su desarrollo, definiciones, métodos y objetivos". *Etnohistoria y teoría antropológica*, págs. 7-47. Cuadernos del Seminario de Integración Social Guatemalteca. Guatemala.

1981 *The Quiché Mayas of Utatlán. The evolution of a Highland Guatemala kingdom*. University of Oklahoma Press. Norman, Oklahoma.

CARMACK, R. M.; J. FOX; R. STEWART

1975 *La formación del Reino Quiché*. Instituto de Antropología e Historia. Guatemala.

CARMACK, R. M.; J. EARLY; C. LUTZ (editors)

1981 *Historical demography of Highland Guatemala*. Institute for Mesoamerican Studies. Albany, N. Y.

CARRANZA R., Luis Felipe

1971 "Costumbres o ceremonias matrimoniales indígenas en el Departamento de Totonicapán". *Guatemala Indígena*, 6 (2-3): 161-171. Guatemala.

CARRASCO, Pedro

Ms.   *Kinship and territorial groups in pre-Spanish Guatemala.* Manuscrito inédito [¿1959?].

1963   "La exogamia según un documento cakchiquel". *Tlalocan,* 4 (3): 193-196. México.

1964   "Los nombres de persona en la Guatemala antigua". *Estudios de Cultura Maya,* 4: 323-334. México.

1967   "Don Juan Cortés, cacique de Santa Cruz del Quiché". *Estudios de Cultura Maya,* 6: 251-266. México.

1967   "El señorío Tz'utuhil de Atitlán en el siglo XVI". *Revista Mexicana de Estudios Antropológicos,* 21: 317-331. México.

1970   "La introducción de apellidos castellanos entre los mayas alteños". *Historia y Sociedad en el mundo de habla españo*la (Bernardo García y otros, editores), págs. 217-223. México.

1976   "La jerarquía cívico-religiosa de las comunidades mesoamericanas: antecedentes prehispánicos y desarrollo colonial". *Estudios de Cultura Náhuatl,* 12: 165-184. México.

1978   "La economía del México prehispánico". *Economía política e ideología en el México prehispánico* (P. Carrasco y J. Broda, edits.), págs. 15-76. México.

1979   "La aplicabilidad a Mesoamérica del modelo andino de verticalidad". *Economía y Sociedad en los Andes y Mesoamérica* (J. Alcina, editor), págs. 237-244. Madrid.

CARRASCO, Pedro y J. BRODA (editores)

1976   *Estratificación social en la Mesoamérica prehispánica.* SEP-INAH. México.

1978   *Economía política e ideología en el México prehispánico.* Editorial Nueva Imagen. México.

CASAS, Fray Bartolomé de las

1967   *Apologética Historia Sumaria.* 2 vols. Instituto de Investigaciones Históricas. UNAM. México.

CASTAÑEDA DELGADO, Paulino

1971   "La condición miserable del indio y sus privilegios". *Anuario de Estudios Americanos,* 28: 245-335. Sevilla.

CHAPMAN, Anne M.

1976   "Puertos de comercio en las civilizaciones azteca y maya". *Comercio y mercado en los imperios antiguos* (Polanyi, Arensberg y Pearson, edits.), págs. 163-200. Editorial Labor. Barcelona.

CHEVALIER, François

1944 "Les municipalités indiennes en Nouvelle Espagne". *Anuario de Historia del Derecho Español,* 15: 352-386. Madrid.

CHINCHILLA AGUILAR, Ernesto

1953 *La Inquisición en Guatemala.* Instituto de Antropología e Historia. Guatemala.

1957 "El mundo mágico en un catecismo Quiché-Español del siglo XVII". *Humanidades,* 2: 1-8. Guatemala.

1963 *La danza del sacrificio y otros estudios.* Ministerio de Educación Pública. Guatemala.

CIUDAD REAL, Antonio de

1976 *Tratado docto y curioso de las grandezas de la Nueva España.* 2 vols. UNAM. México.

COLLIER, George A.

1967 "Familia y tierra en varias comunidades mayas". *Estudios de Cultura Maya,* 6: 301-335. México.

CONTRERAS, J. D.

1965. "El último cacique de la casa de Cavec". *Cuadernos de Antropología,* 5: 37-48. Guatemala.

COOK, S. F. y W. BORAH

1960 *The population of Central Mexico in 1548. An analysis of the "Suma de visitas de pueblos".* Ibero-americana, 43. University of California Press. Berkeley.

1960 *The Indian Population of Central Mexico:* 1531-1610. Ibero-americana, 44. University of Califarnia Press. Berkeley.

CORREA, Gustavo

1971 "Espíritu del Mal en Guatemala. Ensayo de semántica cultural". *Guatemala Indígena,* 6 (23): 5-110. Guatemala.

CRESPO, M.

1956 "Títulos indígenas de tierra". *Antropología e Historia de Guatemala,* 8 (2): 10-15. Guatemala.

CROSBY, Alfred W.

1967 "Conquistador y pestilencia: the first New World pandemic and the fall of the Great Indian Empires". *The Hispanic American Historical Review,* 47 (3) 321-337. Durham, North Carolina.

DIAZ DEL CASTILLO, Bernal

1947 *Historia verdadera de la conquista de la Nueva España*. Biblioteca de Autores Españoles. Madrid.

DIAZ REMENTERIA, Carlos

1977 *El cacique en el virreinato del Perú. Estudio histórico-jurídico.* Publicaciones del Seminario de Antropología Americana, 15. Universidad de Sevilla. Sevilla.

DICCIONARIO

1962 *Diccionario geográfico de Guatemala*. 2 vols. Dirección General de Cartografía. Guatemala.

DOHRENWEND, B. P. y R. J. SMITH

1969 "A suggested framework for the study of acculturation". *Cultural stability and cultural change.* (V. F. Ray, edit.), págs. 76-84. American Ethnological Society. Washington.

EDMONSON, Munro S.

1960 "Nativism, syncretism and anthropological science". *Middle American Research Institute,* 19. Tulane University. New Orleans.

1971 "Historia de las Tierras Altas mayas según los documentos indígenas". *Desarrollo Cultural de los Mayas,* (E. Z. Vogt y A. Ruz, edits.), págs. 273-302. México.

FOSTER, George M.

1954 "Aspectos antropológicos de la conquista española de América". *Estudios Americanos,* 8: 155-171. Sevilla.

1962 *Cultura y conquista: la herencia española en América*. Biblioteca de la Facultad de Filosofía y Letras. Universidad Veracruzana. Xalapa, México.

FOX, John W.

1977 "Quiche expansion processes: differential ecological grow bases within an archaic state". *Archaeology and Etnohistory of the Central Quiche,* (D. T. Wallace and R. M. Carmack, edits.) págs. 82-97. Albany, N. Y.

1978 *Quiche conquest: centralism and regionalism in highland guatemalan state development.* University of New Mexico Press. Albuquerque.

1980 "Lowland to highland mexicanization processes in southern Mesoamerica". *American Antiquity,* 45: 43-54. Salt Lake City, Utah.

1981   "The Late Postclassic eastern frontier of Mesoamerica: cultural innovation along the periphery". *Current Anthropology*, **22** (4): 321-345. Chicago.

FUENTES Y GUZMAN, Francisco A. de

1972   *Recordación florida, discurso historial y demostración natural, material, militar y política del reyno de Guatemala.* 3 vols. Biblioteca de Autores Españoles. Madrid.

GALL, Francis

1963   *Título de Ajpop Huitzitzil Tzunún. Probanza de méritos y servicios de León y Cardona.* Ministerio de Educación Pública. Guatemala.

1969   "Tecún Umán murió el 12 de febrero de 1524". *Anales de la Sociedad de Geografía e Historia de Guatemala,* **42**: 301-323. Guatemala.

GARCIA BAUER, José

1968   "El repartimiento de tierras en los albores del derecho indiano guatemalteco". *Anales de la Sociedad de Geografía e Historia de Guatemala,* 41 (2-4): 367-415. Guatemala.

GARCIA GALLO, Alfonso

1977   "La condición jurídica del indio". *Antropología de España y América,* (M. Rivera, edit.), págs. 281-292. Madrid.

GHIDINELLI, Azzo

1971   "La economía maya, antes y después de la conquista". *Guatemala Indígena,* 6 (2-3): 111-125. Guatemala.

GIBSON, Charles

1967   *Los aztecas bajo el dominio español,* 1519-1810. Siglo XXI Editores. México.

GONZALEZ DE SAN SEGUNDO, Miguel Angel

1980   *Derecho prehispánico e instituciones indígenas en el ordenamiento jurídico indiano.* Tesis Doctoral. Universidad Complutense de Madrid, Madrid.

GOUBAUD CARRERA, Antonio

1954   "Distribución de las lenguas indígenas actuales de Guatemala". *Indigenismo en Guatemala,* págs. 245-258. Seminario de Integración Social Guatemalteca. Guatemala.

GUILLEMIN, J. F.

1965 *Iximché, capital del antiguo Reino Cakchiquel.* Instituto de Antropología e Historia. Guatemala.

HARING, C. H.

1963 *The Spanish Empire in America.* Harcourt, Brace & World, Inc. New York.

HERSKOVITS, M. J.

1952 *El hombre y sus obras.* Fondo de Cultura Económica. México.

JIMENEZ NUÑEZ, Alfredo

1967 "La antropología y la historia de América". *Revista de Indias,* 27 (107-108): 59-87. Madrid.

1972 "El método etnohistórico y su contribución a la antropología americana". *Revista Española de Antropología Americana, 7* (1): 163-196. Madrid.

1975 "Sobre el concepto de etnohistoria". *Primera Reunión de Antropólogos Españoles,* (A. Jiménez, edit.), págs. 91-105. Universidad de Sevilla. Sevilla.

1976 "Etnohistoria de Guatemala: Informe sobre un proyecto de antropología en archivos". *Anuario de Estudios Americanos,* 33: 459-499. Sevilla.

1979 "Política española y estructuras indígenas: el área maya en el siglo XVI". *Economía y Sociedad en los Andes y Mesoamérica,* (J. Alcina, editor), págs. 129-151. Madrid.

JIMENEZ, A.; P. SANCHIZ; B. SUÑE; B. MORELL; E. ZAMORA.

1981 "La cultura indiana como resultado de un proceso de adaptación: notas sobre Guatemala en el siglo XVI". *Primeras Jornadas de Andalucía y América,* vol. 2 págs. 213-237. La Rábida, Huelva.

KONETZKE, Richard

1971 *América Latina II: La época colonial.* Siglo XXI Editores. Madrid.

LA FARGE, Oliver

1947 *Santa Eulalia: the religion of a Cuchumatan Indian town.* University of Chicago Press. Chicago

1959 "Etnología maya: secuencia de culturas". *Cultura indígena de Guatemala,* (J. L. Arriola, edit.) págs. 25-42. Seminario de Integración Social Guatemalteca. Guatemala.

LANGE, Charles H.

1965 "Cultural change". *Biennial Review of Anthropology*, 1965, (B. J. Siegel, edit.) págs. 262-297. Stanford.

LARDE Y LARIN, Jorge

1954 "De cómo murieron en una pira los reyes del Quiché". *Anales de la Sociedad de Geografía e Historia de Guatemala*, 27: 298-306. Guatemala.

LEMOS Y ANDRADA, Conde de

1891 "Memorial de los conventos, doctrinas y religiosos desta provincia del Santísimo Nombre de Jesús de Guatemala, Honduras y Chiapas, de los frailes menores, 1603". *Colección de Documentos Inéditos para la Historia de España*, vol. 100 págs. 492-502. Madrid.

LOPEZ DE COGOLLUDO, Diego

1971 *Los tres siglos de la dominación española en Yucatán, o sea, Historia de esta Provincia.* 2 vols. Akademische Druck. Graz, Austria.

LOPEZ SARRELANQUE, Delfina E.

1965 *La nobleza indígena de Pátzcuaro en la época virreinal.* UNAM. México.

LOTHROP, Samuel K.

1933 *Atitlán.* Carnegie Institution. Washington.

LUTZ, Cristóbal y Stephen WEBRE

1980 "El Archivo General de Centro América, Ciudad de Guatemala". *Mesoamérica*, 1: 274-285. Guatemala.

MacLEOD, Murdo J.

1973 *Spanish Central America. A socioeconomic history,* 1520-1720. University of California Press. Berkeley.

1982 "An outline of Central America colonial demographics: sources, yields and possibilities". *The historical demography of Highland Guatemala,* (Carmack, Early and Lutz, edits.), págs. 1-18. Albany, N. Y.

MARKMAN, Sidney

1971 "Pueblos de españoles y pueblos de indios en el reino de Guatemala". *Boletín del Centro de Investigaciones Históricas y Estéticas,* 12: 76-97. Caracas.

McBRYDE, Felix Webster

1969 *Geografía cultural e histórica del Suroeste de Guatemala.* Seminario de Integración Social Guatemalteca. Guatemala.

MILES, Sarah W.

1957 *The sixteenth century Pokom-Maya: a documentary analysis of social structure and archaeological setting.* Transactions of the American Philosophical Society, vol. 47, part. 4. Philadelphia.

1965 "Summary of the preconquest ethnology of the Guatemalan Chiapas Highlands and Pacific Slopes". *Handbook of Middle American Indians,* vol. 2 págs. 276-287. Austin.

MOLINA ARGÜELLO, Carlos

1960 "Gobrenaciones, alcaldías mayores y corregimientos en el reino de Guatemala". *Anuario de Estudios Americanos,* 17: 105-132. Sevilla.

MORNER, Magnus

1964 "La política de segregación y el mestizaje en la Audiencia de Guatemala". *Revista de Indias,* 24 (95-96): 137-151. Madrid.

1970 *La corona española y los foráneos en los pueblos de indios de América.* Instituto de Estudios Iberoamericanos. Estocolmo.

MURO, Fernando

1975 *Las presidencias-gobernaciones en Indias (Siglo XVI).* Escuela de Estudios Hispano-Americanos. Sevilla.

MURRA, John V.

1975 *Formaciones económicas y políticas del mundo andino.* Instituto de Estudios Peruanos. Lima.

NASH, Manning

1969 "Guatemalan Highlands". *Handbook of Middle American Indians,* vol. 7 págs. 30-46. Austin.

O'FLAHERTY, Edward

1984 *Iglesia y sociedad en Guatemala* (1524-1563). *Análisis de un proceso cultural.* Publicaciones del Seminario de Antropología Americana, 17. Universidad de Sevilla. Sevilla.

OLIVERA, Mercedes

1979 "La estructura política de las comunidades indígenas en el siglo XVI". *México Indígena,* 25 (Suplemento núm. 11). México.

ORDOÑEZ CHAPIN, Martín

1971 "Estudio sobre la poliginia en Santa María Chiquimula, municipio del Departamento de Totonicapán". *Guatemala Indígena,* 6 (2-3): 154-159. Guatemala.

OTS CAPDEQUI, José María

1959   *España en América. El régimen de tierras en la época colonial.*
Fondo de Cultura Económica. México.

PARRA, Fr. Francisco de la

1967   "Carta de fray Francisco de la Parra al Emperador. Guatemala, 19 de Febrero de 1547". *Anales de la Sociedad de Geografía e Historia de Guatemala,* 40 (3-4): 251-253. Guatemala.

PEREZ, Pedro Nolasco

1966   *Historia de las misiones mercedarias en América.* Madrid.

PINEDA, Juan de

1925   "Descripción de la Provincia de Guatemala (año 1594)". *Anales de la Sociedad de Geografía e Historia de Guatemala,* 1 (4):
327-363. Guatemala.

RECINOS, Adrián

1950   *Memorial de Solohá: Anales de los Cakchiqueles. Título de los
Señores de Totonicapán.* Fondo de Cultura Económica. México.

1952   *Pedro de Alvarado, conquistador de México y Guatemala.*
Fondo de Cultura Económica. México.

1953   *Popol Vuh. Las antiguas historias del Quiché.* Introducción y
notas de A. Recinos. Fondo de Cultura Económica. México.

1957   *Crónicas indígenas de Guatemala.* Editorial Universitaria. Guatemala.

REDFIELD, Robert

1960   *The little community.* University of Chicago Press. Chicago.

REDFIELD, R.; R. LINTON; M. J. HERSKOVITS

1936   "Memorandum on the study of acculturation". *American Anthropologist,* 38: 149-152. Menasha, Wisconsin.

REINA, Ruben E.

1959   *Continuidad de la cultura indígena en una comunidad guatemalteca.* Cuadernos del Seminario de Integración Social Guatemalteca. Guatemala.

1969   "Pueblo, comunidad y multicomunidad. Significado teórico de
un caso guatemalteco". *Revista Española de Antropología
Americana,* 4: 247-283. Madrid.

REINA, R. E. y John MONAGHAN
1981 "The ways of the maya. Salt production in Sacapulas, Guatemala". *Expedition,* 23 (3): 13-33. Philadelphia.

RELACION ATITLAN
1964 "Relación de Santiago Atitlán, año de 1585, por Alonso Páez Betancor y Fray Pedro de Arboleda". *Anales de la Sociedad de Geografía e Historia de Guatemala,* 37: 87-106. Guatemala.

RELACION SAN ANDRES Y SAN FRANCISCO
1969 "Estancias de San Andrés y San Francisco, sujetas al pueblo de Atitlán, año de 1580 [1585]". *Anales de la Sociedad de Geografía e Historia de Guatemala,* 42: 51-72. Guatemala.

RELACION SAN BARTOLOME
1965 "Descripción de San Bartolomé, del partido de Atitlán, año 1585". *Anales de la Sociedad de Geografía e Historia de Guatemala,* 38: 262-276. Guatemala.

RELACION ZAPOTITLAN
1955 "Descripción de la Provincia de Zapotitlán y los Suchitepéquez. Año de 1579". *Anales de la Sociedad de Geografía e Historia de Guatemala,* 28: 68-83. Guatemala.

REMESAL, Antonio de
1964 *Historia general de las Indias Occidentales y particular de la gobernación de Chiapa y Guatemala.* 2 vols. Biblioteca de Autores Españoles. Madrid.

RODRIGUEZ BECERRA, Salvador
1972 "Metodología y fuentes para el estudio de la población en Guatemala". *Atti del XL Congresso Internazionale degli Americanisti,* vol. 3 págs. 239-249. Génova.
1977 *Encomienda y conquista: Los inicios de la colonización en Guatemala.* Publicaciones del Seminario de Antropología Americana, 14. Universidad de Sevilla. Sevilla.

ROSENBLAT, Angel
1967 *La población en América en 1492. Viejos y nuevos cálculos.* El Colegio de México. México.

SAENZ DE SANTAMARIA, Carmelo
1964 *El licenciado don Francisco Marroquín. Primer obispo de Guatemala* (1499-1563). Ediciones Cultura Hispánica. Madrid.

1966 "Institucionalización de los grupos indígenas de Guatemala en el siglo XVI". *XXXVI Congreso Internacional de Americanistas. Actas y Memorias*, vol. 4 págs. 197-202. Sevilla.

1972 "La reducción a poblados en el siglo XVI en Guatemala". *Anuario de Estudios Americanos*, 29: 187-228. Sevilla.

SAMAYOA GUEVARA, Héctor H.

1957 "Historia del establecimiento de la Orden Mercedaria en el Reino de Guatemala, desde el año 1537 hasta 1632". *Antropología e Historia de Guatemala*, 9 (2): 31-42. Guatemala.

SANCHIZ OCHOA, Pilar

1976 *Los hidalgos de Guatemala. Realidad y apariencia en un sistema de valores*. Publicaciones del Seminario de Antropología Americana, 13. Universidad de Sevilla. Sevilla.

1976 "Cambio cultural dirigido en el siglo XVI: el oidor Tomás López y su planificación de cambio para los indios de Guatemala". *Ethnica*, 12: 127-148. Barcelona.

1979 "Cambio en la estructura familiar indígena: influencias de la Iglesia y la Encomienda en Guatemala". *Economía y Sociedad en los Andes y Mesoamérica* (J. Alcina, editor), págs. 169-191. Madrid.

[1981] "Españoles e indígenas: estructura social del Valle de Guatemala en el siglo XVI". *Mesoamérica*. Guatemala (en prensa).

SANDERS, William T.

1962 "Cultural ecology of Nuclear Mesoamerica". *American Anthropologist*, 64: 34-44. Washington.

SANDERS, William T. y Carson MURDY

1982 "Population and agricultural adaptation in the humid highlands of Guatemala". *The historical demography of Highland Guatemala* (Carmak, Early y Lutz, edits.), págs. 23-34. Albany, N. Y.

SCHULTZE JENA, Leonhard

1945 "La vida y las creencias de los indios quichés". *Anales de la Sociedad de Geografía e Historia de Guatemala*, 20 (1): 65-80; (2): 145-160; (3) 236-262; (4): 337-360. Guatemala.

SHERMAN, William L.

1971 "Indian slavery and the Cerrato reforms". *The Hispanic American Historical Review*, 51: 25-50. Durham, North Carolina.

1979 *Forced native labor in sixteenh-century Central America.* University of Nebraska Press. Lincoln, Nebraska.

SIEGEL, Morris

1941 "Religion in Western Guatemala: a product of acculturation". *American Anthropologist,* 43: 62-76. Menasha, Wisconsin.

1943 "The creation myth and acculturation in Acatán, Guatemala". *Journal of American Folklore,* 56: 120-126. Philadelphia.

SIMEON, Rémi

1977 *Diccionario de la lengua náhuatl o mexicana.* Siglo XXI Editores. México.

SLICHER van BATH, B. H.

1978 "The calculation of the population of New Spain, specially for the period before 1570". *Boletín de Estudios Latinoamericanos y del Caribe,* 24: 67-96. Amsterdam.

SOLANO, Francisco de

1969 "La población indígena de Guatemala, 1492-1800". *Anuario de Estudios Americanos,* 26: 279-355. Sevilla.

1972 "Autoridades indígenas y población india en la Audiencia de Guatemala en 1572". *Revista Española de Antropología Americana,* 7 (2): 133-150. Madrid.

1974 *Los mayas del siglo XVIII.* Ediciones Cultura Hispánica. Madrid.

1977 *Tierra y sociedad en el reino de Guatemala.* Editorial Universitaria. Guatemala.

STEWARD, Julian H.

1963 *Theory of culture change.* University of Illinois Press. Urbana, Illinois.

STOLL, O.

1904 "Título del barrio de Santa Ana, agosto 14, de 1565". *International Congress of Americanits. Proceedings,* vol. 14: 383-397. Stuttgart.

SUÑE, Beatriz

1979 "El corregidor del Valle de Guatemala: una institución española para el control de la población indígena". *Economía y Sociedad en los Andes y Mesoamérica* (J. Alcina, editor), págs. 153-168. Madrid.

1981 *La documentación del cabildo de Guatemala (siglo XVI) y su valor etnográfico.* Tesis Doctoral. Universidad de Sevilla.

1981 "La educación en Guatemala (siglo XVI) como un proceso de aculturación-enculturación". *Anuario de Estudios Americanos,* 38: 215-260. Sevilla.

SWEDLUND, Alan C.

1978 "Historical demography as population ecology". *Annual Review of Anthropology,* 7: 137-173. Palo Alto, California.

TAX, Sol (editor)

1952 *Heritage of Conquest: The Ethnology of Middle America.* Viking Fund Seminar of Middle American Ethnology. Glencoe, Illinois.

THOMPSON, J. Eric S.

1956 "Notes on the use of cacao in Middle America". *Notes on Middle American Archeology and Ethnology,* 5 (128): 95-116. Carnegie Institution of Washington. Washington.

1964 "Trade relations between the Maya Highlands and Lowlands". *Estudios de Cultura Maya,* 4: 13-49. México.

1966 "The Maya Central area at the Spanish conquest and later: a problem in demography". *Proceedings of the Royal Anthropological Institute of Great Britain and Ireland for* 1966, págs. 23-38. London.

1975 *Historia y religión de los mayas.* Siglo XXI Editores. México.

TITULO

1972 "An old Titulo of Santo Domingo Sacapula. Guatemala (1758)". Submitted by Lawrence H. Feldman. *Katunob* (Newsletter-bulletin), 8 (1): 70-77. Greely, Colorado.

TORQUEMADA, Juan de

Monarquía Indiana. 6 vols. UNAM. México.

VASQUEZ, Fr. Francisco

1937- *Crónica de la Provincia del Santísimo Nombre de Jesús de*
1944   *Guatemala.* 4 vols. Biblioteca "Goathemala". Guatemala.

VASQUEZ DE ESPINOSA, Antonio

1948 *Compendio y descripción de las Indias Occidentales.* The Smithsonian Institution. Washington.

VEBLEN, Thomas T.

1975   *The ecological, cultural and historical bases of forest preservation in Totonicapan, Guatemala.* Ph. D. Dissertation. University of California, Berkeley.

1982   "Native population decline in Totonicapán, Guatemala". *The historical demography of Highland Guatemala* (Carmack, Early y Lutz, edits.), págs. 81-102. Albany, N. Y.

VILLA ROJAS, Alfonso

1961   "Notas sobre la tenencia de la tierra entre los mayas de la antigüedad". *Estudios de Cultura Maya;* 1: 21-46. México.

VILLACORTA, J. Antonio

1942   *Historia de la Capitanía General de Guatemala.* Tipografía Nacional. Guatemala.

VOGET, Fred

1963   "Cultural change". *Biennial Review of Anthropology,* 1963 (B. J. Siegel, edit.), págs. 228-275. Stanford, California.

VOGT, Evon Z.

1971   "The genetic model and Maya cultural development". *Desarrollo Cultural de los Mayas* (E. Z. Vogt y A. Ruz, edits.), págs. 9-48. México.

WACHTEL, Nathan

1976   *Los vencidos. Los indios del Perú frente a la conquista española* (1530-1570). Alianza Editorial. Madrid.

WALLACE, Dwight T.

1977   "An intra-site locational analysis of Utatlan: the structure of an urban site". *Archaeology and Ethnohistory of the Central Quiche* (D. T. Wallace and R. M. Carmack, edits.), págs. 20-54. Albany, N. Y.

WALLACE, D. T. y R. M. CARMACK

1977   *Archaeology and Ethnohistory of the Central Quiche.* Institute for Mesoamerican Studies. State Unicersity of New York at Albany. Albany, N. Y.

WAUCHOPE, Robert

1938   *Modern Maya Houses.* Carnegie Institution of Washington. Publ. 502. Washington.

WEST, Robert C.

1964 "The natural regions of Middle America". *Handbook of Middle American Indians,* vol. 1 págs. 363-383. Austin.

WOLF, Eric R.

1967 "Types of Latin American Peasantry: a preliminary discussión". *Tribal and Peasant Economies* (G. Dalton, edit.), págs. 501-523. The American Museum of Natural History. New York.

1967 "Levels of communal relations". *Handbook of Middle American Indians,* vol. 6 págs. 299-316. Austin.

1971 *Los Campesinos.* Editorial Labor. Barcelona.

XIMENEZ, Fr. Francisco

1929- *Historia de la Provincia de San Vicente de Chiapa y Guatema-*
1931 *la.* 3 vols. Biblioteca "Goathemala". Guatemala.

1967 *Historia natural del Reino de Guatemala.* Editorial José de Pineda Ibarra. Guatemala.

1976 "Escolios a las Historias del Origen de los Indios" (Transcripción de C. Sáenz de Santamaría). *Estudios sobre política indigenista española en América,* vol. 2 págs. 62-68. Valladolid.

ZAVALA, Silvio

1953 *Contribución al estudio de las instituciones coloniales en Guatemala.* Edit. del Ministerio de Educación. Guatemala.

ZORITA, Alonso de

1942 *Breve y sumaria relación de los señores de la Nueva España.* UNAM. México.

ZUÑIGA CORRES, Ignacio

1968 "El origen de la Orden de la Merced en Guatemala". *Anales de la Sociedad de Geografía e Historia de Guatemala,* 41 (2-4): 432-542. Guatemala.

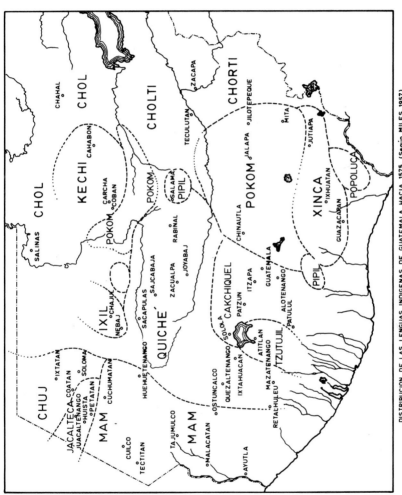

CHAHAL

CHOL

KECHI

CARCHA
COBAN

CAHABON

POKOM.

POKOM.

SALAMA
PIPIL

CHOL

CHOLTI

ZACAPA

TECULUTAN

CHORTI

JILOTEPEQUE

MITA

JUTIAPA

IXTATAN

CHUJ

JACALTECA
JUACALTENANGO

COATAN
HUISTA
PETATAN

SOLOMA

MAM

CUCHUMATAN

HUEHUETENANGO

SACAPULAS

SAJCABAJA

IXIL

NEBAJ

CHAJUL

QUICHE

ZACUALPA
RABINAL

JOYABAJ

CHINAUTLA

POKOM

JALAPA

XINCA

IXHUATAN

GUAZACAPAN

POPOLUCA

SALINAS

CHOL

CUILCO

TECTITAN

TAJUMULCO

MAM

MALACATAN

AYUTLA

OSTUNCALCO

QUEZALTENANGO
IXTAHUACAN

RETALHULEU

SOLO-A

CAKCHIQUEL

PATZUN

ITZAPA

GUATEMALA

ALOTENANGO

ATITLAN
MAZATENANGO

TZUTUJIL

PATULUL

PIPIL

DISTRIBUCION DE LAS LENGUAS INDIGENAS DE GUATEMALA HACIA 1575. (Según MILES, 1957)

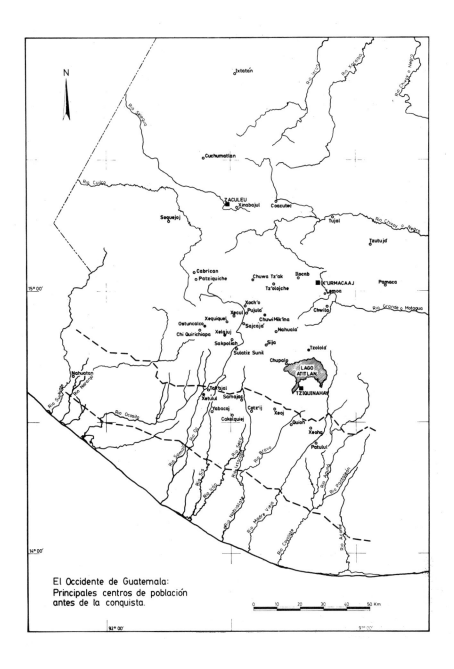

N

Ixtatán

Cuchumatlan

ZACULEU
Xinabajul   Coacutec

Sequejoj   Tujal

                                    Tzutujá

            Cabrican
            Patziquiche   Chuwa Tz'ak   Ilocab
                           Tz'olojche   K'URMACAAJ   Pamaca
                                              Lemoa
15° 00'
                           Xoch'o
                      Pujula'   Chwila'
            Xequiquel Xecul
     Ostuncalco   ChuwiMik'ina
     Chi Quirichiapa Xelajuj   Sajcaja'
            Sakpoliah   Sija   Nahuala'
                    Sulatiz Sunil   Tzoloid
                              Chupala
Nahuatan   LAGO
                      TaK'ajal   ATITLAN
     Xetulul   Samajac   TZIQUINAHAY
            Yabacoj   Cotz'ij
            Cakolquiej   Xeoj
                              Quioh
                                   Xeaha
                                   Patulul'

El Occidente de Guatemala:
Principales centros de población
antes de la conquista.

0   10   20   30   40   50 Km

92° 00'   91° 00'

14° 00'

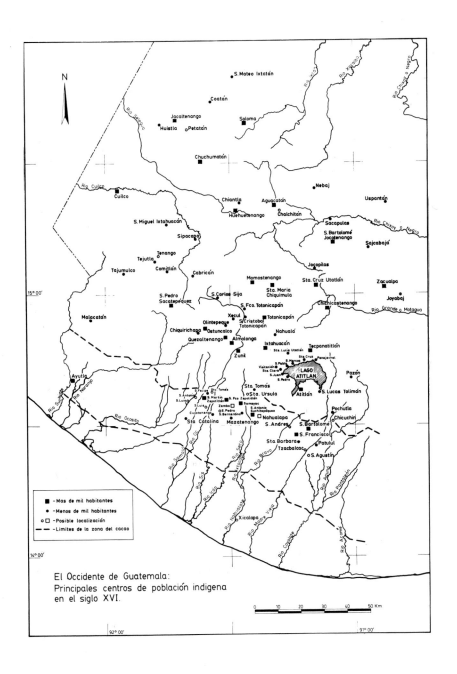

N

S. Mateo Ixtatán

Coatán

Jacaltenango
Huistla ○Petatán Soloma

Chuchumatán

Nebaj

Uspantán

Río Cuilco
Cuilco

Chiantla
Aguacatán
Huehuetenango Chalchitán

Sacapulas

S. Miguel Ixtahuacán
Sipacapa

S. Bartolomé
Jocotenango

Sajcabajá

Tenango
Tejutla
Tajumulco Comitlán

Jocopilas

Cabricán

Zacualpa

15° 00'

S. Pedro
Sacatepéquez

Malacatán

S. Carlos Sija

Momostenango

Sta. Cruz Utatlán

Joyabaj

Sta. María
Chiquimula

S. Fco. Totonicapán

Chichicastenango

Río Grande o Motagua

Xecul
S/Cristóbal
Totonicapán Totonicapán

Olintepeque
Chiquirichapa Ostuncalco
Quezaltenango Almolonga

Nahualá

Ixtahuacán Sta. Lucía Utatlán
Tecpanatitlán

Zunil

Sta. Cruz
S. Pablo Panajachel
Visitación S. Marcos
Sta. Clara
S. Juan LAGO
S. Pedro ATITLÁN

Pazón

Ayutla

Sta. Tomás ○Sta. Úrsula
Atitlán S. Lucas Tolimán

Río Suchiate
Río Naranjo

Río Ocosito

S.Felipe Sto. Tomás
S. Antonio ○
S.Luis S. Martín
Zapotitlán
S.Fco. Zapotitlán
Zambo☐ Samayac
Cuyotenango S. Pedro S.Antonio
S. Bernardino Suchitepéquez
Nahualapa
Sta. Catalina Mazatenango S. Andrés

Pochutla
Chicuchín

S. Bartolomé
S. Francisco

Sta. Bárbara Patulul
Tzacbalcac
○S. Agustín

■ -Mas de mil habitantes
● -Menos de mil habitantes
○ ☐ -Posible localización
--- -Límites de la zona del cacao

Río Samalá
Río Sis
Río Icán
Río Nahualá
Xicalapa
Río Madre Vieja
Río Coyolate
Río Acomé
Río Pantaleón
Río Bravo

14° 00'

El Occidente de Guatemala:
Principales centros de población indígena
en el siglo XVI.

0 10 20 30 40 50 Km

92° 00'

91° 00'

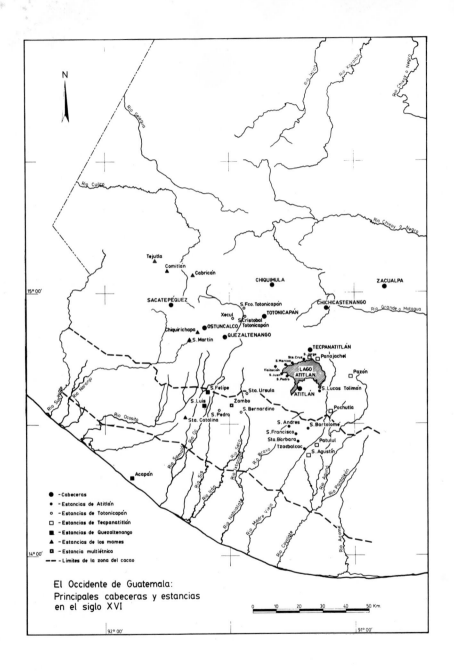

N

Tejutla
Comitlán ▲
▲ Cabricán

CHIQUIMULA

ZACUALPA

SACATEPÉQUEZ

S.Fco. Totonicapán ○
Xecul ● ○ S.Cristóbal   TOTONICAPÁN
Chiquirichapa ▲ ● OSTUNCALCO Totonicapán ○
▲ S.Martín   ● QUEZALTENANGO

CHICHICASTENANGO

Río Grande o Motagua

TECPANATITLÁN ●
Sta.Cruz ●
S.Marcos ●   □ Panajachel
Visitación ● ●   Pazón □
S.Juan ● ● LAGO
S.Pedro ● ATITLÁN
●ATITLÁN   ● S.Lucas Tolimán
Sta.Ursula
S.Felipe ●
S.Luis ○   Pochutla □
Zambo ○
Sta.Catalina ▲ S.Pedro ○ ● S.Bernardino
S.Andrés ●
S.Francisco ● ● S.Bartolomé
Sta.Barbara ● Patulul □
Tzaebalcac □ S.Agustín

Acapán ■

● = Cabeceras
• = Estancias de Atitlán
○ = Estancias de Totonicapán
□ = Estancias de Tecpanatitlán
■ = Estancias de Quezaltenango
▲ = Estancias de los mames
⊡ = Estancia multiétnica
— — = Límites de la zona del cacao

El Occidente de Guatemala:
Principales cabeceras y estancias
en el siglo XVI

0   10   20   30   40   50 Km.

15° 00'

14° 00'

92° 00'

91° 00'

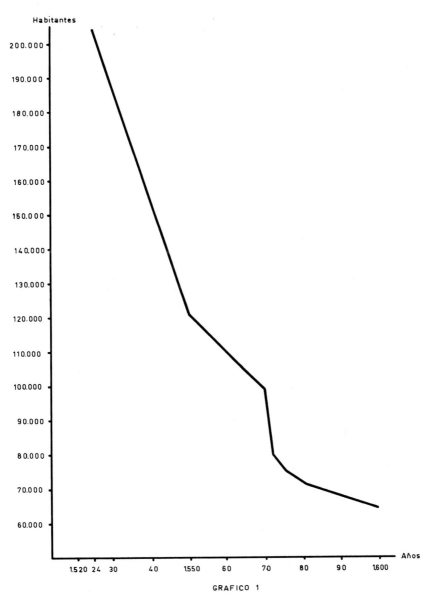

GRAFICO 1

EVOLUCION DEMOGRAFICA DEL OCCIDENTE DE GUATEMALA (1524-1600)

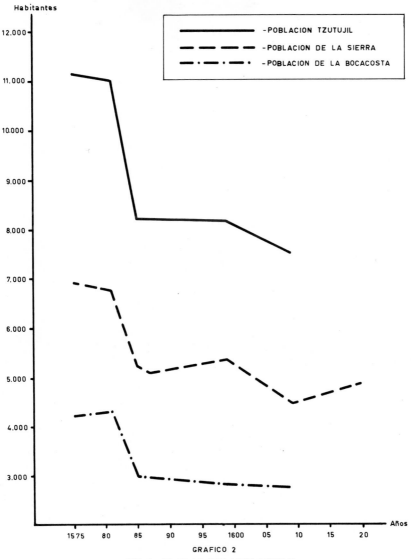

GRAFICO 2

EVOLUCION DE LA POBLACION TZUTUJIL

(1575 - 1600)

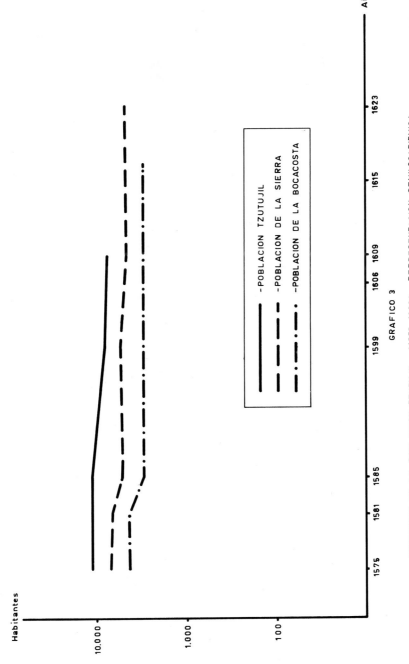

Habitantes

10.000

1.000

100

1575 1581 1585 1599 1606 1609 1615 1623 Años

-POBLACION TZUTUJIL
-POBLACION DE LA SIERRA
-POBLACION DE LA BOCACOSTA

GRAFICO 3

EVOLUCION DE LA POBLACION TZUTUJIL (1575-1600) — REPRESENTACION SEMILOGARITMICA

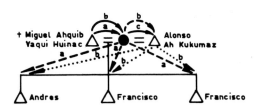

+ Miguel Ahquib Yaqui Huinac   Alonso Ah Kukumaz

Andres   Francisco   Francisco

CUADRO Nª 1

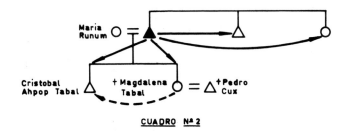

Maria Runum

Cristobal Ahpop Tabal   + Magdalena Tabal   + Pedro Cux

CUADRO Nª 2

Francisca

Baltasar

CUADRO Nª 3

→ Primer legado
➤ Segundo legado
▸ Tercer legado

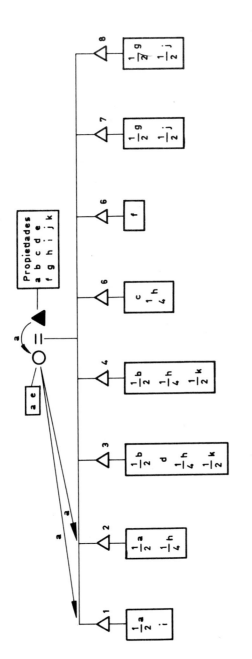

1.- Don Bernardino   5.- Serafín

2.- Don Gaspar   6.- Don Esteban

3.- Don Juliano   7.- Juan León

4.- Don Juan   8.- Francisco Lopez

Cuadro Nº 4

TESTAMENTO DE DON JERONIMO DE MENDOZA AHPOPOLAHAY

Colección de Monografías

V CENTENARIO DEL DESCUBRIMIENTO DE AMERICA

Títulos publicados:

"Los regidores perpetuos del Cabildo de Lima (1535-1821)",
de *GUILLERMO LOHMANN VILLENA*. 2 tomos.

"Martín Enríquez y la Reforma de 1568 en Nueva España",
de *ANTONIO F. GARCIA-ABASOLO*.

"La Sociedad de Panamá en el siglo XVI",
de *CARMEN MENA GARCIA*.

"Las encomiendas de la gobernación del Tucumán en
los siglos XVI, XVII y XVIII",
de *ADOLFO RODRIGUEZ JURADO*.

"Los mayas de las tierras altas en el siglo XVI. Tradición y
cambio en Guatemala",
de *ELIAS ZAMORA ACOSTA*.

En prensa:

"Santo Domingo durante el reinado de Felipe V (1700-1746).
Población y actividades económicas",
de *ANTONIO GUTIERREZ ESCUDERO*.

"El Real Tribunal de Minería de Lima",
de *MIGUEL MOLINA MARTINEZ*.

Se terminó de imprimir este libro
el día 13 de junio de 1985,
festividad de San Antonio de Padua,
en los talleres de imprenta y litografía de
GRAFICAS DEL SUR
sitos en la calle de San Eloy, 51
S E V I L L A